LA CITÉ
DES TÉNÈBRES

LA CITÉ DES ÂMES PERDUES

L'auteur

Cassandra Clare est une journaliste new-yorkaise d'une trentaine d'années. Elle a beaucoup voyagé dans sa jeunesse et lu un nombre incroyable de romans d'*horror fantasy*. C'est forte de ces influences et de son amour pour la ville de New York qu'elle a écrit la série à succès *La Cité des Ténèbres* et la genèse de celle-ci : *Les Origines*.

Dans la même série :

Cassandra Clare

La Cité
des Ténèbres

LA CITÉ DES ÂMES PERDUES

Traduit de l'anglais (États-Unis)
par Julie Lafon

POCKET JEUNESSE
PKJ·

Directeur de collection :
Xavier d'Almeida

Titre original :
City of Lost Souls
Livre 5 de *La Cité des Ténèbres*

Loi n° 49 956 du 16 juillet 1949 sur les publications
destinées à la jeunesse : mai 2014.

First published in 2012 by Margaret K. McElderry Books
An imprint of Simon & Schuster Children's Publishing Division, New York.
Copyright © 2012 by Cassandra Clare, LLC.

© 2014, éditions Pocket Jeunesse, département d'Univers Poche,
pour la présente édition.

ISBN : 978-2-266-25304-8

À Nao, Tim, David et Ben

Jamais un homme ne choisit le mal pour le mal.
Il le confond simplement avec le bonheur, le bien auquel il aspire.

Mary Wollstonecraft

Prologue

Simon contemplait sa maison d'un air hébété.

Il n'en avait jamais connu d'autre. C'était là que ses parents l'avaient ramené à sa naissance, là qu'il avait grandi. Là que, l'été, il avait joué dans la rue à l'ombre des arbres et, l'hiver, improvisé des luges avec les couvercles des poubelles. Là que sa famille avait observé la shiv'ah[1] après la mort de son père. C'était aussi là qu'il avait embrassé Clary pour la première fois.

Il n'aurait jamais imaginé qu'un jour, cette porte lui serait fermée. La dernière fois qu'il avait vu sa mère, elle l'avait traité de monstre et elle avait récité des prières pour le chasser. Au moyen d'un charme, il était parvenu à lui faire oublier qu'il était un vampire, mais pour combien de temps ? Il lui suffisait de regarder cette porte pour avoir la réponse à sa question.

Elle était désormais protégée par une multitude de symboles et d'objets de culte juifs : étoiles de David peintes, *haï* gravé dans le bois, *tefillin* attachés à la

---

1. Période de deuil observée dans le judaïsme. *(N.d.T.)*

9

poignée et au heurtoir. Une main de Fatma masquait le judas.

Comme un automate, il posa la main sur la *mezouzah* fixée sur l'encadrement. La peau en contact avec l'objet saint se mit à fumer, mais il ne sentait rien hormis un terrible vide, qui laissa bientôt place à une rage sourde.

Il donna un coup de pied dans la porte, et l'entendit résonner dans toute la maison.

— Maman ! cria-t-il. Maman, c'est moi !

Pour toute réponse, le verrou grinça. Grâce à son ouïe très développée, il avait identifié le pas de sa mère et sa respiration, mais elle garda le silence. Il pouvait même sentir l'odeur âcre de sa peur à travers le bois.

— Maman ! (Sa voix se brisa.) Maman, c'est ridicule ! Laisse-moi entrer ! C'est moi, Simon !

La porte trembla, comme si elle tapait dedans.

— Va-t'en ! cria-t-elle d'une voix rauque, que la terreur rendait méconnaissable. Assassin !

— Je n'ai jamais tué personne. Je te l'ai déjà dit. Je bois du sang d'animaux.

Simon appuya la tête contre la porte. Il aurait peut-être dû l'enfoncer, mais à quoi bon ?

— Tu as tué mon fils, dit-elle. Tu l'as tué et tu as mis un monstre à sa place.

— C'est moi, ton fils...

— Tu as pris son visage et sa voix, mais ce n'est pas toi ! Tu n'es pas Simon ! rugit-elle. Va-t'en de chez moi sinon je te tuerai, espèce de monstre !

— Qu'est-ce que tu as raconté à Becky ?

Il toucha son visage et s'aperçut qu'il pleurait des larmes de sang.

— Ne t'approche pas d'elle !

Simon entendit du bruit de l'autre côté de la porte, comme si elle venait de faire tomber quelque chose.

— Maman, répéta-t-il, mais cette fois, seul un murmure étranglé franchit ses lèvres.

Sa main commençait à l'élancer.

— J'ai besoin de savoir, reprit-il. Est-ce que Becky est là ? Maman, ouvre la porte. Je t'en prie...

— Ne t'approche pas de Becky !

Il entendit ses pas s'éloigner, puis la porte de la cuisine s'ouvrir avec ce grincement reconnaissable entre tous, le craquement de ses chaussures sur le lino, et enfin le bruit d'un tiroir que l'on ouvre. Il l'imagina en train de prendre un couteau. Cette idée lui glaça le sang. Si elle s'en prenait à lui, la Marque l'anéantirait comme elle avait anéanti Lilith.

Il recula lentement en trébuchant sur les marches du perron, tituba sur le trottoir, se cogna contre le tronc d'un des grands arbres qui ombrageaient la rue. Puis il s'arrêta pour contempler la porte de sa maison défigurée par les symboles de la haine que sa mère lui vouait.

Non, elle ne le détestait pas. Elle le croyait mort. Elle haïssait une créature qui n'existait pas. « Je ne suis pas celui qu'elle croit. »

Il serait resté là longtemps, les yeux fixés sur cette porte, si son téléphone ne s'était pas mis à sonner dans la poche de son manteau.

En prenant l'appareil d'un geste mécanique, il s'aperçut que le motif de la *mezouzah* – des étoiles de

David imbriquées les unes dans les autres – s'était imprimé sur la paume de sa main.

— Allô ?

— Simon ? (C'était Clary, qui semblait hors d'haleine.) Où es-tu ?

— Chez moi, dit-il.

Après un silence, il ajouta d'une voix atone :

— Chez ma mère. Pourquoi tu n'es pas rentrée à l'Institut ? Tout va bien ?

— Justement, après ton départ, Maryse est revenue du toit, où Jace était censé attendre. Il n'y avait personne.

Sans réfléchir, Simon se dirigea vers la station de métro.

— Comment ça ?

— Jace a disparu, répondit-elle avec une angoisse sourde dans la voix. Et Sébastien aussi.

Simon s'arrêta sous un arbre dénudé.

— Mais Sébastien est mort, Clary...

La voix de Clary se brisa.

— Alors explique-moi pourquoi son corps n'est pas là-bas ! Il y a plein de sang et des éclats de verre par terre. Ils ont disparu, Simon. Jace a disparu...

Première partie

Mauvais ange

L'amour est un esprit malin ; l'amour est un démon ; il n'y a pas d'autre mauvais ange que l'amour.

William Shakespeare, *Peines d'amour perdues*

1

Le dernier Conseil

— **Il** va falloir attendre encore longtemps pour le verdict, à ton avis ? demanda Clary.

Il lui semblait qu'elles patientaient depuis une éternité. Il n'y avait pas d'horloge dans la chambre rose et noir d'Isabelle, où s'amoncelaient pêle-mêle vêtements, livres et armes près d'une coiffeuse encombrée de produits de maquillage et de brosses à cheveux. Ses tiroirs ouverts débordaient de nuisettes en dentelle, de bas résille et de boas en plume. L'endroit n'était pas sans rappeler les coulisses de *La Cage aux folles* mais, ces deux dernières semaines, Clary avait passé suffisamment de temps dans ce désordre scintillant pour s'y sentir à l'aise.

Debout près de la fenêtre, Isabelle tenait Church dans ses bras et lui caressait la tête d'un air absent tandis qu'il l'observait d'un œil torve. Dehors, le ciel de novembre se déchaînait et la pluie tapait contre les vitres.

— Non, répondit-elle. Cinq minutes, peut-être.

Sans maquillage, elle avait l'air plus jeune et ses yeux sombres semblaient plus grands.

Assise sur le lit entre une pile de magazines et un tas de poignards séraphiques, Clary sentit un goût de bile monter dans sa gorge. « Je reviens dans cinq minutes. » C'étaient les derniers mots qu'elle avait dits à Jace. Et à présent, elle en venait à se demander si elle le reverrait un jour.

Elle se rappelait ce moment dans les moindres détails. Le jardin sur le toit. Cette nuit d'octobre cristalline, ces étoiles blanches clignotant sur un ciel noir sans nuages. Les runes peintes sur le carrelage maculé d'ichor et de sang. Le baiser de Jace, seul réconfort dans cet environnement glacé. L'anneau des Morgenstern autour de son cou. « L'amour qui meut le soleil et les autres étoiles. » Elle lui avait lancé un dernier regard avant que l'ascenseur ne s'enfonce dans les entrailles de l'immeuble. Puis elle avait retrouvé le reste de la bande dans le hall, embrassé sa mère, Luke et Simon, mais comme chaque fois, une part d'elle-même était restée là-haut avec Jace, sur ce toit dominant les lumières froides de la ville.

Maryse et Kadir avaient été les premiers à prendre l'ascenseur pour examiner les vestiges du rituel de Lilith. Une dizaine de minutes s'étaient écoulées avant que Maryse ne redescende seule. Quand la porte s'était ouverte et que Clary avait vu son visage livide et anxieux, elle avait compris.

La suite s'était déroulée comme dans un rêve. Les Chasseurs d'Ombres rassemblés dans le hall s'étaient précipités vers Maryse en dégainant leurs poignards séraphiques, et des explosions de lumière blanche avaient troué l'obscurité comme des flashs d'appareils photo illuminant la scène d'un crime. Tout en se frayant un chemin jusqu'à Maryse, Clary avait entendu des bribes de son récit : le jardin sur le toit désert, Jace volatilisé, les débris de verre du cercueil de Sébastien éparpillés çà et là, les traces de sang encore fraîches sur le piédestal.

Les Chasseurs d'Ombres avaient rapidement convenu de quadriller les environs de l'immeuble. Magnus s'était tourné vers Clary pour lui demander si elle avait sur elle un objet appartenant à Jace. Sans un mot, elle lui avait donné l'anneau des Morgenstern puis elle s'était réfugiée dans un coin pour appeler Simon. Elle venait juste de raccrocher quand la voix d'un Chasseur d'Ombres s'était élevée au-dessus des autres. « Une rune de filature ? Mais ça ne marche qu'avec les vivants. Avec tout ce sang par terre, il est peu probable... »

Ç'avait été le coup de grâce. Le choc conjugué à la fatigue et à une hypothermie prolongée l'avaient fait tourner de l'œil. Sa mère l'avait rattrapée in extremis. Ensuite, tout était devenu flou. Elle s'était réveillée le lendemain matin dans son lit chez Luke, le cœur battant, avec la certitude d'avoir fait un cauchemar.

Mais alors qu'elle se levait péniblement du lit, les bleus sur ses bras et ses jambes lui avaient conté une tout autre histoire, et elle s'était aperçue qu'elle ne portait plus sa bague autour du cou. Après avoir enfilé un jean et un sweat à capuche, elle s'était rendue dans le salon. Là, elle avait trouvé Jocelyne, Luke et Simon assis sur le canapé, la mine lugubre. Elle n'avait même pas besoin de poser la question, malgré tout elle avait demandé :

— Ils l'ont retrouvé ? Il est rentré ?

Jocelyne s'était levée.

— Non, ma chérie, il est toujours porté disparu…

— Mais il n'est pas mort ? Ils n'ont pas retrouvé le corps ? Non… il n'est pas mort. Je l'aurais senti.

Simon lui avait tenu la main pendant que Luke racontait ce qu'ils savaient. La mauvaise nouvelle, c'était que le sang trouvé sur le piédestal appartenait bien à Jace. La bonne, qu'il y en avait moins qu'il n'y paraissait ; il s'était mélangé à l'eau contenue dans le cercueil. On estimait désormais que Jace avait peut-être survécu à ce qui s'était passé.

— Mais qu'est-ce qui s'est passé ? s'était-elle écriée.

L'air sombre, Luke avait secoué la tête.

— On n'en sait rien, Clary.

Elle avait senti son sang se glacer dans ses veines.

— Je veux aider. Je veux me rendre utile. Je ne veux pas rester sans rien faire alors que Jace a disparu.

— Oh, n'aie crainte, avait dit Jocelyne d'un ton morne. L'Enclave va te convoquer.

Clary s'était levée. Il lui semblait qu'une couche de glace invisible recouvrait ses muscles et ses articulations.

— Très bien. Je leur dirai tout ce qu'ils veulent pourvu qu'ils retrouvent Jace.

— Tu leur diras tout ce qu'ils veulent parce qu'ils ont l'Épée Mortelle, avait dit Jocelyne, l'air désemparé. Oh, ma chérie. Je suis vraiment désolée.

Et après avoir répété le même témoignage pendant deux semaines, Clary attendait dans la chambre d'Isabelle que le Conseil prononce sa sentence. Elle se souvenait encore de la sensation qu'elle avait éprouvée en touchant l'Épée mortelle. C'était comme si de minuscules crochets s'insinuaient sous sa peau pour lui arracher la vérité. Agenouillée dans le cercle des Étoiles Diseuses, elle avait tout avoué. Valentin avait invoqué Raziel et cette dernière lui avait volé le pouvoir de le contrôler en effaçant son propre nom sur le sable pour le remplacer par le sien. L'Ange lui avait offert un vœu, et elle lui avait demandé de ramener Jace d'entre les morts. Lilith avait pris possession de l'esprit de Jace et projetait de se servir du sang de Simon pour ressusciter Sébastien, en qui elle voyait un fils. Grâce à la Marque de Caïn, Simon avait détruit Lilith, et ils avaient tous cru que Sébastien n'était plus une menace.

Avec un soupir, Clary alluma son téléphone pour consulter l'heure.

— Ça fait une heure qu'ils sont enfermés là-dedans, c'est normal ? C'est plutôt mauvais signe, non ?

Isabelle reposa Church par terre et alla s'asseoir sur le lit à côté de Clary. Elle semblait encore plus mince que d'habitude (comme Clary, elle avait maigri au cours des deux dernières semaines) mais elle n'avait rien perdu de son élégance, avec son pantalon cigarette noir et son haut moulant en velours gris. Son mascara, qui avait coulé, aurait dû lui donner l'air d'un raton laveur ; au lieu de quoi, elle ressemblait à une actrice. Elle s'étira en faisant tinter ses bracelets en electrum.

— Non, ça signifie juste qu'ils ont plein de choses à se dire. (Elle fit tourner l'anneau des Lightwood à son doigt.) Ça va aller. Tu n'as pas enfreint la Loi. C'est tout ce qui compte.

Clary poussa un autre soupir. Même la présence réconfortante d'Isabelle ne pouvait rien contre le froid qui s'insinuait jusque dans ses veines. Elle savait bien qu'en principe elle n'avait enfreint aucune loi, mais elle sentait aussi que les dignitaires de l'Enclave étaient furieux. Les Chasseurs d'Ombres n'avaient pas le droit de ressusciter les morts. Elle avait conscience d'avoir accompli quelque chose d'énorme car, par la suite, elle avait convenu avec Jace de n'en parler à personne.

Maintenant, leur secret n'en était plus un et l'Enclave était sous le choc. Clary n'aurait pas été étonnée qu'ils décident de la punir, ne serait-ce que pour les conséquences désastreuses de son choix. Et quelque part, elle en venait à espérer qu'ils le fassent. Qu'ils lui rompent les os, qu'ils lui arrachent les ongles, que les Frères Silencieux s'immiscent dans son esprit. C'était une sorte de pacte avec le diable : elle acceptait de souffrir tant que Jace revenait sain et sauf. De fait, elle se serait sentie moins coupable de l'avoir laissé seul sur ce toit, bien qu'Isabelle et les autres lui aient répété cent fois qu'elle était ridicule, que tout le monde l'avait cru en sécurité là-haut, et que si elle était restée, elle aussi serait sans doute portée disparue.

— Arrête, dit Isabelle.

Pendant un instant, Clary se demanda si c'était à elle ou au chat qu'elle parlait. Comme souvent lorsqu'on le négligeait, Church s'était allongé sur le dos, les quatre pattes en l'air, et il faisait le mort dans l'espoir de culpabiliser ses maîtres. Mais Isabelle, repoussant ses cheveux noirs en arrière, foudroya

Clary du regard, et cette dernière comprit que c'était à elle que s'adressait sa réprimande.

— Quoi ?

— Arrête de te flageller. Tu n'es pas responsable de sa… disparition.

La voix d'Isabelle trembla comme un vinyle rayé. Elle n'avait encore jamais fait allusion à la mort possible de Jace ; Alec et elle refusaient d'envisager cette éventualité. Par ailleurs, elle n'avait jamais reproché à Clary d'avoir gardé un secret aussi énorme. À vrai dire, et en dépit de tout, elle était son plus ardent soutien. Tous les jours, quand elles se retrouvaient devant la porte de la Salle du Conseil, elle prenait fermement Clary par le bras pour braver les Chasseurs d'Ombres assemblés autour d'elles. Elle attendait la fin des interminables interrogatoires en jetant des regards noirs à tous ceux qui osaient risquer un coup d'œil dans la direction de Clary. Étant toutes deux plus à l'aise avec les garçons qu'avec les filles, elles n'avaient jamais été très proches. Pourtant, Isabelle restait toujours aux côtés de Clary, qui en était aussi surprise que reconnaissante.

— Je ne peux pas m'en empêcher, dit Clary. Si au moins on me laissait faire quelque chose, je ne me sentirais pas aussi coupable.

— Pas sûr, fit Isabelle.

Elle semblait épuisée. Ces deux dernières semaines, elle avait patrouillé avec Alec, parfois jusqu'à seize heures d'affilée. En apprenant qu'on lui interdisait de participer aux recherches jusqu'à ce que le Conseil ait décidé de la sanction à prendre contre elle, Clary avait fait un trou dans la porte de sa chambre en y donnant un coup de pied.

— Par moments, j'ai l'impression que ça ne sert à rien, poursuivit Isabelle en soupirant.

Clary sentit son sang se glacer.

— Tu crois qu'il est mort, c'est ça ?

— Non, pas du tout. Ce que je veux dire, c'est qu'ils ne sont plus à New York.

— Mais l'Enclave a dépêché des patrouilles ailleurs, pas vrai ?

Oubliant que l'anneau des Morgenstern ne s'y trouvait plus, Clary porta la main à sa gorge. Magnus essayait toujours de retrouver la trace de Jace, bien qu'aucun sortilège n'ait fonctionné jusque-là.

— Oui, bien sûr.

L'air intrigué, Isabelle désigna la clochette en argent qui avait remplacé la bague au cou de Clary.

— Qu'est-ce que c'est ?

Clary hésita. La clochette était un cadeau de la reine de la Cour des Lumières. Non, ce n'était pas tout à fait exact : la souveraine ne faisait jamais de cadeaux. Cette clochette était seulement un moyen de l'appeler à l'aide. À mesure que les jours passaient sans nouvelles de Jace, Clary se surprenait à toucher l'objet de plus en plus souvent. La seule raison qui l'empêchait de s'en servir, c'était la certitude que la reine ne lui donnerait rien sans une contrepartie.

La porte s'ouvrit, lui épargnant de répondre. Les deux adolescentes se redressèrent brusquement, et Clary saisit l'un des coussins roses à paillettes.

— Hello...

Une silhouette mince s'avança dans la pièce. Alec, le frère aîné d'Isabelle, portait la tenue officielle du Conseil, une robe noire brodée de runes en fil d'argent, à présent ouverte sur son jean et son tee-shirt noir à manches longues. Tout ce noir lui donnait l'air encore plus pâle et faisait ressortir ses yeux d'un bleu limpide. Il avait les cheveux raides et bruns comme sa sœur, coupés au carré.

Le cœur de Clary se mit à tambouriner dans sa poitrine. Alec semblait contrarié. Les nouvelles étaient forcément mauvaises.

Ce fut Isabelle qui prit la parole.

— Comment ça s'est passé ? demanda-t-elle doucement. Quel est le verdict ?

Alec s'assit devant la coiffeuse à califourchon sur la chaise et fit face aux deux filles. En d'autres circonstances, la scène aurait été comique : Alec était très grand, avec de longues jambes de danseur, et à le voir ainsi recroquevillé sur son siège, on aurait dit un géant dans une maison de poupée.

— Clary, c'est Jia Penhallow qui a prononcé le verdict. Ils t'ont déclarée non coupable. Tu n'as pas enfreint la Loi, et Jia estime que tu as été assez punie comme ça.

Isabelle laissa échapper un soupir et sourit. Pendant un bref moment, Clary éprouva un réel soulagement. Elle ne serait donc pas enfermée dans la Cité Silencieuse, d'où elle ne pourrait être d'aucune aide à Jace. Luke en tant que représentant des loups-garous au Conseil, avait assisté au verdict et promis d'appeler Jocelyne dès la fin de la réunion, mais Clary se rua sur son téléphone : la perspective d'annoncer enfin une bonne nouvelle à sa mère était trop tentante.

— Attends, Clary, dit Alec.

Il faisait toujours une tête d'enterrement. Elle reposa son téléphone et demanda :

— Qu'est-ce qu'il y a ?

— Ce n'est pas ton verdict qui leur a pris autant de temps. Ils ont eu un autre sujet de discussion.

Clary frissonna.

— Jace ?

— Pas exactement. (Alec se pencha vers elle en se retenant au dossier de sa chaise.) Tôt ce matin, ils ont reçu un rapport de l'Institut de Moscou. Les boucliers de l'Île Wrangel ont été endommagés hier. Ils ont envoyé une équipe pour les réparer, mais le fait qu'ils soient restés désactivés aussi longtemps... c'est une priorité pour le Conseil.

Ces boucliers qui, d'après ce que Clary avait compris, formaient une espèce de barrière magique, avaient été installés par la première génération de Chasseurs d'Ombres tout autour de la Terre. Même si certains démons parvenaient à les franchir, ils tenaient éloignés la majorité d'entre eux, épargnant aux humains une invasion de grande ampleur. Jace lui avait expliqué qu'autrefois il n'y avait pas beaucoup d'intrusions et qu'elles étaient facilement endiguées. « Mais depuis peu, ils sont de plus en plus nombreux à franchir les boucliers », avait-il ajouté.

— C'est bien triste, observa Clary, mais je ne vois pas le rapport avec...

— L'Enclave a ses priorités, l'interrompit Alec. Ces deux dernières semaines, ils se sont focalisés sur la disparition de Jace et de Sébastien. Mais ils ont passé le Monde Obscur au peigne fin sans retrouver la moindre trace d'eux. Les sortilèges de filature de Magnus n'ont pas marché. Élodie, la femme qui a élevé le véritable Sébastien Verlac, affirme que personne n'a essayé d'entrer en contact avec elle. Nos espions n'ont pas relevé d'activité inhabituelle parmi les membres connus de l'ancien Cercle de Valentin. Enfin, les Frères Silencieux n'ont pas pu déterminer de manière exacte ce que le rituel de Lilith était censé accomplir, ni s'il a réussi. Ils s'accordent à penser que Sébastien – bien sûr, ils l'appellent Jonathan quand ils parlent de lui – a kidnappé Jace, mais ça, on l'avait déjà deviné.

— Et alors ? lança Isabelle. Qu'est-ce que ça signifie ? Qu'ils vont poursuivre les recherches ? Multiplier les effectifs ?

Alec secoua la tête.

— Ce n'est plus une priorité, expliqua-t-il calmement. En deux semaines, ils n'ont rien trouvé. Les équipes spécialement dépêchées depuis Idris vont être rappelées. L'affaire des boucliers apparaît plus urgente. Sans oublier les négociations délicates au sujet de la réformation des Lois, l'établissement d'un nouveau Conseil, la nomination d'un Consul et d'un Inquisiteur, à la détermination d'un statut différent pour les Créatures Obscures... Bref, ils ne veulent pas se disperser.

Clary ouvrit de grands yeux.

— Ils ont peur que la disparition de Jace les détourne de leurs lois stupides et poussiéreuses ? Ils laissent tomber ?

— Mais non, ils…

Isabelle interrompit sèchement son frère.

— Alec !

Alec poussa un soupir et enfouit le visage dans ses mains. Comme Jace, il avait de longs doigts couverts de cicatrices. Un œil – la Marque des Chasseurs d'Ombres – était tatoué sur le dos de sa main droite.

— Clary, pour toi – pour nous –, ce qui importe, c'est de retrouver Jace. Pour l'Enclave, c'est de retrouver Sébastien. Il représente une menace. Il a détruit les boucliers d'Alicante. C'est un meurtrier. Jace…

— … n'est qu'un Chasseur d'Ombres parmi tant d'autres, reprit Isabelle. Il en meurt tous les jours.

— Il bénéficie d'un certain privilège pour avoir été un héros pendant la Guerre Mortelle, dit Alec. Mais en définitive, l'Enclave a été très claire : dans l'immédiat, on attend. Tant que Sébastien ne se sera pas manifesté, les recherches pour retrouver Jace passeront au second plan. Ils veulent qu'on reprenne une vie normale.

Une vie normale ? Clary n'en croyait pas ses oreilles. Une vie normale sans Jace ?

— C'est ce qu'ils nous ont dit après la mort de Max, lâcha Isabelle, les yeux étincelants de colère. Qu'on surmonterait notre chagrin plus vite si on reprenait une vie normale.

— C'est censé être un bon conseil, marmonna Alec.

— Va dire ça à papa. Il est rentré d'Idris pour assister à la réunion ?

Alec secoua la tête.

— Non. Si ça peut te consoler, beaucoup de monde était d'avis qu'il faut se focaliser sur les recherches. Magnus, évidemment, Luke, le Consul Penhallow et même Frère Zachariah. Mais en fin de compte, ça n'a pas suffi.

Clary regarda fixement Alec.

— Alec, dit-elle. Tu ne ressens rien ?

Le regard d'Alec s'assombrit et, l'espace d'un instant, Clary se remémora le garçon qui la haïssait à son arrivée à l'Institut, le garçon aux ongles rongés et aux sweat-shirts troués qui semblait ne jamais devoir changer d'avis sur elle.

— Je sais que tu es inquiète, Clary, dit-il d'un ton cassant, mais si tu insinues qu'Isa et moi, on se soucie moins de Jace que toi...

— Pas du tout. Je parle de ton lien privilégié avec lui, en tant que *parabatai*. J'ai lu le chapitre sur la cérémonie dans le Codex. En devenant *parabatai*, vous vous êtes liés l'un à l'autre. Ce que je voulais dire, c'est... tu sens s'il est toujours vivant ?

— Clary. (Isabelle semblait soucieuse.) Je croyais que tu...

— Il est vivant, répondit Alec d'un ton circonspect. Tu penses que je serais aussi calme si je le croyais mort ? Ce qui est sûr, c'est que quelque chose ne va pas, mais il respire encore.

— Est-ce que tu insinuerais qu'il est retenu prisonnier ? demanda Clary d'une petite voix.

Alec regarda par la fenêtre la pluie tomber.

— Peut-être. Je n'arrive pas à l'expliquer. Je n'ai jamais rien ressenti de tel.

— Mais il est vivant.

— Oui, ça, j'en suis sûr.

— Alors le Conseil peut aller se faire voir ! On le retrouvera tout seuls.

— Clary... si c'était possible... tu ne crois pas qu'on aurait déjà...

— Jusqu'à présent, on a fait ce que l'Enclave nous demandait, intervint Isabelle. Des patrouilles, des recherches. Mais il y a d'autres moyens.

— D'autres moyens d'enfreindre la Loi, tu veux dire, lâcha son frère.

Il semblait dubitatif. Clary espérait qu'il n'allait pas répéter la devise des Chasseurs d'Ombres au regard de la Loi : *Dura lex, sed lex.* « La Loi est dure, mais c'est la Loi. » Elle n'était pas sûre de pouvoir le supporter.

— La reine de la Cour des Lumières m'a fait un cadeau le soir du feu d'artifice à Idris. Elle m'a donné un moyen de la contacter.

Le souvenir de cette nuit et du bonheur d'alors lui serra le cœur, et elle marqua une pause pour reprendre son souffle.

— La reine n'agit jamais de manière désintéressée.

— Je sais. Quoi qu'il arrive, j'assumerai les conséquences de ma décision.

Clary se souvint des paroles de la fée qui lui avait remis la clochette. « Tu ferais n'importe quoi pour le sauver. Quoi qu'il t'en coûte, quoi que tu puisses devoir aux cieux ou à l'enfer. »

— Je voudrais juste que l'un de vous m'accompagne. Je ne suis pas très douée pour interpréter le langage des fées. Si vous venez avec moi, on peut au moins limiter les dégâts.

— Je viens, dit Isabelle tout à trac.

Alec lança un regard réprobateur à sa sœur.

— On a déjà discuté avec leur peuple. Le Conseil les a interrogés plusieurs fois et ils sont incapables de mentir.

— Le Conseil leur a demandé s'ils savaient où se trouvaient Jace et Sébastien, objecta Clary. Pas s'ils étaient d'accord pour les chercher. La reine savait pour mon père, elle savait pour l'ange qu'il avait invoqué et fait prisonnier, elle savait la vérité sur mes origines et sur celles de Jace. Je crois qu'il ne se passe pas grand-chose qui échappe à sa vigilance.

— C'est vrai ! s'exclama Isabelle, un peu ragaillardie. Alec, tu sais bien qu'avec eux, il faut poser les bonnes questions pour obtenir des informations intéressantes. Ce n'est pas facile de les interroger, même s'ils sont obligés de dire la vérité. Mais une faveur de la reine, c'est différent.

— Et c'est synonyme de grand danger, marmonna-t-il. Si Jace apprenait que Clary veut aller trouver la reine, il...

— Je m'en fiche, dit Clary. Il ferait la même chose pour moi. Ose prétendre le contraire. Si c'était moi qui avais disparu...

— Il remuerait ciel et terre jusqu'à ce qu'il t'ait retrouvée, je sais, admit Alec d'un ton las. Bon sang, tu crois que ça me plaît de me tourner les pouces ? J'essaie juste de...

— Jouer ton rôle de grand frère ? répliqua Isabelle. On avait compris.

Alec semblait à deux doigts de perdre son sang-froid.

— S'il t'arrivait quelque chose, Isabelle... après Max et Jace...

Isabelle se leva et prit son frère dans ses bras. Leurs chevelures, qui avaient la même nuance, s'entremêlèrent tandis qu'Isabelle lui glissait quelques mots à l'oreille. Clary les observa non sans envie. Elle avait toujours rêvé d'avoir un frère. Et elle en avait un, désormais. Sébastien. C'était un peu réclamer un chiot et recevoir à la place Cerbère, le gardien des Enfers. Le cœur serré, elle regarda Alec tirer affectueusement sur la crinière de sa sœur et s'écarter d'elle avec un hochement de tête.

— On devrait tous y aller, dit-il enfin. Mais avant, il faut au moins que j'en informe Magnus. Ce serait injuste de ne pas le mettre dans la confidence.

— Tu veux mon téléphone ? suggéra Isabelle en lui tendant son appareil rose.

Alec secoua la tête.

— Il attend en bas avec les autres. Il faudra aussi donner une bonne excuse à Luke, Clary. Je suis sûr qu'il va vouloir te ramener chez lui. Et à l'entendre, ta mère se rend malade avec cette histoire.

— Elle s'en veut à cause de Sébastien, dit Clary qui se leva. Elle se sent coupable de lui avoir donné la vie, alors même qu'elle a pleuré sa mort pendant des années.

— Ce n'est pas sa faute, protesta Isabelle. (Elle prit son fouet sur une patère et l'enroula autour du poignet comme un bracelet scintillant.) Personne ne la blâme.

— Ça ne change rien quand on s'en veut à soi-même, observa Alec.

Tous trois traversèrent en silence le dédale de couloirs de l'Institut où, fait curieux, ils croisaient à présent quantité de Chasseurs d'Ombres. La plupart d'entre eux appartenaient aux unités spéciales dépêchées par Idris pour gérer la situation. Ils ne semblaient pas vraiment leur prêter attention. Clary avait tant de fois entendu murmurer : « C'est la fille de Valentin ! » que, les premiers temps, elle craignait de se montrer à l'Institut. Mais la curiosité avait fini par s'émousser.

Ils prirent l'ascenseur pour descendre au rez-de-chaussée ; dans la nef brillamment éclairée, ils retrouvèrent leurs proches et les membres du Conseil. Luke et Magnus étaient en train de deviser, assis sur un banc. À côté de Luke, une grande femme aux yeux bleus, qui lui ressemblait beaucoup, les écoutait. Elle s'était bouclé les cheveux, et elle avait teint en brun ses mèches grises, mais Clary la reconnut sur-le-champ : c'était Amatis, la sœur de Luke.

En voyant Alec, Magnus se leva et marcha à sa rencontre. Isabelle sembla reconnaître quelqu'un derrière les piliers et s'éloigna, comme à son habitude, sans prendre la peine de dire où elle allait. Clary se dirigea vers Luke et sa sœur ; ils paraissaient tous deux fatigués, et Amatis tapotait l'épaule de son frère d'un geste compatissant. Il se leva pour serrer Clary dans ses bras et Amatis la félicita d'avoir été innocentée par le Conseil. La jeune fille répondit par un hochement de tête distrait ; elle avait l'esprit ailleurs, et réagissait comme un automate.

Du coin de l'œil, elle observa Alec et Magnus lancés dans une grande discussion en tête-à-tête. Elle se réjouissait de les voir heureux, tout en ayant le cœur serré. Elle se demandait si elle aurait de nouveau droit au même bonheur. Elle entendait encore Jace lui murmurer : « Je ne veux que toi. »

— Allô Clary ? Ici la Terre, dit Luke. Tu veux que je te ramène ? Ta mère a hâte de te retrouver, et elle aimerait voir Amatis avant son départ pour Idris demain. J'ai pensé qu'on pourrait tous dîner dehors. Tu choisis le restaurant.

Il essayait de masquer son inquiétude, mais Clary l'entendait dans sa voix. Elle ne mangeait pas beaucoup ces derniers temps et elle commençait à nager un peu dans ses vêtements.

— Je n'ai pas vraiment le cœur à la fête, répondit-elle. J'ai appris que le Conseil avait décidé de faire passer Jace au second plan.

— Clary, ça ne veut pas dire qu'ils vont cesser les recherches, objecta Luke.

— Je sais. Mais… c'est un peu comme quand on t'annonce qu'il n'y a plus d'espoir de retrouver des survivants, et qu'on va chercher les corps. Ça fait le même effet. (Elle avala péniblement sa salive.) J'avais plutôt prévu d'aller dîner chez Taki's avec Isabelle et Alec…

Amatis jeta un coup d'œil vers la porte.

— Il tombe des cordes.

Clary esquissa un sourire crispé.

— Je ne suis pas en sucre.

Luke lui glissa un billet dans la main, visiblement soulagé qu'elle sorte avec ses amis.

— Promets-moi juste de manger quelque chose, dit-il.

— D'accord.

Malgré la culpabilité qui la tenaillait, elle parvint à lui sourire et tourna les talons.

Magnus et Alec n'étaient plus à l'endroit où ils se tenaient quelques instants plus tôt. Jetant un regard alentour, Clary aperçut la longue chevelure noire d'Isabelle. Debout près de la lourde porte de l'Institut, elle était en pleine conversation. Clary se dirigea vers elle et eut un choc en reconnaissant Aline Penhallow. Elle avait fait couper ses mèches brunes et soyeuses juste au-dessus des épaules. Une troisième fille, mince et blonde, se tenait près d'elle. Ses cheveux rassemblés en queue-de-cheval laissaient voir ses oreilles légèrement pointues. Elle portait la robe du Conseil et en se rapprochant, Clary s'aperçut que ses yeux bleu-vert avaient une couleur et un éclat particuliers qui lui donnèrent envie de retrouver ses crayons de couleur pour la première fois depuis deux semaines.

— Ce doit être bizarre, avec ta mère qui vient d'être nommée Consul, disait Isabelle quand Clary les rejoignit. Non pas que Jia soit meilleure que… Hé, Clary ! Aline, tu te souviens de Clary ?

Les deux filles échangèrent un signe de tête. Un jour, Clary avait surpris Aline en train d'embrasser Jace. Sur le moment, ç'avait été horrible, mais ce souvenir ne la blessait plus. À vrai dire, elle en était au stade où elle aurait été soulagée de trouver Jace en train de donner un baiser à une autre. Au moins, elle aurait su qu'il était vivant.

— Et voici la copine d'Aline, Helen Blackthorn, ajouta Isabelle en insistant sur le mot « copine ».

Clary lui jeta un regard noir. La prenait-elle pour une idiote ? Elle se rappelait parfaitement qu'Aline lui avait confessé avoir embrassé Jace à titre d'expérience, afin de vérifier si elle aimait les garçons. Apparemment, la réponse était non.

— La famille d'Helen dirige l'Institut de Los Angeles. Helen, je te présente Clary Fray.

— La fille de Valentin ? s'exclama Helen, à la fois surprise et un peu impressionnée.

Clary fit la grimace.

— J'essaie de ne pas trop y penser.

— Désolée. Je comprends pourquoi, dit Helen en rougissant.

Elle avait un teint très pâle et légèrement nacré.

— Au fait, j'ai voté pour que le Conseil donne la priorité sur Jace, poursuivit-elle. C'est dommage qu'on n'ait pas été majoritaires.

— Merci.

Désireuse de changer de sujet, Clary se tourna vers Aline.

— Félicitations pour la nomination de ta mère. Ce doit être assez excitant.

Aline haussa les épaules.

— Elle est beaucoup plus occupée, maintenant. Isabelle, tu savais que ton père a postulé pour être Inquisiteur ?

Cette dernière se figea.

— Non. Non, je ne savais pas.

— Ça m'a étonnée, reprit Aline. Je le croyais très investi dans la direction de l'Institut...

Elle s'interrompit pour lancer un coup d'œil derrière Clary.

— Helen, je crois que ton frère essaie de battre le record de la plus grosse flaque de cire fondue. Tu devrais aller lui dire deux mots.

La jeune fille poussa un soupir d'exaspération et, en pestant à mi-voix contre les garçons de douze ans, disparut dans la foule au moment où Alec les rejoignait. Il serra Aline dans ses bras. (Clary oubliait parfois que les Penhallow et les Lightwood se connaissaient depuis des années.)

— C'est ta copine ?

Aline hocha la tête.

— Helen Blackthorn.

— J'ai entendu dire qu'ils avaient du sang de fée dans la famille, lança Alec.

« Ah, c'est donc ça », songea Clary. Voilà qui expliquait les oreilles pointues. Le sang de Nephilim étant toujours dominant, l'enfant d'une fée et d'un Chasseur d'Ombres devenait forcément un Chasseur d'Ombres, mais les autres gènes se manifestaient parfois de façon curieuse, et sautaient des générations.

— Oui, un peu, dit Aline. Écoute, Alec, je tenais à te remercier.

Alec parut étonné.

— Pourquoi ?

— Après t'avoir vu embrasser Magnus dans la Salle des Accords, j'ai trouvé le courage de parler à mes parents... de ma préférence pour les filles. Si je ne l'avais pas fait, quand j'ai connu Helen, je ne crois pas que j'aurais eu le cran de dire quoi que ce soit.

— Oh.

Alec semblait perplexe, comme s'il n'avait jamais songé à l'impact que pouvaient avoir ses actes sur des personnes extérieures à sa famille.

— Et tes parents... ils l'ont bien pris ?

Aline leva les yeux au ciel.

— Ils font l'autruche, et s'imaginent que du moment qu'on n'en parle pas, ça n'existe pas. Mais ça pourrait être pire.

Clary se rappela ce qu'avait dit Isabelle concernant l'attitude de l'Enclave à l'égard de ses membres homosexuels.

— Oui, ça pourrait être pire, lâcha Alec et, en entendant le ton de sa voix, Clary ne put s'empêcher de le dévisager.

Une expression compatissante se peignit sur le visage d'Aline.

— Je suis désolée, dit-elle. Si tes parents ne sont pas...

— Ça ne leur pose pas de problème, intervint Isabelle un peu trop sèchement.

— Dans tous les cas, le moment était mal choisi pour en parler. Vous devez être tellement inquiets pour Jace ! soupira Aline. On vous a probablement dit beaucoup de bêtises à son sujet, comme quand les gens veulent meubler la conversation. Je... je voulais quand même vous raconter quelque chose.

Elle s'écarta tandis qu'un Chasseur d'Ombres passait près d'eux et poursuivit en baissant la voix :

— Alec, Isa... Je me souviens d'un jour où vous étiez venus nous voir à Idris. J'avais treize ans et Jace... devait en avoir douze, il me semble. Il voulait voir la forêt de Brocelinde, alors on a emprunté des chevaux pour s'y rendre. Évidemment, on s'est perdus. Cette forêt est impénétrable. Il faisait de plus en plus sombre, les bois s'épaississaient, et j'étais terrifiée. Je croyais que nous allions mourir là. Mais Jace n'a pas eu peur un seul instant. Il était sûr et certain que nous retrouverions notre chemin. Ça nous a pris des heures, mais on a réussi. Il nous a sortis de là. Je n'arrêtais pas de le remercier, et il me regardait comme si j'étais folle. Pour lui, c'était une évidence qu'on s'en soit tirés. Échouer n'était pas envisageable. Ce que je veux dire... c'est qu'il retrouvera son chemin jusqu'à vous. J'en suis sûre.

Clary n'aurait jamais cru voir Isabelle pleurer un jour, mais à l'évidence, elle s'efforçait de retenir ses larmes car ses yeux brillaient de façon suspecte. Quant à Alec, il fixait ses chaussures. Clary sentit monter en elle une vague de tristesse qu'elle eut toutes les peines du monde à surmonter ; elle ne pouvait pas penser à Jace quand il avait douze ans, elle ne pouvait pas se l'imaginer perdu dans les bois sans songer à lui maintenant, alors qu'il était retenu prisonnier quelque part et qu'il l'attendait. Voyant que ni Alec ni Isabelle ne pouvaient parler, elle dit simplement :

— Merci, Aline.

Aline eut un sourire timide.

— Je le pense vraiment.

— Aline !

Helen s'avança en tenant fermement par le poignet un jeune garçon aux mains tachées de cire bleue. Il avait dû jouer avec les cierges des grands candélabres qui ornaient le transept. Âgé d'une douzaine d'années, il avait un sourire espiègle et les mêmes incroyables yeux bleu-vert que sa sœur ; en revanche, il avait les cheveux châtain foncé.

— Nous voilà. On devrait peut-être y aller avant que Jules ne mette le feu. Sans oublier que je ne sais pas où sont passés Tibs et Livvy.

— La dernière fois que je les ai vus, ils mangeaient de la cire, déclara Jules d'un ton jovial.

— Oh non, gémit Helen. Ne faites pas attention à moi, ajouta-t-elle d'un air contrit. J'ai six frères et sœurs plus jeunes et un frère plus âgé. C'est toujours la pagaille.

Jules regarda tour à tour Alec, Isabelle et Clary.

— Et vous, vous avez combien de frères et sœurs ?

Helen pâlit, mais Isabelle répondit d'une voix remarquablement calme :

— Nous sommes trois.

Le regard de Jules se posa sur Clary.

— Vous ne vous ressemblez pas du tout.

— Je n'ai pas de lien de parenté avec eux, expliqua-t-elle. Moi, je suis fille unique.

— Ah bon ?

L'incrédulité se peignit sur le visage du garçon, comme si elle venait de lui confesser qu'elle avait les pieds palmés.

— C'est pour ça que tu as l'air si triste ?

Le visage de Sébastien, avec ses yeux noirs et ses cheveux presque blancs, s'imprima dans l'esprit de Clary. « Si seulement, pensa-t-elle. Si seulement je n'avais pas de frère, rien de tout ça ne serait arrivé. » Une bouffée de haine réchauffa son sang glacé.

— Oui, répondit-elle doucement. C'est pour ça.

2
Épines

Simon attendait Clary, Alec et Isabelle à la porte de l'Institut, sous le porche de pierre qui le protégeait du plus gros de l'averse. En l'apercevant, Clary remarqua que la pluie avait plaqué ses cheveux bruns sur son front. Il l'interrogea du regard.

— Non coupable, annonça-t-elle.

Comme il esquissait un sourire, elle ajouta :

— Mais ils ont décidé que retrouver Jace n'était plus une priorité. Je... je suis à peu près sûre qu'ils le croient mort.

Simon baissa les yeux vers ses vêtements trempés – un jean et un tee-shirt gris sur lequel était inscrit : « CLEARLY I HAVE MADE SOME BAD DECISIONS[1] » – et secoua la tête.

— Je suis désolé.

— C'est bien le genre de l'Enclave, lâcha Isabelle. Il ne fallait pas s'attendre à autre chose de leur part.

— *Basia coquum*, dit Simon. Ou quelle que soit leur devise.

---

1. « Visiblement, j'ai pris de mauvaises décisions. »

— C'est *Facilis descensus Averni* : « Facile est la descente aux enfers », corrigea Alec. Là, tu viens de dire : « Embrasse le cuisinier. »

— Je savais bien que Jace se fichait de moi, maugréa Simon.

Il repoussa ses cheveux d'un geste impatient, et Clary entrevit la Marque de Caïn sur son front.

— Et maintenant ? dit-il.

— On va rendre visite à la reine de la Cour des Lumières, répondit Clary.

Elle parla à Simon de la venue de Kaelie à la réception de Luke et de Jocelyne, et de l'aide que la reine lui avait promise.

Simon parut dubitatif.

— La dame rousse désagréable qui t'a forcée à embrasser Jace ? Je ne l'aime pas.

— C'est tout ce que tu as retenu d'elle ? Le fait qu'elle ait forcé Clary à embrasser Jace ? s'exclama Isabelle d'un ton agacé. La reine de la Cour des Lumières est dangereuse. Ce jour-là, elle était d'humeur joueuse. D'habitude, son passe-temps avant le petit-déjeuner, c'est de rendre quelques humains fous à lier.

— Je ne suis plus humain, répliqua Simon. (Il jeta un bref regard à Isabelle, baissa les yeux puis se tourna vers Clary.) Tu veux que je vienne avec toi ?

— Oui, je pense que ce serait pas mal. Vampire diurne, Marque de Caïn... même la reine peut se laisser impressionner par ce genre de choses.

— Je ne parierais pas là-dessus, intervint Alec.

Clary jeta un coup d'œil derrière lui.

— Où est Magnus ?

— Il préfère qu'on y aille sans lui. Apparemment, la reine et lui se connaissent bien.

Isabelle leva les sourcils.

— Ce n'est pas ce que tu crois, dit Alec avec irritation. Il a eu maille à partir avec elle. Mais, ajouta-t-il à mi-voix, vu sa façon d'éluder mes questions, je ne serais pas surpris qu'il se soit passé quelque chose entre eux.

— Alec...

Isabelle resta en arrière pour parler à son frère, et Clary ouvrit le parapluie imprimé de dinosaures que Simon lui avait acheté quelques années plus tôt au Musée d'histoire naturelle. Il eut une expression amusée en le reconnaissant.

— Et si on marchait un peu ? proposa-t-il en offrant son bras à la jeune fille.

La pluie tombait avec régularité en formant de petites rigoles dans les caniveaux et les taxis filaient en éclaboussant les trottoirs. Simon s'étonna que la sensation d'être mouillé soit toujours aussi désagréable bien qu'il ne sente plus le froid. Il jeta un coup d'œil à Alec et à Isabelle ; Isabelle évitait son regard depuis qu'elle était sortie de l'Institut. Visiblement, elle avait besoin de parler à son frère et, au moment où ils s'arrêtaient au coin de Park Avenue, il l'entendit lui demander :

— Alors, qu'est-ce que tu penses du fait que papa ait postulé pour être Inquisiteur ?

— J'en pense qu'il y a plus drôle comme boulot. Je ne comprends pas pourquoi il s'y intéresse.

Isabelle avait ouvert son parapluie. Il était transparent avec des fleurs multicolores. C'était un des accessoires les plus girly que Simon ait vus, et il ne pouvait pas blâmer Alec de préférer rester sous la pluie.

— Je m'en fiche, de ses raisons ! siffla-t-elle. S'ils acceptent sa candidature, il passera tout son temps à Idris. Il ne peut pas à la fois diriger l'Institut et être l'Inquisiteur.

— Au cas où tu ne l'aurais pas remarqué, Isa, il passe déjà tout son temps à Idris.

— Alec...

Simon n'entendit pas la suite car le feu venait de passer au vert, et la voix d'Isabelle fut noyée sous le bruit des voitures qui démarraient. Clary évita de justesse un geyser et faillit se cogner à Simon. Il lui prit la main pour l'empêcher de tomber.

— Désolée, murmura-t-elle. Je n'ai pas fait attention.

Sa main semblait si froide et si petite dans la sienne !

— Je sais, dit-il en s'efforçant de masquer son inquiétude.

Elle ne « faisait pas attention » à grand-chose ces derniers temps. D'abord, elle avait beaucoup pleuré, ensuite elle s'était mise en colère parce qu'elle ne pouvait pas participer aux recherches, parce que le Conseil ne cessait de la soumettre à des interrogatoires, parce qu'elle devait rester enfermée chez elle depuis que l'Enclave la soupçonnait. C'était surtout contre elle-même qu'elle était furieuse : pourquoi n'avait-elle pas été capable de trouver la moindre rune utile ? Elle restait assise à son bureau des nuits entières, et Simon avait peur qu'elle casse sa stèle en deux à force de la serrer dans ses doigts. Elle essayait de se forger une image mentale de l'endroit où se trouvait Jace. Mais soir après soir, rien ne se passait.

Alors qu'ils pénétraient dans le parc par une brèche dans le mur d'enceinte, il lui trouva l'air plus âgé. Elle avait tellement changé depuis cette soirée dans ce club où leur vie avait basculé ! Elle avait grandi, mais pas seulement. Son expression était plus sérieuse, il y avait plus de grâce et de force dans sa démarche, son regard vert était plus déterminé. Elle commençait à ressembler à Jocelyne, songea-t-il avec surprise.

Clary fit halte dans une clairière ; là, les branches des arbres bloquaient le plus gros de la pluie, et les filles adossèrent leur parapluie à un tronc. Clary défit la chaîne autour de son cou et déposa la clochette dans la paume de sa main. Elle les regarda à tour de rôle d'un air solennel.

— C'est un projet risqué, et je suis à peu près sûre qu'une fois ma décision prise, je ne pourrai pas revenir en arrière. Alors si l'un d'entre vous ne veut pas venir avec moi, ce n'est pas grave. Je comprendrai.

Simon s'avança vers elle et posa sa main sur la sienne. Il n'avait pas besoin de réfléchir. Où qu'elle aille, il irait. Ils avaient vécu trop de choses ensemble pour qu'il en soit autrement. Isabelle l'imita, puis Alec ; des gouttes de pluie perlaient comme des larmes au bout de ses longs cils noirs, mais il semblait résolu. Tous quatre se tinrent fermement la main, et Clary fit tinter la clochette.

Elle eut soudain l'impression que le monde se mettait à tourner autour d'elle. Ce n'était pas la même sensation que de franchir un Portail et d'être précipité au cœur d'un tourbillon, non, c'était plutôt comme être assis sur un manège qui tourne de plus en plus vite. Elle commençait à avoir le vertige et la respiration coupée quand l'illusion cessa brusquement, et qu'elle se retrouva de nouveau debout, les mains de ses trois amis posées sur la sienne.

Elle regarda autour d'elle. Ils étaient déjà venus dans ce tunnel scintillant qui semblait avoir été creusé dans de l'œil de tigre, cette variété de quartz aux tons jaunes et bruns. Le sol était lisse, usé par des millénaires d'allées et venues. Une lumière douce émanait des fragments d'or incrustés dans les parois, et au bout du tunnel un rideau multicolore se balançait comme sous l'effet d'une brise légère. En se rapprochant, Clary vit qu'il était cousu de papillons, dont certains étaient encore en vie : c'étaient leurs mouvements qui agitaient le rideau comme un souffle d'air.

Ravalant le goût acide dans sa gorge, elle cria :

— Ohé ? Y a quelqu'un ?

Le rideau s'écarta, et le chevalier-elfe Meliorn s'avança dans le tunnel. Il portait toujours son armure blanche, mais un sigil[1] représentant le C du Conseil ornait maintenant sa poitrine. Il avait une cicatrice récente juste en dessous de l'œil. Il jeta un regard glacial à Clary.

---

1. Un sigil, « signe cabalistique » ou sceau, est une figure graphique qui, en magie, représente un être ou une intention magique. (*N.d.T.*)

— On ne signale pas sa présence à la reine de la Cour des Lumière avec un « ohé » barbare comme si on hélait une vulgaire servante. La formule de circonstance est : « Bien le bonjour. »

— Mais je ne sais même pas si elle est là, protesta Clary.

Meliorn la dévisagea avec mépris.

— Si la reine était absente ou qu'elle n'était pas disposée à te recevoir, cette clochette ne t'aurait menée nulle part. Maintenant suis-moi, et dis à tes compagnons d'en faire autant.

Clary fit signe aux autres de la suivre et, à l'exemple de Meliorn, franchit le rideau en rentrant les épaules pour ne pas toucher les ailes des papillons.

Ils pénétrèrent dans les appartements de la reine. Clary constata avec surprise qu'ils avaient beaucoup changé depuis sa dernière visite. La reine était allongée sur un divan blanc et or, et à ses pieds, le carrelage noir et blanc formait un immense échiquier. De grosses épines acérées étaient suspendues au plafond par des lianes, et sur chacune d'elles était empalé un feu follet dont la lumière, d'ordinaire aveuglante, vacillait à mesure que ses forces s'amenuisaient. La pièce baignait dans cette clarté étrange.

Meliorn alla se poster à côté de la reine ; à l'exception du chevalier, la pièce était vide de tout courtisan. La souveraine se redressa lentement sur sa couche. Elle était plus belle que jamais avec sa robe diaphane rebrodée d'argent et d'or et ses cheveux cuivrés qu'elle lissa sur son épaule d'albâtre tout en les regardant. Clary se demanda pourquoi elle se donnait toute cette peine pour être séduisante. La seule personne susceptible d'être émue par sa beauté, c'était Simon. Or il la détestait.

— Soyez les bienvenus, Nephilim, et toi aussi, vampire, dit-elle en inclinant la tête. Alors, fille de Valentin, quel bon vent t'amène ?

Clary ouvrit la main, et la clochette tinta dans sa paume comme une accusation.

— Vous m'avez envoyé votre servante me proposer votre aide.

— Et tu m'as répondu que tu ne voulais rien de moi, répliqua la reine. Que tu avais tout ce que tu désirais.

Clary s'efforça désespérément de se rappeler ce que Jace avait dit lors de leur précédente audience avec la reine des fées, sa façon de la flatter et de la charmer. C'était comme s'il avait soudain acquis un nouveau vocabulaire. Elle jeta un coup d'œil à Alec et à Isabelle mais, d'un geste agacé, celle-ci lui fit signe de répondre.

— Les choses changent, dit Clary.

La reine étira voluptueusement ses jambes.

— Très bien. Qu'est-ce que tu veux de moi ?

— J'aimerais que vous retrouviez Jace Lightwood.

Dans le silence qui suivit, elle perçut les gémissements sourds des feux follets à l'agonie. Enfin, la reine reprit la parole :

— Il faut que tu nous prêtes bien des pouvoirs pour t'imaginer que nous pourrions réussir là où l'Enclave a échoué.

— L'Enclave veut retrouver Sébastien. Moi, il ne m'intéresse pas. C'est Jace que je veux. Et puis, je vous soupçonne d'en savoir beaucoup plus que vous ne le laissez croire. Vous l'aviez prédit. Personne d'autre ne s'en était douté, et je ne crois pas que vous m'auriez fait parvenir cette clochette la nuit même de la disparition de Jace si vous n'aviez pas su que quelque chose se préparait.

— Peut-être, fit la reine en admirant ses ongles de pied scintillants.

— J'ai remarqué que les fées disent souvent « peut-être » quand elles cherchent à cacher une vérité. Ça leur évite de faire une réponse directe.

— Peut-être, répéta la reine avec un sourire narquois.

— « Éventuellement », ça marche aussi, suggéra Alec.

— Ou « possiblement », ajouta Isabelle.

— Je ne vois pas ce qui vous gêne avec « peut-être », intervint Simon. C'est un peu moderne, mais on comprend le message.

La reine balaya ces remarques du geste qu'elle aurait eu pour chasser un essaim d'abeilles bourdonnant autour d'elle.

— Je n'ai pas confiance en toi, fille de Valentin. Il fut un temps où j'avais besoin de tes services, mais cette époque est révolue. Meliorn a sa place au Conseil. Je ne crois pas que tu aies quoi que ce soit à m'offrir.

— Si c'était vraiment ce que vous pensiez, vous ne m'auriez jamais donné cette clochette, protesta Clary.

Pendant quelques instants, elles se défièrent du regard. La reine était belle mais, derrière sa beauté, il y avait quelque chose qui suscitait chez Clary la même répulsion que les os d'un petit animal blanchissant au soleil.

— Très bien, dit la reine au terme d'un long silence. Je peux peut-être t'aider. Mais j'exige une récompense.

— Incroyable, marmonna Simon, les mains dans les poches et le regard haineux.

Alec ricana, et les yeux de la reine étincelèrent. Un instant plus tard, Alec recula avec un gémissement de frayeur. Il tendit les mains devant lui et, horrifié, il les vit se rider et se recroqueviller. Son dos s'arrondit, ses cheveux blanchirent, le bleu de ses yeux s'éteignit et ils s'enfoncèrent dans leurs orbites. Clary étouffa un cri. Un vieillard voûté et tremblotant se tenait maintenant à la place du jeune homme.

— Comme la beauté des mortels se fane vite ! s'exclama la reine d'un air triomphant. Regarde-toi, Alexander Lightwood. Je te donne un aperçu de toi-même dans quelques dizaines d'années. Que pensera ton sorcier de ton apparence ?

Alec se mit à respirer péniblement. Isabelle se précipita pour le prendre par le bras.

— Alec, ce n'est rien. Ce n'est qu'un charme. (Elle se tourna vers la reine.) Arrêtez ! Arrêtez ça !

— Si toi et les tiens acceptez de me traiter avec davantage de respect, j'y réfléchirai peut-être.

— Oui, répondit vivement Clary. Veuillez excuser notre comportement grossier.

— Ton Jace me manque, lâcha la reine d'un ton dédaigneux. De vous tous, il était le plus beau et le plus courtois.

— Il nous manque aussi, dit Clary à mi-voix. Nous n'avions pas l'intention de vous manquer de respect. Le chagrin rend parfois les humains désagréables.

— Mmm, fit la reine.

Elle claqua des doigts, et Alec, pâle et hébété, retrouva son apparence initiale. La reine lui jeta un regard condescendant et reporta son attention sur Clary.

— Je voudrais récupérer deux bagues qui appartenaient jadis à mon père. Elles ont été fabriquées par les fées et détiennent un grand pouvoir. Elles nous permettent de communiquer par l'esprit, comme le font vos Frères Silencieux. Je tiens de source sûre qu'en ce moment, elles se trouvent à l'Institut.

— Je me rappelle avoir vu deux bagues dans une vitrine à l'étage de la bibliothèque, dit Isabelle après une hésitation.

— Vous voulez que je vole quelque chose à l'Institut ? demanda Clary, étonnée.

Parmi tous les services que la reine aurait pu exiger d'elle, elle n'avait pas envisagé celui-ci.

— Ce n'est pas voler que de rendre un objet à son propriétaire, objecta la reine.

— Et en échange, vous retrouverez Jace ? Ne me dites pas « peut-être ». Que ferez-vous exactement ?

— Je t'aiderai à le retrouver. Je te donne ma parole que mes informations te seront très utiles. Je peux t'expliquer, par exemple, pourquoi vos sortilèges de filature n'ont pas fonctionné. Je peux te révéler dans quelle ville tu auras le plus de chances de le trouver...

— Mais l'Enclave vous a interrogée, l'interrompit Simon. Comment vous avez fait pour leur mentir ?

— Ils ne m'ont pas posé les bonnes questions.

Isabelle enfonça le clou.

— Pourquoi leur dissimuler des choses ? demanda-t-elle. De quel côté êtes-vous ?

— Je n'ai pas choisi de camp. Jonathan Morgenstern pourrait être un allié puissant si je n'en fais pas un ennemi. Pourquoi le mettre en danger ou m'attirer ses foudres si je n'en retire aucun bénéfice pour mon peuple ? Nous existons depuis des temps immémoriaux ; nous ne prenons pas de décisions à la légère, et nous attendons de savoir dans quelle direction souffle le vent.

— Et ces bagues ont suffisamment de valeur à vos yeux pour risquer de le mettre en colère ? s'enquit Alec.

La reine se contenta d'esquisser un sourire indolent, chargé de promesses.

— Je crois que cela suffit pour aujourd'hui, annonça-t-elle. Rendez-moi les bagues et nous en reparlerons.

Clary hésita puis regarda tour à tour Alec, puis Isabelle.

— Vous êtes d'accord pour cambrioler l'Institut ?

— Si ça permet de retrouver Jace, répondit Isabelle.

Alec hocha la tête.

— Je ferai tout ce qu'il faudra.

Clary se tourna de nouveau vers la reine, qui attendait sa réponse.

— Marché conclu.

La reine sourit d'un air satisfait.

— Au revoir, petits Chasseurs d'Ombres. Et un avertissement, bien que vous n'ayez rien fait pour le mériter. Vous devriez peut-être réfléchir à l'opportunité de votre quête. Car, comme c'est souvent le cas lorsqu'on perd un objet précieux, votre ami ne sera peut-être pas dans l'état où vous l'avez laissé quand vous le retrouverez.

Il était presque onze heures quand Alec s'arrêta devant l'appartement de Magnus à Greenpoint. Isabelle l'avait persuadé de dîner avec eux chez Taki's et, malgré ses réticences initiales, il était content d'avoir cédé. Après ce qui s'était passé à la Cour des Lumières, il avait besoin de quelques heures pour retrouver une emprise sur ses émotions. Il ne voulait pas que Magnus devine que le charme employé par la reine l'avait bouleversé.

Il n'avait plus besoin de sonner à l'interphone. Il possédait une clé, et cela faisait sa fierté sans qu'il puisse s'expliquer pourquoi. Il déverrouilla la porte et gravit l'escalier après avoir croisé le voisin. Alec n'avait jamais vu les occupants du loft du rez-de-chaussée auparavant, mais ils semblaient empêtrés dans une histoire d'amour tumultueuse. Un jour, il avait vu un tas d'affaires jetées sur le seuil avec un message scotché sur l'étiquette d'une veste à l'intention « d'un menteur qui passe son temps à mentir ». Aujourd'hui, il y avait un bouquet de fleurs fixé à la poignée de la porte et, glissée entre deux tiges, une carte sur laquelle était écrit : « Pardon. » C'était un lieu commun à New York d'en savoir trop sur ses voisins.

La porte de Magnus était entrouverte, et des notes de musique parvenaient dans le couloir. Ce jour-là, c'était Tchaïkovski. Alec sentit ses épaules se détendre en refermant la porte derrière lui. Il ne savait jamais à quoi ressemblerait la décoration en entrant : ces

derniers temps, Magnus avait opté pour le minima-
lisme avec des canapés blancs, des tables gigognes
rouge vif et des photos de Paris en noir et blanc accrochées au mur. D'une manière générale, Alec commençait à se sentir ici chez lui. Il y retrouvait les odeurs
qu'il associait à Magnus : encre, eau de Cologne, thé
Lapsang Souchong, et l'odeur de sucre brûlé de la
magie. Il prit dans ses bras le Président Miaou, qui
somnolait sur un rebord de fenêtre, et se dirigea vers
le bureau.

Magnus leva les yeux à son entrée. Il était vêtu avec
une sobriété inhabituelle d'un jean et d'un tee-shirt
noir. Il avait les cheveux ébouriffés à force de les
repousser constamment, et ses yeux de chat accusaient
la fatigue. Il posa son stylo en souriant.

— Le Président t'aime bien.

— Il aime n'importe qui du moment qu'on le gratte
derrière les oreilles, dit Alec en changeant de bras
pour porter le chat assoupi, dont les ronronnements
se répercutaient dans sa poitrine.

Magnus s'adossa à sa chaise et s'étira en bâillant.
La table était encombrée de feuilles de papier couvertes de pattes de mouche et d'innombrables varia-
tions du dessin retrouvé sur le sol du toit, à l'endroit
où Jace avait disparu.

— Comment était la reine ? s'enquit-il.

— Semblable à elle-même.

— Elle vous a donc fait son numéro de garce.

— C'est à peu près ça.

Alec lui résuma ce qui s'était passé à la Cour des
Lumières. Il était doué pour relater un événement
avec un minimum de mots. Il ne comprenait pas ces

gens qui bavassaient sans cesse, ni même le goût de Jace pour les jeux de mots complexes.

— Je m'inquiète pour Clary, dit Magnus. J'ai bien peur qu'elle soit en train de perdre pied.

Alec déposa sur la table le Président Miaou, qui se roula en boule et se rendormit aussitôt.

— Elle veut retrouver Jace. Qui peut l'en blâmer ?

Magnus sourit à Alec et, glissant un doigt dans un passant de son jean, il l'attira contre lui.

— Tu insinues que tu ferais la même chose s'il s'agissait de moi ?

Tournant la tête, Alec examina le papier que Magnus venait de repousser devant lui.

— Tu travailles toujours sur ces symboles et ces formules ?

Magnus s'écarta, l'air un peu déçu.

— Il y a bien une clé quelque part. Une langue ancienne que je n'ai pas encore étudiée. C'est une très vieille magie noire qui est à l'œuvre ici, une magie que je n'avais encore jamais rencontrée. (Il scruta de nouveau la feuille de papier, la tête penchée sur le côté.) Tu peux aller me chercher la boîte en argent qui est là-bas ?

Alec suivit des yeux la direction du doigt de Magnus et aperçut une petite boîte posée à l'extrémité de la grande table en bois. Il la prit pour l'examiner. On aurait dit une commode miniature avec quatre pieds et un couvercle bombé, sur lequel des diamants formaient les initiales W.S.

« W comme Will ? » songea-t-il. « Will ? Bon Dieu, c'était il y a longtemps », avait répondu Magnus quand il l'avait questionné au sujet du prénom que

Camille avait mentionné pour le taquiner. Il se mordit la lèvre.

— Qu'est-ce que c'est ?

— Une tabatière, répondit Magnus sans lever les yeux. Je te l'ai déjà dit. C'était un objet très populaire au dix-septième et au dix-huitième siècle. Maintenant je m'en sers pour ranger des bricoles.

Il tendit la main et Alec déposa la boîte au creux de sa paume.

— Tu ne t'es jamais demandé... commença Alec puis il se reprit : Est-ce que ça te chiffonne que Camille ait disparu dans la nature ?

« Par ma faute », ajouta-t-il en son for intérieur, mais il se garda de formuler sa pensée tout haut. Magnus n'avait pas besoin de savoir.

— C'est sa grande spécialité, répondit celui-ci. Je sais que ça n'a pas réjoui l'Enclave, mais moi, je suis habitué au fait qu'elle vive sa vie sans prendre la peine de me contacter. Si ça m'a contrarié un jour, il y a longtemps que ça ne me touche plus.

— Mais tu l'as aimée autrefois.

Magnus caressa les diamants du bout des doigts.

— C'est ce que je croyais, en tout cas.

— Et elle, est-ce qu'elle t'aime encore ?

— Je ne crois pas, répondit sèchement Magnus. Elle ne s'est pas montrée très agréable la dernière fois que je l'ai vue. Cela s'explique peut-être par le fait que j'ai un petit ami de dix-huit ans doté d'une rune de vigueur, et pas elle.

— Je... je conteste cette description, bredouilla Alec. Je ne suis pas un homme-objet.

— Elle a toujours été jalouse.

Magnus sourit. Il était diablement doué pour changer de sujet, songea Alec. Magnus avait clairement laissé entendre qu'il n'aimait pas parler de ses amours passées. Au cours de la conversation, l'impression de familiarité et de confort qu'Alec avait éprouvée en arrivant s'était évanouie. Magnus avait beau avoir l'air jeune – et en ce moment même, avec ses cheveux hirsutes et ses pieds nus, il paraissait dix-huit ans – un océan infranchissable d'années les séparait.

Magnus ouvrit la boîte, prit quelques punaises à l'intérieur pour fixer sur la table la feuille de papier qu'il examinait. Quand il eut terminé, il leva les yeux et, en voyant l'expression d'Alec, il se rembrunit.

— Tu te sens bien ?

Au lieu de répondre, Alec lui prit les mains et le força à se lever. Magnus se laissa faire en l'interrogeant du regard. Avant qu'il ait pu dire quoi que ce soit, Alec l'attira contre lui et l'embrassa en le plaquant contre le bureau, ce qui ne fut pas pour lui déplaire.

— Viens, lui dit Alec à l'oreille. Il est tard. Allons nous coucher.

Magnus jeta un coup d'œil vers la paperasse étalée sur le bureau.

— Pourquoi tu ne vas pas t'allonger ? Je te rejoins dans cinq minutes.

— D'accord, à tout de suite.

Alec se redressa en sachant parfaitement que quand Magnus s'absorbait dans ses recherches, cinq minutes pouvaient facilement devenir cinq heures.

— Chut.

Clary posa un doigt sur ses lèvres et fit signe à Simon de lui passer devant pour entrer chez Luke. Toutes les lumières étaient éteintes, et le salon était plongé dans l'obscurité.

Elle poussa Simon vers sa chambre et alla à la cuisine se servir un verre d'eau. À mi-chemin, elle s'arrêta net en entendant la voix anxieuse de sa mère dans le couloir. Si Clary vivait un vrai cauchemar depuis que Jace avait disparu, il en allait de même pour sa mère. Savoir que son fils vivait quelque part et qu'il était capable de tout lui déchirait le cœur.

— Mais ils l'ont déclarée non coupable, Jocelyne, lui disait Luke à mi-voix pour la réconforter. Il n'y aurait pas de châtiment.

— Tout est ma faute, gémit Jocelyne d'une voix étouffée. Si je n'avais pas mis au monde cette… créature, Clary n'aurait pas à subir tout ça.

— Tu ne pouvais pas savoir…

La voix de Luke se réduisit à un murmure et, même si Clary savait qu'il avait raison, elle sentit une bouffée de colère monter en elle. Si Jocelyne avait tué Sébastien au berceau, il n'aurait pas pu ruiner leurs vies à tous, songea-t-elle, mais immédiatement, cette pensée l'horrifia. Elle alla se réfugier en courant dans sa chambre et ferma la porte derrière elle comme si elle était poursuivie.

Simon qui, assis sur le lit, jouait avec sa DS, leva les yeux, l'air surpris.

— Tout va bien ?

Elle s'efforça de sourire. Simon était un habitué de la maison : ils avaient souvent dormi chez Luke quand ils étaient plus jeunes. Elle avait fait son possible pour personnaliser la chambre d'amis en glissant des photos d'elle avec Simon ou Jace, ou encore des Lightwood dans l'encadrement du miroir qui surplombait la commode. Luke lui avait offert une planche à dessin, et son matériel était rangé à proximité. Elle avait tapissé les murs de posters de ses mangas préférés : *Fullmetal Alchimist, Kenshin le vagabond, Bleach.*

Des traces de sa vie de Chasseuse d'Ombres traînaient çà et là : un gros exemplaire annoté du Codex, une étagère remplie de livres sur les sciences occultes et le paranormal, sa stèle posée sur son bureau, et un nouveau globe terrestre, cadeau de Luke, sur lequel apparaissait Idris, avec ses frontières soulignées d'or, au centre de l'Europe.

Simon était l'un des rares éléments de sa chambre qui appartienne à la fois à son ancienne et à sa nouvelle vie. Il la dévisagea de ses yeux noirs, qui ressortaient sur son teint livide.

— C'est ma mère, expliqua-t-elle en s'adossant à la porte. Elle ne va pas bien.

— Elle n'est pas soulagée que tu aies été innocentée ?

— Elle ne peut pas s'empêcher de se flageller à cause de Sébastien.

— Ce n'est pas sa faute s'il a mal tourné. C'est celle de Valentin.

Clary ne répondit pas. Elle songeait à la réflexion horrible qu'elle venait de se faire.

— Vous vous blâmez injustement, toutes les deux. Toi, tu t'en veux d'avoir laissé Jace seul sur le toit...

Elle releva la tête et lui jeta un regard sévère. Elle

ne se rappelait pas avoir dit tout haut qu'elle s'en voulait pour cela.

— Je n'ai jamais...

— Oh si. Mais je suis parti, Isa est partie, Alec est parti... et Alec est son *parabatai*. On ne pouvait pas savoir. Et ça aurait peut-être été pire si tu étais restée.

— Peut-être.

Clary n'avait pas envie d'en parler. Elle se dirigea vers la salle de bains pour se brosser les dents et enfiler son pyjama. Elle évita de regarder son reflet dans le miroir : elle détestait sa pâleur et ses cernes sous les yeux. Elle était forte ; elle n'allait pas s'effondrer. Elle avait un plan. Même s'il était un peu fou et qu'il impliquait de cambrioler l'Institut.

Après avoir fini sa toilette, elle s'attacha les cheveux en queue-de-cheval et, sortant de la salle de bains, elle vit Simon remettre dans son sac à dos un flacon rempli d'un liquide rouge qui ne pouvait être que le sang qu'il avait acheté chez Taki's.

Elle s'avança pour lui ébouriffer les cheveux.

— Tu peux mettre tes bouteilles au frigo si tu n'aimes pas le boire à température ambiante, tu sais.

— À vrai dire, c'est encore pire quand il est froid. Tiède, ça passe, mais je crois que ta mère m'en voudrait si je le faisais réchauffer dans ses casseroles.

— Ça dérange Jordan ? demanda Clary bien qu'elle en vînt à douter qu'il se souvienne que Simon vivait chez lui.

Cette semaine, Simon avait dormi chez elle tous les soirs. Depuis la disparition de Jace, elle avait du mal à trouver le sommeil. Elle avait beau empiler les couvertures, elle n'arrivait pas à se réchauffer. Immobile dans son lit, elle s'imaginait entre deux frissons que ses veines se gonflaient de sang figé, et que des cristaux de glace tissaient un réseau semblable à du corail autour de son cœur. Ses rêves étaient peuplés d'océans noirs, d'icebergs, de lacs gelés où Jace, le visage toujours dissimulé dans la pénombre, la brume ou une mèche de cheveux soyeux, se détournait d'elle. Elle finissait par s'endormir quelques minutes, et se réveillait en sursaut avec l'impression désagréable d'avoir failli se noyer.

En rentrant de son premier interrogatoire devant le Conseil, elle s'était réfugiée dans son lit et y était restée jusqu'à ce que Simon frappe à sa porte puis se glisse à côté d'elle sans un mot. Une odeur de ville et d'hiver imminent émanait de lui.

En collant son épaule contre la sienne, elle avait senti la tension de son corps diminuer un peu. La main de Simon était froide mais familière, de même que le contact de sa veste en velours.

— Combien de temps tu peux rester ? avait-elle murmuré dans le noir.

— Autant que tu voudras.

Elle s'était tournée pour le regarder.

— Isa ne m'en voudra pas ?

— C'est elle qui m'a suggéré de venir ici. Elle m'a dit que tu n'arrivais pas à dormir, et de rester si ma présence t'aidait à te sentir mieux. Mais je peux m'en aller dès que tu te seras endormie.

Clary avait poussé un soupir de soulagement.

— Reste toute la nuit, s'il te plaît.

Il était resté, et cette nuit-là elle n'avait pas fait de cauchemar.

Quand il était près d'elle, elle sombrait dans une bienheureuse inconscience.

— Non, le sang ne le dérange pas, répondit Simon. Il me répète sans arrêt que je dois être en accord avec ce que je suis, assumer mon état de vampire et ainsi de suite... Tiens, tant que j'y pense.

Simon sortit de son sac deux mangas qu'il agita d'un geste triomphant avant de les tendre à Clary.

— *Magical Love Gentleman*, numéros quinze et seize. En rupture de stock partout sauf chez Midtown Comics.

Elle prit les albums pour en examiner la couverture colorée. Il fut un temps où elle aurait hurlé de joie, en bonne fan. Elle remercia Simon d'un sourire : c'était là le geste d'un véritable ami, même si elle ne pouvait pas s'imaginer lire dans l'immédiat.

— Tu es un mec génial, dit-elle en lui donnant un petit coup d'épaule. (Elle s'adossa aux oreillers, les livres en équilibre sur ses genoux.) Et merci de m'avoir accompagnée à la Cour des Lumières. Je sais que ça te rappelle de mauvais souvenirs mais... je me sens toujours mieux quand tu es là.

— Tu t'es super bien débrouillée. Tu as affronté la reine comme une vraie pro.

Simon s'installa à côté d'elle et, allongés sur le dos, ils contemplèrent les fissures familières dans le plafond, et les vieilles étoiles phosphorescentes qui ne brillaient plus depuis longtemps.

— Alors tu vas le faire ? reprit-il. Tu vas voler ces bagues pour la reine ?

— Oui. (Elle soupira.) Demain. Il y a une réunion

du Conclave à midi. Tout le monde y sera. J'irai, moi aussi.

— Je n'aime pas ça, Clary.

Elle se raidit.

— Tu n'aimes pas quoi ?

— Tes marchandages avec le peuple des fées. Ce sont des menteurs.

— Ils ne peuvent pas mentir.

— Tu vois ce que je veux dire.

Elle se tourna pour poser la tête sur son épaule et, d'un geste instinctif, il passa un bras autour d'elle. Son corps était glacé, son tee-shirt encore humide de pluie et ses cheveux, d'ordinaires raides comme des baguettes, avaient bouclé en séchant.

— Crois-moi, je n'aime pas ça non plus, dit-elle. Mais je le ferais pour toi. Et toi pour moi, pas vrai ?

— Bien sûr, mais c'est quand même une mauvaise idée. Je sais ce que tu ressens. Quand mon père est mort...

Elle se figea.

— Jace n'est pas mort.

— Je sais. Ce n'est pas ce que j'entendais par là. C'est juste que... tu n'as pas besoin de dire que tu te sens mieux quand je suis là. Je suis fidèle au poste. On se sent seul quand on est malheureux, mais même si tu n'es pas croyante, contrairement à moi, tu peux au moins croire que tu es entourée de gens qui t'aiment, pas vrai ?

Ses yeux, qui brillaient d'espoir, avaient gardé la même nuance sombre, et pourtant ils avaient changé, comme si on y avait ajouté une autre couche de couleur.

« Je le crois, pensa-t-elle. Mais je ne suis pas sûre que ça change quelque chose. » De nouveau, elle lui donna un petit coup d'épaule.

— Je peux te poser une question ? C'est un peu personnel mais il faut que je sache.

— Qu'est-ce qu'il y a ? demanda-t-il d'un ton soupçonneux.

— Avec ta Marque de Caïn, si je te donne un coup de pied en dormant, je vais recevoir sept coups dans le tibia en représailles ?

Il rit.

— Dors, Fray.

3

Mauvais anges

— Je croyais que tu avais oublié que tu vivais ici, lança Jordan dès que Simon eut franchi le seuil de leur petit appartement.

En temps normal, il trouvait Jordan vautré sur leur futon, les jambes étendues sur les coussins, une manette de Xbox dans une main. Ce jour-là, il était assis bien droit, les mains dans les poches de son jean, et la manette avait disparu. Il semblait soulagé de voir Simon, et celui-ci ne tarda pas à comprendre pourquoi.

Jordan n'était pas seul. Maia était assise en face de lui dans un fauteuil en velours orange (leurs meubles n'étaient pas du tout assortis), ses cheveux frisés séparés en deux tresses sages. La dernière fois que Simon l'avait vue, elle portait une robe chic. À présent, elle avait retrouvé son uniforme : un jean usé, un tee-shirt à manches longues et une veste en cuir beige. Le dos raide, le regard tourné vers la fenêtre, elle semblait aussi mal à l'aise que Jordan. Quand elle vit Simon, elle se leva pour le serrer dans ses bras.

— Salut, j'étais venue voir comment tu allais.

— Je vais bien. Enfin, aussi bien que possible vu les circonstances.

— Je ne parlais pas de Jace, je parlais de toi. Tu tiens le coup ?

— Moi ? fit Simon, surpris. Oui, ça va. Mais je m'inquiète pour Isabelle et pour Clary. Tu sais que l'Enclave l'a interrogée…

— Et j'ai entendu dire qu'elle l'avait blanchie. C'est une bonne nouvelle, dit Maia en s'écartant de lui. Mais c'est à toi que je pensais. Et à ce qui s'est passé avec ta mère.

— Comment tu es au courant ?

Simon lança un regard à Jordan, qui secoua imperceptiblement la tête. Il n'avait rien dit.

— Je suis tombée sur Éric, expliqua Maia. Il m'a raconté qu'à cause de cette histoire, ils ne t'avaient pas vu aux répétitions de Millenium Lint depuis deux semaines.

— En fait, ils ont changé de nom, annonça Jordan. Maintenant ils s'appellent Midnight Burrito.

Maia jeta un regard excédé à Jordan, qui se recroquevilla sur son siège. Simon se demanda de quoi ils avaient parlé avant son arrivée.

— Tu as discuté avec quelqu'un d'autre de ta famille ? s'enquit Maia d'une voix douce.

Ses yeux couleur d'ambre trahissaient son anxiété. Simon n'aimait pas ce regard. C'était comme si l'inquiétude de Maia donnait de la réalité à son problème, alors que le reste du temps il pouvait prétendre qu'il n'existait pas.

— Oui, répondit-il. Tout va bien.

— C'est bizarre, parce que tu as laissé ton portable

ici. (Jordan prit le téléphone sur la table basse.) Ta sœur t'a appelé toutes les cinq minutes aujourd'hui. Et pareil hier.

Un frisson parcourut Simon. Il prit le téléphone des mains de Jordan et jeta un coup d'œil à l'écran. Dix-sept appels manqués de Rebecca.

— Mince, dit-il. J'espérais éviter ça.

— C'est ta sœur, lui rappela Maia. Tu te doutais bien qu'elle finirait par appeler.

— Je sais, mais jusqu'ici je m'étais débrouillé pour la tenir à distance. Je laissais des messages quand je savais qu'elle ne répondrait pas, ce genre de truc. Je... je suppose que j'essayais d'éviter l'inévitable.

— Et maintenant ?

Simon reposa le téléphone sur le rebord de la fenêtre.

— Je continue ?

— Non, dit Jordan. Tu devrais lui parler.

— Pour lui dire quoi ? répliqua Simon d'un ton plus cassant qu'il ne l'avait voulu.

— Ta mère lui a sans doute parlé. Elle doit être inquiète.

Simon secoua la tête.

— Elle rentre à la maison pour Thanksgiving dans quelques semaines. Je ne veux pas qu'elle soit mêlée à cette histoire.

— Elle a déjà le nez dedans, objecta Maia. Elle fait partie de ta famille. Et puis, ce qui se passe avec ta mère... c'est ta vie, désormais.

— Je veux la laisser en dehors de ça.

Simon savait que ce n'était pas raisonnable, mais il ne pouvait pas s'en empêcher. Rebecca était... spéciale.

Différente des autres. Elle appartenait à un pan de sa vie – le seul, peut-être – qui n'avait pas encore été touché par toute cette folie.

Maia se tourna vers Jordan en levant les bras au ciel.

— Dis-lui quelque chose, toi. Tu es censé le protéger.

— Oh, ça va, dit Simon avant que Jordan puisse ouvrir la bouche. Vous êtes en contact avec vos parents, vous ?

Jordan et Maia échangèrent un bref regard.

— Non, répondit Jordan après un silence, mais on n'avait pas de bonnes relations avec eux avant...

— C'est bien ce que je veux dire. On est tous des orphelins de la tempête.

— Tu ne peux pas continuer à ignorer ta sœur, insista Maia.

— Tu veux parier ?

— Et quand, à son arrivée, elle trouvera une maison tout droit sortie de *L'Exorciste* ? s'exclama Jordan. Comment ta mère va lui expliquer où tu es ? Rebecca ira trouver la police et ta mère sera convoquée devant la justice.

— Je ne suis simplement pas prêt à entendre sa voix.

Simon protestait, même s'il savait qu'il avait perdu la bataille.

— Il faut que je ressorte mais, promis, je lui enverrai un texto.

— C'est un bon début, fit Jordan en regardant Maia comme pour quémander son approbation concernant ses progrès avec Simon.

Il se demanda s'ils s'étaient vus au cours des deux semaines où il avait été absent. À en juger par leur attitude à son arrivée, il supposait que non, mais avec ces deux-là il était difficile d'en avoir le cœur net.

L'ascenseur s'arrêta dans un grand grincement au deuxième étage de l'Institut. Clary inspira à fond et sortit. Comme le lui avaient promis Alec et Isabelle, les lieux étaient déserts. Dans York Avenue, la circulation se réduisait à un murmure. Elle aurait presque pu entendre se frôler les particules de poussière qui dansaient dans la lumière de la fenêtre. À leur arrivée, les résidants avaient accroché leur manteau sur les patères alignées le long du mur. L'une des vestes noires de Jace était encore suspendue à un crochet, et ses manches vides avaient un aspect fantomatique.

Avec un frisson, Clary s'engagea dans le couloir. Elle se souvenait parfaitement de la première fois où Jace l'avait guidée dans ces corridors en lui parlant avec sa nonchalance habituelle des Chasseurs d'Ombres, d'Idris, d'un monde secret dont elle ne soupçonnait pas jusqu'alors l'existence. Elle l'avait observé du coin de l'œil pendant qu'il parlait – sans imaginer qu'il s'en était aperçu, mais elle savait à présent que Jace voyait tout. Elle avait admiré l'or pâle de ses cheveux, les mouvements vifs de ses mains gracieuses, le renflement de ses biceps quand il bougeait les bras.

Elle atteignit la bibliothèque sans avoir croisé un seul Chasseur d'Ombres. En poussant la porte, elle eut le même frisson que lors de sa toute première visite. Aménagée dans une tour circulaire, la bibliothèque était dotée d'une galerie qui s'étendait juste au-dessus des rayonnages de livres. Le bureau que Clary associait encore à Hodge se trouvait au milieu de la pièce. Son plateau en chêne massif reposait sur le dos de deux anges agenouillés. Clary s'attendait presque à voir Hodge se lever à son approche, Hugo, son corbeau, juché sur son épaule.

Chassant ce souvenir, elle se hâta vers l'escalier en colimaçon. Elle portait un jean et des baskets à semelle de caoutchouc, et elle avait tracé une rune de silence sur sa cheville. Elle gravit les marches menant à la galerie, qui abritait aussi des livres enfermés derrière des portes vitrées. Certains semblaient très anciens, avec leur couverture râpée et leur reliure qui ne tenait qu'à un fil. À en juger par leurs titres, quelques-uns étaient des ouvrages de magie noire ou dangereuse : *Cultes enfouis*, *La vérole démoniaque*, *Guide pratique pour ressusciter les morts*.

Entre deux rayonnages de livres, on trouvait aussi en exposition des objets de facture rare et délicate : un fragile flacon de verre dont le bouchon était constitué d'une énorme émeraude ; une couronne ornée d'un diamant en son milieu, dont la circonférence ne semblait pas adaptée au crâne d'un être humain ; un pendentif représentant un ange, dont les ailes étaient dotées de rouages ; et dans la dernière vitrine, comme Isabelle l'avait assuré, deux bagues en or étincelantes dont l'ornement en forme de feuille incurvée, de par la délicatesse de son exécution, rappelait les fleurs d'une gypsophile.

La vitrine était verrouillée, bien entendu, mais une rune vint facilement à bout de la serrure. Clary la traça avec soin, en veillant à ne pas lui donner trop de puissance pour ne pas faire exploser le verre et alerter les Chasseurs d'Ombres de l'Institut. Puis elle ouvrit la porte de la vitrine. Ce n'est qu'en rangeant sa stèle dans sa poche qu'elle fut prise d'un doute.

Était-ce vraiment son genre de cambrioler l'Enclave pour payer la reine du Petit Peuple, laquelle, Jace le lui avait souvent répété, ne tenait jamais ses promesses ?

Elle secoua la tête, comme pour se débarrasser de ses doutes... et se figea. La porte de la bibliothèque venait de s'ouvrir. Elle entendit le bois craquer, des voix étouffées, des bruits de pas. Sans réfléchir, elle s'allongea à plat ventre sur le parquet.

— Tu avais raison, Jace, fit une voix nonchalante et horriblement familière en contrebas. Il n'y a personne.

Le sang de Clary se glaça. Elle ne pouvait ni bouger ni respirer. Elle n'avait pas ressenti un pareil choc depuis qu'elle avait vu son père transpercer le corps de Jace avec une épée. Lentement, elle rampa vers le bord de la galerie...

Et réprima un hurlement.

Le toit au-dessus d'elle était doté d'une verrière, au travers de laquelle le soleil se déversait, éclairant un coin de la pièce tel un projecteur. De son poste d'observation, elle voyait que les fragments de verre, de marbre et de pierres semi-précieuses incrustés dans le sol formaient un motif : l'ange Raziel, la coupe et l'épée. Jonathan Christopher Morgenstern se tenait debout sur l'une des ailes déployées de l'ange.

C'était donc à cela que son frère ressemblait. Un visage pâle et anguleux, un long corps mince entièrement vêtu de noir. Ses cheveux étaient d'un blond presque blanc, et non bruns comme lors de leur première rencontre, alors qu'il se faisait passer pour Sébastien Verlac. Cette couleur claire lui allait mieux. Ses yeux noirs étincelaient de vigueur et d'énergie. La dernière fois qu'elle l'avait vu, flottant telle Blanche-Neige dans un cercueil de verre, il lui manquait une main, et son moignon était bandé. Or, cette main était réapparue, vierge de toute cicatrice, et un bracelet d'argent brillait à son poignet.

Jace était à ses côtés, avec ses cheveux d'or qui brillaient sous la pâle lumière du soleil. Ce n'était pas le Jace qu'elle s'était si souvent représenté au cours des deux dernières semaines : blessé, affamé, couvert de sang, enfermé dans quelque prison obscure, criant son nom. Non, c'était le Jace dont elle se souvenait – quand elle se laissait aller à se souvenir : beau, bien portant, débordant de vie. Il avait les mains dans les poches de son jean, et ses Marques étaient visibles à travers son tee-shirt blanc, par-dessus lequel il avait jeté une veste en daim marron qu'elle ne lui connaissait pas, et qui faisait ressortir son teint doré. Il renversa la tête en arrière comme pour sentir la chaleur du soleil sur son visage.

— J'ai toujours raison, Sébastien. Tu devrais le savoir depuis le temps.

Sébastien lui lança un regard circonspect puis sourit. Clary ouvrit de grands yeux. Ce sourire avait tout l'air d'être sincère. Mais qu'en savait-elle ? Sébastien lui avait souri maintes fois, et ce n'était qu'une façade.

— Où sont les manuels d'invocation ? demanda-t-il. Est-ce qu'il existe un ordre dans ce chaos ?

— Pas vraiment. Les livres ne sont pas classés par ordre alphabétique. Hodge avait établi un système particulier.

— Ce ne serait pas l'homme que j'ai tué ? lança Sébastien. Dommage. Je devrais peut-être m'occuper de l'étage et toi du rez-de-chaussée.

Il s'avança vers l'escalier menant à la galerie. Le cœur de Clary se mit à tambouriner dans sa poitrine. Elle associait Sébastien au meurtre, au sang, à la souffrance et à la peur. Jace avait failli perdre la vie en se mesurant à lui. Dans un corps à corps, elle n'avait pas une seule chance d'avoir le dessus. Pouvait-elle se jeter du haut de la galerie sans se casser une jambe ? Et quand bien même, que se passerait-il ? Que ferait Jace ?

Sébastien avait posé le pied sur la première marche quand celui-ci le rappela :

— Attends. Ils sont là. Classés dans la catégorie « magie non mortelle ».

— Non mortelle ? Quel est l'intérêt ? lâcha Sébastien en revenant sur ses pas. C'est une sacrée bibliothèque, ajouta-t-il en déchiffrant quelques titres au passage. *Nourrir et soigner son lutin domestique, Démons à nu.*

Il prit ce dernier ouvrage sur l'étagère et laissa échapper un ricanement.

— Qu'est-ce que c'est ? demanda Jace en souriant.

Clary fut prise d'une envie si brutale de dévaler les marches et de se jeter à son cou qu'elle dut se mordre les lèvres pour ne pas obéir à sa pulsion.

— De la pornographie, répondit Sébastien. Regarde.

Jace s'avança derrière lui et s'appuya sur son bras pour lire par-dessus son épaule. Il se serait comporté de la même manière avec Alec, ou n'importe qui assez proche pour qu'il le touche sans y penser.

— Ah bon, comment tu le sais ?

Sébastien referma le livre et lui tapota l'épaule avec.

— Parce que je suis plus calé que toi sur certains sujets. Tu les as trouvés, ces livres ?

— Oui. (Jace lui montra une pile de gros volumes sur la table voisine.) On a le temps de faire un crochet par ma chambre ? Je voudrais prendre quelques affaires...

— Qu'est-ce que tu veux emporter ?

Jace haussa les épaules.

— Des vêtements, des armes.

Sébastien secoua la tête.

— C'est trop dangereux. Il faut sortir d'ici sans traîner. À moins d'une urgence...

— Ma veste préférée, c'est une urgence, protesta Jace.

Décidément, Clary croyait l'entendre s'adresser à un ami.

— Écoute, on a tout l'argent qu'on veut pour acheter de nouveaux vêtements. Et dans quelques semaines, tu règneras sur l'Institut. Tu pourras hisser ta veste préférée sur le toit en guise de drapeau si ça te chante.

Jace partit de ce rire doux et chaleureux que Clary aimait tant.

— Je te préviens, cette veste est très sexy. L'Institut pourrait bien devenir un endroit hyper chaud.

— Ça ne lui ferait pas de mal. (Sébastien agrippa Jace par le dos.) Allez, on y va. N'oublie pas les livres.

Il baissa les yeux vers sa main droite, à laquelle brillait un discret anneau en argent. De son autre main, il le fit tourner sur son doigt.

— Hé, fit Jace. Tu crois que...

Il s'interrompit et, l'espace d'un instant, Clary crut que c'était parce qu'il l'avait vue, mais elle n'eut pas le temps de s'en inquiéter : ils s'étaient déjà volatilisés comme un mirage.

Elle s'aperçut qu'elle s'était mordu la lèvre jusqu'au sang ; elle en sentait le goût métallique dans sa bouche. Elle savait qu'elle aurait dû fuir. Mais elle avait tant de glace dans les veines qu'elle craignait, si elle esquissait un geste, de voler en éclats.

Magnus secoua l'épaule d'Alec pour le réveiller.

— Allez, mon chou, il est temps de se lever pour affronter une autre journée.

Alec s'arracha d'un air hébété à son nid d'oreillers et de couvertures, et observa son petit ami. Magnus, bien qu'ayant très peu dormi, semblait beaucoup plus alerte que lui. Ses cheveux mouillés gouttaient sur sa chemise blanche. Il portait un jean troué, ce qui signifiait en général qu'il prévoyait de passer la journée chez lui.

— Mon chou ? répéta Alec.

— J'essayais pour voir.

Alec secoua la tête.

— Non.

Magnus haussa les épaules.

— Je crois que je vais quand même le garder. (Il lui

tendit une tasse remplie de café comme il l'aimait : bien noir, avec du sucre.) Allez, debout.

Alec se redressa en se frottant les yeux. La première gorgée de café lui envoya une décharge d'énergie. Il se rappelait s'être allongé la veille en attendant que Magnus le rejoigne mais, submergé par la fatigue, il s'était endormi vers cinq heures du matin.

— Je sèche la réunion du Conseil ce matin.

— Je sais, mais tu es censé retrouver ta sœur et les autres à Central Park, près de Turtle Pond. Tu m'as demandé de te le rappeler.

Alec s'assit au bord du lit.

— Quelle heure est-il ?

Magnus lui prit doucement la tasse des mains avant qu'il ne renverse du café sur les draps et la posa sur la table de chevet.

— C'est bon. Tu as une heure devant toi.

Il se pencha pour l'embrasser. Alec songea à leur premier baiser, ici dans cet appartement, et il eut envie de le serrer contre lui. Mais quelque chose le retint.

Après s'être levé, il se dirigea vers le bureau où Magnus avait mis à sa disposition un tiroir pour ses affaires. Il avait une brosse à dents dans la salle de bains. Une clé pour entrer. Pourtant il ne parvenait pas à dissiper l'angoisse qui lui nouait le ventre.

Magnus s'était installé sur le lit et l'observait, un bras replié derrière la tête.

— Mets cette écharpe, dit-il en montrant du doigt une étole en cachemire bleu suspendue à une patère. Elle est assortie à tes yeux.

Alec regarda l'écharpe, et soudain il éprouva une

haine inexplicable – pour cette écharpe, pour Magnus, et surtout pour lui-même.

— Laisse-moi deviner, marmonna-t-il. Cette écharpe a au moins cent ans et c'est la reine Victoria qui te l'a offerte sur son lit de mort pour services rendus à la Couronne.

Magnus se redressa dans le lit.

— Qu'est-ce qui te prend ?

Alec le regarda fixement.

— C'est moi l'objet le plus récent dans cet appartement ?

— Je crois que cet honneur revient au Président Miaou. Il n'a que deux ans.

— J'ai dit récent, pas jeune, répliqua Alec avec colère. Qui est ce W.S. ? Will ?

Magnus secoua la tête.

— Quoi ? Tu veux parler de la tabatière ? Ce sont les initiales de Woolsey Scott. C'est...

— ... le fondateur des Praetor Lupus, je sais. (Alec enfila son jean.) Tu as déjà mentionné son nom, et puis c'est une figure historique. Et donc sa tabatière traîne dans tes tiroirs ? Qu'est-ce qu'il y a d'autre là-dedans ? Le coupe-ongles de Jonathan Shadow-hunter ?

Magnus le fixa d'un regard glacial.

— Qu'est-ce qui t'arrive, Alexander ? Je ne t'ai jamais menti. Si tu veux savoir quelque chose à mon sujet, tu n'as qu'à me le demander.

— C'est ça, fit Alec en boutonnant sa chemise. Tu es peut-être gentil et drôle, mais il y a une chose que tu n'es pas, c'est communicatif, *mon chou*. Tu peux passer la journée à décortiquer les problèmes des autres, mais tu ne parles jamais ni de toi ni de ton passé, et à chaque fois que je pose une question, tu te tortilles comme un ver au bout d'un hameçon.

— C'est peut-être parce que tu ne peux pas me questionner sur mon passé sans me chercher des poux dans la tête à propos de mon immortalité ! s'exclama Magnus, à bout de patience. J'ai l'impression que ce sujet de conversation est en train de devenir la troisième personne de notre couple, Alec.

— Mais dans un couple, on est censé être deux.

— Précisément.

Alec sentit sa gorge se serrer. Il avait un millier de choses à dire, mais il n'avait jamais eu le don des mots comme Jace ou Magnus. Alors il prit l'écharpe bleue sur la patère et la noua autour de son cou d'un geste de défi.

— Ne m'attends pas, lança-t-il. Je dois patrouiller ce soir.

En claquant la porte de l'appartement, il entendit Magnus crier dans son dos :

— Si tu veux tout savoir, cette écharpe vient de chez Gap ! Et je l'ai achetée l'année dernière !

Alec leva les yeux au ciel et dévala l'escalier. L'unique ampoule qui éclairait d'ordinaire le hall de l'immeuble avait grillé, et il faisait si sombre qu'il ne vit pas tout de suite la silhouette dissimulée sous une capuche qui s'avançait vers lui. En l'apercevant, il fut si surpris qu'il laissa tomber ses clés.

— J'ai un message pour toi, Alec Lightwood, chuchota l'intrus d'une voix grinçante. De la part de Camille Belcourt.

— Vous voulez patrouiller ensemble ce soir ? suggéra Jordan d'un ton un peu abrupt.

Maia le dévisagea avec étonnement. Il s'était adossé
au comptoir de la cuisine, les coudes appuyés sur le
plan de travail. Il y avait dans sa posture une nonchalance qui semblait trop étudiée pour être sincère. « Le
problème quand on connaît quelqu'un par cœur,
songea-t-elle, c'est qu'il est difficile de faire semblant
en présence de l'autre ou de feindre de ne pas remarquer quand il fait semblant. »

— Patrouiller ensemble ? répéta-t-elle.

Simon était allé se changer dans sa chambre. Elle
lui avait proposé de marcher avec lui jusqu'au métro,
et elle regrettait déjà son initiative. Elle savait qu'elle
aurait dû contacter Jordan depuis qu'au mépris de la
raison, elle l'avait embrassé. Mais Jace avait disparu,
et tout à coup, le monde entier semblait avoir volé en
éclats, ce qui lui avait fourni le prétexte rêvé pour
éviter le problème.

Évidemment, il lui était beaucoup plus facile de ne
pas penser à son ex, qui lui avait brisé le cœur et
l'avait transformée en loup-garou, quand celui-ci ne
se tenait pas en face d'elle, vêtu d'un tee-shirt vert qui
moulait son torse musclé et faisait ressortir ses yeux
noisette.

— Je croyais qu'ils avaient cessé les recherches, dit-
elle en détournant les yeux.

— Ils ont seulement réduit les effectifs. Mais je suis
un Praetor, pas un membre de l'Enclave. Je peux
rechercher Jace de mon côté.

— Exact.

Il jouait avec un objet posé sur le comptoir, les yeux toujours fixés sur elle.

— Tu te souviens... tu voulais entrer à l'université de Stanford. C'est toujours le cas ?

Le cœur de Maia se serra.

— Je n'y ai pas pensé depuis... (Elle s'éclaircit la voix.)... depuis ma Transformation.

Il rougit.

— Tu... tu as toujours voulu aller en Californie. Tu voulais étudier l'histoire, et moi, j'avais envie de me mettre au surf. Tu t'en souviens ?

Maia glissa les mains dans les poches de sa veste en cuir. Elle aurait dû ressentir de la colère, mais ce n'était pas le cas. Pendant longtemps, elle en avait voulu à Jordan de ne plus pouvoir envisager un avenir normal, avec des études, une maison, voire une famille. Mais il y avait d'autres loups au sein de la meute installée au commissariat qui poursuivaient encore leurs rêves. Bat, par exemple. C'était le choix de Maia d'avoir renoncé à son ancienne vie.

— Oui, je m'en souviens, dit-elle.

— Personne ne s'est donné la peine d'aller voir du côté des chantiers navals de Brooklyn, reprit-il, alors j'ai pensé que ce soir... Mais ce n'est pas drôle d'y aller seul. Après, si tu n'as pas envie...

— Non, s'entendit-elle répondre comme si c'était quelqu'un d'autre qui parlait. Je veux dire si. Ça me dit bien d'y aller avec toi.

— C'est vrai ?

Le regard de Jordan s'éclaira, et Maia se maudit intérieurement. Elle ne devait pas lui donner de faux espoirs alors qu'elle n'était pas sûre de ses sentiments.

Elle avait du mal à croire qu'elle comptait encore autant pour lui.

Le médaillon des Praetor Lupus brillait à son cou quand il se pencha vers elle, et elle perçut le parfum familier de son savon, mais aussi son odeur animale. Comme elle levait les yeux vers lui, Simon ouvrit la porte de sa chambre en enfilant un sweat-shirt à capuche. Il s'arrêta net sur le seuil, et son regard se posa sur Jordan puis sur Maia.

— Tu sais, je peux marcher seul jusqu'au métro, dit-il avec un petit sourire. Si tu veux rester ici…

— Non, répondit-elle précipitamment. Non, je viens avec toi. Jordan, on… on se voit plus tard.

— Ce soir, lui rappela-t-il, mais elle pressait déjà le pas pour suivre Simon sans un dernier regard pour lui.

Tandis qu'il gravissait la colline, Simon entendait dans son dos, comme une musique lointaine, les cris des lanceurs de Frisbee qui jouaient sur la pelouse. C'était une belle journée de novembre, froide et ventée ; le soleil donnait aux dernières feuilles des nuances rouges, dorées, ambrées.

De gros rochers s'amoncelaient au sommet de la colline. Assise sur l'un d'eux, Isabelle portait une longue robe en soie vert bouteille sous un manteau noir rebrodé de fils d'argent. Elle leva les yeux à l'approche de Simon, et repoussa ses longs cheveux noirs de son visage.

— Je croyais que tu venais avec Clary. Où est-elle ?

— Elle sort à peine de l'Institut, répondit-il en s'asseyant à côté d'elle sur le rocher, les mains dans les poches de son coupe-vent. Je viens de recevoir un texto. Elle arrive.

— Alec aussi... (Isabelle s'interrompit en entendant sonner le portable de Simon dans sa poche.) Quelqu'un vient de t'envoyer un message, on dirait.

Il haussa les épaules.

— Je le lirai plus tard.

Elle lui jeta un regard par-dessous.

— Bref, je te disais qu'Alec est en route, lui aussi. Il vient de Brooklyn donc...

Le téléphone de Simon se remit à sonner.

— Bon, ça suffit. Si tu ne te décides pas à lire ce message, c'est moi qui vais le faire.

Malgré les protestations de Simon, Isabelle se pencha pour prendre son portable dans sa poche. Il respira son parfum vanillé et l'odeur de sa peau. Quand elle se redressa, il se sentit à la fois soulagé et déçu.

Elle examina l'écran du téléphone.

— Rebecca ? Qui est Rebecca ?

— C'est ma sœur.

Isabelle parut se détendre.

— Elle veut te voir. Elle prétend que la dernière fois remonte à...

Simon lui prit l'appareil des mains et l'éteignit avant de le remettre dans sa poche.

— Je sais, je sais.

— Tu ne veux pas la voir ?

— Bien sûr que si. Mais je n'ai pas envie qu'elle sache ce qui m'est arrivé. (Simon ramassa une brindille et la jeta au loin.) Regarde ce qui s'est passé quand ma mère l'a appris.

— Tu n'as qu'à lui donner rendez-vous dans un lieu public loin de chez toi. Là, elle ne flippera pas.

— Même si elle garde son calme, elle me verra avec les mêmes yeux que ma mère, protesta Simon d'un ton morne. C'est-à-dire comme un monstre.

— Ma mère a jeté Jace dehors à l'époque où elle le prenait pour le fils de Valentin et pour un espion à la solde de ce dernier, lui rappela Isabelle. Elle l'a amèrement regretté par la suite. Mon père et elle se sont fait une raison pour Alec et Magnus. Ta mère changera d'avis, elle aussi. Tu devrais t'assurer le soutien de ta sœur, ça t'aiderait. Je pense que parfois, les frères et sœurs comprennent mieux que les parents. Ils n'ont pas les mêmes attentes. Je ne pourrais jamais, au grand jamais, couper les ponts avec Alec, quoi qu'il fasse. Pareil pour Jace. (Elle serra brièvement le bras de Simon.) Mon petit frère est mort. Je ne le reverrai plus jamais. Tu n'as pas le droit d'infliger ça à ta sœur.

— De quoi vous parlez ?

Alec apparut au sommet de la colline en shootant dans les tas de feuilles mortes. Il portait, comme à son habitude, un jean et un sweat-shirt usés jusqu'à la corde, mais il avait noué autour de son cou une écharpe bleu sombre assortie à ses yeux. « Ce doit être un cadeau de Magnus », songea Simon. Il ne serait jamais venu à l'esprit d'Alec d'acheter ce genre de vêtement. L'harmonie des couleurs était un concept totalement étranger pour lui.

Isabelle s'éclaircit la voix.

— C'est la sœur de Simon...

Elle n'eut pas le temps de finir sa phrase. Un souffle d'air glacial souleva un tas de feuilles mortes. Comme

Isabelle levait la main pour protéger son visage de la poussière, l'atmosphère prit l'aspect translucide d'un Portail sur le point de s'ouvrir, et Clary apparut devant eux, sa stèle à la main, le visage inondé de larmes.

4

L'IMMORTALITÉ

— **T**u es vraiment sûre que c'était Jace ? demanda Isabelle pour la énième fois.

Clary réprima un geste d'impatience.

— Tu crois franchement que j'aurais pu ne pas reconnaître Jace ? (Elle se tourna vers Alec, qui se tenait près d'elle, son écharpe bleue volant au vent tel un drapeau.) Toi, tu pourrais confondre Magnus avec quelqu'un d'autre ?

— Jamais de la vie, répondit-il sans la moindre hésitation. Mais comprends-nous... ça n'a pas de sens.

L'inquiétude assombrissait le bleu de ses yeux.

— Il est peut-être retenu en otage, suggéra Simon en s'adossant à un rocher. Peut-être que Sébastien l'a menacé de s'en prendre à ses proches s'il refuse de suivre son plan.

Tous les regards se posèrent sur Clary, mais elle secoua la tête, l'air agacé.

— Vous auriez dû les voir. Aucun otage ne se comporterait comme ça. Il avait l'air parfaitement heureux d'être là.

— Alors c'est qu'il est possédé, dit Alec. Comme avec Lilith.

— C'est ce que j'ai pensé au début. Mais quand il était sous l'emprise de Lilith, il agissait comme un robot. Il n'arrêtait pas de répéter les mêmes choses. Alors que là, c'était vraiment lui. Il faisait ses blagues habituelles, il avait le même sourire.

— Peut-être qu'il a le syndrome de Stockholm, hasarda Simon. Tu sais, quand tu te fais laver le cerveau par tes ravisseurs et que tu commences à sympathiser avec eux.

— Il faut des mois pour développer ce syndrome, objecta Alec. Il t'a semblé comment ? Il avait l'air malade, ou blessé ? Tu peux nous les décrire, tous les deux ?

Ce n'était pas la première fois qu'il posait la question. Le vent s'était remis à souffler quand Clary leur raconta, une fois encore, qu'elle avait trouvé Jace en pleine forme. Sébastien aussi, d'ailleurs. Ils semblaient parfaitement calmes, les vêtements de Jace étaient propres, ordinaires. Sébastien portait un long trench en laine noire.

— Jace a peut-être un plan, dit Isabelle quand elle eut fini. Il essaie peut-être de rentrer dans les bonnes grâces de Sébastien pour connaître ses projets.

— Mais s'il avait eu cette idée en tête, il aurait trouvé un moyen de nous mettre au courant, lança Alec. Il ne nous aurait pas laissés paniquer comme ça. C'est trop cruel.

— À moins qu'il ait préféré ne pas prendre le risque de nous contacter. Il a dû penser qu'on lui ferait confiance. Et c'est le cas, conclut Isabelle d'une voix stridente, puis elle frissonna et serra ses bras autour d'elle.

Les arbres qui bordaient l'allée de gravier près d'eux agitaient leurs branches nues.

— On devrait peut-être en informer l'Enclave, dit Clary d'une voix lointaine. Je ne vois pas comment on peut gérer la situation tout seuls.

— Impossible, lâcha Isabelle d'un ton sévère.

— Pourquoi ?

— S'ils le soupçonnent de coopérer avec Sébastien, ils le condamneront à mort, expliqua Alec. C'est la Loi.

— Même si Isabelle a raison ? Même s'il essaie d'embobiner Sébastien pour obtenir des informations ? demanda Simon d'un ton dubitatif.

— On ne peut pas le prouver. Et si on le crie haut et fort et que ça revient aux oreilles de Sébastien, il tuera probablement Jace. S'il est possédé, l'Enclave prendra la décision de l'éliminer. Il ne faut rien leur dire.

Alec semblait convaincu. Clary le dévisagea avec surprise. D'eux tous, il était pourtant le plus à cheval sur les règles.

— C'est de Sébastien qu'on parle, dit Isabelle. L'ennemi numéro un de l'Enclave depuis la mort de Valentin. Tout le monde ou presque connaît quelqu'un qui est mort pendant la Guerre Mortelle, et c'est Sébastien qui a désactivé les boucliers.

— Alors qu'est-ce qu'on fait ? lança Clary.

Elle avait l'impression d'évoluer dans un rêve dont elle pouvait se réveiller à tout moment.

— On parle à Magnus, répondit Alec. Il aura peut-être une idée. Et il n'ira pas trouver le Conseil si c'est moi qui le lui demande.

— Il n'a pas intérêt, dit Isabelle d'un ton indigné. Sinon, c'est vraiment le pire petit ami qui soit.

— Je te dis qu'il tiendra sa langue.

— Est-ce que ça vaut toujours la peine de retourner voir la reine des fées ? s'enquit Simon. Maintenant qu'on sait que Jace est possédé, ou qu'il se cache pour une raison quelconque...

— On n'annule pas un rendez-vous avec la reine, déclara Isabelle d'un ton sans appel. Pas si on tient à sa peau.

— Mais elle prendra les bagues et on ne sera pas plus avancés, protesta Simon. On aura beau avoir d'autres questions à lui poser maintenant qu'on en sait un peu plus, elle se contentera de répondre aux mêmes que d'habitude. C'est leur façon de faire. Ils ne font pas de cadeaux. Je la vois mal nous laisser aller parler à Magnus puis revenir.

— Laissez tomber, dit Clary en se cachant le visage dans les mains.

Mais ses yeux restèrent secs. Elle n'avait plus de larmes pour pleurer, Dieu merci. Elle n'aurait pas voulu se présenter devant la reine avec les yeux rougis.

— Je n'ai pas pris les bagues.

Isabelle resta bouche bée.

— Quoi ?

— Après avoir vu Jace et Sébastien, j'étais trop bouleversée. Je suis sortie en courant de l'Institut et je me suis téléportée jusqu'ici.

— Dans ce cas, ce n'est pas la peine d'aller voir la reine, dit Alec. Elle sera furieuse.

— Furieuse ? Le mot est faible, ajouta Isabelle. Vous avez vu ce qu'elle a fait à Alec ? Et c'était juste un charme. Elle va sans doute transformer Clary en homard ou je ne sais quoi.

— Elle savait, murmura Clary.

Les paroles de la reine résonnaient encore dans sa tête. « Quand vous le retrouverez, il ne sera peut-être pas dans l'état où vous l'avez laissé. » Elle frissonna. Elle pouvait comprendre pourquoi Simon haïssait autant les fées. Elles trouvaient toujours les mots susceptibles de s'insinuer dans l'esprit des gens et de ne plus les laisser en paix.

— Elle nous mène en bateau, poursuivit-elle. Elle veut ces bagues, mais ça m'étonnerait qu'elle soit disposée à nous aider.

— Admettons, dit Isabelle d'un ton dubitatif. Mais si elle savait, comme tu dis, elle détient peut-être d'autres informations. Et qui d'autre peut nous aider, puisqu'on ne peut pas aller trouver l'Enclave ?

— Magnus, répondit Clary. Il essaie de déchiffrer le sortilège de Lilith depuis deux semaines. Si je lui raconte ce que j'ai vu, peut-être que ça l'aidera.

Simon leva les yeux au ciel.

— Heureusement qu'on connaît le petit ami de Magnus, sinon j'ai l'impression qu'on passerait notre temps à se demander comment s'en sortir. Ou à vendre de la limonade pour essayer de se payer ses services.

Ce commentaire agaça Alec au plus haut point.

— Si tu voulais te payer ses services en vendant de

la limonade, il faudrait que tu mettes de la drogue dedans.

— C'est une image. On sait tous que ton copain coûte cher. J'aimerais juste qu'on ne soit pas obligés de se tourner vers lui dès qu'on a un problème.

— Lui aussi, il aimerait bien, répliqua Alec. Magnus a autre chose à faire aujourd'hui, mais je lui parlerai ce soir et on peut se donner rendez-vous chez lui demain matin.

Clary hocha la tête. Elle ne pouvait même pas imaginer se lever de son lit le lendemain. Elle savait qu'ils devaient parler à Magnus sans attendre, mais elle se sentait aussi épuisée que si elle avait perdu des litres de sang sur le sol de la bibliothèque.

Isabelle se rapprocha de Simon.

— Ça nous laisse le reste de l'après-midi, dit-elle. On va chez Taki's. Ils servent du sang.

Simon jeta un regard inquiet à Clary.

— Tu veux venir ?

— Non, je vais prendre un taxi pour rentrer à Williamsburg. Je devrais passer plus de temps avec ma mère. Toutes ces histoires au sujet de Sébastien l'avaient déjà pas mal ébranlée, alors maintenant...

Isabelle rejeta ses cheveux en arrière.

— Ne lui parle pas de ce que tu as vu. Luke siège au Conseil. Il n'a pas le droit de leur dissimuler quoi que ce soit, et tu ne peux pas exiger de ta mère qu'elle lui taise la vérité.

— Je sais.

Clary regarda tour à tour les visages anxieux tournés vers elle. Comment en étaient-ils arrivés là ? Elle qui n'avait jamais eu de secrets pour Jocelyne s'apprêtait à lui cacher un fait de la plus haute importance. Un fait dont elle ne pouvait discuter qu'avec Alec, Magnus et Isabelle, des gens qu'elle ne connaissait même pas six mois plus tôt. Décidément, la vie pouvait basculer en un rien de temps.

Au moins, elle avait encore Simon. Après l'avoir embrassé sur la joue et salué les autres, elle tourna les talons, consciente qu'ils la regardaient partir avec inquiétude. Elle traversa le parc en faisant craquer les feuilles mortes sous ses pieds comme de petits os.

Alec avait menti. Ce n'était pas Magnus qui avait quelque chose à faire cet après-midi-là. C'était lui.

Il savait qu'il s'apprêtait à faire une bêtise, mais il ne pouvait pas s'en empêcher : c'était comme une drogue, ce besoin d'en savoir plus. Tout en progressant avec sa pierre de rune à la main, il se demandait ce qu'il faisait là.

Comme dans toutes les stations de métro new-yorkaises, une odeur de rouille, de pourriture et d'humidité flottait dans l'air. Mais à la différence des autres, un silence inquiétant régnait dans celle-ci. À l'exception des traces laissées par les inondations, les murs et les quais étaient propres. Un plafond voûté éclairé çà et là par un lustre s'étendait au-dessus de sa tête. Sur les arches recouvertes de carrelage vert, on pouvait lire CITY HALL en lettres capitales.

L'endroit n'était plus utilisé depuis 1945, mais la ville avait décidé de le maintenir en bon état à titre de monument historique : le train de la ligne 6 y passait à l'occasion pour faire demi-tour. Cependant, l'accès au quai était interdit. Pour entrer dans la station, Alec s'était glissé sous une grille de métro située entre deux cornouillers dans City Hall Park, et avait dû effectuer un saut dans le vide qui aurait sans doute cassé les deux jambes de n'importe quel Terrestre.

C'était là, sous terre, qu'était fixé le rendez-vous dans la lettre remise par l'assujetti. D'abord, il avait décidé de ne pas en tenir compte. Mais, ne pouvant se résoudre à la jeter, il l'avait glissée dans la poche de son jean ; tout au long de la journée, elle l'avait hanté, même à Central Park.

Il ne pouvait pas s'empêcher de penser à sa relation avec Magnus, comme on s'inquiète au sujet d'une dent cariée. Il savait que cela ne faisait qu'aggraver la situation de réagir ainsi, mais c'était plus fort que lui. Magnus n'avait rien fait de mal. Ce n'était pas sa faute s'il était vieux de plusieurs centaines d'années et s'il avait déjà aimé auparavant. Mais cette idée empoisonnait l'esprit d'Alec. Et, à présent qu'il en savait à la fois plus et moins sur la situation de Jace que la veille, il avait besoin de parler à quelqu'un, d'aller quelque part, en un mot, d'agir.

Donc il était venu. Et elle était venue, elle aussi, il en était certain. Il avança prudemment sur le quai. La grande verrière laissait entrer la lumière du parc. Au bout du quai se trouvait une volée de marches qui se perdait dans l'obscurité. Alec détecta la présence d'un charme : là où n'importe quel Terrestre aurait vu un mur de béton, lui voyait une issue. Il gravit l'escalier sans bruit.

Il pénétra dans une pièce sombre et basse de plafond, où une autre verrière, de couleur améthyste, laissait entrer un peu de clarté. Dans un coin obscur se trouvait un élégant canapé en velours au dossier incurvé, sur lequel était assise Camille.

Elle était aussi belle que dans le souvenir d'Alec, bien qu'elle n'ait pas été au mieux de sa forme la dernière fois qu'il l'avait vue, sale et enchaînée à un tuyau dans un immeuble en construction. Elle portait un tailleur noir avec des escarpins rouges, et ses cheveux tombaient en cascade sur ses épaules. Elle avait un livre ouvert sur les genoux : *La Place de l'Étoile*, de Patrick Modiano. Il savait assez de français pour comprendre le titre.

Visiblement, elle attendait sa venue.

— Bonjour, Camille, lança-t-il.

— Alexander Lightwood. J'ai reconnu ton pas.

Appuyant la joue contre sa main, elle lui adressa un sourire distant.

— Je suppose que tu n'as pas de message à me transmettre de la part de Magnus.

Alec ne répondit pas.

— Bien sûr que non, reprit-elle. Quelle idiote je fais. Il ne sait pas que tu es là, n'est-ce pas ?

— Comment avez-vous deviné que c'était moi dans l'escalier ?

— Tu es un Lightwood. Ta famille ne lâche jamais le morceau. Je savais que tu n'oublierais pas ce que je t'ai dit ce soir-là. Mon message d'aujourd'hui n'était qu'un moyen de te rafraîchir la mémoire.

— Je n'ai pas besoin que vous me rappeliez votre promesse. Ou alors vous mentiez ?

— Cette nuit-là, j'aurais dit n'importe quoi pour que tu me délivres, admit-elle. Mais je n'ai pas menti.

(Elle se pencha pour le fixer de son regard sombre et brillant.) Tu es un Nephilim de l'Enclave et du Conseil. Ma tête est mise à prix pour avoir assassiné des Chasseurs d'Ombres. Mais je sais déjà que tu n'es pas venu ici pour me livrer à tes amis. Tu veux des réponses.

— Je veux savoir où est Jace.

— Tu te doutes que je ne connais pas la réponse à cette question. Il a été enlevé par le fils de Lilith, et je n'ai aucune raison d'être loyale envers elle : elle est morte. Je sais qu'on me recherche pour m'interroger. Je te le dis tout net : je ne suis au courant de rien. Si je savais où se trouve ton ami, je t'en aurais déjà fait part. Je n'ai pas envie de me mettre encore plus à dos les Nephilim. (Elle passa la main dans ses cheveux blonds.) Mais ce n'est pas la raison de ta présence ici, admets-le, Alexander.

Alec sentit son cœur battre plus vite. Il avait souvent pensé à ce moment pendant ses insomnies chez Magnus, alors qu'il écoutait la respiration du sorcier, puis la sienne. Chaque fois qu'il inspirait et expirait, il se rapprochait de la mort. Chaque nouvelle nuit le poussait vers sa fin.

— Vous avez dit que vous connaissiez un moyen de me rendre immortel, dit-il. Un moyen pour que Magnus et moi restions éternellement ensemble.

— Vraiment ? C'est intéressant.

— Je veux que vous me le révéliez maintenant.

— Je le ferai, dit-elle en posant son livre. Si tu me donnes quelque chose en échange.

— Hors de question. Je vous ai libérée. Dites-moi ce que je veux savoir ou je vous livre à l'Enclave. Ils vous enchaîneront sur le toit de l'Institut avant le lever du soleil.

— Je n'ai que faire de tes menaces, répliqua-t-elle d'un ton glacial.

— Alors donnez-moi mon dû.

Elle se leva en tirant sur le bas de sa veste pour en effacer les plis.

— Viens le chercher, Chasseur d'Ombres.

Soudain, Alec eut l'impression d'expulser toute la frustration et le désespoir accumulés au cours des dernières semaines. Il se jeta sur Camille ; au même moment, elle bondit sur lui en sortant ses crocs.

À peine eut-il le temps de dégainer son poignard séraphique de sa ceinture qu'elle l'avait déjà rejoint. Il avait par le passé affronté des vampires : leur force et leur rapidité étaient exceptionnelles. C'était un peu comme se battre contre une tornade. Il fit un écart, roula sur lui-même et poussa une échelle tombée à terre dans la direction de la femme vampire. Cela lui laissa le temps de brandir son arme en murmurant : « Nuriel ! »

La lame du poignard séraphique illumina la pièce comme une étoile et, après une hésitation, Camille repartit à l'assaut en lacérant la joue et l'épaule d'Alec de ses ongles pointus. Il sentit la tiédeur de son sang qui dégoulinait sur son visage. Faisant volte-face, il fonça de nouveau sur elle, mais elle l'évita d'un bond et partit d'un rire moqueur.

Il se précipita vers les marches qui menaient au quai. Elle se lança à sa poursuite et, au moment où elle se jetait sur lui, il l'évita de justesse en prenant son élan contre le mur. Ils se cognèrent l'un contre l'autre en plein vol et roulèrent sur le quai, elle hurlant et se débattant, lui l'agrippant fermement par le bras. Le seul moyen d'avoir le dessus était de la maintenir au sol, et en son for intérieur il remercia Jace, qui l'avait contraint à s'entraîner jusqu'à ce qu'il puisse prendre appui sur n'importe quelle surface pour se projeter dans le vide pendant au moins une ou deux secondes.

Il donna des coups de poignard, mais à chaque fois elle parait ses attaques sans difficulté, en bougeant si vite qu'il la distinguait à peine. Elle le frappa à coups de pied et lui enfonça ses talons dans les mollets. Il tressaillit, poussa un juron auquel elle répondit par un déluge d'insultes, et elle aurait continué à se débattre si à force de se rouler par terre ils ne s'étaient pas retrouvés juste en dessous de la verrière, au travers de laquelle filtrait un rayon de soleil. Saisissant le poignet de Camille, Alec approcha sa main de la lumière.

Elle poussa un hurlement, et d'énormes cloques blanches apparurent sur sa peau. Alec sentait la chaleur émaner de sa peau brûlée. Les doigts noués autour des siens, il repoussa sa main vers l'obscurité. Avec un grondement de bête, elle se jeta sur lui pour le mordre. Il lui donna un coup de coude dans la figure, et du sang – du sang de vampire, d'un rouge plus luisant que le sang humain – jaillit de sa lèvre fendue.

— Tu as eu ton compte ou tu en veux encore ? rugit-il

Il fit mine de la traîner une fois encore vers la flaque de lumière. Sa main avait déjà commencé à cicatriser, la peau rouge et boursoufflée reprenait peu à peu son aspect normal.

— Non ! cria-t-elle.

Soudain, elle se mit à tousser, le corps tout entier secoué de spasmes, et il fallut un moment au jeune homme pour comprendre qu'elle riait malgré le sang sur son visage.

— Cela faisait longtemps que je ne m'étais pas sentie aussi vivante. Rien de tel qu'une bonne bagarre... Je devrais te remercier.

— Répondez à ma question ou je vous fais cramer, répliqua-t-il, hors d'haleine. J'en ai assez de vos petits jeux.

Elle sourit. Sa blessure s'était déjà refermée, mais son menton était couvert de sang.

— Je ne peux pas te rendre immortel à moins d'avoir recours à la magie noire ou de te transformer en vampire, et tu as rejeté ces deux options.

— Mais... vous avez dit qu'il existait un autre moyen.

— Oh, il y en a un. (Les yeux de la femme vampire étincelèrent.) Je ne peux pas t'offrir l'immortalité, petit Nephilim, du moins pas dans des conditions que tu accepterais. En revanche, je peux l'ôter à Magnus.

Clary était assise dans sa chambre chez Luke, un crayon à la main, une feuille de papier posée sur le bureau devant elle. Le soleil s'était couché, et la lampe allumée éclairait la rune qu'elle venait de commencer.

Elle lui était venue peu à peu alors qu'elle se trouvait dans le métro qui la ramenait chez elle, le regard tourné vers la vitre. Cette rune ne ressemblait à rien de ce qu'elle connaissait et, en sortant du métro, elle avait couru jusqu'à chez elle pour y arriver tant que l'image était encore nette dans son esprit. Après avoir balayé d'un geste les questions de sa mère, elle s'était cloîtrée dans sa chambre, munie d'un papier et d'un crayon.

On frappa à la porte. Clary cacha précipitamment sous une feuille vierge celle sur laquelle elle dessinait au moment où sa mère entrait dans sa chambre.

— Je sais, je sais, dit Jocelyne, devançant ses protestations. Tu veux qu'on te laisse tranquille. Mais Luke a préparé le dîner et tu devrais manger quelque chose.

Clary examina sa mère.

— Toi aussi.

Comme sa fille, Jocelyne avait tendance à perdre l'appétit quand elle était stressée, et en l'occurrence elle avait les joues creuses. Elle aurait dû être en train de préparer sa lune de miel, de faire ses valises pour une destination lointaine et paradisiaque. Mais le mariage était reporté jusqu'à nouvel ordre et, la nuit, Clary l'entendait pleurer de l'autre côté du mur. Elle savait que ces larmes, nées de la colère et de la culpabilité, portaient toujours le même message : « Tout est de ma faute. »

— Je mangerai si tu manges, lança Jocelyne en s'efforçant de sourire. Luke a préparé des pâtes.

Clary fit pivoter sa chaise en se positionnant de manière à cacher son bureau.

— Maman, j'ai une question à te poser.

— Je t'écoute.

Clary mordilla le bout de son crayon, une mauvaise

habitude acquise dès qu'elle avait commencé à dessiner.

— Quand j'étais à la Cité Silencieuse avec Jace, les Frères m'ont parlé d'un rituel accompli à la naissance des Chasseurs d'Ombres pour les protéger. Ce sont les Sœurs de Fer et les Frères Silencieux qui doivent s'en charger. Je me demandais...

— Si tu as eu droit à cette cérémonie ?

Clary hocha la tête.

Jocelyne se passa la main dans les cheveux en soupirant.

— Oui, par l'intermédiaire de Magnus. Un Frère Silencieux tenu au secret était présent, ainsi qu'une sorcière qui a pris la place d'une Sœur de Fer. Au début, je n'étais pas très décidée. Je ne voulais pas imaginer que tu puisses être menacée par des forces surnaturelles alors que j'avais mis tant de soin à te cacher. Mais Magnus a fini par me convaincre, et il a eu raison.

Clary considéra sa mère d'un air intrigué.

— Qui était la sorcière en question ?

— Jocelyne ! cria Luke de la cuisine. L'eau bout !

Jocelyne déposa un baiser furtif sur le front de Clary.

— Désolée. Urgence culinaire. Tu viens dans cinq minutes ?

Clary hocha la tête et, tandis que sa mère se précipitait hors de sa chambre, elle se remit à dessiner pour achever la rune qu'elle avait commencée. Une fois sa tâche terminée, elle recula pour l'examiner. Très simple, en forme de croix, elle ressemblait un peu à une rune de descellement. Il émanait d'elle une menace sourde, et Clary avait l'impression qu'elle était née de sa rage, de sa culpabilité, de son désarroi.

C'était une rune puissante. Mais bien qu'elle connaisse précisément son usage et sa signification, elle ne voyait pas en quoi elle pouvait lui être utile dans la situation actuelle. Elle éprouvait la même frustration qu'un conducteur en panne sur une route déserte, qui fouille désespérément le coffre de sa voiture, et finit par en sortir une rallonge électrique au lieu d'un câble de démarrage.

Il lui semblait que son pouvoir se moquait d'elle. Avec un juron, elle jeta son crayon sur le bureau et se cacha le visage dans les mains.

L'intérieur du vieil hôpital avait été blanchi à la chaux, ce qui donnait aux murs des reflets inquiétants. La plupart des fenêtres avaient été condamnées mais même dans la pénombre, grâce à sa grande acuité visuelle, Maia distinguait les moindres détails : la poussière de plâtre sur le sol, les marques à l'endroit où les ouvriers posaient leurs éclairages, les fils de l'installation électrique collés au mur avec de la peinture, les souris furetant dans les coins sombres.

Une voix s'éleva derrière elle.

— J'ai fouillé l'aile est. Rien. Et toi ?

Maia se retourna. Jordan se tenait derrière elle, vêtu d'un jean foncé et d'un sweat noir zippé sur son tee-shirt vert. Elle secoua la tête.

— Il n'y a rien non plus dans l'aile ouest. L'escalier est branlant et il y a de chouettes détails d'architecture, si ça t'intéresse.

Il secoua la tête.

— Allons-nous-en d'ici, alors. Cet endroit me file la chair de poule.

Maia acquiesça, soulagée de ne pas avoir eu à le dire avant lui. Ils descendirent l'escalier ; les restes de peinture sur la rampe ressemblaient à de la neige. Maia ne savait pas vraiment pourquoi elle avait accepté de patrouiller avec Jordan, mais elle devait reconnaître qu'ils formaient une bonne équipe.

Jordan était facile à vivre. Malgré ce qui s'était passé entre eux juste avant la disparition de Jace, il se montrait respectueux et gardait ses distances sans la mettre mal à l'aise. La lune brillait haut dans le ciel quand ils sortirent de l'hôpital. Les fenêtres condamnées qui se détachaient sur la grande façade blanche évoquaient des yeux aveugles. Un arbre rabougri qui perdait ses dernières feuilles se dressait devant la porte principale.

— Bon, c'était une perte de temps, lâcha Jordan.

Maia profita de ce qu'il regardait le vieil hôpital naval pour observer son profil anguleux, ses cheveux bruns bouclant sur sa nuque, sa clavicule dépassant du col en V de son tee-shirt, sans qu'il puisse tirer une quelconque conclusion de ce regard.

À l'époque où elle avait fait sa connaissance, c'était un beau garçon vêtu à la mode, tout en longs cils et en pommettes saillantes. Il avait vieilli depuis : les phalanges de ses doigts étaient couturées de cicatrices et ses muscles se dessinaient sous son sweat-shirt moulant. Il avait encore ce teint olivâtre qui rappelait ses origines italiennes, et les mêmes yeux noisette que dans son souvenir, quoique à présent ils aient les pupilles cerclées d'or des lycanthropes. Pupilles qu'elle voyait elle aussi chaque matin dans le miroir – par sa faute.

— Maia ? (Il la dévisageait d'un air interrogateur.) À quoi tu penses ?

— Oh. Je… euh… Non, je ne crois pas que ça servait à grand-chose de fouiller cet hôpital. Pour être honnête, je ne vois pas pourquoi ils nous ont envoyés ici. À moins que Jace s'intéresse aux bateaux, qu'est-ce qu'il pourrait venir faire dans les parages ?

Jordan se rembrunit.

— Les cadavres qu'on jette dans l'East River échouent souvent ici.

— Tu crois que c'est un corps qu'il faut chercher ?

— Je n'en sais rien.

Haussant les épaules, il se remit en marche. Ses bottes crissaient dans l'herbe sèche.

— Peut-être que si je cherche encore à ce stade, c'est parce que ça me fait mal au cœur de renoncer.

Ils marchèrent d'un pas tranquille, si près l'un de l'autre que leurs épaules se touchaient presque. Maia gardait les yeux fixés sur les gratte-ciel de Manhattan. Alors qu'ils se rapprochaient de la baie, le pont de Brooklyn apparut au loin, ainsi que le rectangle lumineux du port maritime de South Street. Elle perçut les relents d'eau polluée, de crasse et de diesel émanant du chantier naval, ainsi que l'odeur des petits rongeurs qui se cachaient dans l'herbe.

— Je ne crois pas que Jace soit mort, dit-elle enfin. Je crois qu'il ne veut pas être retrouvé.

À ces mots, Jordan se tourna vers elle.

— Tu sous-entends qu'on ne devrait plus le chercher ?

— Non, ce n'est pas ce que j'ai dit.

Elle hésita. Ils venaient d'atteindre la berge, à proximité d'un muret sur laquelle elle promena la main tandis qu'ils marchaient. Une étroite allée bétonnée les séparait des flots.

— Quand je me suis enfuie à New York, je n'avais pas non plus envie d'être retrouvée. Mais j'aurais bien aimé qu'on me cherche avec la détermination dont les gens font preuve pour retrouver Jace Lightwood.

— Tu aimais bien Jace ? demanda Jordan d'une voix qui ne trahissait pas d'émotion particulière.

— Si je l'aimais bien ? Dans quel sens ?

Jordan rit.

— Pas dans ce sens-là. Bien qu'on le considère en général comme un très beau garçon.

— Tu me fais le coup du type hétéro qui prétend ne pas savoir si un homme est beau ou pas, c'est ça ? Jace et le type poilu de l'épicerie de la Neuvième Avenue, c'est pareil pour toi ?

— Eh bien, le type poilu a un horrible grain de beauté, alors j'imagine que Jace est un peu au-dessus. Enfin, si on aime le genre blond athlétique qui se croit mieux que tout le monde.

— J'ai toujours préféré les bruns, dit-elle à mi-voix.

Il regarda le fleuve.

— Oui, comme Simon.

— Eh bien… oui, admit Maia, même si elle n'avait pas pensé à Simon dans ces termes-là depuis quelque temps.

— Et tu aimes les musiciens, poursuivit-il en arrachant une feuille sur la branche basse d'un arbre. C'est vrai, je suis chanteur dans un groupe, Bat était DJ, et Simon...

— J'aime la musique, concéda Maia en écartant ses cheveux de son visage.

— Quoi d'autre ? (Jordan déchira la feuille entre ses doigts, puis se hissa sur le muret et se tourna vers elle.) Est-ce qu'il existe quelque chose qui te passionne au point d'en faire ton métier ?

Elle le dévisagea d'un air surpris.

— De quoi tu parles ?

— Tu te rappelles quand j'ai fait ça ?

Il ôta son sweat-shirt. Son tee-shirt laissait voir ses biceps tatoués de mots en sanscrit extraits des Shanti Mantras, ces prières hindoues pour la paix. Elle s'en souvenait parfaitement. C'était leur amie Valerie qui avait exécuté ces tatouages gratuitement, pendant son temps libre, dans son salon de Red Bank. Maia fit un pas vers Jordan et, d'un geste hésitant, elle effleura du bout des doigts les lettres tatouées sur son bras gauche. Il ferma les yeux.

— « Conduis-moi de l'irréel au réel, récita-t-elle. Conduis-moi de l'obscurité vers la lumière. Conduis-moi de la mort vers l'immortalité. »

— C'était ton idée. C'était toujours toi qui lisais, qui savais tout... (Il ouvrit les yeux, qui étaient plus clairs que les flots derrière lui.) Maia, quoi que tu veuilles faire, je t'aiderai. J'ai beaucoup économisé sur mon salaire. Ça pourrait couvrir tes frais d'inscription à Stanford. Enfin, en partie. Si tu veux toujours y aller.

— Je ne sais pas, répondit-elle. Quand j'ai rejoint la meute, je croyais que mon existence se résumerait à elle. Qu'on ne pouvait pas être autre chose qu'un loup-garou. Que je n'aurais plus d'identité propre. D'un autre côté, je me sentais en sécurité. Mais Luke a une vie à lui. Il est propriétaire d'une librairie. Et toi, tu es chez les Praetor, alors je suppose... qu'on a le choix.

— Tu as toujours eu plusieurs cordes à ton arc. Tu sais, quand tu disais qu'à l'époque où tu t'es enfuie, tu aurais aimé que quelqu'un te cherche... (Il soupira.) Moi, je l'ai fait. Je n'ai jamais cessé.

Elle soutint son regard. Il ne bougea pas mais ses mains qui agrippaient ses genoux tremblaient un peu. Maia se pencha assez près de lui pour distinguer sa barbe naissante et sentir ses odeurs de loup et de garçon mêlées à la fragrance mentholée de son dentifrice. Elle posa ses mains sur les siennes.

— Eh bien, tu m'as trouvée.

Leurs visages n'étaient qu'à quelques centimètres l'un de l'autre. Elle sentit son souffle sur ses lèvres avant qu'il l'embrasse, et se pencha vers lui en fermant les yeux. Ses lèvres, aussi douces que dans son souvenir, la firent frissonner. Elle noua les mains autour de sa nuque, puis caressa du bout des doigts ses boucles brunes et la peau douce de son cou.

Il l'attira contre lui. Il tremblait de la tête aux pieds. Elle sentit la chaleur émanant de son corps robuste tandis qu'il promenait ses mains le long de son dos en murmurant son nom. Il souleva le bas de son sweat-shirt et toucha ses reins.

— Je t'aime. Je n'ai jamais cessé de t'aimer.

« Tu es à moi maintenant et pour toujours. »

Le cœur battant, elle s'écarta de lui en rajustant son haut.

— Jordan... arrête.

Il la considéra d'un air à la fois étonné et inquiet.

— Pardon. Je m'y suis mal pris ? Tu es la seule, tu sais. Il n'y a eu personne depuis...

Il s'interrompit.

— Non, c'est juste que... (Elle secoua la tête.) Je ne peux pas.

— Ce n'est rien.

Il semblait très vulnérable tout à coup, assis là, l'air désemparé.

— On n'est pas obligés de faire quoi que ce soit. reprit-il.

Elle chercha ses mots.

— C'est juste trop pour moi.

— Ce n'était qu'un baiser.

— Tu m'as dit que tu m'aimais, bredouilla-t-elle. Tu m'as offert tes économies. Je ne peux pas accepter.

— De quoi tu parles ? demanda-t-il, l'air blessé. De mon argent ou de mes sentiments ?

— Des deux. Je ne peux pas, OK ? Pas toi, pas maintenant.

Elle recula, et comme il allait protester, elle ajouta en s'éloignant :

— Ne me suis pas, s'il te plaît.

5

Le fils de Valentin

Voilà qu'elle rêvait encore de paysages glacés, de toundra hostile s'étendant à l'infini, de banquise dérivant sur les eaux noires de l'océan Arctique, de montagnes couronnées de neige et de cités sculptées dans la glace, dont les immeubles étincelaient comme les tours d'Alicante.

Un lac gelé s'étendait aux confins d'une ville blanche. Clary essayait d'atteindre l'eau sans trop savoir pourquoi, et glissait sur une pente raide. Debout au milieu de l'étendue gelée, deux silhouettes se détachaient sur l'horizon. Aux abords du lac, les mains brûlées par le froid et les chaussures pleines de neige, elle vit que l'une des deux silhouettes était un garçon doté d'ailes noires, comme un corbeau. Il avait des cheveux aussi blancs que la neige qui l'environnait. Sébastien. Le jeune homme près de lui était Jace ; ses cheveux blonds constituaient la seule touche de couleur vive dans ce paysage glacé aux nuances de blanc, de noir et de gris.

Comme il s'avançait vers elle, des ailes chatoyantes aux reflets dorés jaillirent de son dos. Clary glissa sur les derniers mètres qui la séparaient de la surface du lac et tomba à genoux, épuisée. Ses mains étaient couvertes de sang et *d'ecchymoses, elle avait les lèvres gercées et chaque bouffée d'air glacé lui brûlait les poumons.*

— Jace, murmura-t-elle.

Après l'avoir relevée, il l'enveloppa de ses ailes. Elle sentit son sang se réchauffer, et des picotements de plaisir et de douleur mêlés lui parcourir les mains et les pieds.

— Clary, dit-il en lui caressant tendrement les cheveux. Tu me promets de ne pas crier ?

Clary ouvrit les yeux. Pendant quelques secondes, le monde se mit à tourner autour d'elle comme si elle l'observait depuis un manège. Elle reconnut le cocon familier de sa chambre chez Luke, son futon, l'armoire au miroir craquelé, les fenêtres donnant sur l'East River, le radiateur qui crachait et sifflait. Un rayon de lune éclairait faiblement la pièce, et le détecteur de fumée fixé au-dessus du placard nimbait les meubles d'un halo rouge. Douillettement roulée en boule sous une montagne de couvertures, Clary, dans cet état brumeux qui sépare le sommeil de la veille, se demanda si Simon était entré sans bruit par la fenêtre pendant qu'elle dormait pour s'étendre à côté d'elle, comme quand ils étaient petits.

Mais Simon ne dégageait pas de chaleur corporelle.

Son cœur bondit dans sa poitrine. Bien réveillée à présent, elle se retourna dans le lit et trouva Jace allongé à côté d'elle. La tête appuyée sur sa main, il l'observait. Le clair de lune faisait briller ses cheveux, et ses yeux étincelaient dans la pénombre comme ceux d'un chat. Il portait le même tee-shirt blanc que dans la bibliothèque, et des runes s'entrelaçaient comme de la vigne sur ses bras.

Elle réprima un cri. Jace, son Jace, ne l'avait jamais regardée ainsi. Ses yeux avaient souvent trahi son désir, mais jamais encore ils n'avaient exprimé cette convoitise à la fois nonchalante et prédatrice, et le cœur de Clary se mit à battre plus vite.

Elle ouvrit la bouche – pour appeler à l'aide ou pour murmurer son nom, elle n'aurait su le dire et elle n'eut pas l'occasion de le vérifier car, à la vitesse de l'éclair, il bondit sur elle et plaqua sa main sur sa bouche.

— Je ne vais pas te faire de mal, chuchota-t-il, mais je ne veux pas que tu cries. J'ai besoin de te parler.

Elle le foudroya du regard et, à sa stupéfaction, il rit tout bas.

— Je lis en toi comme dans un livre ouvert, Clary Fray. À la seconde où je vais te lâcher, tu vas te mettre à crier ou essayer de t'en prendre à moi. Allez, promets-moi que tu te tiendras tranquille. Jure-le sur l'Ange.

Cette fois, elle leva les yeux au ciel.

— C'est vrai, tu as raison. Tu ne peux pas vraiment faire de promesse avec ma main plaquée sur ta bouche. Je vais l'ôter et si tu cries... je disparais.

Il joignit le geste à la parole et, le souffle court, Clary s'immobilisa. Elle savait que, quoi qu'elle tente, il serait plus rapide qu'elle, mais pour l'instant il semblait considérer la situation comme un jeu.

— Qu'est-ce que tu fais ici ? demanda-t-elle à voix basse.

Il s'écarta légèrement, l'air déçu.

— Ce n'est pas vraiment la réaction que j'espérais. Je m'attendais au moins à un « Alléluia ! ». Ce n'est pas tous les jours que ton petit ami revient d'entre les morts.

— Je savais que tu n'étais pas mort. Je t'ai vu aujourd'hui dans la bibliothèque avec...

— ... le colonel Moutarde ?

— Avec Sébastien.

Il rit de nouveau.

— Moi aussi, je savais que tu étais là. Je l'ai senti.

Clary se figea.

— Tu n'as pas donné signe de vie pendant deux semaines ! Jusqu'à aujourd'hui, je te croyais...

« Mort. » Elle s'interrompit ; elle ne pouvait pas prononcer ce mot.

— C'est impardonnable, reprit-elle. Si je t'avais fait le même coup...

Il se pencha de nouveau vers elle ; ses mains étaient chaudes, son corps pressé contre le sien la déconcentrait.

— J'étais obligé, dit-il. C'était trop dangereux. Si je m'étais manifesté, tu aurais dû révéler au Conseil que j'étais toujours en vie ou garder cela pour toi et devenir ma complice. Après ce qui s'est passé aujourd'hui, je n'avais pas d'autre choix que d'attendre. Je voulais vérifier si tu m'aimais encore, si tu irais trouver le Conseil après ce dont tu avais été témoin. Tu ne l'as pas fait. Je suis donc plus important pour toi que la Loi ?

— Je ne sais pas, murmura-t-elle. Je ne sais pas. Qui es-tu ?

— Je suis resté le même. Je t'aime toujours.

Les yeux de Clary s'emplirent de larmes. Jace se pencha pour l'embrasser, d'abord sur les joues puis sur la bouche. Elle sentit sur ses lèvres le goût salé de ses larmes. Pendant une fraction de seconde, ses doutes se dissipèrent, occultés par le goût familier des baisers de Jace, son corps, le besoin viscéral de le garder près d'elle... et soudain la porte s'ouvrit.

Aussitôt, elle s'écarta de Jace en tirant sur son débardeur. Il s'assit sur le lit avec une grâce tranquille et sourit au nouveau venu qui s'était immobilisé sur le seuil.

— Te voilà, fit Jace. Tu ne pouvais pas choisir un plus mauvais moment.

C'était bien lui. Sébastien.

De près, Clary distinguait mieux les changements qui s'étaient opérés dans l'apparence de son frère depuis Idris. Il avait les cheveux d'un blond très clair, et ses yeux noirs bordés de cils longs comme des pattes d'araignée se détachaient tels deux gouffres insondables sur l'ovale pâle de son visage. Il portait une chemise blanche aux manches retroussées, et elle remarqua sur son poignet droit une cicatrice rouge qui l'encerclait comme un bracelet. Une balafre plus récente était visible sur la paume de sa main.

— C'est ma sœur que tu essaies de détourner du droit chemin, tu sais, lança-t-il d'un air narquois en posant les yeux sur Jace.

— Pardon, fit celui-ci sans la moindre trace de contrition dans la voix. On s'est laissé emporter.

Clary se tourna vers son frère.

— Va-t'en, dit-elle entre ses dents.

Comme il s'adossait au montant de la porte, elle fut frappée par ses gestes, si semblables à ceux de Jace.

Ils ne se ressemblaient pas physiquement, et pourtant ils avaient les mêmes mouvements, comme si...

... comme si c'était une seule et même personne qui les leur avait appris.

— Allons, répondit-il, ce ne sont pas des façons de parler à son grand frère.

— J'aurais dû laisser Magnus te transformer en portemanteau, cracha Clary.

— Oh, tu te souviens de cet épisode ? On s'était bien amusés ce jour-là.

Il sourit et, le ventre noué, Clary se remémora cette fameuse journée au cours de laquelle il l'avait emmenée voir les décombres calcinés de la maison de sa mère. Il l'avait embrassée au milieu des ruines alors qu'il connaissait les liens qui les unissaient en réalité ; il s'était délecté de son ignorance.

Elle jeta un regard en coin à Jace. Il savait très bien ce qui s'était passé. Sébastien l'avait suffisamment raillé à ce sujet. Pourtant, il ne semblait pas en colère mais amusé, et légèrement agacé d'avoir été interrompu.

— Il faudra qu'on recommence à l'occasion, poursuivit Sébastien en examinant ses ongles. Rien de tel qu'un bon moment passé en famille.

— Tu peux penser ce que tu veux, tu n'es pas mon frère, lâcha Clary. Tu es un assassin.

— Et alors ? Ce n'est pas incompatible ! rétorqua Sébastien. Même chose pour notre cher vieux papa. (Il reporta le regard sur Jace.) Normalement, je n'aime pas m'immiscer dans la vie amoureuse de mes amis, mais je ne pouvais pas rester dans ce couloir éternellement, d'autant que je n'ai pas le droit d'allumer la lumière. Ça devenait lassant.

Jace se redressa en tirant sur son tee-shirt.

— Donne-nous cinq minutes.

Avec un soupir théâtral, Sébastien sortit en refermant la porte derrière lui. Clary se tourna vers Jace.

— Qu'est-ce qui se passe, p...

— Surveille ton langage, Fray.

Clary désigna la porte.

— Tu as entendu ce qu'il a dit au sujet de la fois où il m'a embrassée. Il savait déjà que je suis sa sœur. Jace...

Le regard de Jace s'assombrit pendant une fraction de seconde, mais il retrouva aussitôt son air placide, comme si les mots de Clary avaient rebondi sur une surface en Teflon sans y faire la moindre impression.

— Jace, tu as entendu ce que je t'ai dit ?

— Écoute, je comprends que tu ne sois pas à l'aise avec le fait que ton frère attende dans le couloir. Je n'avais pas prévu de t'embrasser. (Il eut un sourire qu'en d'autres circonstances elle aurait trouvé adorable.) Sur le moment, ça m'a juste semblé une bonne idée.

Clary se leva maladroitement sans le quitter des yeux, prit sa robe de chambre pendue à un montant du lit et l'enfila. Jace la regarda sans esquisser un geste pour la retenir, mais ses yeux étincelaient dans la pénombre.

— Je... je ne comprends pas, bredouilla-t-elle. D'abord tu disparais sans la moindre explication, puis tu reviens avec lui en te comportant comme si de rien n'était.

— Je te l'ai déjà expliqué, dit-il. Je voulais être sûr de toi. Il ne fallait pas que tu saches où j'étais tant que l'Enclave t'interrogeait. Je pensais que ce serait difficile pour toi...

— Difficile ? (La rage lui coupait presque le souffle.) Un examen écrit, c'est difficile. Une course d'obstacles, c'est difficile. Ta disparition m'a presque tuée, Jace. Et à ton avis, comment ont réagi Alec, Isabelle, Maryse ? Tu peux imaginer ce qu'ils ont ressenti ?

Jace se rembrunit de nouveau, mais il semblait l'entendre sans vraiment l'écouter.

— Ah oui, j'allais te demander. (Il eut un sourire angélique.) Est-ce que tout le monde me cherche ?

— Quoi ?

Elle secoua la tête en resserrant autour d'elle les pans de sa robe de chambre. Soudain, elle éprouvait le besoin de se soustraire à son regard.

— J'espérais qu'ils colleraient des affiches un peu partout comme avec les chats perdus, reprit-il. « Disparu : adolescent d'une beauté renversante, qui répond au doux nom de Jace ou de "Chaud Lapin" ».

— Non mais tu t'entends ?

— Tu n'aimes pas ? Tu préfères « Belle Gueule » ?

— Tais-toi et sors d'ici, dit-elle avec férocité.

Il parut décontenancé.

— D'accord, d'accord. J'arrête de faire l'imbécile. Clarissa, je suis venu pour te convaincre de partir avec moi.

— Partir ? Où ça ?

— Je veux que tu viennes avec moi et... et Sébastien. Je t'expliquerai tout.

Elle le dévisagea, figée de stupeur. Le clair de lune soulignait les contours de sa bouche, le creux de ses pommettes, l'ombre de ses cils.

— La dernière fois que je t'ai suivi, je me suis réveillée au beau milieu d'un rituel de magie noire.

— Ce n'était pas moi, c'était Lilith.

— Le Jace Lightwood que je connais ne resterait pas une minute dans la même pièce que Jonathan Morgenstern sans lui régler son compte.

— Ce serait contre-productif, dit Jace d'un ton désinvolte en chaussant ses boots. Nous sommes liés, lui et moi. S'il se coupe, je saigne.

— Liés ? Comment ça, liés ?

Il ignora sa question.

— Ça dépasse ton entendement, Clary. Il a de grands projets. Si tu me donnais une chance de t'expliquer...

— Il a tué Max, Jace. Ton petit frère.

Il tressaillit et, pendant un bref instant, elle crut qu'elle avait réussi à l'atteindre, mais il reprit rapidement contenance.

— C'était... c'était un accident. Et puis, Sébastien est comme un frère pour moi.

— Non, fit Clary en secouant la tête. Ce n'est pas ton frère, c'est le mien. Et Dieu sait si je m'en serais passée. Il n'aurait jamais dû voir le jour...

— Comment tu peux dire ça ? s'exclama Jace. Il ne t'a jamais effleuré l'esprit que tout n'était pas forcément blanc ou noir ? (Il se pencha pour ramasser sa ceinture et la mit.) C'était la guerre, Clary, et des gens ont été blessés, mais... la situation était différente alors. Maintenant, je sais que Sébastien ne ferait jamais intentionnellement de mal à quelqu'un que j'aime. Il sert une cause plus grande. Parfois, il y a des dommages collatéraux...

— Ton petit frère, tu appelles ça un dommage collatéral ? s'écria Clary d'un ton incrédule.

Elle avait du mal à respirer.

— Clary, tu ne m'écoutes pas. C'est important...

— Valentin aussi le croyait.

— Valentin se trompait. Il avait raison au sujet de l'Enclave mais tort sur les moyens de remédier à la situation. Sébastien, lui, a tout compris. Si tu prenais la peine de nous écouter...

— Nous ? Bon Dieu, Jace...

Elle le considéra d'un air hébété ; les pensées se bousculaient dans sa tête. Bien que cela lui brise le cœur, elle essayait de se rappeler l'endroit où elle avait laissé sa stèle, et se demandait si elle avait une chance de récupérer le cutter qui se trouvait dans le tiroir de sa table de nuit. Auquel cas, aurait-elle la force de s'en servir ?

— Clary ? (Jace l'examina, la tête penchée sur le côté.) Tu... tu m'aimes toujours, pas vrai ?

— J'aime Jace Lightwood. Mais toi, je ne sais pas qui tu es.

Le visage de Jace se décomposa, mais avant qu'il puisse ouvrir la bouche, un cri déchira le silence, puis il y eut un bruit de verre brisé.

Clary reconnut immédiatement la voix de sa mère.

Sans un regard vers Jace, elle ouvrit la porte de sa chambre et se précipita dans le salon, une vaste pièce divisée en deux par un long comptoir. Jocelyne, en pantalon de yoga et vieux tee-shirt, les cheveux noués en chignon, se tenait derrière. Elle avait dû se rendre à la cuisine pour se servir un verre d'eau. Des débris de verre gisaient à ses pieds, et la moquette grise était trempée.

Le sang avait quitté son visage, et elle fixait un point à l'autre bout de la pièce. Clary n'eut aucun mal à deviner ce qu'elle regardait.

Son fils.

Sébastien était adossé au mur du salon à côté de la porte, et ses traits ne laissaient transparaître aucune émotion. Il regardait sa mère par-dessous. Sa posture, son apparence, tout en lui rappelait le Valentin de dix-sept ans sur la photo de Hodge.

— Jonathan, murmura Jocelyne.

Clary se figea au moment où Jace surgissait dans le couloir. Il s'arrêta pour embrasser la scène d'un seul coup d'œil, la main posée sur sa ceinture, à quelques centimètres du manche d'une de ses dagues. Il lui faudrait moins d'une seconde pour la lancer.

— Je me fais appeler « Sébastien » maintenant, dit le frère de Clary. Je suis arrivé à la conclusion que ça ne m'intéressait pas de garder le nom que vous m'avez donné, mon père et toi. Vous m'avez trahi tous les deux, et je préférerais être associé à vous le moins possible.

Jocelyne fit un pas vers Sébastien sans quitter des yeux son visage.

— Je te croyais mort, chuchota-t-elle. J'ai vu tes os se transformer en cendres.

Sébastien la dévisagea tranquillement.

— Si tu étais une bonne mère, tu aurais senti que j'étais toujours en vie. Un homme m'a dit un jour que notre mère porte en elle la clé de notre âme pour toute la vie. Mais tu as jeté la mienne.

Avec un gémissement rauque, Jocelyne s'appuya au comptoir pour ne pas tomber. Clary avait envie de se précipiter pour lui venir en aide, mais elle resta clouée sur place. Quoi qu'il se passe entre son frère et sa mère, cela ne la regardait pas.

— Ne me dis pas que tu n'es pas un tant soit peu heureuse de me voir, mère, poursuivit Sébastien d'une voix blanche malgré le caractère implorant de ses mots. Je ne suis pas le fils dont tu as toujours rêvé ? Beau, fort, le portrait craché de son vieux père.

Jocelyne secoua la tête, le visage blême.

— Qu'est-ce que tu veux, Jonathan ?

— Je veux ce que tout le monde veut. Je veux ce qui m'est dû. En l'occurrence, l'héritage des Morgenstern.

— Cet héritage n'est que sang et destruction. Nous ne sommes pas des Morgenstern. Ni moi ni ma fille.

Jocelyne se redressa. Sa main agrippait toujours le comptoir, mais elle semblait avoir recouvré un peu ses esprits.

— Si tu t'en vas, Jonathan, je n'informerai pas l'Enclave de ta venue. (Son regard se posa sur Jace.) Pareil pour toi. S'ils apprenaient que vous êtes de mèche, ils vous tueraient tous les deux.

D'instinct, Clary s'interposa entre sa mère et Jace. Sans lui prêter la moindre attention, ce dernier regarda fixement Jocelyne.

— Qu'est-ce que ça peut vous faire, que je meure ?

— Ce qui m'importe, c'est le bonheur de ma fille, répondit Jocelyne. Et la Loi est dure... trop dure. Ce qui t'est arrivé... nous pouvons peut-être le défaire. (Son regard se posa de nouveau sur Jonathan.) Pour toi, mon Jonathan... il est beaucoup trop tard.

De sa main qui agrippait le comptoir une seconde plus tôt, elle brandit le *kindjal* de Luke. Des larmes coulaient sur ses joues, mais sa main ne tremblait pas.

— Je lui ressemble comme deux gouttes d'eau, n'est-ce pas ? demanda Sébastien. (Il ne bougea pas d'un pouce ; c'est tout juste s'il semblait avoir remarqué le poignard.) C'est pour ça que tu me regardes comme ça.

Jocelyne secoua la tête.

— Tu as gardé la même apparence depuis la première seconde où je t'ai vu : celle d'une créature démoniaque. Je regrette tellement, ajouta-t-elle tristement.

— Tu regrettes quoi ?

— De ne pas avoir eu le courage de te tuer à ta naissance.

Et à ces mots, elle sortit de derrière le comptoir en faisant tournoyer le *kindjal*.

Clary se figea, mais Sébastien n'esquissa pas un geste. Impassible, il regarda sa mère s'avancer vers lui.

— C'est ce que tu veux ? Que je meure ? (Il ouvrit les bras comme pour étreindre Jocelyne, et fit un pas vers elle.) Vas-y. Commets un infanticide. Je ne t'en empêcherai pas.

— Sébastien, dit Jace.

Clary lui jeta un regard incrédule. Elle avait cru discerner de l'inquiétude dans sa voix.

Jocelyne fit un autre pas vers son fils et pointa le poignard vers son cœur. Mais, cette fois encore, il ne bougea pas.

— Vas-y, répéta-t-il à mi-voix. Mais tu peux vraiment t'y résoudre ? Tu aurais pu me tuer à ma naissance, et tu ne l'as pas fait. Tu sais sans doute que l'amour que l'on porte à son enfant est inconditionnel. Peut-être que si tu m'aimais assez, tu pourrais me sauver.

L'espace d'un instant, la mère et le fils se défièrent du regard, yeux vert clair contre yeux noir charbon.

— Tu fais semblant, Jonathan, dit Jocelyne d'une voix tremblante. En réalité, tu ne ressens rien. Ton père t'a appris à singer les émotions humaines comme on demande à un perroquet de répéter des mots. Il ne comprenait pas ce qu'il disait, et il en va de même pour toi. J'aimerais... Oh, j'aimerais tant que tu puisses *réellement* comprendre. Mais...

D'un geste fulgurant, Jocelyne abattit son poignard. C'était un coup parfait, qui aurait dû atteindre Sébastien en plein cœur. Mais rapide comme l'éclair, il fit un pas de côté, et la lame ne parvint qu'à entailler son torse.

Jace laissa échapper un hoquet de surprise. Clary se tourna vers lui. Une fleur rouge s'épanouissait sur le devant de sa chemise. Il porta la main à sa poitrine et contempla avec surprise ses doigts tachés de sang. « Nous sommes liés, avait-il dit. S'il se coupe, je saigne. »

Sans un mot, Clary s'interposa entre Jocelyne et Sébastien.

— Maman, souffla-t-elle. Arrête.

Les yeux fixés sur Sébastien, Jocelyne tenait toujours son poignard à la main.

— Clary, écarte-toi.

Sébastien ricana.

— C'est mignon, non ? La petite sœur qui défend son grand frère.

— Ce n'est pas toi que je défends, répliqua Clary sans quitter sa mère des yeux. Si on s'en prend à Jonathan, Jace en pâtit. Tu comprends, maman ? Si tu le tues, Jace meurt. Il saigne déjà. Maman, je t'en prie.

Jocelyne parut hésiter.

— Clary...

— Bon sang, quelle situation délicate ! ironisa Sébastien. Je serais curieux de voir comment vous allez résoudre ce problème. Après tout, je n'ai aucune raison de m'en aller.

— Moi je vais t'en donner une, fit une voix en provenance du couloir.

Luke s'avança, pieds nus, en jean et vieux sweat-shirt, l'air plus jeune sans ses lunettes. Il braquait sur Sébastien le canon d'un fusil.

— C'est une Winchester de calibre douze à canon scié. La meute s'en sert pour abattre les loups-garous devenus incontrôlables. Si je ne peux pas te tuer, je peux pulvériser ta jambe, fils de Valentin.

Toutes les personnes dans la pièce retinrent leur souffle. Puis, avec un grand sourire, Sébastien se dirigea vers Luke sans prêter attention à son arme.

— Fils de Valentin ? Ce sont les seuls mots qui te viennent à l'esprit ? En d'autres circonstances, tu aurais pu être mon parrain.

— En d'autres circonstances, rétorqua Luke en posant le doigt sur la détente, tu aurais pu être humain.

Sébastien s'arrêta net.

— On pourrait dire la même chose de toi, loup-garou.

Le temps semblait s'être arrêté. Luke visa Sébastien, qui le regardait toujours en souriant.

— Luke, dit Clary.

C'était comme dans ces rêves où elle voulait crier mais n'avait qu'un filet de voix.

— Luke, ne fais pas ça.

Luke suspendit son geste... et soudain, Jace bondit par-dessus le canapé et se jeta sur lui au moment où le coup partait.

Une vitre vola en éclats. Luke tomba en arrière ; Jace lui arracha le fusil des mains, le jeta par la fenêtre cassée, et se tourna vers lui.

— Luke... dit-il.

En guise de réponse, celui-ci lui décocha un coup de poing.

En voyant Luke – Luke qui avait si souvent pris la défense de Jace devant Jocelyne, Maryse ou l'Enclave, Luke qui était d'une nature si douce et si généreuse – frapper Jace au visage, Clary éprouva le même choc que si c'était elle qui avait reçu le coup de poing. Jace, ne s'y attendait pas du tout et fut projeté contre le mur.

Sébastien, qui jusqu'alors n'avait pas exprimé d'autres émotions que la raillerie ou le dégoût, poussa un rugissement de colère et tira de sa ceinture une longue dague. Les yeux écarquillés de stupeur, Luke recula mais, rapide comme l'éclair, Sébastien lui planta l'arme en pleine poitrine. Sous le regard horrifié de Clary, Luke s'affaissa contre le mur en laissant une traînée de sang rouge derrière lui.

Jocelyne poussa un hurlement, mais Clary l'entendit à peine : les sons lui parvenaient de manière étouffée, comme si elle avait la tête sous l'eau. Elle regardait Luke, qui s'était effondré par terre, et la moquette sous lui qui virait au rouge.

Sébastien leva de nouveau sa dague, et Clary se jeta sur lui. Si elle ne parvint pas à le déséquilibrer, elle lui fit lâcher son arme ; il se tourna vers elle, l'air furieux. Sa lèvre saignait. Clary ne comprit pas pourquoi jusqu'à ce que Jace s'avance dans son champ de vision, la bouche ensanglantée.

— Ça suffit ! s'exclama-t-il en agrippant Sébastien par le dos de sa veste.

Il était pâle, et il évitait de croiser le regard de Clary.

— Arrête. Ce n'est pas pour ça qu'on est venus.

— Lâche-moi...

— Non.

Jace lui saisit la main et ses yeux se posèrent sur Clary. Ses lèvres formèrent quelques mots, puis l'anneau qui ornait le doigt de Sébastien étincela... et tous deux se volatilisèrent. Au moment où ils disparaissaient, il y eut un éclair argenté, et un objet alla se planter dans le mur.

C'était le *kindjal* de Luke.

Clary se tourna vers sa mère ; c'était elle qui venait de lancer le poignard. Sans un regard pour sa fille, elle courut s'agenouiller près de Luke, à même le sol maculé, et prit sa tête sur ses genoux. Il avait les paupières closes, et un filet de sang s'écoulait de sa bouche. La dague de Sébastien gisait à quelques pas de lui.

— Maman, murmura Clary. Est-ce qu'il est...

— La dague est en argent, répondit Jocelyne d'une voix tremblante. Pour s'en sortir, il lui faut des soins spécifiques.

Elle caressa le visage de Luke du bout des doigts. Clary constata, soulagée, qu'il respirait encore, mais avec difficulté. Elle sentait des sanglots monter dans sa gorge et, pendant un bref instant, elle s'étonna du calme de sa mère. Puis elle se souvint que naguère, cette femme avait trouvé les corps calcinés de ses parents et de son fils au milieu des cendres de sa maison, et qu'elle avait continué à vivre.

— Va me chercher une serviette dans la salle de bains, dit-elle. Il faut stopper l'hémorragie.

Clary se releva en titubant et, telle une aveugle, se dirigea vers la petite salle de bains carrelée de Luke. Une serviette grise était suspendue derrière la porte. Elle la prit et retourna au salon. Jocelyne tenait toujours la tête de Luke sur ses genoux et elle téléphonait. En voyant Clary, elle lâcha son portable et, après avoir plié la serviette en deux, elle l'appliqua sur la blessure. Bientôt, le tissu se teinta de rouge.

— Luke, murmura Clary.

Il ne réagit pas ; son visage était devenu cendreux.

— Je viens d'appeler sa meute, dit Jocelyne sans regarder sa fille.

Clary s'aperçut qu'elle ne lui avait pas posé une seule question au sujet de Jace et de Sébastien. Elle était complètement accaparée par Luke.

— Ils ont des effectifs qui patrouillent dans le secteur. Dès qu'ils arrivent, on part avec eux. Jace va revenir te chercher.

— Rien ne le prouve... objecta Clary, la gorge sèche.

— Oh si. Valentin est revenu pour moi après quinze ans. Les Morgenstern ne renoncent jamais. Il reviendra te chercher.

« Mais Jace n'est pas Valentin », voulut protester Clary. Les mots moururent sur ses lèvres. Elle avait envie de s'agenouiller auprès de Luke, de lui prendre la main, de la serrer fort dans la sienne, de lui dire qu'elle l'aimait. Mais, en repensant à la présence de Jace dans sa chambre, elle s'abstint. Tout était sa faute. Elle ne méritait pas de rester au chevet de Luke.

Un bruit de pas résonna sous le porche, suivi d'un murmure de voix. Jocelyne leva la tête. La meute était là.

— Clary, va préparer tes affaires, dit-elle. Ne prends que le strict nécessaire. Nous ne reviendrons pas dans cette maison.

6

AUCUNE ARME EN CE MONDE

De petits flocons de neige précoce, légers comme des plumes, commençaient à tomber du ciel gris acier. Clary et sa mère se pressaient dans Greenpoint Avenue, la tête rentrée dans les épaules pour braver le vent glacial qui soufflait de l'East River.

Jocelyne n'avait pas dit un mot depuis qu'elles avaient laissé Luke dans le commissariat abandonné qui servait de quartier général à sa meute. Clary avait vécu les récents événements dans une sorte de brouillard : les loups qui transportaient leur chef à l'intérieur, les premiers soins. Clary et sa mère avaient dû jouer des coudes pour apercevoir Luke tandis que les rangs se resserraient autour de lui. Clary se doutait bien qu'on ne pouvait pas le transporter dans un hôpital terrestre, mais que c'était triste de l'abandonner entre ces murs blancs qui tenaient lieu d'infirmerie !

Les loups n'avaient rien contre Jocelyne et Clary, pourtant la fiancée de Luke et sa fille ne feraient jamais partie de la meute. Clary avait cherché Maia des yeux dans l'espoir de se trouver une alliée, mais apparemment, elle n'était pas dans les parages. Pour finir, en raison de la trop grande affluence, Jocelyne avait envoyé sa fille attendre dans le couloir. Là, Clary s'était assise par terre, son sac à dos sur les genoux. Il était deux heures du matin, et elle ne s'était jamais sentie aussi seule. Si Luke mourait...

Il avait toujours fait partie de sa vie. Grâce à lui et à Jocelyne, elle savait ce qu'était l'amour inconditionnel. L'un de ses premiers souvenirs, c'était Luke la hissant sur la branche d'un pommier, chez lui à la campagne. Dans l'infirmerie, il respirait par à-coups tandis que son lieutenant, Bat, lui administrait les premiers soins. Les gens étaient censés respirer ainsi quand ils agonisaient. Elle ne parvenait pas à se rappeler la dernière chose qu'elle avait dite à Luke. N'était-on pas censé se souvenir des dernières paroles qu'on avait adressées à quelqu'un avant qu'il meure ?

Quand Jocelyne était enfin sortie de l'infirmerie, l'air épuisé, elle avait offert sa main à Clary pour l'aider à se relever.

— Est-ce qu'il...

— Son état s'est stabilisé, avait répondu Jocelyne en regardant de part et d'autre du couloir. Il faut partir.

— Pour aller où ? avait demandé Clary, abasourdie. Je croyais qu'on resterait ici avec Luke. Je ne veux pas le laisser.

— Moi non plus, avait répliqué sèchement Jocelyne (Clary avait alors songé à la femme qui avait quitté Idris sans se retourner pour commencer une nouvelle vie.) Mais notre présence ici risque de mettre la meute

– et Luke – en danger. C'est le premier endroit où Jace viendra te chercher.

— Alors où...

Clary avait compris avant même de finir sa phrase. Ces derniers temps, où allaient-elles quand elles avaient besoin d'aide ?

Une fine couche de neige recouvrait à présent les trottoirs craquelés de l'avenue. Avant de sortir de la maison, Jocelyne avait enfilé un long manteau par-dessus ses vêtements tachés de sang, qu'elle portait toujours. Un pli sévère barrait sa bouche et elle regardait droit devant elle. Clary se demanda si elle avait le même air déterminé en quittant Idris avec des cendres encore collées sous ses bottes, la Coupe Mortelle cachée dans les plis de son manteau.

Clary secoua la tête pour s'éclaircir les idées. Son esprit vagabondait dans le passé ; elle se représentait des scènes auxquelles elle n'avait pas assisté, cherchant peut-être à oublier l'horreur de ce qu'elle venait de voir.

Sans crier gare, l'image de Sébastien plantant son couteau dans la poitrine de Luke s'immisça dans ses pensées, ainsi que la chère voix familière de Jace susurrant ces mots : « dommages collatéraux ».

« Car, comme c'est souvent le cas lorsqu'on perd un objet précieux, quand vous retrouverez votre ami, il ne sera peut-être pas dans l'état où vous l'avez laissé », avait dit la reine.

Jocelyne frissonna et rabattit sa capuche sur ses cheveux. Des flocons de neige s'étaient déjà déposés sur ses mèches rousses. Elle se taisait toujours, et la rue bordée de restaurants russes et polonais, de barbiers et de salons de beauté, était déserte. Un souvenir revint à l'esprit de Clary. Sa mère la faisant courir dans une rue en pleine nuit, entre des tas de neige sale. Un ciel gris et bas...

Elle avait déjà eu ce flash la première fois que les Frères Silencieux avaient fouillé son esprit. Elle comprenait à présent qu'il devait s'agir d'un jour où sa mère l'avait emmenée chez Magnus afin qu'il efface sa mémoire. Ce devait être au cœur de l'hiver, mais elle avait reconnu Greenpoint Avenue dans son souvenir.

Une fois arrivée devant l'entrepôt en brique qui abritait l'appartement de Magnus, Jocelyne poussa la porte vitrée, et s'engouffra dans le hall. Retenant son souffle, Clary la regarda appuyer sur l'interphone à trois reprises. Enfin, la porte s'ouvrit et elles gravirent en hâte l'escalier. La porte était ouverte, et le sorcier les attendait, appuyé au chambranle. Il portait un pyjama jaune canari et ses pieds étaient chaussés de pantoufles vertes ornées d'une tête d'extraterrestre dotée de deux ressorts en guise d'antennes qui se balançaient mollement. Il avait les cheveux en bataille, et les yeux bouffis de sommeil.

— Soyez les bienvenues dans la demeure de Saint Magnus, refuge des Chasseurs d'Ombres errants, dit-il d'un ton morne en ouvrant les bras. Les chambres sont par là. Essuyez-vous les pieds avant d'entrer.

Il s'effaça pour les laisser passer avant de fermer la porte derrière lui. Ce jour-là, son loft ressemblait à un décor victorien avec ses fauteuils capitonnés et ses grands miroirs aux cadres dorés. De petites lampes en forme de calice étaient suspendues aux colonnes.

Un petit couloir partant du salon desservait trois chambres d'amis ; Clary choisit la première sur sa droite. Elle était peinte en orange vif, comme son ancienne chambre de Park Slope. Une petite fenêtre donnait sur la vitrine obscure d'un restaurant et un canapé-lit servait de couchage. Le Président Miaou dormait dessus, le museau fourré sous sa queue. Elle s'assit près de lui pour lui gratter les oreilles et, bientôt, la petite boule de poils se mit à ronronner. Soudain, le regard de Clary tomba sur la manche de son sweat-shirt. Elle était tachée de sang séché. Le sang de Luke.

Elle se leva et, après avoir ôté son vêtement d'un geste rageur, elle sortit de son sac à dos un jean propre et un tee-shirt noir à col en V. Elle se changea, s'inspecta rapidement dans le miroir, qui lui renvoya le reflet de son visage blême encadré de mèches humides à cause de la neige, ses taches de rousseur ressortant sur sa peau pâle comme des projections de peinture. Elle pensa au baiser de Jace, qui semblait déjà remonter à une éternité, et son estomac l'élança comme si elle avait avalé des dizaines de minuscules poignards.

Elle se cramponna au bord du lit jusqu'à ce que la douleur reflue. Puis elle prit une grande inspiration et retourna au salon.

Assise dans l'un des fauteuils victoriens, sa mère tenait entre ses longs doigts de pianiste une tasse d'eau chaude citronnée. Magnus s'était vautré sur un canapé rose vif, les pieds posés sur la table basse.

— D'après la meute, son état s'est stabilisé, disait Jocelyne d'un ton las. Mais ils ignorent s'il va tenir le coup. Ils ont d'abord cru qu'il y avait de la poudre d'argent sur la lame, mais il semble que ce soit autre chose. La pointe de l'arme...

Elle s'interrompit en voyant Clary.

— C'est bon, maman. Je suis assez grande pour apprendre ce qui est arrivé à Luke.

— Eh bien, ils ne le savent pas vraiment, dit Jocelyne à mi-voix. La pointe de la dague dont Sébastien s'est servi s'est cassée sur une côte et un fragment s'est logé dans l'os. Ils n'arrivent pas à le retirer. Il... bouge.

— Comment ça, il bouge ? demanda Magnus, perplexe.

— Quand ils ont tenté de l'enlever, il s'est enfoncé plus profondément dans l'os. On a bien cru qu'il allait se casser en deux. Luke est un loup-garou, il guérit vite, mais cette chose le déchire de l'intérieur et empêche la blessure de cicatriser.

— C'est un métal d'origine démoniaque, dit Magnus.

Jocelyne se pencha vers lui.

— Tu crois que tu peux l'aider ? Ton prix sera le mien...

Magnus se leva. Ses pantoufles vertes et sa tignasse ébouriffée semblaient totalement incongrues au regard de la gravité de la situation.

— Je ne sais pas.

— Mais tu as guéri Alec, objecta Clary. Tu sais, quand il a été blessé par un Démon Supérieur...

Magnus se mit à faire les cent pas.

— Je connaissais l'origine de son mal. Dans le cas de Luke, je ne sais pas de quel métal il s'agit. Je pourrais essayer plusieurs sortilèges de guérison, mais ce ne serait pas le moyen le plus rapide de l'aider.

— Et quel est-il ? demanda Jocelyne.

— Il faudrait contacter les Praetor. Les gardiens des loups. J'ai bien connu leur fondateur, Woolsey Scott. Certains... événements l'ont poussé à s'intéresser en détail à la façon dont les métaux et les drogues démoniaques agissent sur les lycanthropes, de même que les Frères Silencieux tiennent registre de tous les remèdes existant pour les Chasseurs d'Ombres. Malheureusement, au fil des ans, les Praetor se sont mis à vivre de façon de plus en plus cloisonnée. Mais un de leurs membres doit avoir accès à ce genre d'information.

— Luke ne fait pas partie des Praetor, dit Jocelyne. Et la liste de leurs membres est tenue secrète...

— Mais Jordan est l'un d'eux, intervint Clary. Il peut nous aider. Je vais l'appeler.

— C'est moi qui vais l'appeler, dit Magnus. Je ne peux pas me rendre dans leurs quartiers généraux, mais je peux leur transmettre un message qui marquera les esprits. Je reviens.

Il se dirigea vers la cuisine, les antennes de ses pantoufles se balançant doucement comme des algues agitées par le ressac.

Clary se tourna vers sa mère, qui avait les yeux fixés sur son breuvage. C'était l'un de ses remontants favoris, bien que Clary n'ait jamais vraiment compris l'intérêt de boire de l'eau chaude additionnée de citron. La neige avait mouillé les cheveux de Jocelyne, qui avait tendance à friser par temps humide.

— Maman, dit Clary, lui faisant lever les yeux. Ce

couteau que tu as lancé chez Luke... il était destiné
à Jace ?

— Non, à Jonathan, répondit Jocelyne, qui mettait
un point d'honneur à ne pas l'appeler Sébastien.

Clary soupira.

— C'est presque la même chose. Tu l'as vu toi-
même. Quand tu as poignardé Sébastien, Jace s'est
mis à saigner. C'est comme s'ils étaient... le reflet l'un
de l'autre. Coupe Sébastien, et Jace saigne. Tue-le, et
Jace meurt.

— Clary, fit sa mère en se frottant les yeux. On
peut éviter d'en discuter maintenant ?

— Mais tu m'as dit qu'il reviendrait me chercher.
Je veux être sûre que tu ne lui feras pas de mal...

— Je ne peux rien te promettre, Clary, répondit
Jocelyne en la regardant dans les yeux. Je vous ai vus
sortir de ta chambre, tous les deux.

Clary rougit.

— Je n'ai pas envie...

— Quoi, d'en parler ? Dommage pour toi, c'est toi
qui as abordé le sujet. Tu as de la chance que je ne
fasse plus partie de l'Enclave, tu sais. Depuis combien
de temps tu savais où se cachait Jace ?

— Je n'en savais rien. Ce soir, c'était la première
fois que je lui parlais depuis sa disparition. Je l'ai vu
à l'Institut avec Séb... Jonathan hier. J'ai prévenu
Alec, Isabelle et Simon. Mais je ne pouvais en parler
à personne d'autre. Si l'Enclave met la main sur lui...
Je ne peux pas laisser faire ça.

Jocelyne leva les yeux.

— Et pourquoi pas ?

— Parce que c'est Jace. Et que je l'aime.

— Ce n'est pas Jace. C'est aussi simple que ça, Clary. Il n'est plus le même. Tu ne vois donc pas que...

— Bien sûr que si. Je ne suis pas stupide. Mais je garde confiance. Il a déjà été possédé, et il s'en est libéré. Je pense que Jace se trouve encore à l'intérieur de ce corps et qu'il existe un moyen de le sauver.

— Et s'il n'y en a pas ?

— Il faudra me le prouver.

— Clarissa, je comprends que tu sois amoureuse de lui. Tu l'as toujours trop aimé. Mais moi, tu crois que je n'aimais pas ton père ? Tu crois que je ne lui ai pas donné maintes fois sa chance ? Et regarde ce qui en est sorti. Jonathan. Si je n'étais pas restée, Jonathan n'existerait pas.

— Et moi non plus, répliqua Clary en jetant un regard sévère à sa mère. Au cas où tu l'aurais oublié, je suis née après lui.

Elles entendirent une clé tourner dans la serrure de la porte, et Alec entra. Il portait un long manteau en cuir ouvert sur un sweat-shirt bleu, et des flocons de neige parsemaient ses cheveux. Ses joues d'ordinaire si pâles étaient rougies par le froid.

— Où est Magnus ? demanda-t-il.

Il se tourna vers la cuisine, et Clary vit un bleu gros comme le pouce sur sa mâchoire, juste en dessous de l'oreille.

— Alec !

Magnus entra dans le salon en faisant une glissade, et envoya un baiser de loin à son petit ami. Il avait ôté ses pantoufles. Ses yeux de chat étincelèrent en voyant Alec.

Clary connaissait bien ce regard. Elle regardait Jace de la même façon. Mais Alec détourna la tête et, ôtant son manteau, il le suspendit à une patère. Manifestement, il était contrarié. Ses mains tremblaient et il restait planté comme un piquet au milieu de la pièce.

— Tu as eu mon texto ? demanda Magnus.

— Oui. Je n'étais qu'à quelques rues d'ici, de toute façon.

Alec regarda Clary puis Jocelyne d'un air mi-inquiet mi-hésitant. Bien qu'il ait été invité à la fête de fiançailles de cette dernière et qu'il l'ait croisée à plusieurs reprises, ils se connaissaient peu.

— C'est vrai ce que dit Magnus ? Tu as revu Jace ?

— Et Sébastien, répondit Clary.

— Mais Jace ? Comment... comment était-il ?

Clary comprit immédiatement le sens de sa question ; pour une fois, Alec et elle se comprenaient mieux que n'importe qui d'autre dans cette pièce.

— Il n'essaie pas de jouer un tour à Sébastien, répondit-elle doucement. Il a vraiment changé. Il n'est plus du tout lui-même.

— Comment ça ? s'exclama Alec d'une voix qui trahissait à la fois la colère et une étrange vulnérabilité. En quoi il est différent ?

— Il semble avoir confiance en Sébastien. Je lui ai rappelé qu'il avait tué Max, et il n'a même pas semblé s'en émouvoir. (La voix de Clary se brisa.) Il m'a répondu que Sébastien était son frère, lui aussi.

Alec blêmit.

— Il t'a parlé de moi ou d'Isa ? Il a demandé de nos nouvelles ?

Clary, qui avait peine à soutenir son regard, secoua la tête. Du coin de l'œil, elle vit que Magnus l'observait aussi d'un air triste. Elle se demanda s'il était encore jaloux de Jace, ou simplement peiné pour Alec.

— Pourquoi est-il entré chez toi ? reprit Alec. Je ne comprends pas.

— Il voulait que je vienne avec eux. Je suppose qu'il voudrait que leur petit duo maléfique devienne un trio. (Clary haussa les épaules.) Peut-être qu'il se sent seul. Sébastien ne doit pas être de très bonne compagnie.

— Ce n'est pas certain, intervint Magnus. Il est peut-être très doué au Scrabble.

— C'est un psychopathe et un assassin, dit Alec d'une voix blanche. Et Jace le sait.

— Mais Jace n'est pas lui-même en ce moment.

Magnus fut interrompu par la sonnerie du téléphone.

— Je vais répondre, lança-t-il. Qui sait ? C'est peut-être un autre membre de l'Enclave en fuite qui cherche un endroit où dormir... Ce n'est pas comme s'il y avait des hôtels dans cette ville.

Tandis qu'il se dirigeait vers la cuisine, Alec se laissa choir sur le canapé.

— Il travaille trop dur, expliqua-t-il en regardant Magnus s'éloigner d'un air inquiet. Il passe ses nuits à essayer de déchiffrer ces runes.

— C'est l'Enclave qui l'emploie ? s'enquit Jocelyne.

— Non. Il le fait parce qu'il sait ce que Jace représente pour moi.

Il retroussa sa manche pour montrer à Jocelyne la rune de *parabatai* tatouée sur son avant-bras.

— Tu savais que Jace n'était pas mort grâce à ce lien qui vous unit, dit Clary. Mais tu as aussi dit que quelque chose ne tournait pas rond.

— C'est parce que Jace est possédé, intervint Jocelyne. Valentin racontait souvent que quand Luke est devenu un loup-garou, il a éprouvé la même sensation.

Alec secoua la tête.

— Mais quand Jace était possédé par Lilith, je ne l'ai pas senti. Alors que maintenant, j'ai la sensation très nette que quelque chose cloche. (Il baissa les yeux.) Il paraît qu'on sait quand son *parabatai* meurt : c'est comme si la corde nous reliant à lui cassait, et qu'on tombait dans le vide. Je l'ai senti une fois à Idris, pendant la bataille. Mais c'était très bref... Et en rentrant à Alicante, j'ai retrouvé Jace. Je me suis persuadé que j'avais rêvé.

Clary repensa au sang de Jace sur la berge du lac Lyn. « Oh non, tu n'as pas rêvé. »

— Ce que je ressens en ce moment même, c'est différent, poursuivit-il. J'ai l'impression qu'il a disparu de la surface du globe mais qu'il n'est pas mort pour autant. Il n'est pas prisonnier non plus. C'est comme s'il n'était... pas là.

— Les deux fois où je les ai vus, Sébastien et lui, ils se sont comme volatilisés, dit Clary. Ils ne se sont pas servis d'un Portail, ils ont simplement disparu.

Magnus revint dans la pièce en bâillant.

— Quand on parle d'ici et de là, de ce monde et d'un autre, lança-t-il, on fait référence à des dimensions. Il n'y a que quelques sorciers qui soient capables de pratiquer la magie dimensionnelle. Mon vieil ami Ragnor, par exemple. Les dimensions ne se côtoient pas, elles sont repliées les unes sur les autres comme des feuilles de papier. Quand elles s'entrecroisent, des poches dimensionnelles peuvent se former. Elles empêchent de retrouver les gens qui sont dedans par le biais de la magie. Après tout, on ne peut pas attraper quelqu'un qui n'est pas là.

— C'est peut-être pour cette raison qu'on n'a pas pu le localiser, et qu'Alec n'arrive pas à sentir sa présence, suggéra Clary.

— Peut-être. (Magnus semblait presque impressionné.) Ça signifie qu'il n'existe littéralement aucun moyen de les retrouver s'ils ne veulent pas l'être. Et aucun moyen de nous contacter si vous les repérez. C'est une magie complexe et coûteuse. Sébastien doit avoir des liens…

L'interphone retentit, et toutes les personnes présentes sursautèrent. Magnus leva les yeux au ciel.

— On se calme, dit-il avant de se diriger vers la porte.

Il revint quelques instants plus tard avec un homme vêtu d'une longue robe couleur de parchemin, dont le dos et les côtés étaient couverts de runes d'un rouge sombre tirant sur le brun. Quand il repoussa son capuchon, Clary reconnut sans surprise Frère Zachariah.

Jocelyne reposa brusquement sa tasse sur la table basse et considéra avec étonnement le Frère Silencieux. Son visage était dissimulé dans la pénombre, si bien que Clary ne distinguait que ses cheveux bruns et ses hautes pommettes tatouées de runes.

— Vous, dit Jocelyne d'une voix étouffée. Mais Magnus m'avait dit que vous…

La voix de Frère Zachariah s'immisça dans la tête de Clary ; d'après l'expression de leur visage, elle comprit que les autres l'entendaient aussi.

À événements exceptionnels mesures exceptionnelles. Je ne révélerai rien à l'Enclave et au Conseil de ce qui sera dit ce soir. Si l'occasion se présente de sauver le dernier représentant de la lignée des Herondale, cela me semble plus important que mon allégeance à l'Enclave.

— Voilà qui est réglé, fit Magnus. Des découvertes au sujet des runes de Lilith ?

Il formait un duo étrange avec le Frère Silencieux à côté de lui, l'un en robe beige clair, l'autre en pyjama jaune vif.

J'ai examiné ces runes avec attention, et j'ai écouté tous les témoignages apportés devant le Conseil. Je crois que le rituel accompli par Lilith était double. D'abord elle s'est servie de la morsure du vampire diurne pour réveiller la conscience de Jonathan Morgenstern. Son corps était encore faible, mais son esprit et sa volonté étaient intacts. Quand Jace Herondale s'est retrouvé seul sur le toit avec lui, Jonathan a dû utiliser le pouvoir des runes de Lilith pour forcer Jace à entrer dans le cercle de magie qui l'entourait. À ce stade, la volonté de sa victime s'est soumise à la sienne. Jonathan a dû puiser dans le sang de Jace la force de renaître et de s'échapper du toit en emmenant ce dernier avec lui.

— Et c'est là que s'est créé le lien qui les unit ? demanda Clary. Quand ma mère a poignardé Sébastien, Jace s'est mis à saigner.

Oui. Le rituel accompli par Lilith n'est pas sans rappeler notre cérémonie parabatai *en beaucoup plus puissant et plus dangereux. À présent, tous deux sont inextricablement liés.*

Si l'un meurt, l'autre aussi. Aucune arme en ce monde ne peut les atteindre séparément.

— Quand vous dites qu'ils sont inextricablement liés, intervint Alec en se penchant vers lui, est-ce que ça signifie que... Enfin, Jace hait Sébastien ! Il a assassiné notre frère.

— Et je ne vois pas non plus pourquoi Sébastien se prendrait subitement d'affection pour Jace, ajouta Clary. Toute sa vie, il a été terriblement jaloux de lui. Il croyait que Valentin avait une préférence pour son fils adoptif.

— Sans oublier, observa Magnus, que c'est Jace qui l'a tué. Ça en agacerait plus d'un.

— C'est comme si Jace ne se souvenait pas de ce qui s'est passé, lâcha Clary. Ou plutôt qu'il n'y croyait pas.

Il se souvient de tout. Mais le sortilège est si puissant que ses pensées contournent les faits comme l'eau qui coule entre les rochers dans le lit d'un torrent. Il s'est passé exactement la même chose avec le sort que t'a jeté Magnus, Clarissa. Quand tu voyais des éléments du Monde Invisible, ton esprit les rejetait, il se détournait d'eux. Il ne sert à rien d'essayer de raisonner Jace au sujet de Jonathan. La vérité ne peut rompre leur lien.

Clary repensa à la réaction de Jace quand elle lui avait rappelé que Sébastien avait tué Max : il avait froncé les sourcils, mais l'instant d'après il semblait avoir oublié ce qu'elle venait de dire.

Si cela peut vous réconforter, Jonathan Morgenstern est tout aussi prisonnier du sortilège que Jace. Il ne peut pas s'en prendre à lui, et il n'en a même pas la volonté.

Alec leva les bras au ciel.

— Alors maintenant, ils s'adorent ? Ils sont devenus les meilleurs amis du monde ? s'écria-t-il d'une voix qui trahissait à la fois la tristesse et la jalousie.

Non. Ils ne font qu'un désormais. Ils voient à travers les yeux de l'autre et savent qu'ils ne peuvent pas survivre séparément. Sébastien est le chef, le premier. Ce qu'il croit, Jace le croit aussi. Ce qu'il veut, Jace l'accomplira.

— Alors il est possédé, conclut Alec d'une voix blanche.

Dans le cadre d'une possession, il y a souvent une partie de la conscience originelle qui demeure intacte. Beaucoup de ceux qui ont été possédés ont expliqué par la suite qu'ils se voyaient agir de l'extérieur et qu'ils criaient sans pouvoir être entendus. Mais Jace habite entièrement son corps et sa tête. Il se considère comme sain d'esprit. Il pense qu'il obéit à sa propre volonté.

— Alors qu'est-ce qu'il veut de moi ? demanda Clary d'une voix tremblante. Pourquoi est-il venu dans ma chambre cette nuit ?

Elle s'efforça de chasser le souvenir du baiser de Jace, de son corps plaqué contre le sien.

Il t'aime encore, répondit Frère Jeremiah d'une voix étonnamment douce. *Tu étais le centre de son univers, et cela n'a pas changé.*

— C'est pour cette raison que nous devions partir, intervint Jocelyne d'une voix tendue. Il va revenir la chercher. J'ignore s'il existe un endroit sûr...

— Ici, dit Magnus. Je peux avoir recours à des sortilèges qui tiendront Jace et Sébastien éloignés.

Le soulagement se peignit sur le visage de Jocelyne.

— Merci, dit-elle.

Magnus agita négligemment la main.

— C'est un privilège. J'adore repousser les Chasseurs d'Ombres en colère, surtout s'ils sont possédés.

Il n'est pas possédé, lui rappela Frère Jeremiah.

— Détail sémantique, répliqua Magnus. Reste à savoir ce que ces deux-là manigancent.

— D'après Clary, Sébastien aurait dit à Jace qu'il dirigerait bientôt l'Institut, répondit Alec. Donc ils ont une idée derrière la tête.

— Ils poursuivent l'œuvre de Valentin, probablement.

— Peut-être, fit Clary d'un ton hésitant. Jace a prétendu que Sébastien servait une grande cause.

— L'Ange seul sait ce qu'il sous-entendait par là, marmonna Jocelyne. J'ai été mariée à un fanatique pendant des années. Je sais ce que c'était qu'une grande cause pour lui. La torture, le meurtre, les amis à qui on tourne le dos, tout cela au nom de quelque chose que l'on croit noble, mais qui n'est rien de plus que de la cupidité parée de jolis mots.

— Maman, fit Clary, inquiète d'entendre autant d'amertume dans la bouche de sa mère.

Mais Jocelyne regardait Frère Zachariah.

— Vous disiez qu'aucune arme en ce monde ne peut les blesser séparément, dit-elle. À votre connaissance…

Les yeux de Magnus étincelèrent comme ceux d'un chat pris dans le faisceau d'un phare.

— Vous pensez à quelque chose ?

— Les Sœurs de Fer. Elles sont expertes en armes. Elles peuvent peut-être trouver une solution.

Les Sœurs de Fer étaient le pendant féminin des Frères Silencieux. Contrairement à eux, elles n'avaient pas la bouche et les yeux scellés mais elles vivaient entièrement coupées du monde dans une forteresse dont l'emplacement demeurait inconnu. Elles n'étaient pas des combattantes ; c'étaient elles qui forgeaient les armes, les stèles, les poignards séraphiques qui maintenaient en vie les Chasseurs d'Ombres. Il existait des runes qu'elles seules étaient capables de tracer, et elles seules connaissaient les secrets de l'adamas, ce matériau d'un blanc argenté qui avait servi à fabriquer les tours démoniaques, les stèles, les pierres de rune. Elles n'assistaient pas aux réunions du Conseil et ne s'aventuraient jamais à Alicante.

C'est possible, dit Frère Zachariah après un long silence.

— Si on trouve une arme capable de tuer Sébastien et d'épargner Jace, est-ce que ce dernier serait libéré de son influence ? demanda Clary.

Au terme d'un silence encore plus long, Frère Zachariah répondit :

Oui, c'est probable.

— Alors nous devrions aller trouver les Sœurs, dit Clary en frottant ses yeux bouffis de sommeil. Et tout de suite.

— Moi, je ne peux pas y aller, déclara Magnus. Seules les femmes peuvent pénétrer dans la Citadelle Imprenable.

— Tu n'iras pas là-bas, décréta Jocelyne avec le même ton sévère que si elle interdisait à Clary de sortir avec Simon après minuit. Ici, tu es en sécurité.

— Isabelle n'aura qu'à y aller, suggéra Alec.

— Tu as une idée de l'endroit où elle se trouve ? demanda Clary.

— À la maison, je suppose, répondit Alec en haussant les épaules. Je peux l'appeler...

— C'est moi qui vais m'en charger, intervint Magnus en sortant tranquillement son portable de sa poche ; il se mit à taper un texto à toute allure. Il est tard, pas la peine de la réveiller. Nous avons tous besoin de repos. Si l'un de vous doit rendre visite aux Sœurs de Fer, il le fera demain.

— J'accompagnerai Isabelle, dit Jocelyne. Je ne suis pas particulièrement surveillée, et il vaut mieux qu'elle n'y aille pas seule. Même si je ne suis plus une Chasseuse d'Ombres, je l'ai été. Tant que l'une de nous deux est en règle...

— Ce n'est pas juste, marmonna Clary.

Sa mère ne lui accorda même pas un regard.

— Clary...

— Je suis restée enfermée pendant deux semaines, reprit-elle d'une voix tremblante. L'Enclave ne m'a même pas laissée participer aux recherches. Et maintenant qu'il est venu me trouver – moi ! – vous ne me laissez pas venir avec vous...

— C'est dangereux. Jace est probablement sur tes traces...

Clary s'emporta.

— Chaque fois que tu te préoccupes de ma sécurité, tu me pourris la vie !

— Non, plus tu t'accroches à Jace, plus tu te pourris la vie ! répliqua sa mère sur le même ton. Les risques que tu as pris, les dangers que tu as affrontés, TOUT est à cause de lui ! Il t'a menacée avec un couteau, Clarissa...

— Ce n'était pas lui, protesta Clary d'une petite voix. Tu crois que je resterais avec quelqu'un qui en veut à ma vie, même si je l'aimais ? Tu as peut-être passé trop de temps dans le monde terrestre, maman. La magie, ça existe. La personne qui m'a menacée n'était pas Jace, mais un démon qui avait le même visage. Et celui que nous recherchons n'est pas non plus Jace. Mais s'il meurt...

— Nous aurons perdu Jace, conclut Alec.

— Nous l'avons peut-être déjà perdu, lâcha Jocelyne. Bon sang, Clary, regarde la réalité en face ! Tu croyais que vous étiez frère et sœur ! Tu as tout sacrifié pour lui sauver la vie, et un Démon Supérieur s'est servi de lui pour arriver jusqu'à toi ! Quand vas-tu admettre que vous n'êtes pas faits pour être ensemble, tous les deux ?

Clary recula comme si sa mère l'avait frappée. Frère Zachariah observait la scène, immobile comme une statue. Magnus et Alec ouvraient de grands yeux. Quant à Jocelyne, ses yeux étincelaient de colère et ses joues s'étaient empourprées. Sans ajouter un mot, Clary tourna les talons et alla se réfugier dans la chambre d'amis de Magnus en claquant la porte derrière elle.

— C'est bon, me voilà, dit Simon.

Un vent glacial soufflait sur le jardin, et il enfouit les mains dans les poches de son jean.

— Je suis venu. Montre-toi, reprit-il en élevant la voix.

Le jardin suspendu de l'hôtel Greenwich, qui était fermé à cette époque de l'année, et donc désert, était un jardin à l'anglaise avec de petits arbres en pot soigneusement taillés, d'élégants meubles en osier, et des parasols Lillet qui claquaient dans la brise. Des rosiers grimpants dénudés par le froid recouvraient les murs en pierre jusqu'au toit, au-delà duquel Simon distinguait la ville étincelante.

— Je suis là, fit une voix. (Une mince silhouette se leva d'un fauteuil.) Je commençais à me demander si tu viendrais.

— Raphaël, dit Simon d'un ton résigné. Moi-même, je me suis posé la question.

Il s'avança dans l'allée de planches qui serpentait entre les plates-bandes et les bassins bordés de quartz scintillant. Il avait une excellente vision nocturne, et si Raphaël avait réussi à rester invisible jusqu'à présent, c'était grâce à son talent pour se fondre dans l'obscurité. Il portait une veste de costume noire dont les manches retroussées laissaient voir ses boutons de manchette. Il posa sur Simon un regard glacial.

— Quand le chef du clan vampire de Manhattan te convoque, Lewis, tu viens.

— Et qu'est-ce que tu ferais si je ne venais pas ? Tu me planterais un pieu dans le cœur ? (Simon ouvrit les bras.) Vas-y. Fais ce que tu veux de moi.

— *Dios*, mais que tu es agaçant, marmonna Raphaël.

Derrière lui, Simon vit étinceler la moto vampire qu'il avait enfourchée pour venir jusque-là.

— C'est toi qui m'as demandé de venir, protesta Simon en baissant les bras.

— J'ai un travail à t'offrir, dit Raphaël.

— Sérieux ? Tu manques de personnel à l'hôtel ?

— J'ai besoin d'un garde du corps.

Simon le considéra d'un air surpris.

— Qu'est-ce qui te prend ? Tu viens de regarder *Bodyguard* ? Je te préviens, je ne vais pas tomber amoureux de toi et te porter dans mes bras musclés.

Raphaël le foudroya du regard.

— Et tu auras droit à un petit extra si tu acceptes de te taire pendant tes heures de travail.

Simon ouvrit de grands yeux.

— Tu ne plaisantes pas, hein ?

— Je ne me serais pas donné la peine de venir jusqu'ici si je n'étais pas sérieux. Si j'étais d'humeur badine, j'irais passer du temps avec quelqu'un que j'apprécie. (Raphaël se rassit dans son fauteuil.) Camille Belcourt se promène en liberté dans les rues de New York. Les Chasseurs d'Ombres sont obnubilés par le fils de Valentin, ils ne daigneront pas se mettre à sa recherche. Camille représente un danger imminent pour moi, car elle veut reprendre le contrôle du clan de Manhattan. La plupart de mes vampires ont prouvé leur loyauté à mon égard. Pour elle, le moyen le plus rapide serait donc de m'éliminer personnellement.

— OK, fit Simon. Mais pourquoi moi ?

— Tu peux marcher au grand jour. La nuit, d'autres peuvent prendre le relais mais pendant la journée, quand la grande majorité de notre espèce est vulnérable, toi, tu serais à même de me protéger. En outre, tu portes la Marque de Caïn. Si tu t'interposais, elle n'oserait pas s'en prendre à moi.

— Tu as raison, mais je refuse.

Raphaël dévisagea Simon avec incrédulité.

— Pourquoi ?

— Tu plaisantes ? s'exclama Simon. Parce que tu n'as jamais fait quoi que ce soit pour moi depuis que je suis un vampire, voilà pourquoi. Au contraire, tu as fait ton possible pour me pourrir la vie. Alors c'est non ou, si tu préfères le registre de langue du parfait vampire, je suis bien aise, messire, de pouvoir vous répondre : « Certainement pas. »

— Ce n'est pas très avisé de ta part de me tourner le dos. En tant qu'ami…

Simon partit d'un rire incrédule.

— Attends une seconde. Parce qu'on était amis ? C'est ça, être amis ?

Raphaël sortit les crocs, et Simon en déduisit qu'il était très en colère.

— Je connais la raison de ton refus. Ça n'a rien à voir avec un pseudo-sentiment de rejet. Tu passes tellement de temps avec les Chasseurs d'Ombres que tu as fini par te prendre pour l'un d'eux. On t'a vu avec eux. Au lieu de consacrer tes nuits à la chasse, comme tu le devrais, tu traînes avec la fille de Valentin. Tu vis avec un loup-garou. Tu es la honte de notre espèce.

— Tu te comportes toujours comme ça pendant les entretiens d'embauche ?

— Tu dois décider si tu veux être un vampire ou un Chasseur d'Ombres !

— Alors je vais choisir Chasseur d'Ombres. Car, d'après ce que j'ai pu observer des vampires, vous ne valez pas un clou.

Raphaël se leva.

— Tu commets une grave erreur.

— Je t'ai déjà dit…

Raphaël l'interrompit d'un geste.

— De grandes ténèbres approchent. Le feu et l'obscurité s'abattront sur la Terre et, quand ce sera fini, tes amis Chasseurs d'Ombres auront tous disparu. Nous autres Enfants de la Nuit, nous survivrons car nous l'aimons. Mais si tu t'obstines à renier ta nature, tu mourras, toi aussi, et personne ne lèvera le petit doigt pour te venir en aide.

D'un geste instinctif, Simon toucha son front. Raphaël rit tout bas.

— Ah oui, tu portes la marque de l'Ange. Quand les ténèbres seront venues, même les anges seront détruits. Leur force ne pourra rien pour toi. Tu ferais mieux de prier pour ne pas perdre cette Marque avant le début de la guerre. Car, dans le cas contraire, tu auras beaucoup d'ennemis prêts à en découdre avec toi. Moi le premier.

Clary était restée allongée un long moment sur le canapé-lit de Magnus. Elle avait entendu sa mère entrer dans une autre chambre et, à travers les cloisons, Magnus et Alec parler à voix basse dans le salon. Elle aurait pu attendre qu'ils aillent se coucher, mais Alec avait dit que, ces derniers temps, Magnus veillait pour essayer de déchiffrer les runes ; même si Frère Zachariah avait réussi à les traduire, elle ne pouvait pas compter sur le fait qu'Alec et Magnus se retireraient de bonne heure dans leur chambre.

Après s'être levée sous les protestations du Président Miaou, elle alla prendre dans son sac à dos une boîte en plastique qui contenait des crayons de couleur, des bouts de craie… et sa stèle.

Elle la glissa dans sa poche puis prit son portable sur le bureau et envoya le message suivant : « Retrouve-moi chez Taki's. » Elle attendit quelques instants avant de le ranger dans sa poche.

Elle savait que ce n'était pas juste vis-à-vis de Magnus. Il avait juré à sa mère de veiller sur elle. Mais elle, elle n'avait rien promis. Et puis il s'agissait de Jace.

« Tu ferais n'importe quoi pour le sauver. Quoi qu'il t'en coûte, quoi que tu puisses devoir aux cieux ou à l'enfer. »

Elle sortit sa stèle de sa poche et, appliquant la pointe de l'instrument sur le mur orange de la chambre, elle se mit à dessiner un Portail.

Un bruit violent arracha Jordan à son sommeil. Il se redressa sur-le-champ, roula hors du lit et atterrit à quatre pattes sur le sol. Des années d'entraînement avec les Praetor lui avaient permis d'acquérir des réflexes ultrarapides et l'habitude de ne dormir que d'un œil. D'un bref regard, il vérifia que la pièce était vide. Rien sauf le clair de lune éclairant le sol à ses pieds.

Le bruit retentit de nouveau, et cette fois il en identifia l'origine. Quelqu'un tambourinait à la porte d'entrée. Après avoir vite enfilé un jean par-dessus son caleçon et un tee-shirt, il ouvrit la porte de sa chambre d'un coup de pied et se dirigea vers le vestibule. Si c'était encore ce groupe d'étudiants qui s'amusaient à frapper à toutes les portes de l'immeuble quand ils avaient trop bu, ils allaient voir à quoi ressemblait un loup-garou en colère.

Arrivé devant la porte, il s'arrêta, de nouveau assailli par l'image de Maia fuyant loin de lui à leur retour du chantier naval. L'expression de son visage quand elle s'était détournée le hantait encore. Il était allé trop loin, il s'en rendait compte ; il en demandait trop, et trop vite. Il avait probablement tout gâché. À moins... à moins qu'elle n'y réfléchisse. À une époque, ils partageaient leur temps entre disputes houleuses et réconciliations tout aussi passionnées.

Il ouvrit la porte, le cœur battant, et trouva sur le seuil Isabelle Lightwood. Ses longs cheveux noirs et soyeux lui arrivaient presque à la taille. Elle portait des cuissardes en daim noir sur un jean moulant et un haut en soie rouge. Son éternel pendentif scintillait à son cou.

— Isabelle ? s'exclama Jordan, incapable de dissimuler sa surprise et sa déception.

— Oui. Eh bien ce n'est pas toi que je voulais voir, moi non plus, marmonna-t-elle en le bousculant pour entrer dans l'appartement. C'est Simon.

Il émanait d'elle cette odeur typique des Chasseurs d'Ombres – une odeur de verre chauffé par le soleil – à laquelle se mêlaient des effluves de son parfum à la rose.

Jordan fronça les sourcils.

— Il est deux heures du matin.

Elle haussa les épaules.

— C'est un vampire.

— Mais moi, je n'en suis pas un.

— Oh, je te réveille ? fit-elle avec un sourire en coin.

Elle fit un pas vers lui et tapota le bouton de son jean en effleurant de son ongle son ventre parfaitement plat. Il tressaillit. Isabelle était sublime, on ne pouvait pas le nier. Mais elle était aussi un peu effrayante. Il se demandait comment Simon se débrouillait avec elle.

— Tu devrais boutonner ton pantalon. Joli boxer, au fait.

Elle s'écarta de lui et se dirigea vers la chambre de Simon. Jordan la suivit en boutonnant son jean et en marmonnant qu'il n'était pas interdit d'arborer des pingouins sur son caleçon.

— Il n'est pas là, dit Isabelle en jetant un coup d'œil dans la chambre. (Elle referma la porte et s'adossa au mur, les yeux fixés sur Jordan.) Et tu dis qu'il est deux heures du matin ?

— Oui. Il doit être chez Clary. Il dort souvent là-bas ces derniers temps.

Isabelle se mordit la lèvre.

— Oui. Évidemment.

Jordan eut la vague sensation d'en avoir trop dit.

— Il y a une raison particulière à ta présence ici ? Je veux dire... Quelque chose ne va pas ?

— Si quelque chose ne va pas ? (Isabelle leva les bras au ciel.) À part le fait que mon frère s'est probablement fait laver le cerveau par l'assassin de mon autre frère, que mes parents vont divorcer et que Simon fricote avec Clary, tout va bien.

Elle se tut et retourna au salon. Quand il la rejoignit, elle s'était déjà glissée derrière le comptoir de la kitchenette pour inspecter le contenu des placards.

— Tu as quelque chose à boire ? Un bon chianti ? Un Sagrantino ?

Jordan la prit par les épaules et l'escorta jusqu'à un des tabourets disposés le long du comptoir.

— Assieds-toi. Je vais te servir une tequila.

— Une tequila ?

— C'est tout ce que j'ai. Ça, et du sirop contre la toux.

Isabelle s'assit sur le tabouret en agitant négligemment la main. On aurait pu s'attendre qu'elle ait des ongles longs vernis et limés à la perfection mais non, c'était une Chasseuse d'Ombres. Ses mains étaient couvertes de cicatrices, ses ongles coupés court. La rune de Voyance se détachait, noire sur la peau blanche de sa main droite.

Jordan prit la bouteille de Cuervo et lui servit un fond de verre qu'il poussa sur le comptoir. Elle le vida d'un trait, fronça les sourcils et le reposa bruyamment.

— Encore, dit-elle en lui prenant la bouteille des mains.

Elle renversa la tête en arrière et, portant le goulot à ses lèvres, elle but une première gorgée, puis deux autres. Quand elle reposa la bouteille, elle avait les joues roses.

— Où tu as appris à boire comme ça ? demanda Jordan, qui ne savait pas s'il devait être impressionné ou effrayé.

— À Idris, l'âge légal pour boire, c'est quinze ans, et de toute façon, personne ne s'en préoccupe. Mes parents me laissent boire du vin mélangé avec de l'eau depuis l'enfance.

Isabelle haussa les épaules d'un geste un peu moins assuré que d'habitude.

— Ah. Tu veux que je transmette un message à Simon ou…

— Non. (Elle prit une autre gorgée.) Je me saoule, je viens pour lui parler, et lui, évidemment, il est chez Clary.

— Je croyais que c'était toi qui lui avais suggéré d'aller la voir.

Isabelle se mit à jouer avec l'étiquette de la bouteille.

— C'est vrai. C'est moi.

— Eh bien, fit Jordan d'un ton raisonnable, tu n'as qu'à lui demander de ne plus y aller.

— C'est impossible, répondit-elle d'un ton las. J'ai une dette envers Clary.

Jordan s'appuya au comptoir. Il avait l'impression d'être dans la peau d'un barman de série télé qui dispense de sages conseils.

— Quelle genre de dette ?

— Une dette énorme.

— Elle t'a sauvé la vie ?

— Elle a sauvé la vie de Jace. Elle aurait pu obtenir n'importe quoi de l'ange Raziel, et elle a décidé de sauver mon frère. Dans la vie, je fais confiance à très peu de gens. Ma mère, Alec, Jace. J'ai déjà perdu un proche. Si je n'en ai pas perdu un autre, c'est à Clary que je le dois.

— Tu crois qu'un jour tu pourras faire confiance à quelqu'un qui n'est pas de ta famille ?

— Je n'ai pas de lien de parenté avec Jace. Enfin, pas vraiment, ajouta Isabelle en évitant le regard de Jordan.

— Tu vois ce que je veux dire, dit-il en désignant d'un signe de tête la chambre de Simon.

Isabelle fronça les sourcils.

— Les Chasseurs d'Ombres ont un code d'honneur, lâcha-t-elle.

Pendant quelques secondes, elle retrouva l'arrogance naturelle des Nephilim, et Jordan se rappela pourquoi il y avait tant de Créatures Obscures qui les détestaient.

— Clary a sauvé un Lightwood. Si je ne peux pas donner ma vie pour elle – et je ne vois pas à quoi ça lui servirait –, je peux faire tout ce qui est en mon pouvoir pour la rendre moins malheureuse.

— Tu ne peux pas lui donner Simon. Simon est une personne, Isabelle. Il va où il veut.

— Ça, oui. Il ne se fait pas beaucoup prier pour aller la voir.

Jordan hésita. Isabelle n'avait pas tout à fait tort. Simon faisait preuve avec Clary d'un naturel qui lui faisait parfois défaut avec les autres filles. Jordan, qui n'en avait aimé qu'une seule et qui l'aimait encore, ne se sentait pas qualifié pour donner des conseils en la matière, mais il se souvenait de la première fois que Simon avait mentionné Clary : il avait tout de suite précisé, non sans une certaine amertume, qu'elle n'était pas célibataire. Quant à savoir si derrière cette amertume il y avait de la jalousie, c'était difficile à dire. Mais pouvait-on oublier son premier amour ? Rien n'était moins sûr. Surtout quand on voyait la fille en question tous les jours.

Isabelle claqua des doigts.

— Ohé, tu m'écoutes, là ? (Elle soupira en faisant voleter les mèches brunes qui lui tombaient sur le visage.) Au fait, qu'est-ce qu'il y a entre Maia et toi ?

— Rien, répondit-il tristement. J'en viens à me demander si elle cessera de me haïr un jour.

— Pas sûr, fit Isabelle. Elle a de bonnes raisons.

— Merci.

— Les faux espoirs, c'est pas mon genre, répliqua-t-elle en repoussant la bouteille, les yeux brillants. Approche, petit loup-garou, ajouta-t-elle en prenant une voix enjôleuse.

Jordan eut soudain la bouche sèche. En voyant Isabelle dans sa robe rouge le soir des fiançailles de Jocelyn, il avait pensé : « C'est avec cette fille que Simon trompe Maia ? » Ni Maia ni Isabelle n'étaient le genre de filles qui donnaient l'impression que l'on pouvait les tromper et s'en sortir indemne.

Et on ne disait pas non à ces filles-là. Après une hésitation, il fit le tour du comptoir et s'avança vers Isabelle. Il n'était qu'à quelques pas d'elle quand elle lui saisit les poignets. Ses mains remontèrent le long de ses bras, se posèrent un instant sur ses biceps puis agrippèrent ses épaules. Le cœur battant, il sentit la chaleur qui émanait d'elle, et son parfum sucré mêlé aux effluves de l'alcool.

— Tu es canon, dit-elle. Mais ça tu le sais, non ?

Jordan avait conscience du regard des filles – et des garçons, parfois – dans la rue, mais il n'y accordait pas grande importance. Cela faisait trop longtemps que Maia occupait ses pensées, et il ne s'inquiétait pas de plaire à une autre. Il se faisait souvent aborder, mais rarement par des filles aussi jolies qu'Isabelle, et jamais de manière aussi directe. Depuis l'âge de quinze ans, il n'avait embrassé personne d'autre que Maia. Mais Isabelle le fixait de ses grands yeux sombres, et ses lèvres entrouvertes avaient la couleur d'un fruit mur. Il ne put s'empêcher de se demander quel goût elles auraient s'il l'embrassait.

— Et je m'en fiche, ajouta-t-elle.

— Isabelle, je ne crois pas que...

— C'est bizarre. D'accord, il y a Maia, et ça devrait suffire à me dissuader de t'arracher tes vêtements, mais le pire, c'est que je n'en ai pas envie. Alors qu'en temps normal, je ne me serais pas gênée.

— Ah, fit Jordan, à la fois déçu et soulagé. Et... c'est une mauvaise chose ?

— Je pense à lui tout le temps. C'est horrible. Ça ne m'était jamais arrivé avant.

— Tu parles de Simon ?

— Ce petit salaud de Terrestre tout maigrichon ! s'exclama-t-elle en s'écartant de Jordan. Sauf que ce n'est plus un Terrestre, et qu'il a pris un peu de muscle. J'aime passer du temps avec lui. Il me fait rire. Et puis j'aime bien son sourire. Tu sais, il a toujours un sourire un coin... Bon, tu vis avec lui. Tu as dû remarquer.

— Pas vraiment, fit Jordan.

— Il me manque quand il n'est pas là, confessa Isabelle. J'aurais cru que les choses changeraient entre nous après ce qui s'est passé l'autre soir avec Lilith. Mais il passe tout son temps avec Clary, et je ne peux même pas lui en vouloir.

— Tu as perdu ton frère.

Isabelle leva les yeux vers lui.

— Hein ?

— Bon, Simon se met en quatre pour remonter le moral de Clary. Jace est ton frère, après tout. Il devrait aussi être là pour toi, non ? Peut-être que tu n'es pas en colère contre elle, mais tu as le droit de lui en vouloir à lui.

Isabelle dévisagea longuement Jordan.

— On n'est rien l'un pour l'autre. Simon n'est pas mon petit copain. Je l'aime bien, c'est différent. (Elle fronça les sourcils.) Mince. Je n'en reviens pas d'avoir dit ça. Je dois être plus ivre que je ne le pensais.

— J'avais déjà deviné qu'il te plaisait, répliqua Jordan en souriant.

Elle l'observa, impassible, pendant quelques instants.

— Tu n'es pas un si mauvais bougre. Si tu veux, je peux dire du bien de toi à Maia.

— Non, merci, répondit Jordan, qui n'était pas sûr de ce qu'elle entendait par là. Tu sais, dans les moments difficiles, c'est normal de vouloir être avec quelqu'un qu'on…

« Aime », était-il sur le point de dire mais, prenant conscience qu'elle n'avait pas employé ce mot, il fit machine arrière.

— … apprécie. Mais je ne crois pas que Simon sache ce que tu ressens pour lui.

— Il t'a déjà parlé de moi ?

— Il te voit comme une dure à cuire. Une fille qui n'a pas besoin des autres. Je crois qu'il se sent… superflu dans ta vie. Qu'est-ce qu'il peut bien t'apporter alors que tu as déjà tout ? Pourquoi tu voudrais d'un gars comme lui ?

Jordan s'interrompit. Ses mots avaient dépassé sa pensée, et il avait l'impression que ce qu'il venait de dire s'appliquait autant à lui qu'à Simon.

— Alors tu penses que je devrais lui ouvrir mon cœur ? demanda Isabelle d'une petite voix.

— Oui. Carrément.

— Bon. (Elle prit une autre gorgée de tequila.) Je vais chez Clary à l'instant même pour lui parler.

Une légère inquiétude assaillit Jordan.

— Non, attends... Il est presque trois heures du matin.

— Si j'attends, je n'aurai plus le courage de le faire, dit-elle de ce ton déterminé typique des gens très saouls.

Elle prit une autre gorgée d'alcool avant d'ajouter :

— Je vais là-bas, je frappe au carreau, et je crache le morceau.

— Tu ne sais même pas où est la fenêtre de Clary, je parie.

Elle fit la grimace.

— Non.

La vision cauchemardesque d'une Isabelle ivre morte réveillant Luke et Jocelyne au beau milieu de la nuit prit forme dans l'esprit de Jordan.

— Non, Isabelle, dit-il en faisant mine de lui prendre la bouteille des mains, mais elle recula en la serrant contre elle.

— Je crois que j'ai changé d'avis sur ton compte, lâcha-t-elle d'un ton vaguement menaçant qui aurait eu beaucoup plus d'effet si elle avait été capable de soutenir son regard. Je ne t'aime pas tellement, en fin de compte.

Elle se leva, contempla ses pieds d'un air surpris... et tomba à la renverse. Grâce à ses excellents réflexes, Jordan la rattrapa juste avant qu'elle ne heurte le sol.

7

Un changement radical

Clary attaquait sa troisième tasse de café chez Taki's quand Simon entra, vêtu d'un jean et d'un sweat-shirt rouge : après tout, à quoi bon s'encombrer d'un manteau quand on ne sentait pas le froid ? Les clients du restaurant se retournèrent sur lui tandis qu'il se frayait un chemin jusqu'à la table de Clary. Elle devait admettre qu'elle trouvait Simon beaucoup plus séduisant depuis qu'Isabelle s'occupait de sa garde-robe. Des flocons de neige parsemaient ses cheveux bruns mais, contrairement à Alec, dont le froid rougissait les joues, Simon ne se départait jamais de son teint livide. Il se glissa sur la banquette en face d'elle et la fixa de ses yeux sombres et brillants.

— Tu m'as appelé ? demanda-t-il en s'efforçant d'imiter la voix grave et caverneuse du comte Dracula.

— Plus précisément, je t'ai envoyé un texto.

Elle lui tendit le menu à la page réservée aux vampires. Elle l'avait déjà passée en revue et n'avait pas pu s'empêcher de frissonner à la perspective d'un milk-shake ou d'un pudding au sang.

— J'espère que je ne t'ai pas réveillé, poursuivit-elle.

— Oh, non. Tu ne croiras jamais où je suis allé.

Il s'interrompit en voyant son expression et lui prit le menton.

— Qu'est-ce qui s'est passé ? Tu as eu des nouvelles de Jace ?

— Vous avez choisi ?

Kaelie, la serveuse aux yeux bleus qui avait remis à Clary la clochette pour appeler la reine, regardait Clary avec un grand sourire teinté de supériorité qui lui fit serrer les dents.

Elle commanda une part de tarte aux pommes, et Simon un mélange de sang et de chocolat chaud. Une fois que Kaelie eut emporté leurs menus, il posa un regard anxieux sur Clary. Avec un soupir, elle lui fit le récit de la nuit précédente sans omettre un seul détail sinistre : l'apparition de Jace, les mots qu'il avait prononcés, la confrontation dans le salon, la blessure de Luke. Elle lui répéta ce qu'avait dit Magnus au sujet des poches dimensionnelles et des mondes parallèles. À mesure qu'elle parlait, le regard de Simon s'assombrissait, et quand elle eut fini, il se tenait la tête dans les mains. Entre-temps, Kaelie était revenue avec leur commande, à laquelle ils ne touchèrent pas.

— Simon ? fit Clary en effleurant l'épaule de son ami. Qu'est-ce qu'il y a ? C'est parce que Luke...

— Tout est de ma faute, dit-il en levant les yeux vers elle. Si je n'avais pas mordu Sébastien...

— Tu l'as fait pour me sauver la vie, protesta-t-elle avec douceur.

— Tu as sauvé la mienne cinq ou six fois. Ça me semblait normal.

La voix de Simon tremblait un peu ; Clary le revit à genoux dans le jardin sur le toit, crachant le sang noir de Sébastien.

— Ça ne sert à rien de se flageller, dit-elle. Et ce n'est pas non plus pour te raconter ce qui s'est passé que je t'ai fait venir. Enfin, je t'aurais mis au courant à un moment ou à un autre, mais ça aurait pu attendre demain si...

Il lui lança un regard circonspect et prit une gorgée de son breuvage.

— Si quoi ?

— J'ai un plan.

Il poussa un grognement.

— C'est bien ce que je craignais.

— Mes plans ne sont pas si désastreux.

— Les plans d'Isabelle sont désastreux. Les tiens sont suicidaires. Dans le meilleur des cas.

Elle s'enfonça dans la banquette en croisant les bras.

— Tu veux savoir ce que c'est ou pas ? Mais il faut que tu me promettes de garder le secret.

— Je préférerais m'arracher les yeux avec une four-chette que trahir tes secrets, dit Simon avant de se rembrunir. Attends une seconde. Tu penses qu'on me questionnera à ce sujet ?

— Je ne sais pas, répondit Clary en se cachant le visage dans les mains.

— Accouche, dit Simon d'un ton résigné.

Avec un soupir, elle sortit de sa poche un sachet en velours dont elle vida le contenu. Deux bagues en or roulèrent sur la table.

Simon les regarda d'un air perplexe.

— Tu veux te marier ?

— Ne fais pas l'idiot. (Elle se pencha vers lui et poursuivit en baissant la voix :) Simon, ce sont les bagues que voulait la reine.

— Je croyais que tu ne les avais pas prises...

— J'ai menti. Après avoir vu Jace dans la bibliothèque, je n'avais plus envie de les donner à la reine. Et j'ai fini par me convaincre que la reine ne nous fournirait aucune information utile. En plus, j'ai la vague intuition que ces bagues nous serviront peut-être un jour.

Simon prit les bijoux dans sa main, et referma les doigts dessus au moment où Kaelie passait près d'eux.

— Clary, tu ne peux pas garder ces bagues. La reine risque de devenir une ennemie très dangereuse.

Clary lui jeta un regard implorant.

— Est-ce qu'on ne pourrait pas au moins vérifier si elles marchent ?

Il poussa un soupir et lui tendit une des bagues ; elle lui parut légère, mais elle avait le lustre de l'or véritable. L'espace d'un instant, elle s'inquiéta de ne pas pouvoir la passer à son doigt, mais à peine l'eut-elle glissée à l'index de sa main droite qu'elle en épousa la forme pour s'y adapter parfaitement. Elle vit Simon examiner sa main, et comprit qu'il venait d'expérimenter la même chose.

— Bon, vas-y. Dis-moi quelque chose, lança-t-il. Enfin, par la pensée.

Clary regarda Simon avec l'impression idiote de devoir jouer un personnage d'une pièce dont elle ne connaissait pas encore les dialogues.

Simon ?

Simon tressaillit.

— Je crois... Tu peux recommencer ?

Cette fois, Clary s'efforça de se concentrer sur lui, sa façon de penser, le timbre de sa voix. Ses chuchotis, ses secrets, ses plaisanteries.

Alors, lui dit-elle en pensée, *maintenant que je suis entrée dans ta tête, tu veux voir des images mentales de Jace tout nu ?*

Simon sursauta.

— J'ai entendu ! Et la réponse est non.

Clary sentit l'excitation monter en elle : ça marchait !

— À ton tour.

Une seconde à peine s'écoula, puis elle entendit la voix de Simon dans sa tête.

Tu l'as vu tout nu ?

Pas tout à fait, non. Mais je...

— Ça suffit, dit-il tout haut.

Sa voix hésitait entre l'amusement et l'inquiétude, mais ses yeux brillaient d'excitation.

— Ça marche. Nom de Dieu, ça marche vraiment !

Elle se pencha vers lui.

— Alors, je peux te parler de mon idée ?

Il toucha la bague à son doigt, en caressa les contours délicats, les nervures de la feuille gravées dans l'or.

Vas-y.

Elle entreprit de lui exposer son plan, mais elle n'était pas arrivée à la fin de son explication qu'il l'interrompit tout haut, cette fois.

— Non. C'est hors de question.

— Simon, c'est une très bonne idée !

— On parle de la même, là ? Celle où tu suis Jace et Sébastien dans une poche dimensionnelle en te servant de ces bagues pour communiquer avec nous ici ?

— Oui.

— Non. Non, c'est une mauvaise idée.

Clary se redressa sur la banquette.

— Tu ne vas pas me dire non !

— Je fais partie de ce plan ! Et c'est non !

— Simon...

Simon tapota la banquette à côté de lui comme si quelqu'un y était assis.

— Je te présente mon ami NON.

— On pourrait peut-être trouver un compromis, suggéra Clary en prenant une bouchée de sa tarte.

— Non.

— SIMON !

— « Non » est un mot magique. Je t'explique. Quand tu me dis : « Simon, j'ai un plan complètement dingue. Tu veux bien m'aider à le mettre à exécution ? », je te réponds : « Non. »

— Je le ferai quand même.

Il lui lança un regard stupéfait.

— Quoi ?

— Je le ferai, que tu m'aides ou non. Je suivrai Jace où qu'il aille et, si je ne peux pas me servir des bagues, j'essaierai de vous tenir au courant par téléphone. Enfin, si c'est possible. Je vais le faire, Simon. Mais j'ai de plus grandes chances de survivre si tu acceptes de m'aider. Toi, tu ne risqueras rien.

— Mais ça, je m'en fiche ! siffla-t-il en se penchant pour ne pas crier. C'est pour toi que je m'inquiète ! Bon sang, je suis presque indestructible. Laisse-moi y aller. Toi, tu restes ici.

— C'est ça, et Jace ne trouvera pas ça louche du tout. Tu vas lui dire que tu es secrètement amoureux de lui depuis toujours, et que tu ne supportes pas la séparation ?

— Je pourrais prétendre que j'ai bien réfléchi et que j'ai décidé de soutenir sa cause et celle de Sébastien.

— Tu ne sais même pas ce qu'ils manigancent.

— C'est vrai. Je ferais peut-être mieux de lui dire que j'ai eu le coup de foudre. De toute façon, Jace s'imagine que tout le monde est amoureux de lui.

— En ce qui me concerne, c'est le cas, dit Clary.

Simon la dévisagea longuement.

— Tu es sérieuse, dit-il enfin. Tu vas vraiment y aller. Sans moi, sans filet de sécurité.

— Je ferais n'importe quoi pour Jace.

— Ne dis pas ça.

— Toi, tu ne serais pas capable de tout pour celle que tu aimes ?

— Je ferais n'importe quoi ou presque pour toi, répondit-il tranquillement. Je donnerais ma vie, tu le sais. Mais est-ce que, par exemple, j'irais tuer un innocent ? Plein d'innocents ? Le monde entier ? C'est vraiment de l'amour de dire à quelqu'un qu'on pourrait sacrifier le reste de la planète pour le sauver ? C'est moral ?

— L'amour n'a rien à voir avec la morale, objecta Clary.

— Je sais bien. Mais les décisions qu'on prend au nom de l'amour, elles sont morales ou elles ne le sont pas. Et Jace a beau m'énerver, je pense qu'en temps normal, il ne te demanderait jamais de faire une chose qui aille contre ta nature. Ni pour lui ni pour quelqu'un d'autre. Mais il n'est plus vraiment lui-même, pas vrai ? Et je ne sais pas, Clary. Je ne sais pas ce qu'il voudrait que tu fasses en pareille circonstance.

Clary posa les coudes sur la table, l'air soudain fatigué.

— Peut-être qu'il n'est plus vraiment lui-même, mais c'est encore un peu Jace. Et je ne retrouverai pas le vrai Jace sans lui. (Elle leva les yeux vers Simon.) Ou alors tu sous-entends que c'est sans espoir ?

Simon observa un long silence. Clary vit que son honnêteté naturelle le disputait à son désir de la protéger.

— Je n'ai jamais dit ça, répondit-il enfin. Je suis encore juif, tu sais, même si je suis devenu un vampire. Au fond de mon cœur, je me souviens et je crois encore en Lui, même si je ne peux pas prononcer Son nom. Il a passé un pacte avec nous, tout comme Raziel avec les Chasseurs d'Ombres. Et nous croyons à Ses promesses. Par conséquent, il ne faut jamais perdre espoir – *hatikva* – car c'est ce qui nous tient en vie. (Il eut une moue gênée.) Ce sont les mots de mon rabbin.

Clary prit la main de Simon par-dessus la table. Bien qu'il parlât rarement de sa religion, elle savait qu'il était croyant.

— Ça signifie que tu es d'accord ?

Il poussa un grognement.

— Ça signifie surtout que tu as écrasé toute volonté chez moi.

— Génial !

— Bien sûr, tu te rends compte que tu me mets dans la position de celui qui va devoir avertir tout le monde : ta mère, Luke, Alec, Isa, Magnus...

— Je n'aurais pas dû affirmer que tu ne risquais rien, dit Clary d'une petite voix.

— Ça ira, lança Simon. Souviens-toi juste, quand ta mère me gnaquera la cheville comme une maman ourse furieuse d'avoir été séparée de son petit, que c'est pour toi que je l'ai fait.

Jordan venait de se rendormir quand on frappa de nouveau à la porte. Avec un grognement, il se tourna pour jeter un coup d'œil au réveil près du lit. Il indiquait quatre heures du matin.

Les coups redoublèrent. Jordan se leva à contre-cœur, enfila son jean, traversa le couloir en titubant de fatigue et ouvrit la porte, l'œil hagard.

— Bon, main...

Il se tut en découvrant Maia sur le seuil. Elle portait un jean avec un blouson en cuir couleur caramel, et une pique en bronze retenait ses cheveux rassemblés en chignon. Une mèche rebelle retombait sur sa tempe. Jordan se retint de la glisser derrière son oreille et mit les mains dans ses poches pour ne plus être tenté.

— Joli tee-shirt, dit-elle en jetant une œillade sévère à son torse dénudé.

Elle portait un sac à dos en bandoulière. Le cœur de Jordan bondit dans sa poitrine. Avait-elle décidé de quitter la ville pour le fuir ?

— Écoute, Jordan…

— Qui c'est ?

Une voix ensommeillée s'éleva derrière lui. Maia écarquilla les yeux et, jetant un regard par-dessus son épaule, Jordan vit Isabelle, vêtue en tout et pour tout d'un des tee-shirts de Simon, qui s'avançait vers eux en se frottant les yeux.

— C'est moi, répondit Maia d'un ton peu amène. Tu… es venue voir Simon ?

— Hein ? Non, il n'est pas là.

« Ferme-la, Isabelle », pensa Jordan, affolé.

— Il… est sorti, ajouta-t-elle avec un geste vague.

Les joues de Maia s'empourprèrent.

— Ça sent l'alcool ici. On se croirait dans un bar.

— Jordan et sa tequila bon marché, marmonna Isabelle. Tu sais…

— Et c'est son tee-shirt aussi ? s'enquit Maia.

Isabelle baissa les yeux puis releva la tête, semblant soudain comprendre, mais un peu tard, ce que Maia s'imaginait.

— Oh non. Maia…

— Alors d'abord Simon me trompe avec toi, et maintenant c'est Jordan…

— Simon m'a aussi trompée avec toi, je te rappelle, et il n'y a rien entre Jordan et moi. Je suis venue voir Simon et, comme il n'était pas là, j'ai décidé de dormir dans sa chambre. D'ailleurs, j'y retourne de ce pas.

— Non, fit sèchement Maia. Oublie Simon et Jordan. J'ai du nouveau, et il faut que tu sois là pour l'entendre, toi aussi.

Isabelle se figea, la main sur la poignée de la porte, le visage blême.

— C'est à cause de Jace que tu es venue ?

Maia hocha la tête.

Isabelle s'appuya contre la porte.

— Est-ce qu'il est...

Sa voix se brisa.

— Il est revenu chercher Clary, répondit Maia. Il était avec Sébastien. Ils en sont venus aux mains, et Luke a été blessé. Il est mal en point.

Isabelle laissa échapper une exclamation de surprise.

— Jace ? Jace a blessé Luke ?

— Je ne sais pas exactement ce qui s'est passé, répondit Maia en évitant son regard. Je sais juste que Jace et Sébastien sont venus chercher Clary, et qu'une bagarre a éclaté.

— Clary...

— Elle va bien. Elle s'est réfugiée chez Magnus avec sa mère. (Maia se tourna vers Jordan.) C'est lui qui m'a appelée pour me demander de passer te voir. Il n'a pas pu te joindre directement. Il veut que tu le mettes en contact avec les Praetor Lupus.

— Que je le mette en contact avec eux ? (Jordan secoua la tête.) Impossible. Ce n'est pas comme s'il suffisait de taper le 15.

Maia croisa les bras.

— Bon, et comment on fait pour les joindre, alors ?

— J'ai un superviseur qui me contacte quand il veut, ou que je peux joindre en cas d'urgence...

— C'est une urgence. Luke risque de mourir et, d'après Magnus, les Praetor détiennent peut-être des informations susceptibles d'aider à le sauver.

Elle fixa Jordan de ses grands yeux sombres. Il aurait dû lui expliquer que les Praetor n'aimaient pas être mêlés aux affaires de l'Enclave, et qu'ils s'en tenaient à leur mission : aider les Créatures Obscures novices. Il n'y avait aucune garantie qu'ils acceptent d'aider Luke, et il était très probable que la requête de Magnus soit mal accueillie.

Mais c'était Maia qui lui demandait un service. S'il décidait de l'aider, à ses yeux, il ferait peut-être un pas sur le long chemin de la rédemption.

— D'accord, fit-il. On peut leur rendre visite dans leurs quartiers généraux. Ils sont situés sur North Fork[1], au milieu de nulle part. On prendra ma camionnette.

— Parfait, dit Maia. J'ai pensé qu'on partirait peut-être sur-le-champ, alors j'ai pris mes affaires.

— Est-ce qu'il va bien ? demanda Isabelle, qui n'avait pas ouvert la bouche depuis un moment, si bien que Jordan avait oublié sa présence.

Elle s'était adossée au chambranle de la porte en serrant les bras autour d'elle comme si elle avait froid.

Maia fit la grimace.

— Qui ça, Luke ? Non, il...

— Je parle de Jace, murmura Isabelle. Est-ce qu'il va bien ? Est-ce qu'ils lui ont fait du mal ou...

— Non, répondit Maia d'un ton égal. Il est reparti avec Sébastien.

— Et Simon ? (Isabelle se tourna vers Jordan.) Tu m'as dit qu'il était avec Clary...

---

1. Péninsule située au nord-est de l'île de Long Island, dans l'État de New York. (*N.d.T.*)

Maia secoua la tête.

— Non, il n'était pas avec elle. (Sa main se crispa sur la courroie de son sac à dos.) Mais on a fait une découverte, et elle ne va pas te plaire. Jace et Sébastien sont connectés, d'une certaine manière. Si on tue Sébastien, Jace mourra aussi.

— L'Enclave est au courant ? demanda Isabelle. Ils n'ont pas prévenu l'Enclave, pas vrai ?

Maia secoua la tête.

— Pas encore.

— Ils finiront par le découvrir. Toute la meute est déjà au courant, je suppose. Quelqu'un finira par vendre la mèche, et il y aura une véritable chasse à l'homme. Ils le tueront pour éliminer Sébastien. Ils le tueront quoi qu'il arrive. (Elle passa la main dans ses longs cheveux noirs.) Je veux voir Alec.

— Eh bien, tant mieux, fit Maia, parce qu'après l'appel de Magnus, j'ai reçu un texto de lui. Il te soupçonnait d'être ici, et il voulait que tu le rejoignes à Brooklyn immédiatement.

Il faisait si froid dehors que, malgré la rune *thermis* qu'elle avait appliquée sur sa peau et la parka légère qu'elle avait prise dans le placard de Simon, Isabelle tremblait comme une feuille en poussant la porte de l'immeuble de Magnus.

Après avoir sonné à l'interphone, elle gravit l'escalier en s'appuyant sur la rampe en bois vermoulu. Elle avait envie de monter les marches quatre à quatre pour se jeter dans les bras d'Alec, car lui seul pouvait comprendre ce qu'elle ressentait. Mais, ayant caché durant toute sa vie le lourd secret de ses parents à son frère, elle était également tentée de rebrousser chemin et de garder son chagrin pour elle. Cependant, elle avait beau détester se reposer sur les autres – ils finissaient toujours par vous abandonner – et se targuer de n'avoir besoin de personne, elle se souvint qu'elle était venue parce qu'on le lui avait demandé. On avait besoin d'elle.

Or, Isabelle aimait bien se sentir utile. C'est pourquoi il lui avait fallu du temps pour se lier d'amitié avec Jace à son arrivée d'Idris, alors qu'il n'était qu'un garçon efflanqué de dix ans, aux yeux or pâle, tristes. Alec s'était immédiatement attaché à lui, mais sa froideur avait déplu à Isabelle. Comme sa mère lui avait expliqué que le père de Jace avait été assassiné sous ses yeux, elle s'était imaginé qu'il viendrait, en larmes, chercher auprès d'elle du réconfort, voire des conseils. Mais, même à dix ans, il avait un esprit vif, méfiant et un tempérament acide. Isabelle avait songé, un peu consternée, qu'à vrai dire, il était exactement comme elle.

Pour finir, c'était leur vie de Chasseurs d'Ombres qui les avait rapprochés. Ils partageaient une même passion pour les armes tranchantes, les poignards séraphiques, le plaisir douloureux des Marques, les combats qui font tout oublier. Quand Alec avait voulu sortir chasser seul avec Jace en excluant Isabelle, ce dernier avait pris sa défense : « Nous avons besoin d'elle parce que c'est la meilleure. Enfin, après moi, évidemment. »

Ces seuls mots lui avaient valu l'affection de la jeune fille.

Elle se trouvait maintenant devant la porte de Magnus. De la lumière filtrait par l'interstice, et des bruits de voix lui parvenaient. Elle poussa la porte, et une vague de chaleur l'enveloppa. Elle provenait d'un feu qui crépitait joyeusement dans la cheminée – bien qu'il n'y en ait pas dans l'immeuble, et que le feu en question se soit paré des reflets bleu-vert de la magie. Magnus et Alec étaient assis dans l'un des canapés rassemblés autour de l'âtre. À l'entrée de sa sœur, Alec leva la tête et se précipita pour la serrer dans ses bras. Il portait un pantalon de jogging noir et un tee-shirt blanc au col déchiré.

Pendant quelques instants, elle se blottit contre lui, à l'affût des battements de son cœur, tandis qu'il lui tapotait maladroitement le dos.

— Ça va aller, Isa, dit-il.

Elle s'écarta de lui en s'essuyant les yeux. Bon sang, ce qu'elle détestait pleurer.

— Qu'est-ce que tu en sais ? Comment tu veux que ça aille après ça ?

— Isa... fit-il en tirant doucement sur une mèche de ses cheveux. (Il se rappela l'époque où elle se faisait des tresses ; il avait l'habitude de tirer dessus avec beaucoup moins de délicatesse qu'aujourd'hui.) Ne t'énerve pas. On a besoin de toi. (Il baissa la voix.) Hé, tu sais que tu sens la tequila ?

Isabelle lança un coup d'œil à Magnus, qui les observait depuis le canapé.

— Où sont Clary et sa mère ? demanda-t-elle. Je croyais qu'elles étaient ici.

— Elles dorment, répondit Alec. On a pensé qu'elles avaient besoin de se reposer.

— Et pas moi, peut-être ?

— Toi, ton fiancé – ou ton beau-père – n'a pas failli se faire assassiner sous tes yeux, répliqua sèchement Magnus.

Il portait un pyjama rayé sous une robe de chambre en soie noire. Il se redressa en croisant les bras.

— Isabelle Ligthwood, poursuivit-il, comme vient de le dire Alec, nous avons besoin de toi.

— Pour quoi faire ?

— Pour aller voir les Sœurs de Fer. Il nous faut une arme capable de séparer Jace et Sébastien. Avant peu, l'Enclave découvrira que Jace n'est pas le prisonnier de Sébastien, et même qu'il est à son service...

— Ce n'est pas Jace.

— Peut-être, mais s'il meurt, ton Jace mourra avec lui.

— Comme tu le sais, les Sœurs de Fer ne communiquent qu'avec les femmes, déclara Alec. Par ailleurs, Jocelyne ne peut pas y aller seule car elle n'est plus une Chasseuse d'Ombres.

— Et Clary ?

— Clary manque d'expérience. Elle ne saura pas quelles questions leur poser ni comment se comporter avec elles, contrairement à sa mère et à toi. Jocelyne affirme qu'elle a déjà eu affaire à elles ; elle pourra te guider une fois qu'on vous aura transportées au pied des boucliers qui protègent la Citadelle Imprenable.

Isabelle réfléchit quelques instants. La perspective d'avoir enfin quelque chose à faire, d'être investie d'une tâche précise et importante lui procurait un grand soulagement. Elle aurait préféré aller massacrer des démons ou couper Sébastien en rondelles, mais c'était mieux que rien. Les légendes ayant trait à la Citadelle Imprenable la dépeignaient comme un lieu austère et reculé, et les Sœurs de Fer se montraient encore plus rarement que les Frères Silencieux. Isabelle n'en avait jamais rencontré aucune.

— Quand est-ce qu'on part ? demanda-t-elle.

Alec sourit pour la première fois depuis son arrivée, et fit mine de lui ébouriffer les cheveux.

— Ça, c'est mon Isabelle.

— Arrête, fit-elle en se dérobant à sa main.

Magnus leur sourit et, s'extirpant du canapé, il passa la main dans ses cheveux hirsutes.

— J'ai trois chambres d'amis, annonça-t-il. Clary en occupe une, sa mère une autre. Je vais te montrer la troisième.

Les chambres étaient desservies par un couloir étroit. Deux des portes étaient fermées ; Magnus poussa la troisième, qui ouvrait sur une pièce aux murs peints en rose vif. Les rideaux noirs suspendus aux fenêtres étaient maintenus par des menottes, et le dessus de lit était parsemé de cœurs rouge sombre.

Isabelle jeta un regard autour d'elle. Elle se sentait nerveuse, et pas le moins du monde disposée à dormir.

— Jolies embrasses, observa-t-elle. Je comprends pourquoi tu n'as pas installé Jocelyne ici.

— J'avais besoin de quelque chose pour tenir les rideaux, expliqua Magnus en haussant les épaules. Tu as un vêtement pour dormir ?

Isabelle se contenta de hocher la tête, n'ayant aucune envie de confesser qu'elle avait emporté le tee-shirt de Simon avec elle. Les vampires n'avaient pas d'odeur, mais le tissu était encore imprégné des effluves discrets et rassurants de sa lessive.

— C'est un peu bizarre, tout de même, lâcha-t-elle. Tu me demandes de venir sur-le-champ et là, tu me mets au lit en me disant qu'on commence demain.

Magnus s'adossa au mur, les bras croisés, et l'observa en plissant les yeux. L'espace d'un instant, il lui rappela Church.

— Je suis amoureux de ton frère, dit-il. Tu le sais, non ?

— Si tu veux ma permission pour l'épouser, vas-y, lança Isabelle. L'automne, c'est sympa aussi. Tu pourrais porter un smoking orange.

— Il n'est pas heureux, dit Magnus comme s'il ne l'avait pas entendue.

— Évidemment qu'il n'est pas heureux, répliqua-t-elle avec colère. Jace...

— Jace, fit Magnus en serrant les poings.

Isabelle le dévisagea sans comprendre. Elle avait toujours pensé que Jace ne lui posait pas de problème, voire qu'il en était venu à l'apprécier une fois qu'Alec avait clarifié ses sentiments à son égard.

— Je croyais que Jace et toi étiez amis.

— Ce n'est pas ça. Il est des gens... des gens que l'univers semble avoir promis à un destin exceptionnel. Et à des souffrances exceptionnelles. Dieu sait que nous sommes tous attirés par ce qui est beau et abîmé par la vie. C'est mon cas, mais on ne peut pas guérir les autres de leurs blessures. Et si on y arrive, c'est au prix de sacrifices si grands qu'ils finissent par nous détruire.

Isabelle secoua la tête.

— Je ne te comprends pas. Jace est notre frère mais c'est aussi le *parabatai* d'Alec.

— J'ai connu des *parabatai* tellement proches qu'ils étaient presque devenus une seule et même personne. Tu sais ce qui arrive à celui qui reste quand l'autre meurt...

— Arrête ! s'écria Isabelle en se bouchant les oreilles. Comment oses-tu, Magnus Bane ? Tu ne fais que rendre les choses pires.

— Isabelle...

Magnus semblait un peu hébété, comme si son emportement passager le surprenait lui-même.

— Je suis désolé. J'oublie parfois que malgré ta force et ton sang-froid, tu as la même vulnérabilité qu'Alec.

— Alec n'a rien de vulnérable, protesta Isabelle.

— Non, c'est vrai. Pour aimer librement, il faut être fort. Mais c'est pour lui que je voulais que tu viennes. Il y a des choses que je ne peux pas lui donner.

Pendant un bref moment, Magnus sembla lui-même très vulnérable.

— Tu connais Jace depuis aussi longtemps que lui, poursuivit-il. Tu le comprends forcément mieux que moi. Et puis, il t'aime.

— Bien sûr qu'il m'aime. Je suis sa sœur.

— L'amour n'a rien à voir avec les liens du sang, objecta Magnus d'un ton amer. Demande à Clary.

Clary franchit le Portail puis fut projetée de l'autre côté comme si elle venait de jaillir du canon d'un fusil. Elle atterrit sur ses deux pieds mais, trop étourdie par son voyage éclair, elle perdit l'équilibre et tomba. Heureusement, son sac à dos amortit sa chute. Elle poussa un soupir – un jour, l'entraînement finirait par porter ses fruits – et se leva en époussetant son jean.

Elle se trouvait devant la maison de Luke. Derrière elle, la ville semblait émerger du fleuve scintillant comme une forêt de lumières. La maison était plongée dans le noir et la porte verrouillée. La gorge nouée, Clary s'avança dans l'allée boueuse.

D'un geste hésitant, elle toucha la bague à son doigt.

Simon ?

Sa réponse ne se fit pas attendre.

Oui ?

Où es-tu ?

Je me dirige vers le métro. Et toi ?

Je suis chez Luke. Si Jace revient, et je pense qu'il reviendra, c'est le premier endroit qui lui viendra à l'esprit.

Un silence.

Bon, tu sais comment me joindre en cas de besoin.

Oui. Clary soupira. *Simon ?*

Oui ?

Je t'aime.

Un silence.

Moi aussi.

Et ce fut tout. Clary sentit que leur lien s'était rompu comme si on avait tranché une corde à l'intérieur de sa tête. Elle se demanda si c'était ce dont avait voulu parler Alec quand il avait fait allusion au lien invisible qui unissait deux *parabatai*.

Elle gravit lentement les marches du perron. Cette maison, c'était la sienne. Si Jace avait bien l'intention de revenir la chercher, c'est ici qu'il viendrait. Elle s'assit sur la dernière marche et attendit, son sac à dos posé sur les genoux.

Debout devant le frigo de l'appartement, Simon but une dernière gorgée de sang tandis que le souvenir de la voix de Clary refluait dans sa tête. Il venait de rentrer, et la pièce était plongée dans l'obscurité. Une odeur étrange flottait dans l'air... De la tequila ? Jordan avait peut-être bu un verre ou deux. La porte de sa chambre était fermée. Simon ne pouvait pas le blâmer de s'être endormi : il était plus de quatre heures du matin.

Après avoir remis la bouteille au frais, il se dirigea vers sa chambre. Cela faisait une semaine qu'il n'avait pas dormi chez lui. Il avait pris l'habitude de partager un lit, de se blottir contre un corps au milieu de la nuit. Il aimait sentir Clary contre lui ; elle dormait roulée en boule, la tête nichée sur son bras. Il devait admettre qu'il aimait aussi l'idée qu'elle ne puisse pas dormir sans lui. Il se sentait indispensable, même si le fait que Jocelyne ne s'inquiète pas de sa présence dans le lit de sa fille sous-entendait qu'elle lui trouvait le sex-appeal d'un poisson rouge.

D'accord, Clary et lui avaient souvent dormi dans le même lit entre l'âge de cinq et douze ans. Cela avait peut-être un rapport, songea-t-il en poussant la porte de sa chambre. Toutes ces nuits qu'ils avaient consacrées à des activités torrides, comme des concours du plus gros mangeur de bonbons au caramel... Et la fois où ils avaient piqué le lecteur de DVD portable et...

Sa chambre était telle qu'il l'avait laissée en partant : quatre murs nus, ses vêtements rangés sur les étagères en plastique, sa guitare dans un coin et un matelas à même le sol. Sur lequel il trouva une feuille de papier couverte d'une écriture ronde et familière. Celle d'Isabelle.

Simon,

J'ai essayé de te joindre mais j'ai l'impression que tu as éteint ton téléphone. Je ne sais pas où tu es en ce moment. J'ignore si Clary t'a déjà raconté ce qui s'est passé ce soir. Mais je dois aller chez Magnus et j'aimerais beaucoup que tu me retrouves là-bas.

Moi qui ne crains rien d'habitude, j'ai peur pour Jace. J'ai peur pour mon frère. Je ne te demande jamais rien, Simon, mais là, je te supplie de venir.

Isabelle.

La lettre tomba des mains de Simon. Il était déjà dans l'escalier avant même qu'elle touche le sol.

Quand il entra dans l'appartement de Magnus, tout était silencieux. Un feu crépitait dans l'âtre et, les yeux fixés sur les flammes, Magnus était assis dans un canapé rembourré, les pieds posés sur la table basse. Alec dormait, la tête sur ses genoux. Magnus entortillait des mèches de ses cheveux bruns entre ses doigts, le regard lointain comme s'il était absorbé dans ses souvenirs. Simon se souvint de ce qu'il lui avait dit au sujet de l'éternité : « Un jour, il ne restera que nous deux. »

Il frissonna, et Magnus leva les yeux.

— C'est Isabelle qui t'a demandé de venir, je sais, dit-il à voix basse pour ne pas réveiller Alec. Elle est dans la première chambre à gauche.

Simon hocha la tête et, après avoir adressé un signe de la main à Magnus, il se dirigea vers le couloir. Il se sentait étrangement nerveux, comme avant un premier rendez-vous. À sa connaissance, Isabelle n'avait encore jamais sollicité son aide ou sa présence. Elle ne donnait pas l'impression d'avoir besoin de lui.

Il poussa la première porte qu'il trouva. La chambre était plongée dans l'obscurité ; si Simon n'avait pas eu une vision de vampire, il n'y aurait sans doute rien vu. En l'occurrence, il distinguait les contours d'une armoire, des vêtements jetés sur une chaise et un lit dont on avait repoussé les couvertures. Isabelle dormait en chien de fusil, ses cheveux noirs étalés sur l'oreiller.

Simon ouvrit de grands yeux. Il n'avait encore jamais vu Isabelle dormir. Elle paraissait plus jeune quand elle avait les traits détendus. Elle portait un tee-shirt – son tee-shirt, le bleu délavé avec THE LOCHNESS MONSTER écrit sur le devant.

Simon referma la porte derrière lui, un peu déçu malgré tout. Il espérait qu'elle serait encore réveillée. Il avait envie de lui parler, d'entendre sa voix. Après avoir ôté ses chaussures, il s'allongea à côté d'elle. Elle prenait beaucoup plus de place dans le lit que Clary. Isabelle était presque aussi grande que lui malgré sa frêle carrure. Il toucha son bras.

— Isa ? Isabelle ?

Elle laissa échapper un murmure et enfouit la tête dans l'oreiller. En se penchant vers elle, il détecta une odeur d'alcool qui se mêlait à son parfum à la rose. Bon, il était fixé. Il avait d'abord songé à la prendre dans ses bras pour l'embrasser tendrement, mais

« Simon Lewis, agresseur de femmes ivres » n'était pas vraiment l'épitaphe qu'il voulait laisser derrière lui.

Il se mit sur le dos et contempla le plafond. Le plâtre était craquelé, avec des taches d'humidité. « Magnus devrait faire venir quelqu'un pour s'occuper de ça », pensa-t-il. Comme si elle avait senti sa présence, Isabelle vint se blottir contre lui en posant sa joue sur son épaule.

— Simon ? fit-elle d'une voix pâteuse.

— Oui, répondit-il en lui effleurant le visage.

— Tu es venu.

— Évidemment.

Isabelle enfouit la tête dans son cou.

— Désolée, je me suis endormie.

Il sourit dans le noir.

— Ce n'est rien. Même si tu voulais juste que je vienne pour te serrer dans mes bras pendant ton sommeil, je serais venu.

Il sentit qu'elle se crispait contre lui puis son corps se détendit de nouveau.

— Simon ?

— Oui ?

— Tu peux me raconter une histoire ?

— Quel genre d'histoire ?

— Une histoire où le gentil gagne et où le méchant perd. Et il ne revient pas à la fin.

— Tu veux un conte de fées ?

Il se creusa la cervelle. Il ne connaissait les contes que dans leur version édulcorée par Disney, et la première image qui lui vint à l'esprit fut celle d'Ariel et de son soutien-gorge en forme de coquillage. Il avait un faible pour elle quand il avait huit ans. Mais le moment était mal choisi pour en parler.

— Non, répondit-elle dans un soupir. On les étudie à l'école. Une grande part de cette magie existe vraiment, mais… bref. Non, je ne veux pas d'une histoire que j'aie déjà entendue.

— Tiens, j'en ai une bonne, dit Simon en lui caressant les cheveux. Il y a bien longtemps, dans une galaxie lointaine…

Clary ignorait depuis combien de temps elle attendait, assise sur les marches de la maison de Luke, quand le soleil apparut derrière la maison : le ciel prit une teinte pourpre, et le fleuve s'éclaira de reflets gris-bleu. Elle tremblait depuis si longtemps que son corps entier semblait s'être contracté en un seul frisson douloureux. Elle avait utilisé deux runes de chaleur, sans succès : elle avait l'impression que la cause de ses tremblements était surtout psychologique.

Viendrait-il ? S'il était toujours lui-même, comme elle le soupçonnait, la réponse était oui ; lorsqu'il lui avait glissé à l'oreille qu'il reviendrait la chercher, elle avait compris qu'il entendait par là dès que possible. Jace n'était pas un garçon patient. Et il n'avait aucun goût pour les petits jeux.

Mais elle ne pouvait pas attendre éternellement. Le soleil se levait. La journée allait commencer, et bientôt sa mère l'aurait à l'œil. Elle devrait renoncer à Jace, au moins jusqu'au lendemain.

Elle ferma les yeux, aveuglée par les rayons du soleil, les coudes appuyés sur la marche derrière elle. Pendant quelques instants, elle se laissa aller à imaginer que tout était normal, que rien n'avait changé, qu'elle retrouverait Jace dans l'après-midi pour l'entraînement et le soir pour le dîner, qu'il la prendrait dans ses bras, qu'il la ferait rire, comme d'habitude.

À contrecœur, elle rouvrit les yeux.

Il était là, devant elle, gravissant les marches avec une grâce féline. Il portait un sweat-shirt bleu marine qui faisait ressortir la blondeur de ses cheveux. Elle se redressa, le cœur battant. Le soleil semblait le nimber d'un halo clair. Elle repensa à ce soir de feu d'artifice à Idris, où les fusées zébraient le ciel comme des anges de lumière.

Il tendit les mains vers elle ; elle les prit pour se relever.

— Je n'étais pas sûr que tu viendrais, dit-il en scrutant son visage.

— Depuis quand tu n'as plus confiance en moi ?

— Tu étais sacrément en colère la dernière fois, répondit-il en prenant son visage entre ses mains.

Il avait une vilaine cicatrice au creux de la paume ; elle la sentait contre sa joue.

— Et si je n'avais pas été là, qu'est-ce que tu aurais fait ?

Il l'attira contre lui. Il frissonnait, lui aussi, et le vent ébouriffait ses cheveux bouclés.

— Comment va Luke ?

En l'entendant prononcer le nom de Luke, Clary fut parcourue d'un autre frisson. Croyant qu'elle avait froid, il la serra plus fort.

— Il va s'en tirer, répondit-elle, sur ses gardes.

« C'est ta faute, ta faute, ta faute. »

— Je ne voulais pas lui faire de mal. Tu me crois ?

— Jace... Pourquoi es-tu ici ?

— Pour te redemander de venir avec moi.

Elle ferma les yeux.

— Et tu ne veux pas me dire où ?

— Tu dois me faire confiance, susurra-t-il. Mais il faut aussi que tu saches que si tu décides de me suivre, tu ne pourras pas faire machine arrière.

Elle songea au jour où, en sortant du Java Jones, elle l'avait trouvé qui l'attendait. À ce moment précis, sa vie avait changé de façon définitive.

— On ne peut jamais revenir en arrière avec toi. (Elle ouvrit les yeux.) On devrait y aller.

Il eut un sourire radieux comme le soleil émergeant de derrière les nuages.

— Tu es sûre ?

— Sûre et certaine.

Comme il se penchait pour l'embrasser, elle perçut un goût amer sur ses lèvres. Un instant plus tard, les ténèbres se refermèrent sur elle comme un rideau noir signalant la fin d'un acte sur la scène d'un théâtre.

Deuxième partie

Obscurité

Je t'aime comme on aime certaines choses obscures.

Pablo Neruda, « Sonnet XVII »

8

L'or s'éprouve par le feu

Maia n'était jamais allée à Long Island mais elle s'était toujours figuré que cela ressemblait beaucoup au New Jersey. Pour elle, c'était une banlieue comme les autres, un endroit où vivaient des gens qui travaillaient à New York ou à Philadelphie.

En jetant son sac à l'arrière de la camionnette de Jordan, elle eut un mouvement de recul. À l'époque où ils sortaient ensemble, il conduisait une vieille Toyota rouge toujours jonchée de gobelets de café et de sacs de fast-food, le cendrier rempli de cigarettes fumées jusqu'au filtre. En comparaison, l'arrière de sa camionnette était relativement propre, les seuls détritus se limitant à un tas de paperasse abandonné sur le siège passager. Jordan le poussa de côté sans un mot au moment où elle montait en voiture.

Ils n'échangèrent pas une parole pendant toute la traversée de Manhattan et, une fois sur l'autoroute, Maia finit par s'endormir, la tête appuyée contre la vitre. Elle s'éveilla en sursaut en sentant la camionnette rouler sur une bosse, et se frotta les yeux.

— Désolé, dit Jordan d'un ton penaud. Je voulais te laisser dormir jusqu'à notre arrivée.

Elle se redressa et regarda autour d'elle. Ils avaient quitté l'autoroute, et le ciel commençait à s'éclairer. Des champs bordaient la route des deux côtés et de temps à autre, un silo ou une ferme défilaient par la vitre.

— C'est joli ici, observa-t-elle d'un ton surpris.

— Oui. (Jordan changea de vitesse et s'éclaircit la voix.) Puisque tu es réveillée... Avant qu'on arrive à la propriété des Praetor, je peux te montrer quelque chose ?

Elle hésita puis hocha la tête et, quelques minutes plus tard, ils s'engagèrent sur un chemin de terre cabossé bordé d'arbres sans feuilles. Maia baissa la vitre pour respirer l'air du dehors. Une odeur d'iode, de feuilles mortes et de petits animaux courant dans les herbes hautes lui chatouilla les narines. Ils quittèrent la route et s'arrêtèrent sur un petit terre-plein circulaire qui donnait sur une plage. L'océan était gris-bleu et le ciel presque mauve.

Maia lança un coup d'œil à Jordan. Il regardait droit devant lui.

— Je venais souvent ici quand je m'entraînais avec les Praetor, dit-il. Juste pour regarder la mer et me vider la tête. Les levers de soleil sont... à chaque fois différents, mais ils sont tous magnifiques.

— Jordan ?

— Oui ? fit-il sans la regarder.

— Désolée pour l'autre jour. Je n'aurais pas dû m'enfuir comme ça.

— Ce n'est rien, répondit-il en soupirant.

Elle comprit, à sa main crispée sur le levier de vitesse et à la tension dans ses épaules, qu'il ne le pensait pas vraiment. Il reprit :

— Ça faisait beaucoup pour toi, je comprends.

— Je crois qu'on devrait y aller doucement. Essayer de devenir amis.

— Je ne veux pas être ton ami.

Elle ne put dissimuler sa surprise.

— Ah bon ?

Il posa les mains sur le volant. La ventilation soufflait de l'air chaud qui se mêlait à la brise froide entrant par la vitre ouverte.

— Ce n'est pas le moment d'en parler.

— Mais moi, je veux en discuter maintenant, protesta-t-elle. Je n'ai pas envie de ressasser tout ça quand on sera chez les Praetor.

Il se renfonça dans son siège en se mordant la lèvre, et une mèche de cheveux lui tomba sur le front.

— Maia...

— Si tu ne veux pas qu'on soit amis, alors quoi ? Tu veux qu'on redevienne ennemis, c'est ça ?

Il se tourna vers elle, la joue appuyée contre le dossier de son siège. Ses yeux étaient exactement comme dans son souvenir, noisette avec des paillettes vertes, bleues et or.

— Si je ne veux pas être ton ami, c'est parce que je t'aime toujours, Maia. Tu sais que je n'ai même pas embrassé une autre fille depuis qu'on a rompu ?

— Isabelle...

— Elle m'a parlé de Simon en buvant verre sur verre.

Il fit mine de se pencher vers elle, mais ses mains retombèrent brusquement sur ses genoux, et un air de défaite se peignit sur ses traits.

— Je n'ai jamais aimé que toi. C'est l'idée qu'un jour, je pourrais peut-être m'amender auprès de toi qui m'a permis de tenir pendant mon entraînement. Je ferais tout pour me faire pardonner.

— Mais tu refuses d'être mon ami.

— Je refuse de n'être rien d'autre, ça me tuerait. Je t'aime, Maia. Je t'ai toujours aimée et je t'aimerai toujours.

Elle regarda la mer. Le soleil émergeant de l'horizon teintait les flots de violet, d'or et de bleu.

— C'est si beau, ici.

— N'est-ce pas ? Quand je n'arrivais pas à dormir, je venais exprès pour voir le soleil se lever.

— Et maintenant, tu dors ?

Il ferma les yeux.

— Maia... si c'est non, dis-le carrément, d'accord ?

Il s'arma de courage, comme avant une bataille. Elle distingua des cicatrices claires sur la peau olivâtre de son cou. Ces marques, c'était elle qui en était la cause. Détachant sa ceinture, elle se pencha vers lui. Il retint son souffle, mais resta immobile tandis qu'elle plantait un baiser sur sa joue. Elle respira son odeur : le même savon, le même shampooing ; en revanche, il ne sentait plus la cigarette. Elle l'embrassa plus bas sur la joue, puis au coin de la bouche et, enfin, elle colla ses lèvres aux siennes.

Il poussa un grognement sourd. Les loups-garous n'étaient pas tendres entre eux, mais ce fut avec des gestes doux qu'il la souleva pour la faire asseoir sur ses genoux. Ils s'embrassèrent de plus belle. Le contact de Jordan, la chaleur de ses bras à travers sa veste en velours, les battements de son cœur, le goût de sa bouche étourdissaient Maia. Elle se blottit contre lui en caressant de ses doigts ses boucles épaisses et soyeuses, telles que dans son souvenir.

Lorsqu'ils s'écartèrent l'un de l'autre, les yeux de Jordan brillaient.

— J'attendais ce moment depuis des années.

Maia sentait son cœur battre à tout rompre. Pendant quelques instants, ils avaient cessé d'être deux loups-garous en mission auprès d'une organisation secrète ; ils étaient redevenus des ados s'embrassant dans une voiture sur une plage.

— C'était à la hauteur de tes attentes ?

— Beaucoup mieux, même, répondit-il en souriant. Est-ce que ça veut dire...

— Eh bien, lança-t-elle, ce n'est pas le genre de chose qu'on fait avec ses amis, si ?

— Tu crois ? Il faudra que j'en parle à Simon. Il va être franchement déçu.

— Jordan ! s'exclama-t-elle en lui donnant une tape sur l'épaule, mais elle souriait, et il sourit à son tour.

Elle se pencha pour enfouir son visage dans le creux de son cou et respira son odeur en regardant le jour se lever.

Ils se battaient sur le lac gelé tandis que la cité de glace scintillait dans le lointain. L'ange aux ailes d'or contre l'ange aux ailes noires. Debout sur la glace, Clary regardait les plumes voler autour d'elle. Les dorées brûlaient comme du feu quand elles touchaient sa peau, et les noires étaient froides comme de la glace.

Clary s'éveilla dans un enchevêtrement de couvertures, le cœur battant. Elle se redressa en jetant un coup d'œil autour d'elle. Elle se trouvait dans une chambre aux murs blancs, et elle portait encore ses vêtements de la veille. Elle se glissa hors du lit, ses pieds nus rencontrèrent la pierre froide et elle chercha des yeux son sac à dos, qu'elle trouva appuyé contre un fauteuil en cuir noir.

Il n'y avait pas de fenêtres dans la pièce ; la seule lumière provenait d'un lustre en verre noir taillé. En fouillant son sac, elle constata avec agacement, bien que sans surprise, que quelqu'un en avait déjà inspecté le contenu. Sa boîte à crayons avait disparu, ainsi que sa stèle. Ne restaient que sa brosse à cheveux et quelques vêtements de rechange. Au moins, elle portait toujours la bague à son doigt.

Elle l'effleura en pensant à Simon.

J'y suis.

Pas de réponse.

Simon ?

Toujours rien. Elle s'efforça de refouler un sentiment de malaise. Elle ignorait où elle se trouvait, quelle heure il était et depuis combien de temps elle avait disparu. Simon était peut-être en train de dormir. Il n'était pas question de paniquer ; dans l'immédiat, il n'y avait pas lieu de penser que les bagues ne marchaient pas. Elle devait passer en pilotage automatique. Examiner les lieux, découvrir ce qu'elle pouvait. Elle essaierait de joindre Simon plus tard.

Avec un soupir, elle s'efforça de se concentrer sur son environnement immédiat. Il y avait deux portes dans la chambre. Elle essaya la première, qui donnait sur une petite salle de bains en verre et chrome avec une baignoire à pattes de lion en cuivre. Elle n'avait pas de fenêtre non plus. Clary prit une douche expéditive et se sécha avec une serviette blanche et moelleuse, puis enfila un jean propre et un tee-shirt avant d'essayer la seconde porte.

Elle pénétra dans une vaste pièce, dont la moitié était occupée par une grande table. Au plafond, d'autres suspensions en verre noir projetaient des ombres dansantes sur les murs. Tout était très moderne, des fauteuils en cuir noir à l'imposante cheminée murale avec son manteau chromé, dans laquelle crépitait un feu. Quelqu'un venait donc de passer par là.

L'autre côté de la pièce était meublé d'un énorme écran de télévision, de canapés en cuir et d'une table basse en bois noir sur laquelle traînaient des joysticks et des jeux vidéo. Un escalier de verre en colimaçon conduisait à l'étage. Après un dernier coup d'œil circulaire, Clary gravit les marches. Le verre, d'une transparence impeccable, lui donnait l'impression de s'élever dans le vide.

L'étage ressemblait au rez-de-chaussée, avec ses murs blancs et son sol noir. Un long couloir qui desservait plusieurs portes s'ouvrait devant elle. La première donnait sur ce qui devait être la chambre principale. Un immense lit à baldaquin en bois de rose tendu de rideaux de gaze blanche occupait la plus grande partie de la pièce. Celle-ci était dotée de fenêtres par lesquelles on apercevait un coin de ciel. Clary traversa la pièce pour regarder au-dehors.

D'abord, elle se crut de retour à Alicante. Les fenêtres donnaient sur un bâtiment aux volets verts, au pied duquel coulait un canal. Le ciel était gris, les eaux d'un bleu sombre tirant sur le vert et, à droite, sur un pont enjambant le canal, Clary distingua deux silhouettes. L'une d'elles, l'œil vissé à son appareil, prenait des photos sans interruption. Ce n'était donc pas Alicante. Amsterdam ? Venise ? Elle chercha des yeux un moyen d'ouvrir la fenêtre, mais apparemment il n'y en avait aucun ; elle se mit à tambouriner à la vitre, mais les deux promeneurs ne remarquèrent pas sa présence. Au bout d'un moment, ils s'éloignèrent.

Clary se dirigea vers l'un des placards, qu'elle ouvrit, et son cœur bondit dans sa poitrine. Il était rempli de vêtements féminins, et en particulier de robes somptueuses en satin ou en dentelle, rebrodées de fleurs ou de perles. Dans des tiroirs, elle trouva des nuisettes et des sous-vêtements, des hauts en soie ou en coton, des jupes, mais pas un seul pantalon. Dans d'autres, des chaussures alignées, sandales, talons hauts, ainsi que des paires de bas. Elle en vint à se demander si une autre fille avait investi les lieux ou si Sébastien s'était découvert un goût pour le travestissement. Mais les vêtements avaient encore leur étiquette, et ils étaient tous à sa taille ou presque. Pour couronner le tout, elle s'aperçut peu à peu, les yeux écarquillés de surprise, qu'ils avaient une coupe et des coloris – bleu, jaune, vert – parfaitement adaptés à son teint et à sa morphologie. Elle finit par choisir un vêtement très simple, un chemisier vert foncé à manches courtes avec un lacet de soie sur le devant. Après s'être débarrassée de son vieux tee-shirt, elle enfila le chemisier et s'admira dans le miroir de la porte du placard.

Il lui allait à merveille, flattait sa silhouette menue et l'étroitesse de sa taille, assombrissait le vert de ses yeux. Elle arracha l'étiquette sans regarder le prix et, prise d'un frisson de malaise, elle sortit en hâte de la chambre.

À l'évidence, la pièce suivante était la chambre de Jace. Elle le comprit à l'instant où elle franchit le seuil. Son odeur de savon et d'eau de Cologne flottait dans l'air. Le lit en bois d'ébène tendu de couvertures et de draps blancs était fait à la perfection. La pièce était aussi bien rangée que sa chambre à l'Institut. Des livres en italien, en français et en latin s'empilaient près du lit. La dague en argent des Herondale, avec son manche gravé d'oiseaux, était fichée dans le mur. En se rapprochant, Clary vit qu'elle était plantée dans une photo d'elle et de Jace prise par Isabelle. Elle se rappelait très bien cette journée ensoleillée du début du mois d'octobre, Jace était assis sur les marches de l'Institut, un livre ouvert sur les genoux. Elle était assise sur la marche supérieure, la main posée sur son épaule, la tête penchée pour voir ce qu'il lisait. Jace avait sa main sur la sienne et il souriait. À ce moment-là, elle ne pouvait pas voir son visage, aussi découvrait-elle seulement maintenant qu'il souriait. Sa gorge se serra et elle sortit de la pièce en cherchant son souffle.

Il fallait qu'elle se reprenne. À chaque aperçu du nouveau Jace, elle avait l'impression de recevoir un coup de poing dans l'estomac. Mais elle devait se comporter comme si cela ne la touchait pas, comme si elle ne voyait pas la différence. Elle entra dans la pièce voisine, une autre chambre très semblable à la précédente, sauf que celle-ci était en désordre. Le lit était défait, des livres et de la paperasse s'entassaient sur le bureau en verre et acier, des vêtements masculins jonchaient le sol. Un objet métallique posé sur la table de nuit arrêta son regard. Elle se rapprocha, incapable d'en croire ses yeux.

C'était la petite boîte gravée des initiales J.C. que sa mère conservait près de son lit. Celle sur laquelle elle avait versé tant de larmes. Clary savait ce qu'elle contenait : une mèche de cheveux aussi blancs et fins que les aigrettes d'un pissenlit ; un bout de vêtement de bébé ; un chausson assez petit pour tenir dans le creux de la main. Des souvenirs de son frère, de l'enfant que sa mère aurait voulu avoir, dont elle avait rêvé avant que Valentin ne transforme son propre fils en monstre.

J.C.

Jonathan Christopher.

L'estomac noué, elle se détourna vivement pour sortir... et se heurta à un mur de chair. Des bras fins et musclés l'encerclèrent et, pendant une fraction de seconde, elle crut que c'était Jace qui l'immobilisait.

— Qu'est-ce que tu fabriques dans ma chambre ? lui glissa Sébastien à l'oreille.

Isabelle avait pris l'habitude de se réveiller aux aurores, qu'il pleuve ou qu'il vente, et ce n'était pas une petite gueule de bois qui la ferait déroger à cette règle. Elle se redressa lentement dans le lit et aperçut Simon à côté d'elle.

Elle n'avait jamais passé une nuit entière avec quelqu'un, sauf si on comptait les fois où, vers l'âge de quatre ans, elle s'était glissée dans le lit de ses parents parce qu'elle avait peur du tonnerre. Elle ne pouvait pas s'empêcher d'observer Simon comme si elle avait affaire à un animal exotique. Il dormait sur le dos, la bouche entrouverte, les cheveux dans les yeux, le tee-shirt légèrement relevé. Il n'avait pas la musculature d'un Chasseur d'Ombres. Son ventre était plat mais il n'avait pas les abdos dessinés, et son visage avait encore une vulnérabilité enfantine. Qu'est-ce qui la fascinait autant chez lui ? Il était mignon, mais elle était sortie avec des chevaliers-elfes sublimes, des Chasseurs d'Ombres torrides...

— Isabelle, dit Simon sans ouvrir les yeux. Arrête de me reluquer comme ça.

Isabelle laissa échapper un soupir agacé et se leva d'un bond. Après avoir pris des vêtements dans son sac, elle se mit en quête de la salle de bains.

Elle sortit dans le couloir au même moment qu'Alec nimbé d'un nuage de vapeur. Il avait une serviette nouée autour de la taille, et une autre avec laquelle il frictionnait ses cheveux humides. Isabelle ne s'étonna pas de le trouver debout : il avait les mêmes habitudes qu'elle.

— Tu sens le bois de santal, dit-elle en guise de salut.

Elle détestait cette odeur. Elle préférait les parfums sucrés : la vanille, la cannelle, le gardénia.

Alec la défia du regard.

— Nous, on aime le bois de santal.

Isabelle fit la grimace.

— Soit c'est un « nous » de majesté soit Magnus et toi, vous commencez à devenir comme ces couples fusionnels insupportables. « On aime le bois de santal. » « On adore les symphonies. » « On espère que tu aimes ton cadeau de Noël. » Si tu veux mon avis, c'est juste une façon mesquine d'éviter d'acheter deux cadeaux.

Alec ouvrit de grands yeux.

— Tu comprendras...

— Si tu oses me dire que je comprendrai le jour où je tomberai amoureuse, je t'étrangle avec ta serviette.

— Et si tu continues à m'empêcher de retourner dans ma chambre pour m'habiller, je vais demander à Magnus d'invoquer une bande de lutins pour qu'ils te fassent des nœuds dans les cheveux.

— Oh, ôte-toi de mon chemin !

Isabelle donna un coup de pied dans la cheville de son frère, qui s'éloigna nonchalamment. Elle s'enferma dans la salle de bains et ouvrit le robinet de la douche à fond. Puis elle examina les produits de toilette et laissa échapper un juron.

Le shampooing, l'après-shampooing, le savon, tout était parfumé au bois de santal.

Lorsqu'elle émergea enfin de la salle de bains, en tenue de combat, les cheveux relevés, elle trouva Alec, Magnus et Jocelyne qui l'attendaient dans le salon. Magnus lui offrit des doughnuts, qu'elle déclina, et du café. Après avoir versé une généreuse rasade de lait dans sa tasse, elle s'assit en face de Jocelyne qui, à son étonnement, portait elle aussi une tenue de Chasseuse d'Ombres.

De même qu'on répétait souvent à Isabelle qu'elle ressemblait à Maryse – même si elle ne voyait pas la ressemblance –, Clary était le portrait craché de sa mère. Elle avait la même teinte de cheveux, mais aussi les mêmes traits, le même port de tête, le même air obstiné. Le même physique de poupée en porcelaine qui cachait un caractère bien trempé. Isabelle regrettait de ne pas avoir hérité des yeux bleus de Maryse, contrairement à Clary qui avait le même regard vert que sa mère. Le bleu, c'était beaucoup plus intéressant que le noir.

— Comme pour la Cité Silencieuse, il n'y a qu'une Citadelle Imprenable, mais de nombreuses portes pour s'y rendre, dit Magnus. La plus proche est le vieux monastère augustinien de Grymes Hill, à Staten Island. Alec et moi nous nous téléporterons là-bas avec vous, puis nous attendrons votre retour puisque nous ne pouvons pas vous accompagner.

— Eh oui, fit Isabelle. Parce que vous êtes des garçons. Pouah, des garçons !

Alec pointa l'index sur elle.

— Un peu de sérieux, Isabelle. Les Sœurs de Fer n'ont rien à voir avec les Frères Silencieux. Elles sont beaucoup moins amicales et elles n'aiment pas être dérangées.

— Promis, je me tiendrai à carreau, dit Isabelle en reposant sa tasse vide sur la table. On y va ?

Magnus lui lança un regard suspicieux puis haussa les épaules. Ce jour-là, il s'était fait des dizaines d'épis avec du gel et ses yeux soulignés de khôl avaient l'air encore plus félin que d'habitude. Il s'avança vers le mur en récitant des formules magiques en latin ; les contours familiers d'un Portail se formèrent dans le vide, en même temps que des symboles scintillants. Un vent fort et glacial se leva, balayant les cheveux d'Isabelle.

Jocelyne s'avança la première pour franchir le Portail. C'était un peu comme regarder quelqu'un disparaître sous une vague ; une brume argentée l'enveloppa, ternit la rousseur de ses cheveux, puis elle disparut dans un ultime miroitement.

Isabelle fut la suivante. Elle connaissait par cœur la sensation d'être sur des montagnes russes liée à la téléportation. Ses oreilles sifflèrent, elle eut le souffle coupé et ferma les yeux ; quand elle les rouvrit, le tourbillon la délivra et elle tomba dans un tas de broussailles. Elle se releva d'un bond, épousseta ses genoux couverts de brindilles, et s'aperçut que Jocelyne l'observait. Elle ouvrit la bouche pour parler, mais se ravisa en voyant apparaître Alec, qui tomba dans les broussailles à côté d'elle. Puis ce fut au tour de Magnus et le Portail se referma derrière lui.

Même la téléportation ne l'avait pas décoiffé. Il tira fièrement sur l'un de ses épis.

— Regarde, dit-il à Isabelle.

— C'est de la magie ?

— Non, du gel. Trois dollars quatre-vingt-dix-neuf chez Sephora.

Isabelle leva les yeux au ciel et se détourna pour examiner les alentours. Ils s'étaient matérialisés au sommet d'une colline. Des arbres noircis par l'automne poussaient en contrebas, et au loin, sous le ciel sans nuages, Isabelle distinguait l'extrémité du pont de Verrazano-Narrows qui reliait Staten Island à Brooklyn. En se retournant, elle aperçut le monastère qui se détachait sur le feuillage terne des arbres. C'était un grand bâtiment de brique rouge, tagué ici et là, aux fenêtres condamnées pour la plupart. Des vautours, dérangés par les nouveaux venus, décrivaient des cercles autour du clocher délabré.

Isabelle scruta la vieille bâtisse en plissant les yeux. S'il s'agissait d'un charme, alors il était très puissant. Elle avait beau s'escrimer, elle ne voyait rien de plus que des ruines.

— Il n'y a pas de charme, dit Jocelyne, la faisant sursauter. Ce que tu vois, c'est la réalité.

Elle se mit en marche, piétinant la végétation desséchée. Au bout d'un moment, Magnus la suivit avec un haussement d'épaules, et Isabelle et Alec leur emboîtèrent le pas. Les branches des arbres, noires sur le ciel clair, s'emmêlaient au-dessus de leur tête, et les feuilles mortes craquaient sous leurs pieds. En approchant du monastère, Isabelle remarqua que l'herbe était brûlée par endroits : des pentagrammes et des cercles runiques avaient été peints à la bombe de peinture sur le sol.

— Des Terrestres, déclara Magnus en écartant une branche sur le passage d'Isabelle. Ils s'amusent avec la magie mais ils ne la comprennent pas. Sans trop savoir pourquoi, ils sont souvent attirés par des endroits tels que celui-ci car ce sont des centres d'énergie. Ils boivent, traînent, taguent les murs, comme s'ils pouvaient laisser une marque humaine sur la magie. (Ils étaient arrivés devant la porte d'entrée, condamnée elle aussi.) Nous y sommes.

Isabelle examina la porte. Et de nouveau, elle n'identifia aucun charme de protection, mais en se concentrant avec application, elle commença à déceler un léger miroitement semblable à un rayon de soleil se reflétant sur l'eau. Magnus et Jocelyne échangèrent un regard, puis celle-ci se tourna vers Isabelle.

— Tu es prête ?

Isabelle hocha la tête. Sans un mot, Jocelyne s'avança et disparut de l'autre côté de la porte. Magnus attendit, les yeux fixés sur Isabelle.

Alec se pencha vers sa sœur, et elle sentit sa main effleurer son épaule.

— Ne t'inquiète pas, Isa, murmura-t-il. Tout ira bien.

— Je sais, dit-elle en relevant la tête, et elle disparut à son tour.

Clary se figea mais, avant qu'elle puisse retrouver ses esprits, un bruit de pas résonna dans l'escalier, et Jace apparut au bout du couloir. Sébastien la lâcha sur-le-champ et avec un sourire carnassier, il lui ébouriffa les cheveux.

— C'est bon de te voir, petite sœur.

Clary en resta bouche bée. Jace s'avança vers eux, pieds nus, en jean, blouson de cuir noir et tee-shirt blanc. Il lança un regard stupéfait à Sébastien.

— Je rêve ou tu serrais Clary dans tes bras ?

Sébastien haussa les épaules.

— C'est ma sœur. Je suis content de la voir.

— Ce n'est quand même pas ton genre.

— Je n'ai pas eu le temps de lui préparer un gâteau.

— Ce n'est rien, dit Clary en désignant son frère d'un geste vague. J'ai trébuché, il m'a rattrapée.

Si Sébastien s'étonna qu'elle prenne sa défense, il n'en montra rien. Elle s'avança vers Jace, qui l'embrassa sur la joue.

— Qu'est-ce que tu fais à l'étage ? demanda-t-il.

— Je te cherchais. (Elle haussa les épaules.) J'ai pensé que tu dormais.

— Je vois que tu as trouvé le placard à vêtements, dit Sébastien en montrant son chemisier. Ça te plaît ?

Jace lui jeta un regard lourd de sous-entendus.

— On était sortis faire quelques courses, dit-il à Clary. Oh, rien d'extraordinaire. Du pain, du fromage... Tu veux déjeuner ?

C'est ainsi que, quelques minutes plus tard, elle se retrouva assise à la grande table en verre et en acier. Au vu des denrées disposées devant elle – pain, fromages italiens, salami, prosciutto, raisin, confiture de figues et bouteilles de vin –, elle déduisit qu'elle avait deviné juste. Ils se trouvaient à Venise. Jace s'était installé en face d'elle, et Sébastien trônait à un bout de la table. Elle se rappela avec un certain malaise la nuit de sa rencontre avec Valentin à Renwick. Cette nuit-là, lui aussi s'était assis en bout de table, puis il leur avait offert du vin avant de leur annoncer qu'ils étaient frère et sœur.

Elle dévisagea en douce son véritable frère, et se remémora le visage de Jocelyne quand elle l'avait vu. Visiblement, elle avait aussitôt pensé : « Valentin. » Pourtant, Sébastien n'était pas la copie conforme de son père. Clary avait vu des photos de Valentin à leur âge. Sébastien avait hérité à la fois de la beauté de sa mère et des traits durs de son père ; il était grand mais moins large d'épaules, plus élancé, plus félin. Il avait les pommettes saillantes de Jocelyne et sa bouche délicate, mais aussi les yeux noirs et les cheveux très clairs de Valentin.

Sébastien leva les yeux, et la surprit en train de l'observer.

— Tu veux du vin ? proposa-t-il en prenant la bouteille.

Elle hocha la tête, bien qu'elle n'ait jamais beaucoup aimé ça ; depuis Renwick, elle s'était même prise à le détester. Elle s'éclaircit la voix pendant que Sébastien remplissait son verre.

— Alors, cette maison... est à toi ?

— Elle appartenait à notre père, répondit-il en reposant la bouteille. On peut la déplacer dans ce monde et dans les autres. Pour Valentin, c'était à la fois un refuge et un moyen de locomotion. Il m'y a emmené quelques fois pour me montrer comment y entrer et voyager avec.

— Il n'y pas de porte pour y accéder.

— Si, mais il faut savoir où elle se trouve. Papa a eu du nez pour cet endroit.

Clary se tourna vers Jace, qui secoua la tête.

— Il ne me l'a jamais montré et je n'ai jamais soupçonné son existence.

— Ça fait très... garçonnière, observa-t-elle. Je n'aurais jamais imaginé que Valentin...

— ... puisse posséder une télé à écran plat ? (Jace sourit.) Il n'y a pas le câble, mais on peut regarder des DVD dessus. Au manoir, on avait un vieux frigo alimenté par de la lumière de sort. Ici, il a fait installer un modèle américain.

— C'était pour Jocelyne, lâcha Sébastien.

Clary leva les yeux.

— Hein ?

— Tous ces appareils. Cette garde-robe. Le chemisier que tu portes. Ils étaient pour elle. Au cas où elle déciderait de revenir.

Sébastien posa ses yeux sombres sur Clary, et soudain, elle se sentit un peu mal à l'aise. « Ce garçon est mon frère, et on parle de nos parents. » Elle avait le vertige : tout allait trop vite pour elle. Elle n'avait pas eu le temps d'apprendre à considérer Sébastien comme un frère de chair et de sang. Quand elle avait découvert sa véritable identité, il était déjà mort.

— Désolé si c'est bizarre, dit Jace d'un ton penaud en désignant son chemisier. On t'achètera d'autres vêtements si tu veux.

Clary toucha le tissu soyeux. Voilà qui expliquait le fait que tout ou presque soit à sa taille, et dans des tons qui lui allaient. Elle ressemblait tant à sa mère !

Elle soupira.

— Ça ira. Qu'est-ce que vous fabriquez exactement ? Vous vous contentez de voyager à l'intérieur de cet appartement et de...

— ... voir le monde ? lança Jace d'un ton jovial. Il y a pire, non ?

— Mais vous ne pourrez pas continuer éternellement.

Sébastien n'avait pas beaucoup mangé, mais il avait déjà bu deux verres de vin. Il venait d'entamer le troisième, et ses yeux brillaient.

— Pourquoi pas ?

— Eh bien… parce que l'Enclave vous recherche, et que vous ne pouvez pas passer votre vie à vous cacher…

Clary les dévisagea tour à tour et s'interrompit. Ils venaient d'échanger un regard de connivence qui ne lui plaisait guère.

— C'est une question ou une observation ? finit par demander Sébastien d'une voix douce.

— Elle a le droit de connaître nos projets, dit Jace. Elle a accepté de venir ici en sachant qu'elle ne pourrait pas faire marche arrière.

— Un élan de confiance en toi, répliqua Sébastien en promenant son doigt sur le bord de son verre, geste que Clary avait aussi observé chez Valentin. Elle t'aime. C'est pour ça qu'elle est ici. Pas vrai ?

— Et alors ? fit-elle. Oui, je fais confiance à Jace.

Elle pouvait toujours prétendre qu'il y avait une autre raison, mais Sébastien ne la croirait sans doute pas.

— Mais pas à moi.

Clary choisit ses mots avec soin.

— Si Jace te fait confiance, alors je veux bien essayer. Et tu es mon frère, après tout. Ça signifie quelque chose. Mais je ne te connais pas vraiment.

— Alors, peut-être que tu devrais prendre le temps de me découvrir, rétorqua Sébastien. Ensuite, on te parlera de nos projets.

« *On* te parlera de *nos* projets. » Visiblement, dans l'esprit de Sébastien, il n'y avait que le duo qu'il formait avec Jace. Sa relation avec Clary n'existait pas pour lui.

— Je n'aime pas l'idée de la laisser dans l'ignorance, protesta Jace.

— On lui expliquera tout dans une semaine. Qu'est-ce que ça change, une semaine ?

Jace le dévisagea longuement.

— Il y a deux semaines, tu étais mort.

— En l'occurrence, je ne suggérais pas deux semaines. Ce serait de la folie.

Jace eut un sourire en coin et lança un regard à Clary.

— J'attendrais d'avoir gagné votre confiance, déclara-t-elle à contrecœur, tout en sachant que c'était exactement la chose à dire. Quel que soit le temps que ça prendra.

— Une semaine, dit Jace.

— Oui, une semaine, renchérit Sébastien. Et ça signifie qu'elle reste ici, dans l'appartement. Aucun contact avec l'extérieur. Pas d'allées et venues.

Jace s'adossa à son siège.

— Et si je l'accompagne ?

Sébastien lui jeta un long regard par-dessous. Clary comprit qu'il réfléchissait à la latitude qu'il pouvait donner à son « frère ».

— Très bien, dit-il avec condescendance. Si tu restes avec elle, ça va.

Clary garda les yeux baissés sur son verre de vin. Elle entendit Jace répondre dans un murmure, mais ne put pas se résoudre à le regarder. L'idée que Jace doive demander la permission – Jace, qui faisait toujours ce que bon lui semblait – la rendait malade. Elle avait envie de se lever et de casser la bouteille de vin

sur le crâne de son frère. Mais c'était impossible :
« S'il se coupe, je saigne. »

— Comment est le vin ? s'enquit Sébastien avec
une pointe d'ironie dans la voix.

Elle vida son verre d'un trait en réprimant une grimace.

— Délicieux.

Isabelle émergea dans un paysage inconnu. Devant
elle, une plaine verdoyante s'étendait sous des nuages
menaçants. Elle rabattit sur sa tête la capuche de
son vêtement et regarda autour d'elle, fascinée. Elle
n'avait jamais vu un ciel aussi immense et une étendue
de terre aussi vaste : de la couleur du lichen, elle scintillait comme un joyau dans la lumière. En faisant un
pas, Isabelle s'aperçut que c'était bel et bien de la
mousse qui recouvrait les rochers noirs disséminés sur
l'humus noir.

— C'est une plaine volcanique, expliqua Jocelyne.

Elle se tenait près d'Isabelle, et le vent faisait voler
les mèches cuivrées qui s'échappaient de son chignon.
Elle ressemblait tellement à Clary en cet instant que
c'en était inquiétant.

— Jadis, il y a eu des coulées de lave ici. On est
forcément dans une région de volcans : pour travailler
l'adamas, les Sœurs ont besoin d'une chaleur extrêmement forte.

— J'aurais cru qu'il ferait un peu plus chaud, marmonna Isabelle.

— Parfois, tu me fais tellement penser à ta mère !

Jocelyne lui jeta un regard sévère et se mit en
marche en prenant une direction qu'elle semblait

avoir choisie au hasard. Isabelle la suivit à contrecœur.

— Je prends ça pour un compliment, lâcha-t-elle en
ravalant sa colère : personne n'avait le droit d'insulter
sa famille.

— Ce n'était pas une critique.

Isabelle garda les yeux fixés sur l'horizon, où le ciel
noir se confondait avec la terre.

— Vous avez bien connu mes parents ?

Jocelyne la regarda du coin de l'œil.

— Oui, assez bien, à l'époque où nous vivions tous
à Idris. Ensuite, je ne les ai pas vus pendant des
années.

— Vous les fréquentiez à l'époque où ils se sont
mariés ?

Le chemin commençait à grimper sérieusement, et
ce fut d'une voix à peine essoufflée que Jocelyne
répondit :

— Oui.

— Ils étaient... amoureux ?

Jocelyne s'arrêta net et se tourna vers Isabelle.

— Isabelle, de quoi tu me parles ?

— D'amour ? suggéra cette dernière après un silence.

— Je ne sais pas ce qui te fait penser que je pourrais
être experte en la matière.

— Eh bien, vous avez fait poireauter Luke pendant
des années avant de lui dire oui. C'est impressionnant.
J'aimerais bien avoir le même pouvoir sur les garçons.

— Tu l'as. Et ce n'est pas quelque chose qu'il faille
souhaiter.

Elle repoussa ses cheveux, et Isabelle eut un petit
pincement au cœur. Malgré sa ressemblance frappante

avec sa fille, Jocelyne avait les mêmes longues mains souples et délicates que Sébastien. Isabelle se rappelait en détail avoir sectionné l'une de ces mains avec son fouet dans une vallée d'Idris.

— Tes parents ne sont pas parfaits, Isabelle, parce que personne ne l'est. Ce sont des gens compliqués. Et ils viennent de perdre un fils. Si c'est au sujet de la décision de ton père de rester à Idris...

— Mon père a trompé ma mère ! s'écria Isabelle.

Elle se retint de plaquer sa main sur sa bouche. Elle avait gardé ce secret pendant des années, et en le révélant à Jocelyne, elle avait l'impression de commettre une trahison.

Le visage de Jocelyne se radoucit ; à présent, il exprimait une certaine compassion.

— Je sais.

Isabelle resta bouche bée.

— Tout le monde est au courant ?

Jocelyne secoua la tête.

— Non, une poignée de gens. J'étais... bien placée pour le savoir. Je ne peux pas en dire plus.

— Qui c'était ? demanda Isabelle avec colère. Avec qui il l'a trompée ?

— Tu ne la connais pas, Isabelle...

— Vous n'en savez rien ! (La voix d'Isabelle monta d'une octave.) Et cessez de répéter mon nom comme si vous vous adressiez à une gamine.

— Ce n'est pas à moi de te le dire, protesta calmement Jocelyne avant de se remettre en marche.

Isabelle la suivit péniblement. La pente, de plus en plus raide, formait un mur de verdure contre le ciel orageux.

— J'ai le droit de savoir. Ce sont mes parents. Et si vous vous obstinez à ne pas vouloir me le dire, je...

Isabelle s'interrompit brusquement. Elles avaient atteint le sommet de la colline, et devant elles se dressait une forteresse qui semblait avoir surgi du sol comme une fleur. Elle était taillée dans de l'adamas blanc argenté qui réfléchissait les nuages. Des tours couronnées d'électrum se détachaient sur le ciel, et un mur d'enceinte, lui aussi en adamas, protégeait l'édifice. Il était percé d'une unique porte formée de deux grands battants pointus qui s'enfonçaient dans le sol, évoquant une gigantesque paire de ciseaux.

— La Citadelle Imprenable, annonça Jocelyne.

— Merci, rétorqua Isabelle. J'avais deviné.

Jocelyne émit un son désapprobateur, qu'Isabelle connaissait bien pour l'avoir entendu dans la bouche de ses parents, puis se mit à descendre en direction de la forteresse. Lasse de la suivre, Isabelle pressa le pas pour lui passer devant. Elle était plus grande et plus élancée que Jocelyne. Si celle-ci persistait à la traiter comme une enfant, elle ne voyait pas pourquoi elle devrait l'attendre. Elle dévala donc la pente en écrasant des petits tas de mousse sous ses bottes, se glissa pour passer entre les deux battants... et s'arrêta net.

Elle se tenait au bord d'un petit promontoire rocheux. À ses pieds s'étendait un vaste gouffre au fond duquel bouillonnait une rivière de lave rougeoyante qui encerclait la forteresse. De l'autre côté du gouffre – que même un Chasseur d'Ombres n'aurait pas pu franchir d'un bond – se trouvait un pont-levis, seul moyen d'accéder à la forteresse.

— Parfois, les choses sont moins simples qu'il n'y paraît, dit Jocelyne en rejoignant Isabelle, qui sursauta et lui lança un regard noir. Hodge t'a sûrement expliqué comment on entre dans la Citadelle Imprenable. Après tout, elle est ouverte à toutes les Chasseuses d'Ombres qui sont en règle avec l'Enclave.

— Bien sûr qu'il me l'a dit, lâcha Isabelle d'un air hautain tout en se creusant la cervelle pour se rappeler.

« Seuls les Nephilim... » Prenant l'une des piques en métal qui retenaient sa chevelure, elle en actionna le mécanisme, libérant une dague dont la lame était gravée d'une rune de courage. Puis levant les bras au-dessus de l'abîme, elle cria : « *Ignis aurum probat* » en lacérant la paume de sa main gauche avec la dague. Quelques gouttes de sang écarlate tombèrent dans le gouffre puis il y eut un éclair bleu suivi d'un craquement, et le pont-levis commença à s'abaisser lentement.

Isabelle sourit en essuyant sa lame sur son vêtement. D'un simple geste, elle lui redonna sa forme initiale et la glissa de nouveau dans ses cheveux.

— Tu sais ce que ça signifie ? demanda Jocelyne, les yeux fixés sur le pont-levis.

— Quoi ?

— Ce que tu viens de dire. La devise des Sœurs de Fer.

— L'or s'éprouve par le feu.

— C'est exact, fit Jocelyne. Ça ne s'applique pas seulement aux forges et au travail des métaux. C'est aussi une métaphore signifiant que c'est dans l'adversité que l'on reconnaît la valeur d'un homme. Les moments difficiles révèlent certains d'entre nous, et leur permettent de se distinguer.

— Ah oui ? maugréa Isabelle. Eh bien moi, j'en ai soupé de l'adversité, et peut-être que je n'ai pas envie de me distinguer.

Le pont-levis s'écrasa lourdement à leurs pieds.

— Si tu ressembles à ta mère, lança Jocelyne, tu ne pourras pas t'en empêcher.

9

LES SŒURS DE FER

Alec leva la pierre de rune dans sa main pour éclairer un recoin de la station de métro de City Hall, et sursauta en voyant une souris détaler sur le quai poussiéreux. Alec était un Chasseur d'Ombres ; il s'était souvent retrouvé dans le noir. Pourtant, ce lieu désert lui donnait la chair de poule.

C'était peut-être le pincement de culpabilité qu'il avait éprouvé en abandonnant son poste de surveillance à Staten Island pour prendre le ferry dès que Magnus avait tourné les talons. Il n'avait pas réfléchi à ce qu'il faisait : il avait agi comme un automate. En se dépêchant, il serait rentré avant qu'on ait pu s'apercevoir de son absence.

— Camille ! appela-t-il. Camille Belcourt !

Il entendit un rire cristallin se répercuter sur les murs de la station, puis elle apparut au sommet des marches qu'il éclaira de sa pierre de rune.

— Alexander Lightwood, dit-elle. Suis-moi.

Et à ces mots, elle disparut. Alec gravit l'escalier et la trouva au même endroit que la fois précédente, dans le hall de la station. Elle portait une longue robe en

219

velours d'un autre temps, froncée à la taille. Elle avait relevé ses cheveux blond clair, et peint ses lèvres en rouge sombre. Elle était belle, sans doute, bien qu'Alec ne soit pas le meilleur juge en matière de beauté féminine, et la haine qu'il lui vouait n'aidait pas.

— Qu'est-ce que c'est que cette tenue ? demanda-t-il.

Elle sourit. Elle avait la peau très blanche et très lisse, signe qu'elle s'était nourrie récemment.

— Je sors d'un bal costumé. Je me suis bien sustentée, ma foi. Que fais-tu ici, Alexander ? Tu étais en mal de conversation ?

À la place d'Alec, Jace aurait trouvé une bonne repartie, un jeu de mots ou une moquerie savamment déguisée. Alec, lui, se mordit la lèvre et se contenta de répondre :

— Vous m'avez dit de revenir si votre offre m'intéressait.

Elle promena la main sur le dossier d'un canapé, seul meuble des lieux.

— Et manifestement, c'est le cas.

Alec hocha la tête.

— Possible.

Elle gloussa.

— Tu comprends bien ce que tu me demandes ?

Le cœur d'Alec battait à tout rompre. Il se demanda si Camille pouvait l'entendre.

— Vous avez dit que vous aviez le pouvoir de rendre Magnus mortel. Comme moi.

Elle sourit.

— C'est vrai. Je dois admettre que, sur le moment, je n'ai pas eu l'impression d'avoir piqué ta curiosité. Tu es parti pour le moins précipitamment.

— Ne jouez pas à vos petits jeux avec moi. Elle ne me plaît pas tant que ça, votre proposition.

— Menteur, dit-elle d'un ton désinvolte. Sinon, pourquoi es-tu venu ? (Elle contourna le divan pour se rapprocher de lui et scruta son visage.) De près, tu ne ressembles pas vraiment à Will. Tu as la même couleur d'yeux et de cheveux, mais pas la même forme de visage... C'est peut-être cette légère mollesse dans le menton...

— Taisez-vous ! (D'accord, il n'avait pas l'esprit de Jace, mais c'était un bon début.) Je ne veux plus entendre parler de ce Will.

— Très bien. (Elle s'étira langoureusement, comme un chat.) Cela remonte à loin, à l'époque où Magnus et moi étions amants. Nous étions au lit ensemble, après une étreinte passionnée. (Elle vit Alec tressaillir et sourit.) Tu sais ce que c'est, les confidences sur l'oreiller. On révèle ses faiblesses à l'autre. Ce jour-là, Magnus m'a parlé d'un sortilège capable de rendre un sorcier mortel.

— Alors je n'ai qu'à découvrir en quoi consiste ce sortilège, répliqua Alec d'une voix suraiguë. Pourquoi aurais-je besoin de vous ?

— D'abord, parce que tu es un Chasseur d'Ombres. Tu ne sais pas jeter de sort, répondit calmement Camille. Ensuite, parce que si c'est toi qui t'en occupes, il le découvrira. Si c'est moi, il supposera que c'est un acte de vengeance, et je me moque de ce que Magnus pense. Pas toi.

Alec la dévisagea longuement.

— Alors vous me faites une faveur en acceptant de m'aider ?

Elle rit.

— Bien sûr que non. Tu me rends service et je te rends service. Ce sont les affaires.

La main d'Alec se crispa sur sa pierre de rune.

— Et quel service voulez-vous que je vous rende ?

— C'est très simple, répondit-elle. Je veux que tu me débarrasses de Raphaël Santiago.

Le pont-levis qui enjambait le gouffre de la Citadelle Imprenable était jalonné de chaque côté de couteaux tranchants. La pointe vers le haut, ils bordaient le chemin à intervalles irréguliers jusqu'à l'édifice, si bien qu'il fallait traverser avec prudence. Isabelle n'eut pas grand mal à surmonter cette dernière épreuve, mais fut surprise par l'agilité de Jocelyne, qui n'était plus un membre actif de l'Enclave depuis quinze ans.

Quand Isabelle eut atteint l'extrémité opposée du pont, sa rune de dextérité avait disparu, laissant une marque blanche à peine visible sur sa peau. Jocelyne l'avait rejointe, et Isabelle avait beau trouver la mère de Clary exaspérante, elle se réjouit quand celle-ci leva la main pour éclairer de sa pierre de rune l'espace devant elle.

Une lumière ténue semblait émaner des murs de la forteresse. Le sol, du même matériau, était gravé en son centre d'un cercle noir à l'intérieur duquel figurait le symbole des Sœurs de Fer, un cœur percé d'une lame de part en part.

Isabelle leva les yeux en entendant un murmure de voix. Une ombre venait de surgir de l'un des murs blancs et lisses. Elle grandit, se rapprocha et soudain la paroi coulissa pour laisser passer une femme qui s'avança vers les deux visiteuses.

Elle portait une longue robe blanche et ample, resserrée aux poignets et sous la poitrine par une corde tissée avec du fil démoniaque. Son visage, quoique dépourvu de rides, semblait sans âge. Ses longs cheveux bruns étaient rassemblés en une tresse épaisse. Ses yeux aux iris orange comme des flammes étaient dissimulés derrière un masque aux motifs complexes qui semblait tatoué sur sa peau.

— Qui demande les Sœurs de Fer ? lança-t-elle. Votre nom !

Isabelle se tourna vers Jocelyne, qui lui fit signe de parler la première. Elle s'éclaircit la voix.

— Je suis Isabelle Lightwood et voici Jocelyne Fr... Fairchild. Nous avons besoin de votre aide.

— Jocelyne Morgenstern, dit la femme. Née Fairchild, certes, mais le nom de Valentin ne s'efface pas aussi facilement. Vous avez tourné le dos à l'Enclave, si je ne m'abuse ?

— C'est vrai, répondit Jocelyne. J'ai été bannie. Mais Isabelle est une fille de l'Enclave. Sa mère...

— ... dirige l'Institut de New York. Nous avons beau être loin de tout, ici, nous n'en sommes pas moins bien informées que vous. Je m'appelle Sœur Cleophas. Je forge l'adamas avant que mes compagnes le cisèlent. Je reconnais ce fouet enroulé autour de ton poignet, ajouta-t-elle en montrant le bras d'Isabelle. Quant à cette babiole autour de ton cou...

— Si vous savez tant de choses, lança Jocelyne tandis qu'Isabelle portait la main au rubis qui ornait sa gorge, alors vous devez connaître la raison de notre présence ici.

Sœur Cleophas baissa les yeux en souriant.

— Contrairement à nos frères, nous ne lisons pas dans les pensées. Par conséquent, nous devons nous appuyer sur notre réseau d'information qui, le plus souvent, est très fiable. Je suppose que votre visite a quelque chose à voir avec Jace Lightwood – puisque sa sœur est là – et votre fils, Jonathan Morgenstern.

— Nous sommes dans une impasse, expliqua Jocelyne. Jonathan Morgenstern complote contre l'Enclave, comme son père avant lui. L'Enclave a ordonné son exécution. Jace – Jonathan Lightwood – est très aimé de sa famille, qui n'a commis aucun tort, et de ma fille. Le problème, c'est que Jace et Jonathan sont liés par une magie du sang très ancienne.

— Quelle sorte de magie du sang ?

Jocelyne prit les notes de Magnus dans sa poche et les tendit à Cleophas, qui les examina avec attention. Isabelle sursauta en remarquant ses ongles démesurément longs et griffus qui évoquaient les pattes d'une araignée albinos. Leur pointe était recouverte d'une couche d'électrum.

Elle secoua la tête.

— Les Sœurs ne connaissent pas grand-chose à ce genre de magie.

La flamme dans ses yeux se raviva brusquement puis se ternit et, un instant plus tard, une autre ombre apparut derrière la surface semblable à du verre dépoli du mur en adamas. Cette fois, Isabelle observa attentivement le phénomène : c'était comme regarder quelqu'un émerger d'un nuage de fumée blanche.

— Sœur Dolores, dit Cleophas en tendant les notes de Magnus à la nouvelle venue. Vous y comprenez quelque chose ?

Elle ressemblait beaucoup à Cleophas : elle avait la même silhouette grande et mince, la même robe blanche, les mêmes cheveux longs, bien que ses deux nattes retenues par du fil d'or grisonnent un peu. Pourtant, son visage était lisse comme au premier jour et ses yeux brillaient.

Elle parcourut rapidement les pages.

— C'est un sortilège d'alliance très semblable à notre cérémonie *parabatai*, à la différence près que celui-ci est démoniaque.

— Comment ça, démoniaque ? demanda Isabelle. Si le rituel *parabatai* est inoffensif...

— « Si », fit Cleophas, mais Dolores lui jeta un regard sévère.

— Le rituel *parabatai* lie deux individus l'un à l'autre mais n'affecte pas leur volonté, expliqua-t-elle. Celui-ci fait de même, mais il soumet l'un des deux partenaires. Ce que l'un croit, l'autre le croit aussi. Ce qu'il veut, l'autre le veut aussi. En résumé, ce sortilège ôte toute volonté à l'un des partenaires, et c'est en cela qu'il est démoniaque. Car le libre arbitre est ce qui fait de nous des créatures du ciel.

— Il apparaît aussi que quand l'un est blessé, l'autre l'est aussi, dit Jocelyne. Peut-on supposer qu'il se passerait la même chose si l'un d'eux mourait ?

— Oui. L'un ne peut pas survivre sans l'autre. Sur ce point aussi, ce sortilège diffère du rituel *parabatai* ; ce serait bien trop cruel.

— Nous avons une question à vous poser. Pourriez-vous fabriquer une arme capable de blesser l'un des partenaires sans affecter l'autre ? Voire de les séparer ?

Sœur Dolores examina de nouveau les notes avant de les rendre à Jocelyne. À l'instar de sa compagne, elle avait des ongles longs et fins, d'une blancheur immaculée.

— Aucune arme forgée par nos soins ne pourrait accomplir cela.

Isabelle serra les poings.

— Vous voulez dire qu'il n'y a rien à faire ?

— Dans ce monde, non, répondit Dolores. Mais une arme céleste ou infernale y parviendrait peut-être. Comme l'épée de l'archange Michel, par exemple, avec laquelle Josué combattit à Jericho car elle était investie du feu céleste. Il existe aussi des armes forgées dans les abîmes de l'enfer qui pourraient vous aider, mais j'ignore comment se les procurer.

— Et le cas échéant, la Loi nous défendrait de vous le révéler, ajouta Cleophas d'un ton sévère. Vous comprenez, bien sûr, que nous serons également dans l'obligation d'informer l'Enclave de votre visite…

Isabelle l'interrompit :

— Et l'épée de Josué ? Où pourrait-on la trouver ?

— Seul un ange pourrait vous en faire don, dit Dolores. Et en l'invoquant, vous risquez d'être foudroyés sur place.

— Mais Raziel…

— En nous confiant les Instruments Mortels, Raziel a consenti à ce qu'on l'appelle en cas d'extrême urgence. Mais Valentin a gâché cette chance en l'invoquant. Nous ne pourrons peut-être plus jamais faire appel à ses pouvoirs. C'était un crime d'utiliser les Instruments de cette manière. Si Clarissa Morgenstern a évité un châtiment, c'est seulement parce que c'est son père et non elle qui a invoqué l'Ange.

— Mon époux en avait invoqué un autre, dit calmement Jocelyne. L'ange Ithuriel. Il l'a gardé prisonnier pendant de nombreuses années.

Les deux sœurs parurent hésiter puis Dolores reprit la parole :

— Il n'existe pas de crime plus atroce que de piéger un ange. L'Enclave ne pourrait en aucun cas l'approuver. Même si vous parveniez à en invoquer un, vous ne pourriez pas le contraindre à accomplir votre volonté. Aucun enchantement ne permet cela. Vous ne réussirez jamais à convaincre un ange de vous donner cette épée ; vous pourriez employer la force mais il n'existe pas de sacrilège plus grand. Il vaut mieux laisser mourir votre Jonathan plutôt que de souiller un ange.

À ces mots, Isabelle, qui s'échauffait depuis quelques minutes, explosa.

— C'est bien le problème avec vous. En renonçant à une vie normale, vous perdez toute votre capacité à ressentir. On est peut-être en partie des anges, mais on est avant tout des humains. Vous ne comprenez rien à l'amour ni à la famille…

Les yeux de Sœur Dolores étincelèrent.

— J'avais une famille, dit-elle. Un mari et des enfants. Ils ont tous été tués par des démons. Comme je n'avais plus rien, et que j'ai toujours été douée de mes mains, je suis devenue une Sœur de Fer. La paix que cela m'a apportée, je ne l'aurais jamais trouvée ailleurs. Je n'ai pas choisi le nom de Dolores pour rien. Tu n'as rien à nous apprendre sur la souffrance et sur l'humanité.

— Vous ne comprenez rien, répéta Isabelle avec colère. Votre cœur est dur comme de la pierre démoniaque. Pas étonnant que vous en soyez entourées.

— L'or s'éprouve par le feu, Isabelle Lightwood, lâcha Cleophas.

— Oh, la ferme ! Vous refusez de nous aider ? Soit !

À ces mots, elle s'éloigna sans prêter attention aux couteaux, en se laissant guider par son corps surentraîné. Après avoir atteint l'autre extrémité du pont, elle franchit la porte. Là, sous le grand ciel sombre, elle s'agenouilla dans la mousse parmi les roches volcaniques, le corps secoué de tremblements, mais les larmes ne vinrent pas.

Au bout d'une éternité – du moins c'est ce qui lui sembla –, elle perçut un bruit de pas derrière elle et Jocelyne, s'agenouillant à son tour, la serra dans ses bras. Bizarrement, Isabelle la laissa faire. Bien qu'elle ne l'ait jamais beaucoup aimée, il y avait quelque chose de si maternel dans cette étreinte qu'elle s'y abandonna malgré elle.

— Tu veux savoir ce qu'elles ont dit après ton départ ? demanda Jocelyne, une fois Isabelle calmée.

— Que je suis une honte pour les Chasseurs d'Ombres ?

— En fait, Cleophas pense que tu ferais une excellente Sœur de Fer. Elle te prie de leur faire signe si tu es intéressée, répondit Jocelyne en lui caressant les cheveux.

Isabelle réprima un gloussement.

— Dites-moi son nom, fit-elle en levant les yeux vers Jocelyne.

Elle suspendit son geste.

— De qui tu parles ?

— De la femme avec qui mon père a eu une aventure. Vous ne comprenez pas. Chaque fois que je rencontre une Chasseuse d'Ombres de l'âge de ma mère, je me demande si c'est elle. La sœur de Luke. La Consul. Vous...

Jocelyne soupira.

— C'était Annamarie Highsmith. Elle est morte à Alicante, pendant l'attaque de Valentin. Je doute que tu l'aies connue.

Isabelle ouvrit la bouche puis se ravisa.

— C'est même la première fois que j'entends son nom, dit-elle enfin.

— Bien. (Jocelyne écarta une mèche de cheveux du visage d'Isabelle.) Tu te sens mieux, maintenant que tu sais ?

— Oui, mentit Isabelle en baissant les yeux. Nettement mieux.

Après le déjeuner, Clary était retournée dans sa chambre en prétextant une grande fatigue. Une fois la porte fermée, elle avait de nouveau tenté de contacter Simon avant de se rappeler qu'avec le décalage horaire entre New York et l'Italie, il devait probablement dormir. Du moins elle priait pour que ce soit le cas. Cette option était de loin préférable à la possibilité que les bagues ne fonctionnent pas.

Elle avait regagné sa chambre depuis à peine une demi-heure quand on frappa à la porte.

— Entrez, dit-elle en refermant les doigts sur la bague pour la cacher.

Jace s'avança sur le seuil. Elle se remémora cette nuit d'été où il était venu la trouver dans sa chambre, en jean et chemise grise, les cheveux mouillés. *Les bleus sur son visage avaient déjà viré au gris, et il se tenait debout dans l'encadrement de la porte, les mains derrière le dos.*

— Salut, lança-t-il.

Cette fois, ses mains étaient bien visibles, et il portait un pull couleur bronze qui rehaussait l'or de ses iris. Il n'y avait pas de bleus sur son visage, et les ombres sous ses yeux, auxquelles elle avait fini par s'habituer, avaient disparu. « Il est peut-être heureux comme ça, songea-t-elle. Et si c'est le cas, de quoi veux-tu le sauver ? »

Ignorant la petite voix dans sa tête, Clary s'efforça de sourire.

— Ça va ?

Il sourit à son tour d'un air malicieux, et elle sentit son cœur fondre.

— Ça te dit d'aller faire un tour ?

— Q-q-quoi ? bredouilla-t-elle, un peu surprise.

— Je te propose une soirée à la fois romantique et torride.

— Torride, vraiment ?

— C'est à moi que tu as affaire. Le seul fait de me voir jouer au Scrabble suffit à mettre les femmes en émoi. Alors imagine un peu si je fais un effort.

Clary inspecta sa tenue, puis repensa aux

cosmétiques qu'elle avait aperçus dans cette drôle de chambre qui lui évoquait un tombeau. Elle n'aurait pas craché sur un peu de gloss.

Jace lui offrit le bras.

— Tu es ravissante, dit-il. Viens.

Elle lui prit la main et le laissa la mettre debout.

— Je ne sais pas...

— Allez, fit-il de ce ton à la fois ironique et séducteur qu'il employait aux premiers temps de leur rencontre, quand il l'avait emmenée voir la fleur de minuit dans la serre. On est à Venise, l'une des plus belles villes du monde. Ce serait dommage de ne pas la voir, non ?

Il l'attira contre lui. Elle sentit son cœur bondir lorsqu'elle reconnut l'odeur familière de son savon et de son shampooing.

— On peut aussi rester ici, suggéra-t-il d'une voix un peu rauque.

— Pour que je me pâme en te regardant faire des mots compte triple ? (Elle se dégagea au prix d'un effort.) Hors de question.

— Bon, d'accord. Maintenant, regarde.

Il la prit par les épaules pour la faire pivoter. Un instant plus tard, les murs de la pièce se volatilisèrent, et elle se retrouva dans une rue pavée. Elle sursauta et, jetant un regard derrière elle, elle vit un vieux bâtiment en pierre percé de hautes fenêtres. Vers sa gauche, elle vit que le canal se déversait dans une voie d'eau beaucoup plus large, bordée d'édifices magnifiques. Une odeur d'humidité et de vieille pierre flottait dans l'air.

— Cool, hein ? fit Jace avec fierté.

Jordan et Maia arrivèrent au quartier général des Praetor Lupus tôt dans la matinée. La camionnette s'engagea en cahotant dans la longue allée blanche bordée de pelouses soigneusement entretenues, et se dirigea vers l'imposante demeure qui se dressait au loin comme la proue d'un bateau. Derrière la maison, Maia distinguait une rangée d'arbres et au-delà, les eaux bleues de la baie de Long Island.

— C'est ici que tu t'entraînais ? C'est magnifique.

— Ne te leurre pas, répondit Jordan en souriant. C'est un vrai camp d'entraînement militaire.

Elle lui jeta un regard en coin. Il n'avait pas cessé de sourire depuis qu'il l'avait embrassée près de la plage, au lever du soleil. Elle avait l'impression d'avoir fait un bond dans le passé, à l'époque où elle l'aimait plus que tout, et pourtant elle se sentait perdue, comme si elle venait de s'éveiller dans un paysage inconnu, à des lieues de son quotidien et de la chaleur rassurante de la meute.

C'était une sensation très étrange. « Pas désagréable, non, pensa-t-elle. Juste étrange. »

Jordan s'arrêta devant la maison. Elle était construite en pierre blonde, dont la teinte n'était pas sans rappeler celle du pelage d'un loup. Un escalier massif desservait une lourde porte noire à deux battants. Au bout de l'allée, un grand cadran solaire indiquait sept heures du matin.

Maia sortit de la camionnette au moment même où la grande porte s'ouvrait. Une voix s'éleva : « Praetor Kyle ! »

Un homme d'âge mûr aux cheveux blonds grisonnants, vêtu d'un costume sombre, descendit les marches du perron. Jordan se tourna vers lui, l'air solennel.

— Praetor Scott, je vous présente Maia Roberts, de la meute de Garroway. Maia, voici Praetor Scott. C'est lui qui dirige les Praetor Lupus.

— Ma famille les dirige depuis le XIXe siècle, déclara l'homme en jetant un coup d'œil à Maia, qui baissa la tête en signe de soumission. Jordan, je dois admettre que nous ne t'attendions pas de sitôt. La situation avec le vampire diurne...

Jordan l'interrompit précipitamment.

— Tout est sous contrôle de ce côté-là. C'est un tout autre problème qui nous amène ici.

Praetor Scott leva les sourcils.

— Tu piques ma curiosité.

— Il s'agit d'une urgence, expliqua Maia. Luke Garroway, notre chef de meute...

Praetor Scott lui jeta un regard sévère qui la réduisit au silence. Bien qu'il ne fasse peut-être pas partie d'une meute, elle n'avait aucun mal à deviner, d'après son attitude, qu'elle avait affaire à un mâle dominant. D'épais sourcils soulignaient ses yeux gris-vert. Sous le col de sa chemise, elle voyait étinceler le pendentif en bronze des Praetor, avec son empreinte de patte de loup.

— C'est aux Praetor de décider s'il y a urgence, dit-il. Et notre quartier général n'est pas un hôtel. Jordan a pris un risque en t'emmenant avec lui, et il le sait. S'il ne comptait pas parmi nos meilleurs éléments, je vous aurais congédiés tous les deux.

Jordan glissa les pouces dans la ceinture de son jean et baissa les yeux. Un instant plus tard, Praetor Scott posa la main sur son épaule.

— Mais tu fais partie des meilleurs. Et vous avez l'air épuisé ; je vois bien que vous n'avez pas dormi de la nuit. Venez, nous parlerons de tout ça dans mon bureau.

Le bureau en question se trouvait au bout d'un long couloir sinueux élégamment lambrissé de bois sombre. Des voix résonnaient dans la maison, et une pancarte récapitulant les règles des lieux était accrochée près de la cage d'escalier.

RÈGLES DE LA MAISON
— Il est interdit de se transformer dans les couloirs.
— Il est interdit de hurler.
— Il est interdit de porter de l'argent.
— Le port de vêtements est obligatoire en TOUTES occasions.
— Il est interdit de se battre et de se mordre.
— Pensez à étiqueter votre nourriture avant de l'entreposer dans le réfrigérateur commun.

Des odeurs de petit-déjeuner flottaient dans l'air, et l'estomac de Maia se mit à gargouiller. Praetor Scott sourit.

— Je vais demander qu'on vous prépare un en-cas si vous avez faim.

— Merci, marmonna Maia.

Ils étaient arrivés au bout du couloir, et Praetor Scott ouvrit une porte sur laquelle était inscrit BUREAU.

Il s'arrêta sur le seuil en fronçant les sourcils.

— Rufus ? Qu'est-ce que tu fais là ?

Maia s'avança derrière lui. Le bureau était une grande pièce confortable et sens dessus dessous. Une vaste baie vitrée donnait sur le domaine. Au loin, un groupe de jeunes gens en survêtement noir exécutaient ce qui ressemblait à des manœuvres militaires. Les murs de la pièce étaient tapissés de livres sur la lycanthropie, la plupart en latin, mais Maia connaissait le mot « lupus ».

Devant le bureau, un plateau en marbre soutenu par deux statues de loups montrant les crocs, s'alignaient deux chaises. Un jeune homme corpulent – un loup-garou, visiblement – était assis sur l'une d'elles, le dos voûté, les mains croisées sur les genoux.

— Praetor, dit-il d'une voix de crécelle. Je voulais vous parler de l'incident de Boston.

— Casser la jambe de ton tuteur, tu appelles ça un incident ? répliqua sèchement le Praetor. Oui, nous en reparlerons, Rufus, mais pas maintenant. J'ai des affaires plus urgentes à régler.

— Mais, Praetor…

— Ce sera tout, Rufus, dit Scott d'un ton sans appel. Rappelle-toi qu'il y a des règles, ici. L'une d'elles consiste à respecter l'autorité.

Rufus se leva de sa chaise en marmonnant, et c'est alors seulement que Maia remarqua sa taille gigantesque. Il dépassait Jordan d'une tête, et son tee-shirt noir lui moulait tellement le torse et les biceps que ses manches semblaient à deux doigts de se déchirer. Ses joues rasées de près étaient couvertes de griffures.

En passant près de Maia pour sortir, il lui décocha une œillade hostile.

— Certains d'entre nous sont plus difficilement réadaptables que d'autres, grommela Jordan.

Tandis que le pas lourd de Rufus s'éloignait dans le couloir, Scott se laissa choir dans le fauteuil à haut dossier derrière le bureau et appuya sur un interphone. Après avoir commandé un petit-déjeuner d'un ton sévère, il s'adossa, les mains croisées derrière la tête.

— Je suis tout ouïe.

Tandis que Jordan expliquait leur requête, Maia laissa vagabonder son esprit en parcourant la pièce du regard. Elle se demandait à quoi ressemblait la vie dans cette demeure raffinée ; elle semblait bien plus réglementée que son existence au sein de la meute. À un moment donné, un loup-garou entièrement vêtu de noir (c'était sans doute l'uniforme de rigueur chez les Praetor) entra en poussant un chariot sur lequel étaient posées une assiette de rosbif et de fromage, ainsi que des boissons protéinées. Maia examina ces victuailles d'un air consterné. D'accord, les loups-garous devaient absorber beaucoup plus de protéines que le commun des mortels, mais du rosbif au petit-déjeuner ?

— Sache que le sucre raffiné est très mauvais pour les loups-garous, déclara Praetor Scott tandis que Maia buvait sa boisson à petites gorgées. Si tu cesses d'en manger pendant quelque temps, l'envie te passera. Ton chef de meute ne t'a pas appris ça ?

Maia essaya vainement de s'imaginer Luke, qui aimait préparer des pancakes en leur donnant toutes sortes de formes amusantes, lui faire un sermon sur le sucre. Mais le moment était mal choisi pour aborder ce genre de sujet.

— Si, si, bien sûr, répondit-elle. J'ai tendance à... me relâcher en période de stress.

— Je comprends ton inquiétude, dit Scott en consultant la Rolex en or qui brillait à son poignet. En temps normal, nous appliquons une politique très stricte de non-ingérence dans les problèmes qui ne touchent pas aux Créatures Obscures récemment transformées. À vrai dire, nous ne privilégions pas les loups-garous au détriment des autres, bien que seuls les lycanthropes soient admis au sein des Praetor.

— C'est précisément pour cette raison qu'on a besoin de votre aide, dit Jordan. Les meutes sont par nature temporaires, et en perpétuelle mutation. Elles n'ont pas l'opportunité d'accumuler les livres et les connaissances. Je ne prétends pas qu'elles n'ont pas de sagesse, mais tout est basé sur la tradition orale et chaque meute a un savoir différent. En interrogeant une meute après l'autre, on trouverait peut-être quelqu'un capable de soigner Luke, mais nous n'avons pas le temps. Ici, ajouta-t-il en désignant les livres qui s'alignaient le long des murs, vous avez un peu l'équivalent, en termes d'archives, des Frères avec la Cité Silencieuse, ou des sorciers avec le Labyrinthe en Spirale.

Scott ne semblait pas convaincu.

— Luke n'est pas n'importe quel chef de meute, intervint Maia. C'est le représentant des lycanthropes au Conseil. Si vous nous aidez à le guérir, les Praetor pourront faire entendre leur voix lors des réunions.

237

Les yeux de Scott étincelèrent.

— Intéressant... Très bien. Je jetterai un œil à mes livres. Ça me prendra sans doute quelques heures. Jordan, je te suggère de te reposer avant de reprendre la route pour Manhattan. Je ne voudrais pas que ta voiture finisse dans un arbre.

— Je peux conduire... proposa Maia.

— Tu as l'air aussi fatigué que lui. Jordan, comme tu le sais, tu as toujours ton lit ici. Et Nick est en mission, donc il y a un lit pour Maia. Allez vous reposer, je vous appellerai quand j'aurai fini.

Il fit pivoter son fauteuil pour se mettre à l'œuvre.

D'un geste, Jordan signifia à Maia qu'ils pouvaient s'en aller ; elle se leva en époussetant les miettes sur son jean. Elle allait ouvrir la porte quand Praetor Scott la rappela.

— Oh, Maia Roberts, dit-il d'un ton de mise en garde. Tu comprends, j'espère, que quand tu fais des promesses au nom d'autrui, il t'incombe de t'assurer qu'elles soient tenues.

Quand Simon ouvrit les yeux, il était encore exténué. Les épais rideaux sombres étaient tirés et laissaient entrer peu de lumière, mais d'après son horloge biologique interne, le jour s'était levé. Isabelle avait disparu ; les couvertures formaient un tas au pied du lit.

Il faisait jour, et il n'avait pas parlé à Clary depuis son départ. Il examina la bague en or qu'il portait à la main droite. Elle était gravée de motifs ou de mots rédigés dans un alphabet inconnu de lui.

Les dents serrées, il se redressa dans le lit et toucha la bague.

Clary ?

La réponse fut immédiate, et un immense soulagement l'envahit.

Simon. Dieu soit loué.

Tu peux parler ?

Non. Il perçut une légère tension dans sa voix. *Je suis contente de t'entendre, mais le moment est mal choisi. Je ne suis pas seule.*

Mais tu vas bien ?

Oui. Il ne s'est rien passé pour l'instant. J'essaie de collecter des informations. Je te promets que je te contacterai dès que j'en saurai plus.

OK. Prends soin de toi.

Toi aussi.

Et la voix se tut. Simon se leva en s'efforçant d'aplatir ses cheveux hirsutes, et sortit de la chambre pour vérifier si quelqu'un d'autre était debout.

Ils étaient tous là. Alec, Magnus, Jocelyne et Isabelle, assis autour de la table du salon. Alec et Magnus avaient enfilé un jean, Jocelyne et Isabelle portaient leur tenue de combat. Isabelle leva les yeux à son approche sans le gratifier d'un sourire ; elle semblait tendue. Une tasse était posée devant chacun d'eux.

— Ce n'est pas pour rien que le rituel des Instruments Mortels est aussi compliqué. (Magnus fit léviter le sucrier jusqu'à lui et sucra son café.) Les anges agissent sur l'ordre de Dieu, mais pas les humains... pas même les Chasseurs d'Ombres. Si vous invoquez un ange, vous risquez d'être foudroyés. Le rituel des

Instruments Mortels permettait certes d'invoquer Raziel mais surtout, il protégeait l'invocateur du courroux de l'Ange.

— Mais Valentin... objecta Alec.

— Oui, Valentin a aussi invoqué un ange mais dont les pouvoirs sont moindres. Et il ne lui a jamais parlé, n'est-ce pas ? Il ne lui a jamais demandé d'aide. Il s'est contenté de recueillir son sang. Et même alors, il a dû avoir recours à des sortilèges incroyablement puissants pour le garder prisonnier. À mon avis, il a dû enchaîner sa vie au manoir des Wayland, si bien que, quand il est mort, l'édifice s'est effondré. (Il tapota sa tasse d'un ongle verni en bleu.) Et Valentin a été damné. Que l'on croie ou non au paradis et à l'enfer, il a forcément été damné. Alors quand il a invoqué Raziel, l'Ange l'a anéanti. En partie, sûrement, pour le punir de ce qu'il avait fait à son frère céleste.

— Pourquoi on parle d'invoquer des anges ? s'enquit Simon en se perchant au bout de la longue table.

— Isabelle et Jocelyne sont allées voir les Sœurs de Fer pour trouver une arme qu'on pourrait utiliser sur Sébastien sans affecter Jace, répondit Alec.

— Et ça n'existe pas ?

— Pas dans notre monde, en tout cas, dit Isabelle. Une arme céleste pourrait marcher, ou alors quelque chose de carrément démoniaque. On explore la première option.

— Vous voulez invoquer un ange pour qu'il vous donne une arme ?

— C'est déjà arrivé par le passé, déclara Magnus. Raziel a confié les Instruments Mortels à Jonathan

Shadowhunter. Selon les récits anciens, la veille de la bataille de Jéricho, un ange est apparu à Josué et il lui a remis une épée.

— Ah, fit Simon. J'aurais pensé que les anges étaient des êtres pacifiques pas très portés sur les armes.

Magnus ricana.

— Les anges ne sont pas seulement des messagers. Ce sont aussi des soldats : l'archange Michel, entre autres, aurait conduit des armées. Ils ne sont pas très patients, surtout avec les vicissitudes humaines. Tous ceux qui ont tenté d'invoquer Raziel sans être protégés par les Instruments Mortels ont sans doute été foudroyés sur-le-champ. Il est plus facile d'invoquer un démon. Ils sont plus nombreux, et la plupart sont faibles. Mais d'un autre côté, un démon sans envergure ne sert pas à grand-chose...

— On ne peut pas invoquer un démon ! protesta Jocelyne, l'air atterré. L'Enclave...

— Je croyais que vous vous moquiez depuis belle lurette de ce qu'ils pensaient de vous.

— Je ne suis pas la seule concernée. Et vous tous ? Et Luke ? Et ma fille ? Si l'Enclave apprenait...

— Eh bien, ils n'en sauront rien, pas vrai ? répliqua sèchement Alec. À moins que vous ne décidiez de les mettre au courant.

Jocelyne dévisagea tour à tour Isabelle, Magnus et Alec.

— Vous envisagez vraiment d'invoquer un démon ?

— Oui mais pas n'importe quel démon, répondit Magnus. Azaël.

Jocelyne ouvrit de grands yeux.

— Azaël ?

Elle chercha du soutien autour d'elle, mais Alec et Isabelle gardaient les yeux fixés sur leur tasse et Simon haussa les épaules.

— Je ne sais pas qui est cet Azaël, déclara-t-il. Ce ne serait pas le chat des Schtroumpfs ?

Il se tourna vers Isabelle, qui leva les yeux au ciel. *Clary ?* fit-il en pensée.

Une voix inquiète lui répondit :

Qu'est-ce qu'il y a ? Qu'est-ce qui s'est passé ? Ma mère s'est aperçue de ma disparition ?

Pas encore. Dis-moi, Azaël, c'est le chat des Schtroumpfs ?

Il y eut un long silence.

C'est Azraël, Simon. Et je te prierais de ne pas utiliser la bague pour me poser des questions débiles.

Levant les yeux, Simon s'aperçut que Magnus l'observait avec insistance.

— Ce n'est pas un chat, dit-il. C'est un Démon Supérieur. Lieutenant des enfers et forgeron. C'était un ange, autrefois. Il a montré aux hommes comment fabriquer des armes, à l'époque où seuls les anges détenaient ce savoir. Ça lui a valu d'être déchu et de devenir un démon. « Mais la Terre a été souillée par les enseignements impurs d'Azaël. Aussi est-ce lui qui doit être tenu pour responsable de tous les crimes. »

Alec lança à Magnus un regard médusé.

— Comment tu sais tout ça ?

— C'est un de mes amis, répondit Magnus et, devant l'air ébahi de l'assistance, il soupira. Bon d'accord, pas vraiment. Mais on parle de lui dans le Livre d'Enoch.

— Il m'a l'air dangereux, dit Alec en fronçant les sourcils. Il doit même être un cran au-dessus d'un Démon Supérieur, comme Lilith.

— Heureusement, il est déjà pieds et poings liés, déclara Magnus. Si vous l'invoquez, seul son esprit vous apparaîtra ; son enveloppe corporelle restera enchaînée aux rochers de Dudael.

— Les rochers de... Oh, laisse tomber, lança Isabelle en s'attachant les cheveux. C'est le démon des armes. Parfait. Moi, je pense qu'on devrait tenter le coup.

— Je n'en reviens pas que vous ne preniez même pas le temps d'y réfléchir, intervint Jocelyne. J'ai suffisamment observé mon défunt mari pour savoir ce qu'il advient des gens qui frayent avec les démons sans rien y connaître. Clary... (Elle s'interrompit en sentant le regard de Simon peser sur elle et se tourna vers lui.) Simon, tu sais si Clary est réveillée ? On l'a laissée dormir mais il est presque onze heures.

Simon hésita.

— Non, je ne sais pas.

Après tout, il disait la vérité. Il se pouvait bien que Clary dorme, où qu'elle soit.

Jocelyne parut perplexe.

— Mais tu n'as pas dormi dans la même chambre qu'elle ?

— Non, je...

Simon s'interrompit, prenant soudain conscience du pétrin dans lequel il s'était mis. Il y avait trois chambres d'amis. Jocelyne occupait la première, Clary la deuxième. Ce qui signifiait forcément qu'il avait dormi dans la troisième chambre avec...

— Isabelle ? fit Alec en levant les sourcils. Tu as dormi dans la chambre d'Isabelle ?

L'intéressée agita la main.

— Inutile de t'inquiéter, grand frère. Il ne s'est rien passé. En fait, ajouta-t-elle au moment où Alec semblait se détendre, j'étais ivre morte, donc il aurait pu faire ce qui lui chantait sans que je me réveille.

— Oh, arrête ! s'exclama Simon. Tout ce que j'ai fait, c'est te raconter l'intrigue de *Star Wars* du début à la fin.

— Je ne m'en souviens pas, dit Isabelle en prenant un cookie dans l'assiette posée sur la table.

— Ah oui ? Qui était l'ami d'enfance de Luke Skywalker ?

— Biggs Darklighter, répondit-elle du tac au tac avant de frapper la table du poing. C'est de la triche !

Mais elle lui sourit en mordant dans son cookie.

— Ah, fit Magnus. Deux geeks amoureux. C'est beau, mais c'est aussi un sujet de moquerie pour ceux d'entre nous qui sont plus raffinés.

— Bon, ça suffit, lança Jocelyne en se levant. Je vais chercher Clary. Si vous avez l'intention d'invoquer un démon, je préfère m'en aller et emmener ma fille avec moi.

Comme elle se dirigeait vers le couloir, Simon lui barra le passage.

— Vous ne pouvez pas faire ça.

Jocelyne le dévisagea, l'air résolu.

— Je sais ce que tu vas dire, Simon. C'est peut-être

le refuge le plus sûr pour nous, mais avec un démon entre ces murs, je...

— Ce n'est pas ça.

Simon soupira. Il se sentait un peu nauséeux.

— Si vous ne pouvez pas aller la réveiller, c'est tout simplement parce qu'elle n'est pas là.

10

La Chasse Sauvage

L'ancienne chambre de Jordan chez les Praetor ressemblait à celle de n'importe quel campus d'université. Elle comprenait deux lits en fer identiques séparés par une fenêtre donnant sur les pelouses verdoyantes du domaine deux étages plus bas. Le coin de la chambre réservé à Jordan était presque vide : apparemment, il avait fait suivre le plus gros de ses livres et de ses photos à Manhattan. Cependant, quelques clichés de plage étaient encore punaisés çà et là, et une planche de surf était adossée à un mur. Maia eut un pincement au cœur en apercevant sur la table de nuit une photo encadrée d'eux deux prise à Ocean City sur la promenade en planches bordant la plage.

Jordan regarda la photo puis Maia en rougissant. Il jeta son sac sur le lit et se détourna pour ôter sa veste.

— Quand est-ce qu'il revient, ton coloc' ? demanda-t-elle pour combler le silence gêné qui venait de s'installer.

Elle ne savait pas vraiment pourquoi ils étaient soudain si mal à l'aise. Ce n'était pas le cas dans la camionnette quelques heures plus tôt, mais à présent,

les années qu'ils avaient passées sans se parler semblaient peser sur eux.

— Je ne sais pas. Nick est parti en mission. En
général, elles sont dangereuses. Il est toujours possible
qu'il ne revienne pas, répondit Jordan d'un ton résigné.
(Il jeta sa veste sur le dossier d'une chaise.) Tu n'as
qu'à t'allonger un peu. Je vais prendre une douche.

Il se dirigea vers la salle de bains qui, constata Maia
avec un certain soulagement, était attenante à la
chambre. Elle n'avait aucune envie de se laver dans
une de ces salles de bain communes au bout d'un
couloir.

— Jordan... fit-elle, mais il avait déjà refermé la
porte derrière lui.

Elle l'entendit ouvrir le robinet. Avec un soupir, elle
ôta ses chaussures et s'allongea sur le lit. La couverture
en lainage écossais bleu sombre sentait la pomme de
pin. Levant les yeux, elle s'aperçut que le plafond était
tapissé de photos. Le même garçon blond rieur, âgé
d'environ dix-sept ans, lui souriait d'un cliché à l'autre.
Nick, sans doute. Il semblait heureux. Et Jordan,
l'avait-il été ici ?

Elle se pencha pour prendre le cadre posé sur la table
de nuit de Jordan. La photo remontait à plusieurs
années ; à cette époque, le jeune homme était maigre
comme un clou, avec de grands yeux noisette qui lui
dévoraient le visage. Ils se tenaient par l'épaule, l'air
heureux. Le soleil estival avait bruni leur peau et doré
les cheveux de Maia. Jordan avait la tête légèrement
tournée vers elle, comme s'il s'apprêtait à l'embrasser
ou à lui glisser quelques mots à l'oreille.

Elle songea au garçon dont elle empruntait le lit,

ce garçon qui ne reviendrait peut-être pas. Puis elle pensa à Luke, à sa lente agonie, et à Alaric, à Justine, à Theo, à tous ceux de sa meute qui avaient perdu la vie dans la guerre contre Valentin. Elle pensa à Max et à Jace, les deux Lightwood disparus, car elle devait admettre au fond de son cœur qu'elle ne pensait pas qu'ils retrouveraient Jace. Et enfin, elle pensa à Daniel, le frère qu'elle n'avait pas pleuré, et elle s'étonna de sentir des larmes lui picoter les yeux.

Elle se redressa brusquement. Elle avait l'impression de se tenir en équilibre au bord d'un abîme insondable. Elle sentait les ténèbres se refermer sur elle. Avec la disparition de Jace et le retour de Sébastien, les choses allaient encore empirer. Il y aurait d'autres morts. Elle devait reconnaître qu'au cours de ces dernières semaines, elle ne s'était jamais sentie aussi vivante que ce matin à l'aube, alors qu'elle embrassait Jordan dans sa voiture.

Comme dans un rêve, elle se leva et traversa la pièce pour ouvrir la porte de la salle de bains. La douche était dotée de portes coulissantes en verre dépoli. Elle distinguait la silhouette de Jordan à travers. Il ne pouvait sans doute pas l'entendre par-dessus le bruit de l'eau. Elle ôta son sweat-shirt, son jean, ses sous-vêtements, se dirigea vers la douche en retenant son souffle, ouvrit la porte et se glissa à l'intérieur.

Jordan se retourna brusquement en écartant ses cheveux mouillés de son visage. Était-ce l'eau chaude ou l'embarras qui lui faisait monter le sang aux joues ? Elle lui rendit son regard sans la moindre gêne, admirant ses épaules et son torse luisants de savon. Il était beau, mais ne l'avait-elle pas toujours pensé ?

— Maia, bredouilla-t-il. Tu...

— Chut, fit-elle en posant un doigt sur ses lèvres tandis qu'elle refermait la porte de l'autre main.

Puis, s'avançant sous le jet de la douche, elle l'enlaça.

— Tais-toi et embrasse-moi.

Ce qu'il fit.

— Comment ça, Clary n'est pas là ? s'exclama Jocelyne, le visage livide. Comment tu le sais, si tu viens de te réveiller ? Où est-elle allée ?

Simon rassembla son courage. Il avait grandi avec Jocelyne ; elle était presque une seconde mère pour lui. Il connaissait bien ses penchants surprotecteurs avec sa fille, et elle l'avait toujours considéré comme un allié, quelqu'un qui faisait rempart entre Clary et les dangers du monde extérieur. Mais en ce moment même, elle le regardait comme un ennemi.

— Elle m'a envoyé un texto hier soir... commença-t-il avant de s'interrompre en voyant Magnus lui faire signe d'approcher.

— Tu ferais bien de t'asseoir, dit-il.

Isabelle et Alec, assis de part et d'autre de Magnus, le regardaient avec des yeux ronds, mais le sorcier ne semblait pas particulièrement surpris.

— Explique-nous ce qui se passe, poursuivit-il. J'ai l'impression que ça va prendre du temps.

Simon se lança dans une explication pourtant moins longue que ce qu'il avait espéré. Quand il eut fini, Jocelyne le foudroya du regard.

— Tu as laissé ma fille partir avec Jace dans un

lieu impossible à localiser où personne ne peut la joindre ?

— Mais je peux communiquer avec elle, objecta-t-il en montrant la bague à son doigt. J'ai eu des nouvelles ce matin. Elle m'a dit qu'elle allait bien.

— Tu n'aurais jamais dû la laisser partir !

— J'ai essayé de l'en dissuader, mais elle n'a rien voulu entendre. Alors je me suis dit que c'était déjà bien de garder le contact avec elle puisque je ne pouvais pas la faire changer d'avis.

— À mon avis, personne n'y serait arrivé, intervint Magnus. Clary fait toujours ce que bon lui semble. (Il se tourna vers Jocelyne.) Vous ne pouvez pas la mettre dans une cage.

— Je te faisais confiance, répliqua-t-elle sèchement. Comment s'y est-elle prise pour sortir ?

— Elle a dû ouvrir un Portail.

— Mais je croyais que tu avais pris des dispositions...

— Pour éloigner les menaces extérieures, oui, mais pas pour empêcher les gens de sortir. Jocelyne, votre fille n'est pas bête, elle sait ce qu'elle fait. Vous ne pouvez pas l'arrêter. Personne ne le peut. En ça, elle ressemble beaucoup à sa mère.

Jocelyne dévisagea longuement Magnus, la bouche entrouverte, et Simon se rappela que Magnus avait connu la mère de Clary dans sa jeunesse, à l'époque où elle avait trahi le Cercle et Valentin.

— Ce n'est qu'une enfant, dit-elle avant de se tourner vers Simon. Tu lui as parlé au moyen de... de cette bague ?

— Ce matin même, répondit-il. Elle m'a dit qu'elle allait bien.

Au lieu d'être rassurée, Jocelyne s'irrita de plus belle.

— Évidemment ! Simon, je n'arrive pas à croire que tu l'aies laissée faire ça. Tu aurais dû l'empêcher...

— Quoi, il aurait fallu que je la menotte à la table de la salle à manger ? répliqua Simon d'un ton incrédule.

— Si nécessaire, oui. Tu es plus costaud qu'elle. Je suis déçue que...

Isabelle se leva.

— Bon, ça suffit. C'est vraiment injuste de reprocher à Simon la décision de Clary. Et s'il l'avait retenue de force, ensuite quoi ? Vous l'auriez gardée prisonnière jusqu'à la fin des temps ? Il aurait bien fallu que vous la relâchiez un jour, et elle n'aurait alors plus fait confiance à Simon. Elle ne vous fait déjà plus confiance parce que vous lui avez volé ses souvenirs. Et ça, si je me rappelle bien, c'était pour son bien. Si vous ne l'aviez pas autant protégée, justement, elle serait capable de reconnaître le danger, et peut-être aussi qu'elle se montrerait moins secrète et moins imprudente !

Tout le monde resta bouche bée et Simon se souvint de ce que Clary lui avait dit un jour, à savoir qu'Isabelle parlait peu, mais souvent bien. Jocelyne était livide.

— Je vais voir Luke au commissariat, lâcha-t-elle. Simon, j'attends de toi la confirmation quotidienne que ma fille va bien. Le cas échéant, j'irai trouver l'Enclave.

À ces mots, elle sortit de l'appartement en claquant si fort la porte derrière elle que le plâtre du mur se fissura.

Isabelle se rassit à côté de Simon qui, faute de mots, lui tendit la main, qu'elle serra fort dans ses doigts.

— Bon, fit Magnus après un long silence. Qui est d'accord pour invoquer Azaël ? Parce qu'il va nous falloir un paquet de bougies.

Jace et Clary passèrent la journée à errer dans le dédale des ruelles qui bordaient les canaux. Ils se faufilèrent parmi les touristes de la place Saint-Marc, traversèrent le Pont des Soupirs, burent des espressos serrés au Caffè Florian. Les rues labyrinthiques rappelaient un peu Alicante, quoique la cité des Chasseurs d'Ombres ne possédât pas le charme décati de Venise. Il n'y avait ni route ni voitures ; on circulait dans la ville en empruntant les ruelles et les ponts qui enjambaient des canaux dont l'eau était verte comme de la malachite. À mesure que le ciel se teintait des couleurs du crépuscule automnal, les petites échoppes, les bars et les restaurants s'illuminaient.

Lorsque Jace demanda à Clary si elle souhaitait dîner, elle hocha vigoureusement la tête. Elle commençait à se sentir coupable de n'avoir collecté aucune information et, surtout, de passer du bon temps. En traversant un pont du Dorsoduro, l'un des quartiers les plus paisibles de la ville, à l'écart des foules de touristes, elle se résolut à lui tirer les vers du nez le soir même afin de pouvoir livrer des renseignements valables à Simon.

Ils débouchèrent bientôt sur une vaste place carrée bordée par un canal large comme un fleuve. Une basilique s'élevait à leur droite. De l'autre côté du canal, les lumières de la ville dansaient sur l'eau. Clary regrettait de ne pas avoir emporté ses crayons et ses pastels pour pouvoir dessiner le jour déclinant, les eaux sombres, les édifices qui se détachaient sur le ciel, leur reflet dans le canal. Le décor autour d'elle avait pris des teintes gris-bleu. Quelque part, les cloches d'une église sonnaient.

Elle serra la main de Jace dans la sienne. Elle se sentait très loin de sa vie new-yorkaise, plus loin encore que ce qu'elle avait éprouvé à Idris. Venise avait en commun avec Alicante d'être hors du temps ; Clary avait l'impression d'évoluer dans un tableau ou dans les pages d'un manuel d'histoire. Et pourtant, cet endroit existait vraiment, elle avait toujours rêvé de le visiter. Elle regarda Jace du coin de l'œil ; il avait la tête tournée vers le canal. Le crépuscule assombrissait ses yeux, soulignait ses pommettes et les plis de sa bouche. Il surprit son regard et lui sourit.

Après avoir contourné l'église et dévalé une volée de marches recouvertes de mousse, ils s'engagèrent dans un passage longeant le canal. Une odeur de pierre et d'humidité flottait dans l'air. Dans la semi-pénombre, Clary vit quelque chose fendre la surface de l'eau à quelques pas d'elle. Elle entendit un bruit d'éclaboussures et soudain, une femme aux cheveux verts émergea des flots en lui souriant. Elle avait un beau visage mais des yeux jaunes de poisson, et la bouche hérissée de dents pointues comme celles d'un requin. Des perles constellaient sa chevelure. Elle s'enfonça de nouveau dans l'eau sans soulever la moindre vaguelette.

— Une sirène, fit Jace. Il en existe quelques familles très anciennes qui vivent ici depuis longtemps. C'est bizarre, non ? Elles feraient mieux de fréquenter les eaux propres du large, où elles se nourriraient de poisson plutôt que d'ordures. (Il contempla le coucher de soleil.) Venise s'enfonce peu à peu. Elle sera submergée d'ici un siècle. Tu t'imagines plonger et toucher le dôme de la basilique Saint-Marc ?

Clary se sentit triste à l'idée de toute cette beauté à jamais engloutie.

— Ils n'ont pas trouvé de solution ?

— Surélever la ville ? Repousser la mer ? Tu parles !

Ils étaient arrivés au pied d'un autre escalier. Le vent s'était levé, soulevant les cheveux blonds de Jace.

— Toutes les choses tendent vers l'entropie, reprit-il. L'univers entier s'étend, les étoiles s'éloignent les unes des autres, et Dieu seul sait ce qui tombe dans les fissures qui se forment. (Il se tut.) Bon, ça a l'air un peu dingue, ce que je raconte.

— Ce doit être le vin du déjeuner.

— Je tiens l'alcool !

Au détour d'une rue, une féerie de lumière les assaillit. Clary cligna des yeux. Ils venaient d'arriver devant un petit restaurant avec des tables en terrasse éclairées par des guirlandes lumineuses. Ils s'installèrent en bord de canal, bercés par le clapotis de l'eau contre la pierre et le craquement des bateaux ballottés par la marée.

La fatigue commençait à submerger Clary, comme les vaguelettes qui venaient se briser contre le bord du canal. Jace commanda pour elle en italien et elle attendit que le serveur se soit éloigné pour poser la tête sur ses bras.

— Je crois que je souffre d'un jet-lag interdimensionnel, dit-elle.

— Tu sais, le temps est une dimension.

— Espèce de pédant, répliqua-t-elle en lui jetant une miette de pain.

Il sourit.

— L'autre jour, j'essayais de me rappeler la liste de tous les péchés capitaux. L'avarice, l'envie, la gourmandise, l'ironie, le pédantisme...

— Je suis à peu près sûre que l'ironie n'est pas un péché capital.

— Évidemment que si.

— La luxure. Ça, c'est un péché mortel.

— La fessée aussi.

— Ça va avec.

— Je pense qu'il faudrait lui créer une catégorie à part. L'avarice, la gourmandise, l'ironie, le pédantisme, la luxure ET la fessée.

Les loupiotes blanches des guirlandes se reflétaient dans les yeux de Jace. Il était plus beau que jamais et, par conséquent, il paraissait plus distant, moins accessible. Clary repensa à ses mots au sujet de l'enlisement de la ville, du vide séparant les étoiles, et les paroles d'une chanson de Leonard Cohen que le groupe de Simon avait l'habitude de jouer – assez mal, d'ailleurs – lui revinrent en mémoire : « *There is a crack in everything/That's how the light gets in.*[1] » Il y avait forcément une brèche derrière le calme apparent de Jace, un moyen d'atteindre son moi véritable qui existait encore quelque part, elle en était certaine.

Posant sur elle ses yeux couleur ambre, il lui prit la main et il fallut un moment à Clary pour s'apercevoir qu'il touchait sa bague.

— Qu'est-ce que c'est ? demanda-t-il. Je ne me rappelle pas t'avoir vue porter cette bague auparavant. Elle a été forgée par les fées, non ?

Il parlait d'un ton tranquille, mais le cœur de Clary bondit dans sa poitrine. Elle n'avait pas l'habitude de mentir à Jace.

— C'est Isabelle qui me l'a donnée, répondit-elle avec un haussement d'épaules. Elle était en train de jeter tous les cadeaux que son ex le chevalier-elfe lui avait donnés... Tu sais, Meliorn ? Et comme je la trouvais jolie, elle m'a dit que je pouvais la garder.

— Et l'anneau des Morgenstern ?

C'était une occasion toute trouvée de dire la vérité.

— Je l'ai donné à Magnus pour qu'il retrouve ta trace.

— Magnus... (Jace prononça ce nom comme s'il parlait d'un étranger et poussa un soupir.) Tu penses toujours avoir pris la bonne décision en venant ici avec moi ?

— Oui. Je suis tellement heureuse de t'avoir retrouvé ! Et puis j'ai toujours voulu visiter l'Italie.

---

1. Il y a toujours une brèche/C'est par là que la lumière entre. (*N.d.T.*)

Je n'ai pas beaucoup voyagé. Je ne suis jamais sortie de mon pays…

— Tu es allée à Alicante, lui rappela-t-il.

— OK, à part pour visiter des contrées magiques que personne d'autre ne peut voir, je n'ai pas beaucoup voyagé. On avait plein de projets, avec Simon. On voulait faire le tour de l'Europe après le lycée… (Elle s'interrompit.) Ça semble ridicule maintenant.

— Pas du tout. (Il se pencha pour glisser une mèche de ses cheveux derrière son oreille.) Reste avec moi. Je te ferai voir le monde entier.

— Je reste avec toi. Je n'irai nulle part.

— Il y a un endroit en particulier qui te ferait plaisir ? Paris ? Budapest ? La tour de Pise ?

« Si elle tombe sur la tête de Sébastien, pourquoi pas ? » songea-t-elle.

— Est-ce qu'on peut retourner à Idris ? Enfin, je veux dire, est-ce que l'appartement peut nous transporter jusque là-bas ?

— Non, il ne pourrait pas franchir les boucliers, répondit Jace en lui caressant la joue. Tu sais, tu m'as vraiment manqué.

— Tu n'es pas sorti dîner en amoureux avec Sébastien pendant que je n'étais pas là ?

— Si. J'ai bien essayé de le faire boire, mais pas moyen de le saouler.

Clary but une gorgée de son verre. Elle commençait à s'habituer au goût du vin. Elle le sentait lui réchauffer la gorge et les veines ; sous l'effet de l'alcool, la nuit prenait l'allure d'un rêve. Elle se trouvait en Italie avec le bel élu de son cœur par une nuit magnifique. C'était le genre de moment qu'on chérissait toute sa vie. Et pourtant, elle avait la sensation de frôler le bonheur sans le toucher vraiment. Chaque fois qu'elle regardait Jace, elle avait la sensation qu'il lui échappait. Comment pouvait-il être Jace sans être lui ? Comment pouvait-on être heureuse et avoir le cœur brisé en même temps ?

Ils étaient allongés dans le lit étroit d'une personne, pelotonnés sous le drap en flanelle. Maia avait posé la tête au creux de son bras, le soleil entrait par la fenêtre et réchauffait son visage et ses épaules. Appuyé sur un coude, Jordan la contemplait en tirant doucement sur ses frisottis.

— Ils m'ont manqué, ces cheveux, dit-il en déposant un baiser sur son front.

Elle partit d'un de ces rires de gorge qui accompagnent le vertige des sentiments.

— Mes cheveux seulement ?

— Non, répondit-il en souriant, les yeux brillants. Tes yeux aussi. (Il embrassa ses paupières l'une après l'autre.) Ta bouche... Tout.

Tandis qu'il collait ses lèvres aux siennes, elle se mit à jouer avec la chaîne qui pendait à son cou.

— Jordan... Je suis désolée pour l'autre fois. Je n'aurais pas dû m'emporter à cause de l'argent et de Stanford. Mais ça faisait un peu trop d'un coup.

Le regard de Jordan s'assombrit et il baissa la tête.

— Je sais bien que tu es quelqu'un d'indépendant. Je... je voulais juste te rendre service.

— Je sais, chuchota-t-elle. Je sais que tu as peur que je n'aie pas besoin de toi, mais une relation ne se base pas sur le besoin. Elle se base sur l'amour.

Une lueur d'espoir s'alluma dans les yeux de Jordan.

— Tu crois que tu pourras m'aimer à nouveau ?

— Je n'ai jamais cessé de t'aimer, Jordan.

Il l'embrassa à pleine bouche, et les choses auraient pris le même chemin que sous la douche si des coups brusques n'avaient pas retenti à la porte.

— Praetor Kyle ! fit une voix. Debout ! Praetor Scott t'attend dans son bureau.

Les bras autour de Maia, Jordan marmonna un juron. Elle lui ébouriffa les cheveux en gloussant.

— Tu penses que Praetor Scott peut attendre ? chuchota-t-elle.

— Je crois qu'il a la clé de cette chambre et qu'il l'utilisera si l'envie l'en prend.

— Ce n'est pas grave. On a tout le temps, pas vrai ?

Le Président Miaou dormait, allongé sur la table, les quatre fers en l'air. Aux yeux de Simon, c'était presque un exploit. Depuis qu'il était devenu un vampire, les animaux avaient tendance à l'éviter. Les chats sifflaient à son approche, et les chiens se mettaient à aboyer. Pour lui qui avait toujours adoré les animaux, c'était un véritable crève-cœur. Mais il soupçonnait que le chat d'un sorcier avait appris à tolérer la présence de créatures bizarres autour de lui.

Magnus ne plaisantait pas au sujet des bougies. Simon avait pris le temps de s'asseoir pour boire un café ; il passait plutôt bien, et la caféine atténuait les premiers signes de la faim. Durant tout l'après-midi, ils avaient aidé Magnus à préparer l'invocation d'Azaël. Ils avaient fait le tour des épiceries portoricaines du quartier pour acheter des cierges et des bougies chauffe-plat, qu'ils avaient disposés en cercle dans le salon. Comme Magnus le leur avait demandé, Isabelle et Alec avaient saupoudré un mélange de sel et de belladone séchée à l'extérieur du cercle en lisant tout haut des passages de *Rites interdits, le manuel du nécromancien au XV* siècle.

— Qu'est-ce que tu as fait à mon chat ? s'exclama Magnus en revenant dans le salon avec une cafetière à la main tandis que des mugs gravitaient autour de sa tête comme des planètes autour d'un soleil. Tu as bu son sang, pas vrai ? Tu m'as dit que tu n'avais pas faim !

— Primo, non, je n'ai pas bu son sang ! protesta Simon, offensé. Il va très bien. (Il posa un doigt sur l'estomac du chat, qui bâilla d'un air satisfait.) Deuxio, tu m'as demandé si j'avais faim avant de commander une pizza, et j'ai répondu non parce que je ne peux pas en manger. C'était juste de la politesse.

— Ça ne te donne pas le droit de saigner mon chat.

— Ton chat va très bien !

Simon tendit le bras pour attraper la bête, qui se leva d'un bond, l'air indigné, et détala.

— Tu vois ?

— Si tu le dis.

Magnus se laissa choir sur une chaise ; les tasses atterrirent sur la table au moment où Alec et Isabelle se redressaient, leur tâche accomplie. Magnus frappa dans ses mains.

— Par ici, tout le monde ! Petite réunion. Je vais vous apprendre à invoquer un démon.

Praetor Scott les attendait dans son bureau, assis dans son fauteuil pivotant, une petite boîte en bronze posée devant lui. Maia et Jordan s'installèrent en face, et Maia ne put s'empêcher de se demander s'il pouvait deviner, à l'expression de leur visage, ce qu'ils venaient de faire. Mais le regard du Praetor ne trahissait pas un grand intérêt.

Il poussa la boîte vers Jordan.

— C'est un baume, expliqua-t-il. Si vous l'appliquez sur la blessure de Garroway, il devrait débarrasser son sang du poison et expulser l'éclat de métal démoniaque. Garroway sera guéri d'ici quelques jours.

Le cœur de Maia bondit de joie : enfin une bonne nouvelle ! Elle s'empara de la boîte avant que Jordan puisse la prendre et l'ouvrit. Elle était remplie d'une pâte brune d'aspect cireux qui sentait le laurier.

Praetor Scott parut hésiter et lança un coup d'œil à Jordan.

— C'est à elle de la garder, dit-il. Elle est la plus proche de Garroway, puisqu'elle fait partie de sa meute. Ils lui font confiance.

— Et ils ne font pas confiance aux Praetor ?

— La plupart d'entre eux pensent avoir affaire à une légende, répondit Maia avant d'ajouter : Monsieur.

Praetor Scott lui jeta un regard agacé mais au moment où il allait répliquer, le téléphone sur son bureau sonna. Il hésita avant de décrocher.

— Oui ? fit-il, puis après un silence : Oui... oui, je crois. (Il raccrocha avec un sourire qui n'augurait rien de bon.) Praetor Kyle... Je suis content que tu sois passé aujourd'hui. Tu vas devoir rester un peu. Il se trouve que ce problème te concerne.

Maia s'étonna de ce contretemps, mais sa surprise redoubla quelques instants plus tard quand un coin de la pièce se mit à miroiter et que la silhouette d'un garçon se matérialisa peu à peu. Il avait des cheveux bruns coupés court et une chaîne en or étincelait sur la peau brune de son cou. Malgré sa carrure frêle et son visage éthéré qui aurait pu être celui d'un enfant de chœur, il avait dans le regard une lueur particulière qui lui donnait l'air beaucoup plus âgé.

— Raphaël, fit-elle en le reconnaissant.

Il était légèrement transparent, et elle comprit qu'elle avait affaire à une Projection. Elle avait entendu parler de ce phénomène mais n'en avait jamais été témoin.

Praetor Scott la dévisagea d'un air surpris.

— Tu connais le chef du clan vampire de New York ?

— On s'est vus une fois, dans la forêt de Brocelinde, répondit Raphaël en la toisant avec indifférence. C'est une amie du vampire diurne.

— Ta mission, rappela Praetor Scott à Jordan, comme s'il avait pu oublier.

Il fronça les sourcils.

— Il lui est arrivé quelque chose ? Il va bien ?

— Ce n'est pas lui le problème, répondit Raphaël. C'est Maureen Brown, la vampire dévoyée.

— Maureen ? s'exclama Maia. Mais elle a quoi ? Treize ans ?

— Un vampire dévoyé reste un vampire dévoyé. Et Maureen s'est fait un nom du côté de TriBeCa et du

Lower East Side. Elle a au moins six morts à son actif, sans parler des blessés. Nous avons réussi à cacher les corps, mais…

— C'est elle, la mission de Nick, dit Praetor Scott, mais il n'a pas pu retrouver sa trace pour l'instant. Il va peut-être falloir qu'on envoie quelqu'un de plus expérimenté.

— Je vous encourage vivement à le faire, lâcha Raphaël. Si les Chasseurs d'Ombres n'étaient pas occupés avec leurs propres… affaires, à ce stade, ils se seraient sûrement déjà mêlés des nôtres. Et la dernière chose dont le clan ait besoin après nos démêlés avec Camille, c'est de susciter d'autres critiques chez les Nephilim.

— J'en déduis qu'elle n'a toujours pas été retrouvée, elle non plus ? s'enquit Jordan. Simon nous a raconté ce qui s'était passé le soir de la disparition de Jace, et il semblerait que Maureen obéisse aux ordres de Camille.

— Camille n'est pas une novice et par conséquent, elle n'est pas de notre ressort, lui rappela Scott.

— Je sais, mais… si on parvient à la retrouver, on mettra peut-être aussi la main sur Maureen.

— Si elle était avec elle, elle ne tuerait pas à ce rythme, objecta Raphaël. Camille l'en empêcherait. Elle a beau être assoiffée de sang, elle connaît bien le Conclave et la Loi. Elle aurait veillé à ce que Maureen et ses activités n'attirent pas l'attention des Chasseurs d'Ombres. Non, le comportement de Maureen indique à tous points de vue qu'elle est incontrôlable.

— C'est tout à fait possible, dit Jordan en s'adossant

à sa chaise. Il faudrait peut-être donner un coup de main à Nick ou...

— Ou il va finir par lui arriver quelque chose ? lança Praetor Scott. Si c'est le cas, ça t'encouragera peut-être à te concentrer davantage sur ta propre mission.

Jordan ouvrit de grands yeux.

— Simon n'est pas à l'origine de la Transformation de Maureen. Je vous ai déjà expliqué que...

Praetor Scott balaya d'un geste ses protestations.

— Oui, je sais. Sans quoi on t'aurait déchargé de ta mission, Kyle. Mais il l'a mordue, et sous ta surveillance. Or, c'est cette morsure qui a entraîné – bien qu'indirectement – sa Transformation.

— Le vampire diurne est dangereux, ajouta Raphaël, les yeux étincelants. Je le répète depuis le début.

— Ce n'est pas vrai, protesta Maia avec véhémence. Il a bon cœur.

Jordan lui jeta un regard si furtif qu'elle en vint à se demander si elle avait rêvé.

— Bla bla bla, fit Raphaël avec dédain. Vous autres loups-garous, vous êtes incapables de vous focaliser sur un problème. Je vous faisais confiance, car les créatures novices sont sous votre juridiction. Mais à force de se promener en liberté, Maureen a une mauvaise influence sur mon clan. Si vous ne la retrouvez pas rapidement, j'appellerai tous les vampires dont je dispose. Après tout, ajouta-t-il avec un sourire qui découvrit ses incisives étincelantes, c'est à nous qu'il revient de la tuer.

Après le dîner, Clary et Jace reprirent le chemin de l'appartement dans la nuit voilée de brume. Les rues étaient désertes et l'eau des canaux brillait comme du verre. Au détour d'une ruelle, ils trouvèrent un canal tranquille bordé de maisons aux volets fermés. Des gondoles noires se balançaient doucement sur les flots.

Jace s'avança pour les regarder de plus près. Ses yeux mordorés brillaient, immenses sous la lumière du réverbère. Il s'agenouilla au bord de l'eau et Clary vit une stèle étinceler dans la nuit, puis une gondole, libérée de ses amarres, se mit à dériver vers le milieu du canal. Jace remit sa stèle à la ceinture et, sautant d'un bond dans l'embarcation, atterrit lestement sur le banc en bois situé à la proue. « Viens », dit-il en tendant la main à Clary.

Elle regarda tour à tour Jace et la gondole en secouant la tête. Elle était à peine plus grande qu'un canoë et sa peinture noire s'écaillait par endroits. Clary lui trouvait l'air aussi fragile qu'un jouet. Elle s'imagina la faire chavirer et les jeter tous deux dans les eaux vertes et glacées du canal.

— Non. Je vais nous faire tomber.

— Mais non ! Tu peux y arriver. Je te l'ai appris.

Et, pour lui montrer qu'il avait raison, il recula d'un pas. Il se tenait maintenant en équilibre sur le plat-bord, les yeux fixés sur elle, un sourire au coin des lèvres. Conformément aux lois de la physique, le bateau aurait dû basculer dans l'eau. Mais Jace maintenait sa position, le dos bien droit, comme s'il ne pesait pas plus lourd qu'une plume. En toile de fond derrière lui, il n'y avait que l'eau et la pierre, le canal, le pont, et pas un seul immeuble moderne en vue. Avec ses beaux cheveux clairs et son noble maintien, il faisait penser à un prince de la Renaissance.

Il tendit de nouveau la main vers Clary.

— Souviens-toi. La légèreté, c'est une question de volonté.

Elle s'en souvenait. Des heures et des heures d'entraînement pour apprendre à tomber, à garder l'équilibre, à atterrir en douceur, tout comme lui. Retenant son souffle, elle sauta, vit l'eau verte sous ses pieds et atterrit sur le banc de nage à la proue, un peu tremblante mais bien campée sur ses jambes.

Elle laissa échapper un soupir de soulagement et entendit Jace éclater de rire. Il sauta sur le fond du bateau. Apparemment, il fuyait : une petite flaque d'eau s'était formée à cet endroit. Jace mesurait au moins vingt centimètres de plus qu'elle, si bien que debout sur le banc à la proue, elle était aussi grande que lui.

Il la prit par la taille.

— Bon. Où veux-tu aller maintenant ?

Elle jeta un regard autour d'elle. Ils continuaient à s'éloigner de la berge.

— Est-ce qu'on est en train de voler ce bateau ?

— Voler, c'est un très vilain mot, répondit-il d'un ton distrait.

— Et comment tu appelles ça, toi ?

— Un cas extrême de lèche-vitrines.

Comme il l'attirait contre lui, elle se raidit, perdit l'équilibre et tous deux s'affalèrent sur le fond incurvé de la gondole, qui sentait le bois mouillé.

Clary se retrouva à califourchon sur Jace. Sa chemise était trempée, mais cela ne semblait pas le gêner.

— La force de ta passion m'a fait littéralement tomber à la renverse, observa-t-il en croisant les mains sous sa tête. Bien joué, Fray.

— Si tu es tombé, c'est parce que tu le voulais bien. Je te connais, tu n'es pas du genre à glisser.

La lune les éclairait comme un projecteur, et Clary eut soudain l'impression qu'ils étaient seuls au monde.

— Peut-être mais il m'arrive de tomber bien bas, dit-il.

Le cœur de Clary se mit à battre plus fort, et elle dut prendre sur elle pour lui répondre sur le ton de la plaisanterie :

— C'est sans doute ta pire réplique de tous les temps.

— Qui a dit que c'était une réplique ?

L'embarcation se mit à tanguer et Clary se pencha pour embrasser Jace, les yeux grands ouverts. Elle vit ses iris s'assombrir, absorbés par ses pupilles, et refléter le ciel ainsi qu'elle-même.

Jace se hissa sur un coude pour lui prendre la nuque et l'embrasser encore, mais elle eut un mouvement de recul. Elle avait envie de lui, tellement envie de lui qu'elle se sentait vide à l'intérieur, comme si son désir avait tout consumé. Elle avait beau se répéter que ce n'était pas Jace, pas son Jace, son corps se souvenait du sien, et il le réclamait.

Elle roula sur le côté et se blottit contre lui au fond de la gondole. Il glissa un bras autour d'elle tandis que le bateau continuait à tanguer doucement sous eux. Elle se retint de poser la tête sur son épaule.

— On dérive, dit-elle après un silence.

— Je sais. J'ai quelque chose à te montrer.

Jace regardait le ciel. Immobile près de lui, Clary se demandait ce qu'ils attendaient. Et soudain, elle perçut un bruit semblable au rugissement de l'eau s'écoulant d'un lointain barrage. Le ciel s'assombrit, traversé de formes vagues. Elle avait du mal à les distinguer à travers les nuages, mais il avait l'impression qu'il s'agissait d'hommes aux cheveux longs montés sur des chevaux aux sabots rouges comme le sang. Le bruit des cors de chasse résonna dans la nuit et les étoiles frémirent tandis que les cavaliers disparaissaient derrière la lune.

— Qu'est-ce que c'était ? souffla Clary.

— La Chasse Sauvage, répondit Jace d'une voix lointaine et rêveuse. Les Chiens de Gabriel. La Chasse Fantastique. On lui donne plein de noms différents. Ce sont des elfes qui ont dédaigné la Cour des Lumières et chassent perpétuellement dans le ciel. Une nuit par an, un mortel peut les rejoindre... Mais une fois qu'il a rejoint la Chasse, il ne peut plus jamais s'en aller.

— Qui aurait envie de faire une chose pareille ?

Jace s'allongea sur Clary en la plaquant contre le fond du bateau.

— Il y a quelque chose de séduisant dans l'idée de perdre le contrôle, tu ne trouves pas ?

Avant qu'elle puisse répondre, il l'embrassa. Il l'avait embrassée à maintes reprises – avec douceur, passion ou désespoir – et cette fois encore elle éprouva la même sensation. De même que le souvenir de quelqu'un ayant vécu dans une maison peut subsister même après son départ, comme une empreinte psychique, le corps de Clary se souvenait de Jace, de son goût, du contact de ses lèvres sur les siennes, de ses cicatrices sous ses doigts, de la forme de son corps sous ses mains. Sans plus écouter ses doutes, elle se blottit contre lui et ferma les yeux, enveloppée par la brume et bercée par le clapotis de l'eau. Une éternité sembla s'écouler, et il n'y avait plus que Jace contre elle, et le léger roulis du bateau. Mais soudain, une voix furieuse déchira la nuit.

Jace se redressa à regret.

— On ferait mieux d'y aller.

Clary le dévisagea d'un air hébété.

— Pourquoi ?

— Parce que c'est le propriétaire du bateau. (Jace s'assit sur le banc de nage en rajustant sa chemise.) Et qu'il est sur le point d'appeler la police.

11
Tous les péchés

D'après Magnus, il ne fallait pas utiliser l'électricité durant toute l'invocation, aussi l'appartement était-il seulement éclairé par la flamme bleue des bougies disposées en cercle au milieu de la pièce.

À l'intérieur du cercle, Magnus avait dessiné un pentagramme en se servant d'une baguette en bois de sorbier. Entre les lignes du pentagramme, il avait tracé des symboles étranges qui n'étaient ni des lettres ni des runes et glaçaient l'atmosphère malgré la chaleur des bougies.

Dehors, l'obscurité était tombée ; c'était le genre de pénombre qui accompagne les couchers de soleil précoces annonçant l'hiver. Isabelle, Alec, Simon et Magnus, qui à son tour récitait des passages de *Rites interdits*, s'étaient postés autour du cercle, sur chacun des points cardinaux. Magnus élevait puis baissait la voix, et ses mots en latin évoquaient une prière lugubre.

Les flammes bleues grandissaient à vue d'œil et bientôt, les symboles dessinés sur le sol noircirent. Le Président Miaou, qui observait la scène, alla se réfugier dans un coin sombre en sifflant. À présent, Simon n'arrivait plus à distinguer Magnus à travers les flammes. La température de la pièce avait augmenté ; le sorcier récitait ses incantations de plus en plus vite, les joues luisantes de sueur.

— *Quod tumeraris : per Jehovam, Gehennam, et consecratam aquam quam nunc spargo, signumque crucis quod nunc facio, et per vota nostra, ipse nunc surgat nobis dicatus Azael !*

Il y eut une explosion de flammes au centre du pentagramme, suivie d'un épais nuage de fumée noire qui s'éparpilla peu à peu dans la pièce en faisant tousser tout le monde à l'exception de Simon. Puis le nuage se mit à tourbillonner et prit lentement la forme d'un homme.

Simon écarquilla les yeux. Il ne savait pas trop à quoi s'attendre, mais certainement pas à ça. Un homme grand et large d'épaules, les cheveux auburn et les traits sans âge, inhumains et froids, se tenait au milieu du cercle. Il portait un costume noir bien coupé et des chaussures cirées. Il avait aux poignets une marque rouge sombre, comme si une corde ou un métal avait meurtri sa chair pendant des années. Des flammes rouges brillaient dans ses yeux.

— Qui appelle Azaël ? dit-il d'une voix pareille au grincement d'un métal contre un autre métal.

— Moi, Magnus Bane, répondit Magnus en refermant d'un geste décidé le livre qu'il tenait à la main.

Azaël pencha la tête vers lui. Il avait une façon étrange de bouger le cou, un peu comme un serpent.

— Sorcier, je sais qui tu es.

Magnus leva les sourcils.

— Ah oui ?

— Invocateur. Pourfendeur du démon Marbas. Fils de...

— Allons, allons, fit Magnus précipitamment. Ce n'est pas la peine de revenir là-dessus.

— Oh si, fit Azaël d'un ton amusé. Si c'est une aide infernale qu'il te faut, pourquoi ne pas invoquer ton père ?

Alec regarda Magnus, bouche bée. Simon eut de la peine pour lui. Il ne leur avait même pas traversé l'esprit qu'il puisse connaître l'identité de son père ; il était seulement censé savoir que c'était un démon qui s'était fait passer pour le mari de sa mère. À l'évidence, Alec n'en savait pas plus que ses amis, et Simon supposa que cette découverte ne l'enchantait guère.

— Nous ne sommes pas en très bons termes, répondit Magnus. Je préférerais ne pas le mêler à ça.

Azaël leva les bras au ciel.

— Comme tu voudras, maître. Tu me tiens sous ta coupe. Quel est ton souhait ?

Magnus ne répondit pas, mais il était clair, d'après l'expression d'Azaël, que le sorcier communiquait avec lui par la pensée. Les flammes dans les yeux du démon se mirent à danser.

— Lilith a été bien avisée, lorsqu'elle a ramené ce garçon d'entre les morts, de lier sa destinée à celle de quelqu'un que vous ne consentirez jamais à sacrifier. C'était le meilleur moyen de le protéger. Elle a toujours été plus douée que nous pour manipuler les émotions humaines, sans doute parce qu'elle-même a été humaine jadis.

— Est-ce qu'il existe un moyen de rompre ce lien ? demanda Magnus avec une certaine impatience.

Azaël secoua la tête.

— Non, à moins de les tuer tous les deux.

— Et pourrait-on s'en prendre à Sébastien sans blesser Jace ? s'enquit Isabelle à brûle-pourpoint, ce qui lui valut un regard noir de la part de Magnus.

— Il existe peut-être une arme mais je ne saurais la créer ni ne la possède, répondit Azaël. Je ne sais forger que des armes d'alliance démoniaque. Un ange parviendrait peut-être à détruire le mal qui habite le fils de Valentin et rompre le lien, voire en altérer la nature de sorte qu'il devienne bénéfique. Si je peux me permettre une suggestion...

— Je t'en prie, fit Magnus en plissant les yeux.

— Je peux trouver une solution simple pour séparer ces deux garçons, en garder un en vie et mettre l'autre hors d'état de nuire. Je ne demanderai presque rien en contrepartie.

— Tu es mon serviteur, lui rappela Magnus. Si tu veux sortir de ce pentagramme, tu feras ce que je t'ordonne sans réclamer de faveur en retour.

Azaël laissa échapper un sifflement.

— Prisonnier ici ou ailleurs, cela ne fait pas une grande différence pour moi.

— « Mais l'enfer est ici ; je n'en suis point sorti », récita Magnus.

Azaël sourit.

— Tu n'es peut-être pas aussi fier que le vieux Faust, sorcier, mais tu es impatient. Je suis sûr qu'il me sera plus facile de rester dans ce pentagramme qu'à toi de me surveiller.

— Oh, ce n'est pas certain, répliqua Magnus. J'ai toujours eu beaucoup d'audace en matière de décoration, et ta présence pourrait ajouter une petite touche supplémentaire à cette pièce.

— Magnus, intervint Alec, visiblement peu enthousiasmé à l'idée qu'un démon immortel s'installe dans le loft de son petit ami.

— On est jaloux, petit Chasseur d'Ombres ? lança Azaël en souriant. Ton sorcier n'est pas mon genre et, de toute façon, je n'ai aucune envie de m'attirer les foudres de son...

— Assez, fit Magnus. Parle-nous de la « petite » faveur que tu réclames en échange de tes services.

Azaël se tapota la tempe. Il avait des mains de travailleur, rouges comme le sang et terminées par des ongles noirs.

— Un souvenir heureux de chacun d'entre vous. Quelque chose qui puisse me distraire de ma prison.

— Un souvenir ? répéta Isabelle, étonnée. Et qu'est-ce qui se passerait ensuite ? Il disparaîtrait de notre mémoire ? On ne pourrait plus se le rappeler ?

Azaël lui jeta un regard perçant.

— Qui es-tu, ma petite ? Une Nephilim ? Oui, je prendrais ton souvenir, il deviendrait mien. Tu ne saurais plus que cela t'est arrivé. Cependant, je vous prierais d'éviter de me donner des souvenirs de démons que vous avez massacrés au clair de lune. Je veux des souvenirs... personnels.

Il sourit, et ses dents étincelèrent.

— Je suis vieux, dit Magnus. J'ai beaucoup de souvenirs. Je veux bien renoncer à l'un d'eux s'il le faut.

Mais je ne peux pas parler pour les autres. Personne ne devrait être forcé d'accomplir un tel sacrifice.

— J'accepte, dit Isabelle sans réfléchir. Pour Jace.

— Moi aussi, évidemment, renchérit Alec.

Puis ce fut au tour de Simon de répondre. Il pensa à Jace, qui s'était tranché le poignet pour lui donner son sang dans la cale du bateau de Valentin. Il avait risqué sa vie pour lui. C'était peut-être pour le bien de Clary qu'il l'avait fait, mais Simon ne lui en était pas moins redevable.

— Moi aussi, je marche.

— Bon, fit Magnus. Essayez de penser à un souvenir heureux. Quelque chose qui vous réchauffe le cœur.

Il jeta un regard mauvais au démon dans le pentagramme.

— Je suis prête, lança Isabelle.

Elle avait fermé les yeux et tourné le dos au pentagramme comme pour se prémunir d'une quelconque douleur. Magnus s'avança vers elle et, la main posée sur son front, se mit à réciter tout bas des incantations.

Alec les observa, les lèvres serrées, puis ferma les yeux à son tour. Simon l'imita et s'efforça de penser à un souvenir gai… quelque chose qui ait un lien avec Clary ? Mais tous ses souvenirs d'elle étaient désormais obscurcis par son inquiétude à son sujet. Un souvenir d'enfance, alors ? L'image d'une chaude journée d'été à Coney Island resurgit dans sa mémoire. Il était perché sur les épaules de son père, et Rebecca courait derrière eux en faisant voler derrière elle une grappe de ballons de baudruche. Les yeux levés vers le ciel, il essayait de voir des formes dans les nuages, et le rire de sa mère s'élevait près de lui. « Non, songea-t-il, pas celui-là. Je n'ai pas envie de le perdre... »

Au contact des doigts froids de Magnus sur son front, il rouvrit les yeux et s'empressa de faire le vide dans son esprit. Mais il était déjà trop tard.

— Je ne pensais à rien ! protesta-t-il.

Le regard félin de Magnus s'assombrit.

— Si, tu pensais à quelque chose.

En proie à un léger vertige, Simon parcourut la pièce du regard. Les autres avaient le même air hébété que lui, comme s'ils venaient de s'éveiller d'un rêve étrange ; son regard croisa celui d'Isabelle, et il ne put s'empêcher de se demander à quel moment heureux elle venait de renoncer.

Un bruit sourd lui fit tourner la tête vers le pentagramme. Azaël s'était rapproché aussi près que possible du bord du cercle, et un grognement affamé s'échappait de sa gorge. Magnus le considéra d'un air révulsé, le poing serré ; quelque chose brillait entre ses doigts, comme s'il tenait une pierre de rune dans la main. Il lança de toutes ses forces l'objet vers le pentagramme. Simon le suivit des yeux. C'était une petite perle de lumière, qui grossit jusqu'à prendre la forme d'une sphère contenant une multitude d'images. Simon distingua un bout d'océan azuré, le bas d'une robe en satin qui se souleva au moment où sa propriétaire tournait sur elle-même, le visage de Magnus, un garçon aux yeux bleus, puis Azaël ouvrit les bras et les images furent aspirées par son corps comme des particules de poussière par le réacteur d'un avion.

Azaël laissa échapper un soupir. Les flammes rouges qui brillaient de temps à autre dans son regard avaient laissé place à de véritables feux de joie.

— Ahhh… Délicieux, fit-il.

— Maintenant c'est à ton tour d'honorer notre marché, lui rappela sèchement Magnus.

Le démon se lécha les lèvres.

— Ma solution à votre problème est la suivante : libérez-moi et j'emmènerai le fils de Valentin avec moi aux enfers. Il ne mourra pas, et de fait votre Jace pourra continuer à vivre, mais Sébastien aura laissé ce monde derrière lui, et peu à peu, leur lien se rompra. Ainsi, vous pourrez récupérer votre ami.

— Et ensuite ? demanda Magnus. Si on te libère, tu reviendras te porter prisonnier une fois ta tâche terminée ?

Azaël rit.

— Bien sûr que non, imbécile. Le prix de mon aide, c'est la liberté.

— La liberté ? répéta Alec, incrédule. Un prince des enfers, lâché dans la nature ? On t'a déjà donné nos souvenirs…

— C'était le prix à payer pour que je vous expose mon plan. Ma liberté est celui pour que je le mette en œuvre.

— C'est de la triche, et tu le sais. Tu demandes l'impossible.

— Vous aussi, lâcha Azaël. Votre ami est perdu à jamais. « Car si un homme a fait un vœu à l'Éternel ou s'il s'est engagé par serment, s'obligeant expressément sur son âme, il ne violera point sa parole. » Et à en juger par le sortilège de Lilith, leurs âmes sont liées. Ils y ont tous deux consenti.

— Jace n'aurait jamais donné son accord... protesta Alec.

— Il a prononcé les mots, dit Azaël. De gré ou de force, peu importe. Vous me demandez de rompre un lien que seul le ciel peut défaire. Mais le ciel ne vous aidera pas, vous le savez aussi bien que moi. Ce n'est pas pour rien que les hommes invoquent les démons plutôt que les anges, n'est-ce pas ? Vous connaissez mon prix. Si vous refusez de le payer, apprenez à vivre avec votre perte.

Le visage de Magnus était pâle et tendu.

— Nous allons discuter de ton offre entre nous. D'ici là, je te bannis.

Il fit un geste de la main, et Azaël disparut en laissant derrière lui une odeur de bois brûlé.

Tous quatre échangèrent des regards incrédules. Alec se décida à rompre le silence.

— Ce qu'il nous demande est impossible, hein ?

— Théoriquement, tout est possible, répondit Magnus, qui regardait droit devant lui d'un air absent, comme s'il contemplait un abîme. Mais lâcher dans la nature un Démon Supérieur, un prince des enfers, le lieutenant de Lucifer en personne... Imaginez un peu les dégâts qu'il pourrait causer...

— Sébastien pourrait en faire autant, non ? objecta Isabelle.

— Comme le dit Magnus, tout est possible, lâcha Simon d'un ton amer.

— Aux yeux de l'Enclave, ce serait le pire crime

qu'on puisse commettre, observa Magnus. Le libérateur d'Azaël verrait sa tête mise à prix.

— Mais s'il nous débarrassait de Sébastien... lança Isabelle.

— On n'a pas la preuve que Sébastien manigance quoi que ce soit. Peut-être qu'il veut simplement s'installer dans une jolie maison de campagne à Idris.

— Avec Clary et Jace ? fit Alec d'un ton incrédule.

Magnus haussa les épaules.

— Qui sait ? Peut-être qu'il se sent seul.

— Ça m'étonnerait qu'il ait kidnappé Jace parce qu'il avait besoin de compagnie, déclara Isabelle. Il a une idée derrière la tête.

Tous les regards se tournèrent vers Simon.

— C'est ce que Clary essaie de découvrir, dit-il. Mais elle a besoin de temps. Et pas la peine de lui répéter que du temps, on n'en a pas, ajouta-t-il. Elle le sait parfaitement.

Alec se passa la main dans les cheveux.

— Tout ça c'est bien joli, mais on vient de gâcher une journée entière. Les idées idiotes, ça suffit, conclut-il d'un ton cinglant.

— Alec...

Magnus posa la main sur son épaule, mais il garda les yeux obstinément fixés sur le sol.

— ... tu te sens bien ?

Alec le dévisagea longuement.

— Qui t'es, toi, déjà ?

Magnus laissa échapper un hoquet de surprise, et Simon songea que c'était la première fois qu'il le voyait aussi désarçonné. Mais il reprit bien vite contenance.

— Alexander, marmonna-t-il.

— Il est trop tôt pour plaisanter sur les souvenirs perdus, à ce que je vois.

— Tu crois ?

Mais Magnus n'eut pas le temps d'aller plus loin car la porte s'ouvrit à la volée. Maia et Jordan entrèrent, les joues rougies par le froid. Simon constata avec surprise que Maia portait le blouson en cuir de Jordan.

— On sort juste du commissariat, annonça-t-elle gaiement. Luke ne s'est toujours pas réveillé mais il va s'en tirer...

Elle s'interrompit en apercevant le pentagramme, le nuage de fumée noire et les traces de brûlé sur le sol.

— Qu'est-ce que vous fabriquez, les gars ?

Avec l'aide d'un charme et grâce à l'agilité de Jace, qui était capable de rester suspendu à un pont à la force d'un seul bras, ils échappèrent à la police italienne. Une fois tirés d'affaire, ils s'affalèrent en riant contre le mur d'un immeuble. Clary ressentit une bouffée de pur bonheur et, la tête contre l'épaule de Jace, elle dut se répéter sévèrement que ce n'était pas lui. Alors, son rire s'étrangla dans sa gorge.

Jace parut interpréter ce calme soudain comme un signe de fatigue. Il lui prit la main et, ensemble, ils revinrent sur leurs pas. Entre deux ponts, Clary reconnut la maison de ville banale qu'ils avaient quittée quelques heures plus tôt et frissonna.

— Tu as froid ?

Jace l'attira contre lui pour l'embrasser ; dans cette situation, il devait soit se pencher soit la soulever dans ses bras. Cette fois, il choisit cette dernière solution, et elle réprima un cri de surprise lorsqu'il lui fit traverser le mur de la maison.

L'ayant reposée à terre, il ferma d'un coup de pied une porte qui venait d'apparaître derrière eux et s'apprêtait à ôter sa veste quand un rire étouffé s'éleva derrière lui.

La lumière se fit autour d'eux. Sébastien était assis sur le canapé, les pieds posés sur la table basse. Il avait les cheveux en bataille, et ses yeux noirs brillaient. Il n'était pas seul. Deux filles étaient assises de part et d'autre de lui. La première, une blonde vêtue d'une minijupe et d'un haut à paillettes, avait la main posée sur son torse. L'autre, plus jeune, avec des traits plus doux et des cheveux bruns coupés court retenus par un bandeau en velours rouge, portait une robe noire en dentelle.

Clary se raidit. « Un vampire », pensa-t-elle. Elle ignorait comment elle avait deviné ; peut-être était-ce la peau livide de l'inconnue ou l'éclat de son regard, à moins que Clary n'ait appris à sentir ces choses-là, comme la plupart des Chasseurs d'Ombres. La fille savait qu'elle savait, elle le voyait bien. Elle sourit en découvrant ses petites dents pointues puis se pencha pour effleurer de ses lèvres le cou de Sébastien qui regardait Clary, les yeux mi-clos, sans prêter attention à Jace.

— Vous vous êtes bien amusés ?

Clary fut tentée de répondre une grossièreté, mais elle se contenta de hocher la tête.

— Alors peut-être que ça vous dirait de vous

joindre à nous pour un verre ? suggéra-t-il en désignant les deux filles.

La brune se mit à rire et posa une question à Sébastien en italien.

— *No,* répondit-il. *Lei è mia sorella.*

La fille se renfonça dans le canapé, l'air déçu. Clary avait la bouche sèche. Soudain, Jace lui prit la main.

— Non, on monte. On se voit demain.

Sébastien agita négligemment la main, et l'anneau des Morgenstern étincela à son doigt.

— *Ci vediamo.*

Jace précéda Clary dans l'escalier de verre ; ce n'est qu'une fois à l'étage qu'elle retrouva son souffle. Une menace sourde émanait en permanence de Sébastien.

— Qu'est-ce qu'il a dit en italien ? demanda-t-elle.

— « Non, c'est ma sœur », répondit Jace sans préciser ce qu'avait demandé la fille.

— Il ramène souvent des nanas à la maison ?

Ils étaient arrivés devant la porte de la chambre de Jace. Il lui caressa le visage.

— Il fait ce qu'il veut et je ne pose pas de questions. Il peut ramener un lapin rose en bikini si ça lui chante. Ce ne sont pas mes affaires. Mais si tu veux savoir si moi, j'en ramène, la réponse est non. Je ne m'intéresse qu'à toi.

Ce n'était pas le sens de la question de Clary mais elle hocha la tête, l'air rassuré.

— Je n'ai pas envie de redescendre.

— Tu peux dormir avec moi ce soir, suggéra-t-il. Ou dans la grande chambre. Tu sais que je ne te demanderai jamais...

— Je veux dormir avec toi, dit-elle d'un ton résolu qui l'étonna elle-même.

Peut-être était-ce l'idée de dormir dans la chambre qui avait été celle de Valentin, et qu'il avait espéré partager avec Jocelyne. À moins que ce ne soit la fatigue, et le fait qu'elle n'ait passé qu'une seule nuit dans le même lit que Jace. Et encore, ils s'étaient juste tenu la main.

— Donne-moi une seconde pour ranger ma chambre. C'est le bazar.

— Oui, quand je suis entrée, il m'a bien semblé voir un grain de poussière sur le rebord de la fenêtre. Tu ferais bien de t'en occuper.

Il fit glisser entre ses doigts une boucle de ses cheveux roux.

— Non que ça serve mes propres intérêts, mais tu as besoin d'un pyjama pour dormir ?

Clary repensa au placard rempli de vêtements dans la grande chambre.

— Je vais aller me chercher une chemise de nuit.

« Bien sûr », songea-t-elle quelques instants plus tard en inspectant le contenu d'un tiroir : le genre de vêtements de nuit qu'un homme était susceptible d'acheter à la femme de sa vie ne correspondait pas forcément à ce qu'elle aurait acheté pour elle-même. Pour dormir, Clary portait généralement un haut à bretelles et un short de pyjama, mais le tiroir ne renfermait que des nuisettes minuscules en soie et en dentelle. Elle finit par opter pour une tunique en soie vert pâle tombant à mi-cuisse. Elle pensa aux ongles vernis en rouge de la fille qui avait la main posée sur le torse de Sébastien. Clary se rongeait les ongles des mains ; quant à ceux des pieds, elle se contentait d'y appliquer un peu de vernis clair. Parfois, elle aurait aimé être, comme Isabelle, très consciente de sa féminité afin de s'en servir comme d'une arme plutôt que de la considérer d'un air perplexe comme quelqu'un qui ne sait où mettre le cadeau qu'on lui a offert pour sa pendaison de crémaillère.

Elle toucha la bague à son doigt pour se porter chance avant de regagner la chambre de Jace. Assis sur le lit en pantalon de pyjama noir, il lisait à la lumière de la lampe de chevet. Elle s'arrêta sur le seuil pour examiner la marque de Lilith sur son torse. Sa teinte rouge aux reflets argentés, qui rappelait à la fois celle du sang et du mercure, jurait avec ses autres marques. Elle ne semblait pas faire corps avec lui.

La porte se referma derrière Clary. Jace releva la tête et son regard s'éclaira. Si la chemise de nuit qu'elle portait n'était pas vraiment à son goût, elle parut beaucoup plaire à Jace. Elle frissonna malgré elle.

— Tu as froid ? demanda-t-il.

Elle s'allongea près de lui tandis qu'il reposait le livre sur la table de nuit, et ils se glissèrent ensemble sous la couverture, face à face. Ils s'étaient embrassés pendant des heures – ou du moins semblait-il – sur le bateau, mais c'était autre chose de se retrouver seuls dans ce lit où se mêlaient leurs souffles et la chaleur de leurs corps. Il n'y avait personne pour les espionner ou les interrompre, et aucune raison de s'arrêter. Quand il posa la main sur sa joue, le sang battait dans ses oreilles comme des roulements de tonnerre.

Il était si près d'elle qu'elle voyait les paillettes d'or

de ses iris, semblables à une mosaïque d'opales. Elle avait eu froid pendant si longtemps, et voilà qu'elle avait l'impression de brûler alors qu'ils se touchaient à peine.

La main de Jace quitta sa joue pour lui caresser l'épaule puis descendit le long de son corps jusqu'à sa hanche. Elle comprenait pourquoi les hommes aimaient autant les chemises de nuit en soie ; c'était comme laisser glisser sa main sur du verre.

— Dis-moi ce que tu veux, dit-il dans un souffle.

— Je veux m'endormir dans tes bras, répondit-elle. C'est tout ce dont j'ai envie pour l'instant.

Ses doigts, qui traçaient des cercles sur ses hanches, s'immobilisèrent.

— C'est tout ?

Ce n'était pas la vérité. Elle avait envie de l'embrasser jusqu'à en perdre toute notion du lieu où elle se trouvait et jusqu'à en oublier son nom et la raison de sa présence ici. Mais ce n'était pas une bonne idée.

Il l'observa, l'air fiévreux, et elle se souvint de la première fois qu'elle l'avait vu. Elle l'avait trouvé beau et redoutable comme un lion. « C'est un test, pensa-t-elle. Un test dangereux. »

— Oui, c'est tout.

Il soupira. La marque de Lilith semblait battre à fleur de peau juste au-dessus de son cœur. Sa main se crispa sur la hanche de Clary. Elle entendait le bruit saccadé de sa propre respiration.

Il l'attira contre lui après l'avoir retournée. Son corps était brûlant comme s'il avait de la fièvre. Ils trouvèrent rapidement leur position, elle la tête sous

son menton, le dos appuyé contre lui, les jambes
repliées contre les siennes.

— Très bien, chuchota-t-il, et son souffle contre sa
nuque lui donna la chair de poule. Alors on va dormir.

Et ce fut tout. Peu à peu, le corps de Clary se
détendit, les battements de son cœur se calmèrent.
Elle ferma les yeux et s'imagina que leur lit, libéré de
cette étrange prison, flottait dans le vide au-dessus
d'un océan.

Assis au bord du lit dans la chambre d'amis de
Magnus, Simon regardait sans le voir le sac de sport
posé sur ses genoux.

Des bruits de voix lui parvenaient du salon. Magnus
était en train de raconter les événements de la soirée
à Maia et à Jordan, et Isabelle intervenait de temps à
autre pour ajouter un détail. Au détour de la conversation, Jordan proposa de commander des plats chi-
nois, et Simon songea qu'il commençait à avoir faim,
lui aussi. Assez faim pour sentir une tension dans ses
veines. C'était une sensation différente de la faim
humaine. Dans ces cas-là, il se sentait vide et creux.
Si on l'avait frappé, pensa-t-il, il aurait sonné comme
une cloche.

— Simon ? Ça va ?

La porte s'ouvrit et Isabelle se glissa à l'intérieur.
Ses cheveux noirs détachés lui arrivaient presque à la
taille.

— Oui, tout va bien, répondit-il.

En voyant le sac posé sur ses genoux, elle se figea.

— Tu t'en vas ?

— Eh bien, je ne peux pas rester ici éternellement.

Enfin... hier soir, c'était... particulier. Tu m'avais demandé...

— Bien sûr, dit-elle avec une gaieté forcée. Bon, tu peux au moins rentrer avec Jordan. Au fait, tu as remarqué, avec Maia ?

— Remarqué quoi ?

Elle baissa la voix.

— Il s'est passé quelque chose entre eux pendant leur petite virée, ça crève les yeux. Ils sont ensemble, maintenant.

— Eh bien, tant mieux pour eux.

— Tu es jaloux ?

— Jaloux ? répéta-t-il, perplexe.

— Eh bien, Maia et toi... (Elle eut un geste vague et lui lança un regard par-dessous.) Vous étiez...

— Oh. Non. Non, pas du tout. Je suis content pour Jordan. Il doit être très heureux.

Simon pensait ce qu'il disait.

— Bon.

Comme Isabelle relevait la tête, il s'aperçut qu'elle avait les joues roses, et pas seulement à cause du froid.

— Tu veux rester ici ce soir, Simon ?

— Avec toi ?

Elle hocha la tête sans le regarder.

— Alec doit aller chercher des vêtements propres à l'Institut. Il m'a proposé de l'accompagner mais... je préfère rester ici avec toi. (Elle soutint son regard.) Je n'ai pas envie de dormir toute seule. Si je reste ici, tu resterais avec moi ?

Il voyait bien qu'il lui coûtait de lui demander cela.

— Bien sûr, répondit-il d'un ton désinvolte en

s'efforçant d'ignorer la faim qui commençait à le tenailler.

La dernière fois qu'il avait oublié de se nourrir, Jordan avait dû lui arracher des griffes une Maureen à demi inconsciente.

Mais ce soir-là, il n'avait pas mangé depuis plusieurs jours. Cette fois-ci, c'était différent.

— Bien sûr, répéta-t-il. Ce serait super.

Depuis son canapé, Camille adressa un sourire narquois à Alec.

— Alors, où as-tu dit que tu allais, cette fois ?

Alec, qui s'était assis sur le banc de fortune qu'il avait fabriqué avec une planche de bois et deux parpaings, étendit ses longues jambes et inspecta ses chaussures.

— À l'Institut, pour récupérer des vêtements. J'ai d'abord pensé aller faire un tour dans Spanish Harlem mais, finalement, j'ai décidé de venir ici.

Elle plissa les yeux.

— Pourquoi donc ?

— Parce que j'en suis incapable. Je ne peux pas tuer Raphaël.

Camille leva les bras au ciel.

— Pourquoi ? Tu as une affection particulière pour lui ?

— Je le connais à peine. Sauf qu'en le tuant, je violerais la Loi du Covenant. Je l'ai déjà fait par le passé, mais il y a une différence entre enfreindre les règles pour de bonnes raisons et les violer à des fins égoïstes.

— Oh, Seigneur ! s'exclama Camille en faisant les cent pas. Sauve-moi des Nephilim et de leur conscience.

— Je regrette.

— Ah oui, tu regrettes ? Je vais te...

Elle s'interrompit puis reprit d'une voix plus calme :

— Alexander, et Magnus ? Si tu continues sur ta lancée, tu vas le perdre.

Alec la regarda s'avancer calmement vers lui de sa démarche de fauve. À présent, son visage n'exprimait plus que la compassion et la curiosité.

— Où est né Magnus ? demanda-t-il.

Camille rit.

— Mon Dieu, tu ignores même cela ? À Batavia, si tu veux tout savoir. (Elle ricana devant son air perplexe.) En Indonésie. Bien sûr, c'était du temps de la Compagnie néerlandaise des Indes orientales. Sa mère était une indigène, il me semble ; son père, un colon sans intérêt. Enfin, son père adoptif, ajouta-t-elle en souriant.

— Qui était son vrai père ?

— Le père de Magnus ? Eh bien, un démon, évidemment.

— Oui, mais lequel ?

— Quelle importance ?

— J'ai l'impression, poursuivit-il obstinément, que c'est un démon puissant. Mais Magnus refuse d'en parler.

Camille se laissa choir sur le canapé en soupirant.

— Cela n'a rien d'étonnant. Dans une relation, il faut savoir cultiver une part de mystère, Alexander

Lightwood. Un livre que l'on n'a pas encore lu est toujours plus intéressant que celui qu'on connaît par cœur.

Alec s'engouffra immédiatement dans la brèche.

— Vous insinuez que je lui en dis trop ?

Derrière cette belle et froide carapace se cachait un être qui avait connu la même expérience que lui : aimer Magnus et en être aimé. Camille devait forcément détenir un secret, la clé qui l'empêcherait de tout gâcher.

— J'en suis à peu près sûre. D'un autre côté, tu existes depuis si peu de temps qu'il ne doit pas y avoir grand-chose à raconter... Tu es déjà à court d'anecdotes, je parie.

— Eh bien, il semble que votre tactique du silence n'ait pas marché non plus.

— Je n'étais pas aussi désireuse que toi de le garder.

— Et si vous l'aviez été, vous vous y seriez prise comment ? demanda Alec.

Tout en sachant que ce n'était pas une bonne idée de poser cette question, il ne pouvait pas s'en empêcher.

Camille poussa un soupir théâtral.

— Ce que tu ne comprends pas parce que tu es trop jeune, c'est que nous avons tous un jardin secret. On fait des cachotteries à l'être aimé pour se présenter sous son meilleur jour, mais aussi parce qu'on attend de l'autre qu'il comprenne sans qu'on ait besoin de demander. Chez les couples qui résistent au temps, il existe une communion tacite entre les deux partenaires.

— M... mais moi je croyais qu'il voulait que je m'ouvre à lui, bégaya Alec. J'ai déjà du mal à m'ouvrir avec les gens que je connais depuis toujours, comme Isabelle ou Jace...

Camille ricana.

— Ce n'est pas pareil. On n'a besoin de personne d'autre dans sa vie une fois qu'on a rencontré le véritable amour. Pas étonnant que Magnus n'ait pas l'impression de s'épanouir avec toi si tu te reposes autant sur ta famille et tes amis. En amour, il faut savoir combler tous les désirs de l'autre, tous ses besoins... Tu m'écoutes, Alexander ? Car mon avis est précieux, d'autant plus que je le donne rarement...

La pièce baignait dans la lumière translucide de l'aube. Assise dans le lit, Clary regardait Jace dormir en chien de fusil. Dans l'atmosphère bleutée, ses cheveux avaient de pâles reflets cuivrés. Il avait glissé sa main sous sa joue dans un geste enfantin. La cicatrice en forme d'étoile sur son épaule ressortait dans la faible clarté, ainsi que les runes tatouées sur ses bras, son dos, ses flancs.

Elle se demanda si d'autres qu'elle trouveraient ces cicatrices belles, ou si elle les chérissait parce qu'elle aimait Jace et qu'elles faisaient partie de lui. Chacune d'elles racontait une histoire. Certaines lui avaient même sauvé la vie.

Il roula sur le dos en murmurant dans son sommeil des paroles inintelligibles. Sa main tatouée de la rune de Voyance reposait sur son estomac et, plus haut, sur son torse, se trouvait la seule marque que Clary trouvait laide : la rune de Lilith, celle qui enchaînait Jace à Sébastien.

Elle semblait battre comme un second cœur, de même que le pendentif d'Isabelle.

Silencieuse comme un chat, elle se glissa hors du lit et arracha du mur la dague des Herondale. La photo d'elle et de Jace tomba par terre.

La gorge nouée, elle se tourna vers le lit. Même en ce moment, il paraissait si vivant... Comme s'il était éclairé par un feu intérieur. La rune sur son torse continuait à battre régulièrement.

Elle brandit le couteau.

Clary s'éveilla en sursaut, le cœur battant. Autour d'elle, la pièce tanguait, comme si elle tournait sur un manège ; il faisait encore sombre, et Jace avait toujours le bras autour d'elle. Son souffle tiède lui chatouillait la nuque. Elle sentait les pulsations de son cœur contre son dos. Elle ferma les yeux et déglutit pour chasser le goût amer qu'elle avait dans la bouche.

C'était un rêve, juste un rêve.

Mais elle savait qu'elle ne parviendrait pas à se rendormir. Elle se redressa précautionneusement, repoussa avec douceur le bras de Jace et se glissa hors du lit.

Le contact du sol glacé la fit tressaillir. Après avoir trouvé la poignée de la porte, elle l'ouvrit... et se figea sur le seuil.

Dans la pénombre du couloir, elle distingua par terre des taches sombres d'aspect visqueux. Sur le mur blanc, quelqu'un avait laissé une empreinte de main ensanglantée. Plus loin, vers l'escalier, Clary aperçut encore d'autres traces.

Elle jeta un coup d'œil vers la chambre de Sébastien. La porte était fermée et aucune lumière ne filtrait par-dessous. Elle pensa à la fille blonde en minijupe, puis elle regarda de nouveau la trace sur le mur, comme un message, une main levée qui semblait dire « stop ».

Soudain, la porte de la chambre de Sébastien s'ouvrit.

Il sortit dans le couloir, les cheveux ébouriffés. Il bâilla et se figea en la voyant, l'air surpris.

— Qu'est-ce que tu fais debout ?

Clary retint son souffle. Il lui semblait qu'autour d'elle, l'air avait un goût de métal.

— C'est moi qui devrais te poser cette question.

— J'allais chercher des serviettes pour nettoyer tout ce bazar, répondit-il d'un ton détaché. Les vampires et leurs petits jeux...

— Ça ne ressemble pourtant pas à un jeu, lâcha Clary. La fille... l'humaine qui était avec toi... Qu'est-ce qui lui est arrivé ?

— Elle a eu un peu peur en voyant les crocs de mon amie. Ça arrive parfois. (Devant l'air interdit de Clary, il éclata de rire.) Elle a changé d'avis. Elle en a même redemandé. Elle dort dans mon lit en ce moment même, si tu tiens à vérifier qu'elle est toujours en vie.

— Non... Ce ne sera pas nécessaire.

Clary baissa les yeux. Elle regrettait de ne pas avoir enfilé quelque chose par-dessus sa chemise de nuit. Elle se sentait nue.

— Bon, et toi...

— Tu veux savoir si je vais bien ?

Ce n'était pas ce qu'elle voulait lui demander, mais il parut content. Il écarta le col de sa chemise pour lui montrer les deux trous bien nets à la base de son cou.

— Une *iratze*, ça ne serait pas du luxe.

Clary ne fit pas de commentaire.

— Viens, dit-il en lui faisant signe de le suivre.

Après une hésitation, elle lui emboîta le pas dans l'escalier. Il se dirigea vers la cuisine en allumant les lumières sur son passage.

— Du vin ? suggéra-t-il en ouvrant la porte du réfrigérateur.

Elle se hissa sur l'un des tabourets du comptoir en tirant sur sa chemise de nuit.

— De l'eau, ça ira.

Elle le regarda verser de l'eau minérale dans deux grands verres. Ses gestes sûrs et précis lui rappelaient Jocelyne, mais le contrôle qu'il avait sur ses mouvements devait avoir été instillé par Valentin. Comme Jace, il avait la grâce d'un danseur.

Il poussa le verre de Clary dans sa direction et porta le sien à ses lèvres. Quand il l'eut vidé, il le reposa bruyamment sur le comptoir.

— Tu le sais probablement déjà, mais batifoler avec des vampires, ça donne soif.

— Comment je le saurais ? demanda-t-elle plus sèchement qu'elle ne l'avait escompté.

Il haussa les épaules.

— J'imagine qu'avec ton ami vampire, vous vous êtes bien amusés.

— Simon et moi, on n'a jamais joué à ce genre de jeu, répliqua-t-elle d'un ton glacial. À vrai dire, je ne comprends pas pourquoi certaines personnes se laissent mordre par des vampires de leur plein gré. Au fait, tu n'es pas censé mépriser les Créatures Obscures ?

— Non. Tu dois confondre avec Valentin.

— C'est vrai, marmonna-t-elle. Grosse erreur de ma part.

— Ce n'est pas ma faute si je lui ressemble à lui et que tu lui ressembles à elle !

À la pensée de Jocelyne, il eut une grimace de dégoût ; Clary le foudroya du regard.

— Tiens, tu vois ? reprit-il. Tu me regardes toujours comme ça.

— Comme quoi ?

— Comme si je tuais des animaux pour le plaisir et que j'écrasais mes cigarettes sur de pauvres orphelins.

Il se servit un autre verre d'eau. Comme il se détournait d'elle, elle vit que la blessure sur son cou commençait déjà à cicatriser.

— Tu as tué un enfant, lui rappela-t-elle d'un ton cinglant, tout en sachant qu'elle aurait mieux fait de se taire.

Mais Max restait gravé dans son souvenir. Elle le voyait encore, endormi sur un canapé de l'Institut, un livre ouvert sur les genoux, ses lunettes posées de guingois sur son petit nez.

— Ce n'est pas le genre de chose qu'on peut pardonner, ajouta-t-elle.

Sébastien poussa un soupir.

— Ah bon, c'est comme ça ? On joue déjà carte sur table, petite sœur ?

— Qu'est-ce que tu croyais ? répliqua-t-elle d'une

voix lasse, et pourtant il tressaillit comme si elle avait crié.

— Tu me croirais si je te disais que c'était un accident ? lança-t-il en reposant son verre sur le comptoir. Je ne voulais pas le tuer. Je cherchais juste à l'assommer pour éviter qu'il donne l'alerte...

Clary le fit taire d'un regard. Elle ne pouvait pas dissimuler la haine qu'elle éprouvait pour lui ; c'était plus fort qu'elle.

— Je t'assure. Je voulais vraiment l'assommer, comme sa sœur. J'ai sous-estimé ma force.

— Et Sébastien Verlac ? Le vrai Sébastien ? Tu voulais l'assommer, lui aussi ?

Sébastien contempla ses mains comme si elles appartenaient à un étranger ; à son poignet, une fine chaîne d'argent ornée d'une plaque en métal semblable à celles des militaires dissimulait la cicatrice qu'Isabelle avait causée en lui sectionnant la main.

— Il n'était pas censé se débattre...

Révulsée, Clary descendit de son tabouret, mais Sébastien la retint par le bras. Sa peau était chaude, et elle se rappela qu'à Idris elle s'était brûlée à son contact.

— Jonathan Morgenstern a tué Max, c'est vrai. Mais si je n'étais pas la même personne ? Tu n'as pas remarqué que je ne me faisais plus appeler par ce nom ?

— Lâche-moi.

— Tu penses que Jace est différent, reprit Sébastien d'un ton tranquille. Que mon sang l'a changé, pas vrai ?

Elle hocha la tête sans répondre.

— Alors pourquoi ça ne marcherait pas dans les deux sens ? Peut-être que son sang m'a changé, moi aussi. Peut-être que je ne suis plus le même.

— Tu as poignardé Luke. Quelqu'un qui compte énormément pour moi.

— Il allait me tirer dessus, protesta Sébastien. Toi, tu l'aimes, mais moi, je ne le connais pas. J'essayais de sauver ma peau et celle de Jace. C'est si difficile à comprendre ?

— Peut-être que tu me racontes tout ça pour que je te fasse confiance.

— Est-ce que celui que j'étais autrefois s'en soucierait ?

— Si tu voulais quelque chose en échange, oui.

— Peut-être que je veux juste une sœur.

Elle lui lança un regard incrédule.

— Tu ne sais pas ce qu'est une famille. Tu ne sais pas ce que tu ferais d'une sœur si tu en avais une.

— Mais j'en ai une. Je veux juste te prouver que ce que nous faisons est bien. Tu peux me donner une chance ?

Elle songea au Sébastien qu'elle avait côtoyé à Idris. Elle lui avait vu l'air amusé, amical, détaché, ironique, ardent et furieux. Mais elle ne lui connaissait pas cette expression implorante.

— Jace te fait confiance, mais pas moi, reprit-il. Il croit que tu l'aimes assez pour renoncer à tous ceux que tu aimes, à tout ce en quoi tu crois, et le suivre quoi qu'il fasse.

— Et pourquoi tu penses que ce n'est pas le cas ?

Il rit.

— Parce que tu es ma sœur.

— Nous n'avons rien en commun, cracha-t-elle.

En le voyant sourire, elle ravala ses injures.

— C'est ce que j'aurais dit à ta place... Allons, Clary, tu es là, maintenant, et tu ne peux pas faire marche arrière. Tu as mis ton sort entre les mains de Jace. Alors tu ferais bien d'y mettre de la bonne volonté et de t'impliquer un tant soit peu. Ensuite, tu pourras te décider à mon sujet.

Les yeux rivés sur le sol en marbre, elle hocha imperceptiblement la tête. Comme il tendait la main vers elle pour écarter une mèche de ses cheveux, le spot de la cuisine fit étinceler le bracelet qu'il portait au poignet, et elle parvint à déchiffrer les lettres gravées sur la plaque. *Acheronta movebo.* Sans réfléchir, elle lui prit le poignet.

— Qu'est-ce que ça signifie ?

Il contempla le bracelet.

— Je le porte pour me souvenir de l'Enclave. « Ainsi en est-il toujours des tyrans. » C'est la phrase que prononcèrent les assassins de César pour l'empêcher de devenir un dictateur.

— Ces hommes étaient des traîtres, objecta Clary en lâchant son poignet.

Les yeux noirs de Sébastien étincelèrent.

— Des combattants pour la liberté ! Ce sont les vainqueurs qui écrivent l'histoire, petite sœur.

— Et tu as l'intention d'en rédiger ce chapitre, c'est ça ?

Il sourit, les yeux brillants.

— Oh que oui.

12

Le métal céleste

Quand Alec revint chez Magnus, toutes les lumières étaient éteintes, mais le salon baignait dans une lueur bleutée. Il lui fallut quelques instants pour comprendre qu'elle émanait du pentagramme.

Après avoir ôté ses chaussures, il entra à pas de loup dans la chambre. Elle était plongée dans la pénombre ; seule la guirlande de Noël multicolore fixée sur l'encadrement produisait un peu de lumière. Magnus dormait, étendu sur le dos, les couvertures repoussées jusqu'à la taille, la main posée sur son ventre dépourvu de nombril.

Alec se déshabilla rapidement et se glissa sous les draps en s'efforçant de ne pas le réveiller. Malheureusement, c'était sans compter sur le Président Miaou, qui dormait, roulé en boule, au milieu du lit. Avec son coude, Alec écrasa la queue du chat, qui poussa un miaulement suraigu et s'enfuit d'un bond. Magnus se redressa en clignant des yeux.

— Qu'est-ce qu'il y a ?

— Rien, répondit Alec en maudissant intérieurement tous les chats de la Terre. Je n'arrivais pas à dormir.

— Alors tu es sorti ? (Magnus roula sur le côté et toucha l'épaule d'Alec.) Ta peau est froide, et tu sens la nuit.

— J'ai fait un tour.

Alec, qui ne savait pas mentir, se réjouit qu'il fasse trop sombre pour que Magnus voie son visage.

— Où es-tu allé ?

« Dans une relation, il faut savoir cultiver une part de mystère », avait dit Camille.

— Oh, ici et là, répondit-il d'un ton détaché. Dans des endroits mystérieux.

— Des endroits mystérieux ?

Magnus se laissa retomber sur les oreillers.

— À l'asile de fous, oui, marmonna-t-il en fermant les yeux. Tu m'as rapporté quelque chose ?

Alec se pencha pour l'embrasser.

— Juste ça, répondit-il à mi-voix.

Il fit mine de se redresser mais Magnus l'attira contre lui en souriant.

— Eh bien, puisque tu m'as réveillé, autant que ça serve à quelque chose.

Comme ils avaient déjà passé une nuit ensemble, Simon ne s'attendait pas que sa deuxième nuit avec Isabelle suscite autant de gêne de part et d'autre. Mais cette fois, elle était sobre, bien réveillée, et visiblement en attente de quelque chose. Le problème était de savoir quoi.

Après lui avoir donné une de ses chemises pour la nuit, il détourna chastement les yeux pendant qu'elle se glissait sous les draps en se collant contre le mur pour lui laisser le maximum de place.

Une fois qu'il eut ôté ses chaussures et ses chaus-
settes, il s'allongea à côté d'elle en jean et en tee-shirt.
Ils restèrent immobiles pendant un long moment,
puis Isabelle vint se blottir contre lui en l'étreignant
maladroitement. Ils se cognèrent les genoux, elle le
griffa par mégarde et, en voulant se rapprocher d'elle,
il entra en collision avec son front.

— Aïe ! s'écria-t-elle d'un ton indigné. Je t'imagi-
nais plus doué que ça.

Simon lui jeta un regard médusé.

— Pourquoi ?

— Après toutes ces nuits passées dans le lit de
Clary, j'aurais pensé...

— On a dormi, point barre.

Il se garda d'ajouter que dormir dans le même lit
que Clary, c'était aussi naturel pour lui que respirer ;
que l'odeur de ses cheveux lui évoquait l'enfance, le
soleil, la simplicité, la grâce.

— Je sais mais moi, je n'arrive pas à dormir avec
quelqu'un, répliqua Isabelle d'un ton agacé. En général,
je ne reste pas toute la nuit.

— Mais c'est toi qui m'as dit que tu voulais...

— Oh, la ferme, dit-elle en l'embrassant.

Sur ce point, il se débrouilla un peu mieux. Il avait
déjà embrassé Isabelle. Il aimait le contact de ses
lèvres et la caresse de ses longs cheveux bruns.
Comme elle se collait à lui, il sentit la chaleur de son
corps, le poids de ses longues jambes sur les siennes,
les pulsations de son sang... et ses crocs jaillirent de
sa mâchoire.

Il s'écarta brusquement.

— Qu'est-ce qu'il y a ? Tu ne veux plus m'embrasser ?

— Si, bredouilla-t-il, gêné par ses canines.

Isabelle écarquilla les yeux.

— Oh, tu as faim, toi. Quand es-ce que tu t'es nourri pour la dernière fois ?

— Hier.

Elle s'adossa à son oreiller. Dans la pénombre, ses yeux semblaient immenses, noirs et brillants.

— Tu devrais peut-être t'occuper de ça. Tu sais ce qui se passe quand tu oublies.

— Je n'ai pas emporté de sang avec moi. Il faut que je retourne à l'appartement, expliqua Simon, dont les crocs avaient déjà commencé à se rétracter.

Isabelle le prit par le bras.

— Tu n'es pas obligé de boire du sang d'animal froid. Je suis là.

Il sursauta.

— Tu n'es pas sérieuse.

— Bien sûr que si.

Elle défit quelques boutons de sa chemise pour dénuder sa gorge, le tracé à peine visible des veines sous sa peau claire et son soutien-gorge bleu qui, certes, couvrait beaucoup plus de chair que la plupart des hauts de maillot de bain, mais Simon n'en avait pas moins la bouche sèche. Le pendentif en rubis brillait comme un panneau d'interdiction sur la peau de la jeune femme. Comme si elle lisait dans ses pensées, elle écarta ses cheveux pour lui offrir son cou.

— Tu ne veux pas... ?

— Non, Isabelle, répondit-il d'un ton affolé. Je ne

sais pas me contrôler. Je risquerais de te faire mal, voire de te tuer.

— Mais non. Tu n'auras qu'à te retenir. Comme avec Jace.

— Je ne suis pas attiré par Jace.

— Pas même un tout petit peu ? Dommage, ça aurait pu être excitant. Bon, attirance ou pas, tu l'as mordu alors que tu étais affamé, et tu as réussi à te retenir.

— Mais j'ai échoué avec Maureen. Jordan a dû nous séparer de force.

— Tu y serais arrivé s'il t'en avait laissé le temps. (Elle posa la main sur son cœur.) Je te fais confiance.

— Tu ne devrais peut-être pas.

— Je suis une Chasseuse d'Ombres. Je saurai me défendre s'il le faut.

— Jace n'a pas pu me repousser, lui.

— Jace est fasciné par l'idée de la mort. Ce n'est pas mon cas.

Après avoir enroulé ses jambes autour de lui, elle se pencha pour frôler ses lèvres d'un baiser. Il avait tellement envie de l'embrasser que c'en était douloureux. Il entrouvrit la bouche et une douleur fulgurante l'assaillit. Sa langue avait ripé contre le bord tranchant d'une de ses canines. Sentant le goût de son propre sang dans sa bouche, il se dégagea en détournant la tête.

— Isabelle, je ne peux pas.

Il tenait son corps chaud et doux sur ses genoux, et c'était une véritable torture. Ses crocs lui faisaient mal. Il avait l'impression que des fils de fer lui enserraient les veines.

— Je ne veux pas que tu me voies comme ça.

— Simon, murmura-t-elle en le forçant à tourner la tête.

Ses crocs s'étaient rétractés mais ils le faisaient toujours souffrir. Il se cacha le visage dans les mains.

— Tu ne peux pas vouloir de moi. Ma propre mère m'a jeté dehors. J'ai mordu Maureen, qui n'était qu'une gamine. Regarde-moi, regarde ce que je suis devenu ! Je ne suis plus rien.

Isabelle lui caressa les cheveux. De près, il s'aperçut que ses yeux étaient d'un marron très sombre pailleté d'or. Il crut lire de la compassion dans ce regard. Il ne savait pas à quoi s'attendre avec elle. Elle se servait des hommes puis elle les jetait ; elle était belle, parfaite, une vraie dure à cuire qui n'avait besoin de personne, et encore moins d'un vampire qui ne savait même pas se comporter comme tel.

Il sentit son souffle sur lui. Elle dégageait une odeur douce de sang, de mortalité, de gardénia.

— Tu te trompes, chuchota-t-elle. Simon, je t'en prie. Laisse-moi te regarder.

Il ôta à contrecœur les mains de son visage. Au clair de lune, elle était ravissante. Sa peau semblait encore plus pâle, et ses cheveux étaient d'un noir de jais.

— Et toi, regarde, reprit-elle en montrant les cicatrices de Marques qui constellaient sa gorge, ses bras et le renflement de ses seins. C'est moche, non ?

— Il n'y a rien de moche chez toi, Isabelle, je t'assure, protesta Simon avec une indignation sincère.

— Les filles ne sont pas censées être couvertes de cicatrices, dit-elle d'un ton détaché. Mais ça ne te gêne pas.

— Ça fait partie de toi... Non, bien sûr que ça ne me gêne pas.

— Être vampire, ça fait aussi partie de toi. Si je t'ai demandé de venir hier soir, ce n'est pas parce que je n'avais que toi sous la main. J'avais envie d'être avec toi, Simon. Ça me fiche la trouille, mais c'est la vérité.

Ses yeux brillèrent, et avant qu'il puisse vérifier si c'étaient bien des larmes qui leur donnaient cet éclat, elle se pencha pour l'embrasser. Cette fois, tout alla de soi. Tandis qu'elle lui murmurait des mots doux à l'oreille, il explora du bout des doigts les cicatrices de son dos. Il aurait voulu lui dire qu'il les considérait comme des ornements, des témoignages de sa bravoure qui ne la rendaient que plus belle. Ses mains étaient pleines de son corps, de sa chaleur, il s'enivrait du goût de ses lèvres, respirait l'odeur de sa peau, mélange de sel, de parfum et de... sang.

Il se raidit de nouveau, mais Isabelle s'en aperçut et le saisit par les épaules.

— Continue, murmura-t-elle. J'en ai envie.

Il ferma les yeux pour se calmer. Ses crocs avaient resurgi, ils s'enfonçaient dans sa lèvre inférieure.

— Non, souffla-t-il.

Elle enroula ses jambes interminables autour de lui et le maintint serré contre elle.

— Je veux que tu le fasses, dit-elle en lui tendant son cou.

L'odeur de son sang était omniprésente, elle avait envahi toute la pièce.

— Tu n'as pas peur ? chuchota-t-il.

— Si. Mais je veux quand même.

— Isabelle... Je ne peux pas...

Mais il la mordit.

Ses canines s'enfoncèrent dans sa gorge comme un couteau dans une pomme. Le sang jaillit dans sa bouche. Il n'avait encore jamais rien ressenti de tel. Avec Jace, il était à demi inconscient ; avec Maureen, il s'était senti trop coupable. Et surtout, dans l'un ou l'autre cas, il n'avait pas eu l'impression que ses victimes appréciaient.

Mais Isabelle battit des paupières en soupirant, et son corps s'arqua contre le sien. Elle se mit à ronronner comme un chat en lui caressant les cheveux, et ses gestes semblaient dire : « N'arrête pas ! » Sa chaleur s'insinuait en lui, animait son corps ; les battements de son cœur, puissants et réguliers, se propageaient de ses veines aux siennes. L'espace d'un instant, il eut l'impression d'avoir ressuscité et son propre cœur se contracta d'allégresse.

Enfin, sans trop savoir comment, il parvint à s'écarter d'Isabelle et roula sur le dos, les doigts agrippés au matelas. Il frissonnait encore quand ses crocs se rétractèrent. La pièce miroitait autour de lui, comme à chaque fois qu'il absorbait du sang humain, vivant.

— Isa... l'appela-t-il.

Il avait peur de la regarder maintenant, peur qu'elle le considère avec horreur et révulsion.

— Quoi ?

— Tu ne m'as pas arrêté, dit-il d'un ton de reproche.

— Je n'avais pas envie que tu t'arrêtes.

Il la dévisagea longuement. Elle s'était allongée sur le dos, l'air un peu essoufflée. Il y avait deux trous bien nets sur son cou, dont s'écoulaient deux minces filets de sang. Obéissant à un instinct enfoui au plus profond de lui-même, Simon se pencha pour lécher le sang sur sa gorge. Elle frémit.

— Simon...

Il se redressa. Elle l'observait de ses grands yeux noirs, l'air grave, les joues roses.

— Je...

— Quoi ?

Pendant un bref instant, il crut qu'elle allait lui faire une déclaration, mais elle secoua la tête, bâilla et, agrippant un des passants de son jean, elle caressa son ventre dénudé du bout des doigts.

Simon avait vaguement entendu dire que les bâillements étaient un signe d'anémie. Il paniqua.

— Tu te sens bien ? J'en ai trop bu ? Tu es fatiguée ? Tu...

— Je vais bien. Tu t'es arrêté tout seul. Et n'oublie pas que je suis une Chasseuse d'Ombres. Notre sang se reconstitue trois fois plus vite que celui d'un être humain normal.

Il dut rassembler son courage pour lui demander :

— Est-ce que... tu as aimé ça ?

— Oui.

— Vraiment ?

Elle eut un petit rire.

— Tu ne t'en es pas aperçu ?

— J'ai pensé que tu faisais semblant.

Appuyée sur un coude, elle l'observa, les yeux brillants.

— Je ne fais pas semblant, Simon. Je ne mens pas et je ne joue pas la comédie.

— Tu es une briseuse de cœurs, Isabelle Lightwood, répliqua-t-il en s'efforçant de prendre l'air
détaché. Ce n'est pas pour rien que Jace disait que tu
ne ferais qu'une bouchée de moi.

— C'était une autre époque. Tu as changé. Tu n'as
plus peur de moi.

Il lui caressa le visage.

— Et toi, tu n'as peur de rien.

— Je ne sais pas. Peut-être que c'est toi qui vas
me briser le cœur. (Avant qu'il puisse protester, elle
l'embrassa.) Et maintenant, tais-toi, j'ai sommeil,
conclut-elle en se blottissant contre lui.

Dès lors, leurs gestes n'eurent plus rien de mala-
droit. L'atmosphère lui semblait étrange, excitante,
surchauffée, capiteuse... différente. Le regard tourné
vers le plafond, il caressa d'un geste absent les cheveux soyeux d'Isabelle. Il avait l'impression d'avoir
été pris dans une tornade qui l'avait emmené loin de
chez lui, dans un endroit où rien ne lui était familier. Il se pencha vers Isabelle pour déposer un
baiser sur son front ; elle remua dans son sommeil,
murmura des paroles inintelligibles, mais n'ouvrit pas
les yeux.

Le lendemain matin, quand Clary s'éveilla, Jace
dormait toujours, couché en chien de fusil, le bras
tendu vers elle de sorte qu'il lui frôlait l'épaule. Elle
l'embrassa sur la joue avant de se lever. Elle était sur
le point de se diriger vers la salle de bains pour
prendre une douche quand la curiosité l'emporta. Elle
ouvrit doucement la porte de la chambre et risqua un
œil dans le couloir.

Le sang avait disparu. Le mur était si blanc qu'elle en vint à se demander si elle n'avait pas rêvé – les traces de sang, la conversation dans la cuisine avec Sébastien, tout. Elle fit quelques pas dans le couloir, posa la main à l'endroit où, la veille, se trouvait l'empreinte...

— Bonjour.

Elle fit volte-face. Sébastien était sorti à pas de loup de sa chambre et se tenait au milieu du couloir, un sourire narquois sur les lèvres. Visiblement, il sortait de la douche : ses cheveux blonds aux reflets argentés, presque métalliques, étaient mouillés.

— Tu as l'intention de porter ça tout le temps ? demanda-t-il en regardant sa chemise de nuit.

— Non, je voulais juste...

Elle n'avait aucune envie d'admettre qu'elle était sortie dans le couloir pour vérifier s'il y avait encore du sang sur le mur. Il la toisait d'un air amusé.

— Je vais m'habiller, annonça-t-elle en revenant sur ses pas.

Elle retourna en hâte dans la chambre de Jace et referma la porte derrière elle. Un moment plus tard, elle entendit des voix dans le couloir : Sébastien, de nouveau, et une voix féminine qui parlait en italien. La fille de la veille, sans doute. Celle qui selon lui avait dormi dans sa chambre. Clary, qui doutait de sa sincérité, dut admettre qu'il disait la vérité. « Tu peux me donner une chance ? » avait-il demandé.

En était-elle capable ? C'était de Sébastien qu'il s'agissait. Elle réfléchit fiévreusement à la question en se douchant et en choisissant sa tenue. Les vêtements rangés dans le placard, prévus pour Jocelyne, étaient si éloignés de son style habituel qu'elle ne savait pas quoi porter. Elle trouva un jean griffé et un chemisier à pois en soie noire dont le style vintage lui plaisait. Elle enfila sa veste en velours par-dessus et retourna dans la chambre de Jace, mais le lit était vide. Un bruit de vaisselle, des éclats de rire et une odeur de cuisine lui parvenaient du rez-de-chaussée.

Elle descendit les marches quatre à quatre et s'arrêta sur la dernière pour risquer un œil vers la cuisine. Sébastien était adossé au réfrigérateur, les bras croisés, tandis que Jace préparait un petit-déjeuner à base d'oignons et d'œufs. Il était pieds nus, hirsute, et, en mettant sa chemise, il avait boutonné Paul avec Pierre, et sa seule vue fit chavirer le cœur de Clary. Elle ne l'avait encore jamais vu ainsi, au saut du lit, avec cette aura chaude et dorée de sommeil, et elle éprouva une vive tristesse à l'idée de toutes ces premières fois alors que Jace n'était pas vraiment lui-même.

Même s'il semblait heureux et reposé, même s'il riait en faisant glisser son omelette de la poêle dans l'assiette. Il sourit en apercevant Clary.

— Brouillés ou au plat ?

— Brouillés. J'ignorais que tu savais cuisiner.

Elle s'accouda au comptoir. Le soleil entrait par les fenêtres. Malgré l'absence d'horloge dans la maison, il devait être tard, et les surfaces en chrome et verre de la cuisine étincelaient dans la lumière matinale.

— Qui ne sait pas cuire un œuf ? lança Jace.

Clary leva la main... en même temps que Sébastien. Elle ne put s'empêcher d'avoir un mouvement de surprise et baissa précipitamment le bras, mais Sébastien, qui avait vu son geste, sourit de toutes ses dents. Il avait toujours ce sourire exaspérant qu'elle avait envie de lui faire ravaler d'une gifle.

Détournant le regard, elle entreprit de se préparer une assiette avec les aliments posés sur la table : pain, beurre, confiture, tranches de bacon, jus de fruit, thé. Elle jeta un coup d'œil par la fenêtre... et se figea. Dehors, le canal avait laissé place à une colline surmontée d'un château.

— Où sommes-nous ? s'enquit-elle.

— À Prague, répondit Sébastien. Jace et moi, on a une course à faire ici. (Il se tourna vers la fenêtre.) On ferait bien de ne pas traîner, d'ailleurs.

— Je peux venir avec vous ? demanda-t-elle avec son sourire le plus affable.

Sébastien secoua la tête.

— Non.

— Pourquoi ? s'exclama Clary en croisant les bras. C'est une sortie réservée aux hommes ? Vous allez vous faire couper les cheveux ensemble ?

Jace lui tendit une assiette d'œufs brouillés, mais il avait le regard fixé sur Sébastien.

— Elle pourrait nous accompagner, suggéra-t-il. Ce n'est pas dangereux.

Sébastien ne céda pas d'un pouce.

— Le danger est souvent là où on ne l'attend pas.

— Bon, c'est toi qui vois, dit Jace avec un haussement d'épaules en mordant dans une fraise.

« En voilà une différence entre ce Jace et le mien ! » songea Clary. « Son » Jace était curieux de tout et, surtout, il n'aurait jamais capitulé d'un haussement d'épaules devant la décision de quelqu'un d'autre. Il était comme l'océan qui se jette inlassablement contre les rochers. Or, le Jace qui se tenait à présent devant elle lui évoquait davantage un cours d'eau paisible miroitant au soleil.

« Parce qu'il est heureux ? »

La main de Clary se crispa sur sa fourchette. Elle détestait cette petite voix dans sa tête. À l'instar de la reine des fées, elle distillait le doute et posait des questions sans réponse.

— Je vais chercher mes affaires, annonça Jace.

Après avoir pioché une autre fraise, il courut vers l'escalier. Clary le regarda monter les marches transparentes ; on aurait dit qu'il volait.

— Tu ne manges pas tes œufs ? demanda Sébastien qui avait contourné sans bruit le comptoir et l'observait, les sourcils levés.

Il avait une pointe d'accent mêlant le parler des habitants d'Idris à des intonations britanniques. Elle se demanda s'il l'avait caché jusqu'alors ou si elle venait seulement de s'en apercevoir.

— Je n'aime pas les œufs, confessa-t-elle.

— Mais tu n'as pas voulu le dire à Jace pour ne pas lui gâcher le plaisir de préparer ton petit-déjeuner.

Comme il avait deviné la vérité, Clary choisit de se taire.

— C'est drôle, non ? poursuivit Sébastien. Les mensonges des gens bien. Il va peut-être te préparer des œufs tous les matins jusqu'à la fin de tes jours et tu te sentiras obligée de les manger parce que tu n'as pas le courage de lui avouer la vérité.

Clary repensa aux paroles de la reine des fées.

— L'amour va souvent de pair avec le mensonge ?

— Exactement. Tu apprends vite, on dirait.

Il fit un pas vers elle, et un léger trouble l'envahit. Il portait la même eau de toilette que Jace. Elle reconnaissait ses notes citronnées et poivrées et pourtant, elle avait une odeur différente sur lui.

— Ça nous fait un point commun, ajouta-t-il en commençant à déboutonner sa chemise.

Elle se leva d'un bond.

— Qu'est-ce que tu fais ?

— Doucement, petite sœur, fit-il en défaisant le dernier bouton avec un sourire indolent. C'est toi l'experte en runes magiques, non ?

Clary hocha la tête avec méfiance.

— Je veux une rune de force. Et, puisque tu es la meilleure, autant que ce soit toi qui t'en charges. Allons, tu ne refuserais pas une rune à ton grand frère. Tu voulais une chance, non ?

— Toi aussi, tu en voulais une, répliqua-t-elle. Alors faisons un marché. Je te dessine une rune de force et tu me laisses vous accompagner.

Il finit d'ôter sa chemise et la jeta sur le comptoir.

— Marché conclu.

— Je n'ai pas de stèle, dit-elle en évitant son regard.

Il lui semblait qu'il envahissait délibérément son espace intime. Il avait le même corps que Jace : ferme, sans la moindre graisse superflue, avec des muscles saillants. Il portait aussi les mêmes cicatrices, bien qu'elles ressortent moins sur sa peau pâle que sur la peau mate de Jace.

Il prit sa stèle rangée dans sa ceinture et la lui tendit.

— Tu n'as qu'à te servir de la mienne.

— D'accord. Retourne-toi.

Il s'exécuta et elle réprima un mouvement de recul. Son dos nu était couvert de marques trop régulières pour être le fruit d'un simple accident. Des marques de fouet.

— Qui t'a fait ça ? demanda-t-elle.

— À ton avis ? Notre père. Il se servait d'un fouet spécial fabriqué avec un métal démoniaque, si bien qu'aucune *iratze* ne pouvait guérir mes blessures. C'était censé m'aider à me souvenir.

— Te souvenir de quoi ?

Elle toucha l'une des cicatrices. Elle était dure et brûlante sous ses doigts, comme si la blessure était récente.

— Du danger d'obéir.

— Tu veux dire « de désobéir » ?

— Non, c'est bien ce que je voulais dire.

— Ça fait mal ?

— En permanence. (Il lui jeta un coup d'œil impatient par-dessus son épaule.) Qu'est-ce que tu attends ?

Elle appliqua la pointe de la stèle sur son omoplate en s'efforçant de ne pas trembler. Les pensées se bousculaient dans sa tête : comme ce serait facile de le marquer d'une rune malfaisante qui le blesserait, le rendrait malade, lui tordrait les entrailles... Mais qu'arriverait-il à Jace ? Après avoir écarté ses cheveux de son visage, elle traça avec précision une rune *fortis* sur le dos de son frère, au bas de l'omoplate.

Quand elle eut terminé, il lui prit la stèle des mains puis renfila sa chemise. Elle ne s'attendait pas à des remerciements, et elle n'en reçut pas. Il se contenta de sourire en reboutonnant son vêtement.

« Tu es douée », fut son seul commentaire.

Quelques instants plus tard, les pas de Jace résonnèrent dans l'escalier. Il portait une veste en daim ainsi que des mitaines noires.

Clary s'efforça de lui sourire de manière convaincante.

— Sébastien a dit que je pouvais venir avec vous.

Jace leva les sourcils.

— On va tous se faire couper les cheveux pareil ?

— Sûrement pas, répondit Sébastien. J'aurais l'air de quoi avec des bouclettes ?

— Il faut que j'aille me changer ? demanda Clary.

— Pas nécessairement. Ce n'est pas le genre de course qui exige qu'on se batte. Mais il vaut mieux être préparé. Je vais aller te chercher un petit quelque chose dans la salle d'armes.

Sébastien monta à l'étage et Clary se maudit intérieurement de ne pas avoir trouvé la fameuse salle lors de son exploration. Elle y aurait peut-être déniché des indices sur la nature de leurs projets...

Jace lui toucha la joue, et elle sursauta. Elle avait presque oublié sa présence.

— Tu es sûre que tu veux venir ?

— Certaine. Je tourne en rond, ici. Et puis, ce n'est pas pour rien que tu m'as appris à me battre.

Avec un sourire diabolique, il lui ébouriffa les cheveux et s'écarta d'elle au moment où Sébastien revenait avec sa veste et un ceinturon, dans lequel étaient glissés une dague ainsi qu'un poignard séraphique. Il le noua autour de ses hanches avant qu'elle songe à le repousser et se tourna vers le mur, où le pourtour scintillant d'une porte venait d'apparaître comme dans un rêve.

Ils la franchirent l'un après l'autre.

Maryse leva la tête en entendant quelqu'un frapper discrètement à la porte de la bibliothèque. Le jour gris qui entrait par les fenêtres peinait à éclairer la grande salle circulaire, et quelques lampes à abat-jour vert étaient allumées çà et là. Maryse n'aurait su dire depuis combien de temps elle était assise à ce bureau. Des tasses à café vides s'alignaient devant elle.

— Entrez, dit-elle en se levant.

Il y eut un léger clic quand la porte s'ouvrit mais Maryse ne perçut aucun bruit de pas. Un instant plus tard, une silhouette en robe couleur parchemin s'avança dans la pièce, le visage dissimulé sous son capuchon.

Vous nous avez appelés, Maryse Lightwood ?

Maryse fit rouler ses épaules. Elle se sentait nouée, fatiguée, vieille.

— Frère Zachariah. J'attendais... Oh, ça n'a pas d'importance.

Frère Enoch ? C'est mon supérieur, mais j'ai pensé que votre appel avait peut-être un lien avec la disparition de votre fils adoptif. Je m'intéresse à son sort.

Elle le dévisagea avec curiosité. En général, les Frères Silencieux n'exprimaient pas leurs sentiments, si tant est qu'ils en éprouvaient. Elle s'avança vers le religieux en lissant ses cheveux décoiffés.

— Bon. J'ai quelque chose à vous montrer.

Elle ne s'était jamais vraiment faite aux Frères Silencieux, à leur façon de se déplacer comme si leurs pieds ne touchaient pas le sol. Il lui sembla que Zachariah flottait près d'elle tandis qu'elle lui faisait traverser la salle pour lui montrer la carte du monde placardée sur le mur nord. Cette carte était l'œuvre d'un Chasseur d'Ombres. On y voyait Idris, au centre de l'Europe, ses frontières – les boucliers qui la protégeaient – délimitées par un trait d'or.

En dessous de la carte, sur une étagère, étaient posés deux objets : un fragment de verre maculé de sang séché et un bracelet en cuir élimé orné d'une rune symbolisant le pouvoir angélique.

— Voici...

Le bracelet de Jace Herondale et le sang de Jonathan Morgenstern. J'ai cru comprendre que les efforts pour retrouver leur trace ont été vains ?

— Je n'ai pas utilisé une technique classique de filature, répondit Maryse en redressant les épaules. Quand je faisais partie du Cercle, Valentin avait mis au point un procédé lui permettant de nous localiser. À moins que nous ne nous trouvions dans des lieux protégés, il savait où nous étions en permanence. Je me suis dit qu'il avait peut-être eu recours au même procédé avec Jace lorsque celui-ci était enfant. Il semble qu'il n'ait jamais eu aucun mal à le trouver.

De quel genre de procédé parlez-vous ?

— D'une Marque qui ne figure pas dans le Grimoire. Nous l'avions tous. Je l'avais presque oubliée ; après tout, il n'y a aucun moyen de s'en débarrasser.

Si Jace avait cette Marque, le saurait-il ? Et pourrait-il prendre des mesures afin de vous empêcher de vous en servir pour le retrouver ?

Maryse secoua la tête.

— Il pourrait s'agir d'une marque blanche minuscule, presque invisible, sur son cuir chevelu, comme dans mon cas. Il ne sait sans doute pas qu'il l'a.

Frère Zachariah s'avança pour examiner la carte.

Et quel est le résultat de votre petite expérience ?

— Jace a bien la Marque, répondit Maryse sans la moindre trace de triomphe dans la voix. Je l'ai repéré sur la carte. Lorsqu'il apparaît, il y a comme une étincelle qui s'allume à l'endroit où il se trouve, et son bracelet brille au même moment. Donc je sais que c'est lui et pas Jonathan Morgenstern qui, lui, n'apparaît jamais sur la carte.

Et où est-il ? Où est Jace ?

— Je l'ai vu apparaître pendant quelques secondes à Londres, à Rome et à Shanghai. Récemment, il est aussi apparu à Venise.

Comment peut-il voyager si vite d'une ville à l'autre ?

— Au moyen d'un Portail ? (Elle haussa les épaules.) Je sais seulement qu'à chaque fois que la carte scintille, j'ai la preuve qu'il est en vie. Et j'arrive à respirer de nouveau pendant quelques minutes.

Elle s'interrompit, de peur d'en dire trop. Alec et Isabelle lui manquaient, mais elle n'osait pas leur demander de rentrer à l'Institut, où Alec, pour ne citer que lui, était censé participer aux recherches entreprises pour retrouver son frère adoptif. Par ailleurs, à chaque fois que Maryse pensait à Max, c'est-à-dire tous les jours, il lui semblait qu'elle manquait d'air et qu'elle allait mourir. Elle ne pouvait pas aussi perdre Jace.

Je vous comprends.

Frère Zachariah croisa devant lui ses mains encore jeunes aux longs doigts fins. Maryse s'interrogeait souvent sur l'âge des Frères Silencieux et leur longévité, mais cette information restait secrète.

Il n'y a rien de plus fort que les liens familiaux. Mais ce que j'ignore, c'est la raison pour laquelle vous avez décidé de me montrer cela.

Maryse soupira.

— Je sais que j'aurais dû en faire part à l'Enclave, mais ils connaissent désormais le lien qui l'unit à Jonathan. Ils les pourchassent tous les deux. Ils tueront Jace s'ils le retrouvent. Le fait de garder ces informations pour moi est déjà une trahison. (Elle baissa la tête.) Je me suis donc résignée à vous en parler. C'est maintenant à vous de décider si vous en informerez l'Enclave. Moi... je ne peux pas.

Zachariah resta longtemps silencieux. Puis une voix douce résonna dans la tête de Maryse.

Cette carte est une preuve que votre fils est toujours en vie. Si vous la remettez à l'Enclave, je ne crois pas qu'elle leur apprendra grand-chose, hormis le fait qu'il se déplace vite et qu'il est impossible de le prendre en filature. Gardez cette carte. Je n'en parlerai pas dans l'immédiat.

Maryse le considéra d'un air étonné.

— Mais... vous êtes un serviteur de l'Enclave...

Jadis, j'ai été un Chasseur d'Ombres, tout comme vous. J'ai vécu votre existence. Et, comme vous, j'ai fait passer la vie de mes proches avant n'importe quel serment, n'importe quelle dette.

— Vous... vous aviez des enfants ? demanda
Maryse après une hésitation.

Non. Pas d'enfants.

— Je suis désolée.

*Essayez de ne pas vous laisser submerger par les craintes
que vous éprouvez pour Jace. C'est un Herondale, et ce
sont des survivants...*

Maryse sursauta.

— Ce n'est pas un Herondale, c'est un Lightwood.
C'est mon fils.

Frère Zachariah observa un long silence avant de
répondre :

*Je n'ai pas dit le contraire. Il y a une chose que vous
devez garder en tête. Si Jace apparaît sur la carte pendant
plus de quelques secondes, vous devrez en référer à
l'Enclave. Si j'étais vous, je me préparerais à cette éventualité.*

— Je ne pourrai pas, lâcha-t-elle. Ils lui tendraient
un piège. Ce n'est encore qu'un enfant.

Un enfant ? Il ne l'a jamais été, répliqua Zachariah
en se détournant.

Maryse ne le regarda pas sortir. Elle s'était de nouveau absorbée dans la contemplation de la carte.

Simon ?

Un immense soulagement l'assaillit quand la voix
de Clary, hésitante mais familière, résonna dans sa
tête. Il jeta un regard à Isabelle, qui dormait encore.
La lumière du jour filtrait à travers les rideaux tirés.

Tu es réveillé ?

Il roula sur le dos et contempla le plafond.

Évidemment.

Je n'en étais pas sûre. Tu as, quoi ? Six, sept heures de décalage avec moi. Ici, la nuit tombe.

Tu es toujours en Italie ?

Non, je suis à Prague. C'est joli. Il y a une grande rivière et beaucoup de bâtiments avec des flèches. De loin, ça ressemble un peu à Idris. Mais il fait plus froid qu'à la maison.

Bon, ça suffit, la météo. Tu es en sécurité ? Où sont Jace et Sébastien ?

Avec moi. Je suis restée un peu en arrière sous prétexte d'admirer la vue du pont.

Donc la vue, c'est moi ?

Elle rit, ou du moins il perçut un bruit qui s'apparentait à un rire dans sa tête, un petit rire nerveux.

Je ne peux pas rester longtemps. Mais ils n'ont pas l'air de soupçonner quoi que ce soit… En tout cas, pas Jace. Sébastien, c'est plus difficile de le percer à jour. Je ne crois pas qu'il me fasse confiance. J'ai fouillé sa chambre, mais je n'ai rien trouvé… Enfin, rien qui puisse nous renseigner sur leurs projets. Hier soir…

Quoi, hier soir ?

Rien. Il sentit qu'elle lui cachait quelque chose. *Sébastien a récupéré la boîte de ma mère qui contenait ses affaires de bébé. Je me demande bien pourquoi*, reprit-elle.

Ne perds pas ton temps à essayer de le comprendre, lui recommanda Simon. *Il n'en vaut pas la peine. Essaie plutôt de découvrir ce qu'ils mijotent.*

Je sais. Elle semblait agacée. *Tu es toujours chez Magnus ?*

Oui. On en est à la deuxième étape de notre plan.

Ah oui ? Et c'était quoi, la première ?

S'asseoir autour de la table, se disputer, commander des pizzas.

Et l'étape deux, c'est quoi ? Boire un café ?

Pas exactement. Simon soupira. *On a invoqué le démon Azaël.*

Azaël ? C'était pour ça, la question sur les Schtroumpfs ? Dis-moi que tu plaisantes !

Non. C'est une longue histoire. On a pensé qu'il pourrait nous aider à trouver une arme susceptible de tuer Sébastien sans nuire à Jace.

Il fit de son mieux pour lui résumer les derniers événements tout en regardant dormir Isabelle.

OK, mais invoquer un démon ? Clary ne semblait pas convaincue. *Sans compter qu'Azaël n'est pas un démon ordinaire. N'oubliez pas que c'est moi qui suis censée fricoter avec le mal. Vous, vous êtes dans le camp des gentils.*

Tu sais que ce n'est pas si simple, Clary.

Elle soupira, et il crut percevoir sur sa peau un souffle d'air qui lui donna la chair de poule.

Je sais.

« Des villes et des rivières », songea Clary en franchissant le pont Charles pour rejoindre Jace et Sébastien, qui pointaient du doigt l'horizon. L'eau, d'un gris métallique, s'écoulait paisiblement sous le vieux pont de pierre ; le ciel, de la même couleur, était traversé de nuages noirs.

Le vent fouettait les cheveux et le manteau de Clary, qui dut presser le pas pour rattraper Jace et Sébastien. Ils s'étaient remis en marche, et conversaient à voix basse ; elle aurait pu se joindre à leur discussion si elle l'avait voulu, supposait-elle, mais la beauté et la tranquillité de la ville, ses flèches qui se détachaient sur la brume l'incitaient à garder le silence, à méditer, à contempler la vue.

Le pont débouchait sur une rue pavée sinueuse bordée de boutiques à touristes qui vendaient des grenats rouge sang, de gros cristaux d'ambre polonais, du verre de Bohème et des jouets en bois. Même à cette heure, des rabatteurs distribuaient des entrées gratuites et des coupons de réduction pour des boissons à l'entrée des night-clubs. Sébastien les chassait d'un geste impatient en manifestant son agacement en tchèque. Comme ils arrivaient sur une vieille place d'allure médiévale, la foule se fit moins compacte. Malgré le froid, les promeneurs se pressaient autour des kiosques vendant des saucisses et du vin chaud à la cannelle. Ils s'arrêtèrent pour manger un morceau autour d'une table branlante tandis que l'énorme horloge astronomique sonnait l'heure juste. Son mécanisme se mit en marche, et un cercle dansant de figurines en bois surgirent par les portes situées de chaque côté du cadran. « Les douze apôtres », expliqua Sébastien tandis que les figurines virevoltaient.

— La légende raconte qu'une fois l'horloge terminée, le roi a fait crever les yeux de l'horloger pour l'empêcher de reproduire son chef-d'œuvre ailleurs, ajouta-t-il en se réchauffant les mains avec sa chope de cidre chaud.

Clary frissonna et se rapprocha de Jace. Il n'avait pas dit un mot depuis qu'ils avaient laissé le pont derrière eux. Il semblait perdu dans ses pensées. Les passants – les filles en particulier – s'arrêtaient pour le regarder ; ses cheveux blonds juraient avec les teintes sombres et hivernales de la place de la Vieille-Ville.

— Quel sadisme, observa Clary.

Sébastien promena le doigt sur le bord de sa chope et le lécha.

— Le passé est un autre pays.

— Est un pays étranger, dit Jace.

Sébastien lui lança un regard distrait.

— Hein ?

— « Le passé est un pays étranger : on y fait les choses autrement qu'ici. » C'est la citation exacte.

Sébastien haussa les épaules et repoussa sa chope. On pouvait récupérer un euro en la rapportant au vendeur de cidre, mais il ne se donna pas cette peine.

— Partons, dit-il.

Clary n'avait pas fini son cidre, mais elle posa sa chope et suivit Sébastien, qui s'engagea dans un dédale de rues étroites. Jace l'avait repris ; pour une broutille, certes, mais la magie de Lilith n'était-elle pas censée l'enchaîner à son frère de manière qu'il prenne tout ce qu'il disait pour parole d'évangile ? Était-ce le signe, même minuscule, que le sort qui les liait l'un à l'autre commençait à se dissiper ?

Elle avait tort d'espérer, elle s'en rendait compte. Mais parfois, l'espoir était tout ce qu'il restait.

Les rues étaient de plus en plus étroites, de plus en plus obscures. Les nuages au-dessus de leurs têtes avaient complètement masqué le soleil couchant, et les vieux réverbères éclairaient des rubans de brume. Les trottoirs, qui s'étrécissaient eux aussi, les forçaient à marcher en file indienne. Si elle n'avait vu d'autres passants émerger de temps à autre du

brouillard, Clary aurait cru qu'elle avait fait un bond
dans le temps et atterri dans quelque ville fantôme.

Enfin, ils franchirent une arche en pierre donnant
sur une petite place. Tous les commerces avaient éteint
leurs lumières, à l'exception d'une petite échoppe qui
annonçait en lettres d'or : ANTIKVARIAT. De vieux
flacons remplis de substances en tous genres, avec
des étiquettes rédigées en latin, s'entassaient dans la
vitrine. À l'étonnement de Clary, Sébastien poussa
la porte d'un air décidé. Que pourrait-il bien faire de
ces vieux flacons ?

Sans réfléchir davantage, elle le suivit à l'intérieur.
La boutique était mal éclairée et sentait la naphtaline.
Elle était remplie du sol au plafond d'une quantité
impressionnante d'objets. De magnifiques cartes du
ciel se disputaient l'espace avec des salières sculptées
à l'image des figurines de l'horloge de la place de la
Vieille-Ville, des boîtes à cigares, des timbres sous
verre, de vieux appareils photographiques de Russie
ou d'Allemagne de l'Est, un splendide saladier en
verre taillé couleur émeraude posé à côté d'une pile
de vieux calendriers gondolés par l'humidité. Dans
un coin de la pièce, un vieux drapeau tchèque pendait
sur sa hampe.

Sébastien se fraya un chemin vers le comptoir au
fond de la boutique, et Clary s'aperçut que ce qu'elle
avait d'abord pris pour un mannequin de cire était en
réalité un vieillard au visage creusé de rides. Les bras
croisés, il était adossé au comptoir, sur lequel étaient
exposés quantité de bijoux anciens, de perles en verre
étincelantes, de petits sacs avec des fermoirs sertis de
pierres colorées et de boutons de manchette.

Sébastien s'adressa en tchèque au vieil homme, qui hocha la tête et désigna du menton Clary et Jace, l'air suspicieux. Clary s'aperçut que ses iris étaient rouge sombre. Elle se concentra en plissant les yeux pour éloigner le charme. Ce n'était pas facile ; il semblait coller au vieillard comme du papier tue-mouches. Pour finir, elle réussit seulement à entrevoir pendant quelques fractions de secondes la créature qui se tenait devant elle : elle était grande, de forme humaine, avec la peau grisâtre, des yeux couleur rubis, une bouche hérissée de dents pointues et de longs bras tentaculaires terminés par ce qui ressemblait à une tête d'anguille.

— Un Vétis, lui glissa Jace à l'oreille. Un lointain parent des dragons. Comme eux, ils aiment s'entourer d'objets qui brillent. Verroterie ou pierres précieuses, c'est du pareil au même à leurs yeux.

Sébastien regarda Clary et à Jace par-dessus son épaule.

— Je te présente mon frère et ma sœur, dit-il après un silence. On peut leur faire entièrement confiance, Mirek.

Un frisson parcourut le dos de Clary. Elle ne voulait pas se faire passer pour la sœur de Jace, même devant un démon.

— Je n'aime pas ça, grommela ce dernier. Je n'étais censé faire affaire qu'avec toi, Morgenstern. Je sais que Valentin a eu une fille, ajouta-t-il en désignant Clary, et un seul fils.

— Il l'a adopté, répondit Sébastien d'un ton détaché.

— Adopté ?

— La définition de la famille évolue sans cesse, de nos jours, intervint Jace d'un ton moqueur.

Le démon – Mirek – ne paraissait pas convaincu.

— Je n'aime pas ça, répéta-t-il.

— Tu vas adorer *ça*, en revanche, dit Sébastien en sortant de sa poche une bourse qu'il vida sur le comptoir.

Une grande quantité de pièces en bronze roula sur le plateau en verre qui recouvrait le meuble.

— Des pièces prélevées sur les yeux des cadavres. Il y en a une bonne centaine. Et toi, tu as ce que je t'ai demandé ?

Une des anguilles prit une pièce dans sa bouche et la mordilla doucement. Les yeux du démon étincelèrent.

— Tout cela est bien joli, mais ça ne suffira pas à payer ce que tu cherches.

D'un grand geste de son bras tentaculaire, il fit apparaître ce qui ressemblait à un fragment de cristal de roche, bien que celui-ci parût plus pur et plus lumineux, avec des reflets argentés. Clary comprit avec un choc que c'était avec ce même matériau que l'on fabriquait les poignards séraphiques.

— De l'adamas pur, dit Mirek. Le métal céleste. Sa valeur est inestimable.

La fureur se peignit sur les traits de Sébastien et, l'espace d'un instant, Clary revit le garçon malfaisant qui avait ri pendant que Hodge agonisait. Une seconde plus tard, il avait retrouvé son impassibilité.

— Mais on avait convenu d'un prix.

— On avait aussi décidé que tu viendrais seul, répliqua Mirek.

Ses yeux rouges se posèrent sur Clary, puis sur Jace, qui n'avait pas bougé, mais qui, tel un chat, semblait prêt à bondir.

— Je sais ce que tu pourrais me donner d'autre, poursuivit le démon. Une mèche des jolis cheveux de ta sœur.

— Très bien, fit Clary en s'avançant. Si ça peut te faire plaisir…

— Non ! s'exclama Jace en lui barrant le passage. Il pratique la magie noire, Clary. Tu n'as pas idée de ce qu'il pourrait faire avec une mèche de tes cheveux ou une goutte de ton sang.

— Mirek… dit Sébastien d'un ton conciliant sans regarder Clary. C'est impossible.

Soudain, elle fut saisie d'un doute. Si Sébastien voulait échanger une mèche de ses cheveux contre de l'adamas, qu'est-ce qui l'en empêchait ? Jace s'était interposé, mais il n'en était pas moins soumis aux ordres de son frère. Qu'est-ce qui pèserait le plus dans la balance ? La contrainte ou les sentiments ?

Le démon cligna paresseusement des yeux, à la manière d'un lézard.

— Impossible ?

— Tu ne toucheras pas à un cheveu de ma sœur. Et tu ne peux pas revenir sur notre marché. Personne ne dupe le fils de Valentin. Tu m'en donneras le prix convenu ou…

— Ou quoi ? rugit Mirek. Je vais le regretter ? Tu n'es pas Valentin, mon petit. Ça, c'était un homme qui inspirait la loyauté…

— C'est vrai, dit Sébastien en dégainant le poignard séraphique pendu à sa ceinture. Je ne suis pas

Valentin. Je n'ai pas l'intention de frayer avec les démons, contrairement à lui. Si je ne peux pas t'inspirer la loyauté, alors je t'inspirerai la peur. Sache que je suis bien plus puissant que mon père, et que si tu refuses de passer un accord honnête avec moi, je prendrai de force ce que je suis venu chercher.

Il murmura : « Dumah », et son poignard s'éclaira comme une colonne de feu.

Le démon eut un mouvement de recul et cracha quelques mots dans une langue inconnue. Jace avait déjà dégainé sa dague. Il appela Clary, mais trop tard. Quelque chose lui heurta violemment l'épaule, et elle tomba en avant. Elle roula prestement sur le dos, leva les yeux...

... et poussa un cri. Un énorme serpent se dressait au-dessus d'elle. Il avait le corps recouvert d'écailles et une tête de cobra, mais il se déplaçait au moyen de dizaines de petites pattes terminées par des griffes. Clary tâta fébrilement sa ceinture au moment où, les crocs dégoulinants de venin jaunâtre, la créature s'apprêtait à frapper.

Simon s'était rendormi après avoir « parlé » avec Clary. Quand il se réveilla, la lumière était allumée et Isabelle, en jean et tee-shirt – qu'elle avait dû emprunter à Alec, au vu des trous dans les manches et de l'ourlet décousu –, était agenouillée au pied du lit. De la pointe de sa stèle, elle était en train de tracer une rune juste en dessous de sa clavicule.

Il se hissa sur les coudes.

— Qu'est-ce que tu fabriques ?

— Je trace une *iratze*, répondit-elle.

Elle écarta ses cheveux pour lui montrer son cou, qui portait encore les traces de sa morsure. Au moment où elle achevait la rune, ils disparurent en laissant derrière eux deux petits points blanchâtres.

— Tu... te sens bien ? demanda Simon dans un souffle.

Il ravala ses autres questions : « Je t'ai fait mal ? Tu me prends pour un monstre, maintenant ? Est-ce que je t'ai fichu la trouille ? »

— Oui, ça va. J'ai dormi beaucoup plus tard que d'habitude, mais je suppose que c'est une bonne chose.

Elle glissa sa stèle dans sa ceinture puis, gracieuse comme un chat, elle grimpa sur le lit, s'assit à califourchon sur Simon et le regarda fixement. Il sentit son souffle sur son visage, aussi doux qu'un murmure. Il mourait d'envie de l'embrasser –, pas de la mordre, non, de l'embrasser –, mais à cet instant précis, l'interphone de l'appartement retentit. Quelques instants plus tard, quelqu'un tambourina si fort à la porte de la chambre qu'elle trembla sur ses gonds.

— Simon ! Isabelle ! fit la voix de Magnus. Écoutez, je me fiche de savoir ce que vous fabriquez. Habillez-vous immédiatement et rejoignez-moi dans le salon.

Simon et Isabelle échangèrent un regard perplexe.

— Qu'est-ce qui se passe ?

— Sortez de là, répondit Magnus, et ses pas s'éloignèrent en résonnant dans le couloir.

À la déception de Simon, Isabelle se leva en soupirant.

— À ton avis, de quoi il peut s'agir ?

— Je n'en ai aucune idée, répondit-il. Le clan des gentils doit se réunir d'urgence, on dirait.

Il avait trouvé l'expression amusante dans la bouche de Clary. Isabelle, elle, secoua la tête avec un soupir.

— Je ne suis pas sûre que ça existe encore, de nos jours, lâcha-t-elle.

13

Le Lustre en os

Au moment où le serpent plongeait vers Clary, un objet lumineux trancha net la tête du monstre dans un jet de venin et d'ichor. Clary roula sur le sol, mais quelques gouttes de la substance toxique éclaboussèrent sa poitrine. Le démon se volatilisa avant même que son corps ne touche terre. Elle essaya de se relever en étouffant un cri de douleur, et une main secourable apparut dans son champ de vision. « Jace », pensa-t-elle mais, levant les yeux, elle constata que c'était son frère qui se tenait devant elle.

— Viens, dit-il. Il y en a d'autres.

Elle prit sa main pour se relever. Il était lui aussi couvert de sang de démon, cette substance d'un noir tirant sur le vert qui brûlait la peau et les vêtements. Soudain, elle vit surgir derrière lui une autre créature à tête de serpent – « un Elapidae », songea-t-elle, un peu tard, au souvenir d'une illustration dans un livre. Sans réfléchir, elle poussa Sébastien, qui recula au moment où le démon frappait, et brandit la dague qu'elle venait de tirer de sa ceinture. Elle fit un écart pour éviter les crocs de la créature et planta l'arme dans sa chair. Son sifflement laissa place à un gargouillis quand elle lui ouvrit le ventre comme on vide un poisson. Du sang noir gicla sur sa main. Elle poussa un cri mais ne lâcha pas la dague pour autant, et le démon disparut.

Derrière elle, Sébastien était aux prises avec un autre Elapidae près de la porte de la boutique ; Jace se battait avec deux de ses semblables près d'un assortiment de céramiques anciennes, dont des débris jonchaient le sol. Clary lança son couteau comme Jace le lui avait appris. Il tournoya dans le vide et alla s'enfoncer dans le flanc d'une des créatures, qui recula avec un piaillement de douleur. Jace se retourna et, en l'apercevant, il lui adressa un clin d'œil avant de trancher la tête de l'autre démon, qui s'effondra par terre puis disparut. Couvert de sang noir de la tête aux pieds, Jace se tourna vers Clary avec un sourire triomphant.

Un sentiment étrange assaillit Clary, mélange d'allégresse et d'excitation. Jace et Isabelle lui avaient souvent parlé de l'euphorie qui les gagnait au cours d'une bataille, mais elle ne l'avait encore jamais éprouvée jusqu'à cet instant. Elle se sentait toute-puissante, son sang battait dans ses veines et tout semblait bouger au ralenti autour d'elle. Elle vit l'Elapidae blessé s'avancer vers elle à toute allure sur ses petites pattes d'insecte. Elle recula d'un pas, saisit le drapeau appuyé contre le mur et l'enfonça dans la gueule béante de la créature. La hampe lui perfora le crâne et elle disparut en emportant le drapeau avec elle.

Clary éclata de rire. Sébastien, qui venait d'achever un autre démon, se tourna vers elle, les yeux écarquillés de surprise.

— Clary ! Arrête-le ! cria-t-il et, faisant volte-face, elle vit Mirek qui essayait fébrilement d'ouvrir la porte de l'arrière-boutique.

Elle s'élança vers lui et, dégainant le poignard séraphique pendu à sa ceinture, cria : « Nakir ! » en se jetant sur le comptoir. Elle atterrit sur le démon, qu'elle plaqua au sol. Comme il tentait d'abattre sur elle un de ses tentacules, elle le trancha d'un coup de poignard et du sang noir jaillit du tronçon de chair. Mirek lui lança un regard implorant.

— Arrête, siffla-t-il. Je te donnerai ce que tu veux.

— J'ai déjà tout ce que je souhaite, susurra-t-elle avant de plonger son poignard dans la poitrine du démon, qui disparut avec un cri bref.

Clary retomba à genoux sur le sol.

Quelques instants plus tard, deux têtes blondes surgirent de derrière le comptoir. Jace ouvrait de grands yeux ; quant à Sébastien, il était très pâle.

— Au nom de l'Ange, Clary, souffla-t-il. L'adamas…

— Oh, ce machin ? Il est juste là.

Le fragment d'adamas avait roulé sous le comptoir. Clary le tendit à son frère.

Sébastien poussa un juron et lui prit des mains le précieux métal. Jace sauta d'un bond par-dessus le comptoir et atterrit près de Clary. Il s'agenouilla pour la serrer contre lui, les yeux assombris d'inquiétude.

— Je vais bien, dit-elle, le cœur battant.

Il ouvrit la bouche pour parler mais elle se pencha pour prendre son visage dans ses mains.

— Je me sens bien, je t'assure.

Malgré la sueur et l'ichor, elle avait une furieuse envie de l'embrasser.

— Ça suffit, tous les deux, dit Sébastien.

Clary s'écarta de Jace et regarda son frère, qui leur souriait en faisant négligemment tournoyer le fragment d'adamas dans sa main.

— Demain, on s'y met, annonça-t-il en désignant le métal céleste d'un signe de tête. Mais ce soir, une fois qu'on se sera un peu nettoyés... on fait la fête.

En entrant dans le salon, suivi de près par Isabelle, Simon tomba sur un bien étrange spectacle. Une lumière argentée émanait du pentagramme. Une colonne de fumée noire couronnée de volutes blancs s'élevait en son milieu et une odeur de brûlé flottait dans l'air. Magnus et Alec se tenaient au bord du cercle avec Jordan et Maia qui, à en juger par leurs manteaux et leurs bonnets, venaient à peine d'arriver.

— Qu'est-ce qui se passe ? demanda Isabelle en s'étirant. Qu'est-ce que vous avez tous, à regarder bêtement ce pentagramme ?

— Attends une minute, répondit Alec avec agacement, et tu verras.

Isabelle haussa les épaules et alla se poster près des autres. Soudain, la fumée blanche se mit à tournoyer de plus en plus vite, telle une tornade miniature qui traversa le cercle en traçant des lettres de feu :

AVEZ-VOUS PRIS VOTRE DÉCISION ?

— Il a fait ça toute la matinée ? demanda Simon.

Magnus leva les bras au ciel. Il portait un pantalon en cuir et un tee-shirt orné d'un éclair argenté.

— Et toute la nuit !

— Il repose sans cesse la même question ?

— Non, il varie un peu. Parfois, il nous insulte. Il a l'air de beaucoup s'amuser.

— Il peut nous entendre ? demanda Jordan. Ohé, salut à toi, démon !

Les lettres de feu se reformèrent.

SALUT À TOI, LOUP-GAROU.

Jordan recula d'un pas et se tourna vers Magnus.

— Est-ce que c'est... normal ?

Magnus semblait profondément mécontent.

— Certainement pas. Je n'avais encore jamais invoqué de démon aussi puissant qu'Azaël, mais quand bien même... J'ai lu beaucoup de livres, et je n'ai jamais trouvé d'allusion à ce genre de phénomène. Il devient incontrôlable.

— Il faut le renvoyer chez lui définitivement, déclara Alec. (Il secoua la tête.) Jocelyne avait peut-être raison. On ne gagne rien à invoquer les démons.

— Je suis à peu près sûr que je ne serais pas là si quelqu'un n'avait pas décidé d'en invoquer un, objecta Magnus. Crois-moi, Alec, je l'ai fait des centaines de fois. Je ne vois pas pourquoi ce coup-ci, ce serait différent.

— Azaël ne peut pas sortir du pentagramme, pas vrai ? demanda Isabelle.

— Non, répondit Magnus, mais il ne devrait pas pouvoir faire ce qu'il fait.

Jordan se pencha vers le pentagramme.

— C'est comment, l'enfer, mec ? Chaud ou froid ? J'ai entendu dire que c'était les deux.

Pas de réponse.

— Bien joué, Jordan, lâcha Maia. Tu l'as mis en pétard.

Jordan posa la pointe du pied sur le cercle.

— Est-ce qu'il peut prédire l'avenir ? Bon, pentagramme, est-ce que notre groupe va devenir célèbre ?

— C'est un démon de l'enfer, pas madame Irma, Jordan, répliqua Magnus d'un ton agacé. Et tiens-toi à l'écart du cercle. Si tu invoques un démon et que tu le pièges à l'intérieur d'un pentagramme, il ne peut rien contre toi. Mais entre dans le pentagramme, et il te tient à sa merci.

À cet instant, la colonne de fumée commença à se densifier et à prendre la forme d'Azaël. Son costume – un modèle très élégant à fines rayures grises – se matérialisa d'abord, suivi du démon lui-même, dont les yeux étincelants apparurent en dernier. Il regarda autour de lui, l'air visiblement satisfait.

— La bande au grand complet, lança-t-il. Alors, avez-vous pris une décision ?

— Oui, répondit Magnus, et je crois que nous allons nous passer de tes services. Merci quand même.

Un silence s'installa.

— Tu peux partir maintenant, reprit Magnus en agitant les doigts en signe d'adieu. Ciao !

— Je crois que je vais rester un peu, déclara Azaël d'un ton affable en sortant un mouchoir de sa poche pour se polir les ongles. Je me plais bien ici.

Magnus poussa un soupir et dit quelques mots à Alec, qui alla prendre un livre sur la table puis le tendit au sorcier. Magnus l'ouvrit et se mit à lire à voix haute :

— Esprit maudit, va-t'en. Retourne dans le royaume de la fumée et des flammes, des cendres et...

— Ça ne marche pas sur moi, intervint le démon d'un ton las. Essaie si tu veux mais moi, je reste ici.

Magnus le toisa, les yeux étincelants de rage.

— Tu ne peux pas nous forcer à conclure un marché avec toi.

— Je peux tenter le coup. Je n'ai pas grand-chose pour m'occuper...

Azaël s'interrompit au moment où une silhouette familière se glissait dans la pièce. C'était le Président Miaou, qui s'était sans doute lancé à la poursuite de quelque souris. Sous le regard pétrifié du petit groupe, le chat franchit le cercle et Simon, mu par un réflexe, bondit dans le pentagramme et le prit dans ses bras.

— Simon ! cria Isabelle en plaquant une main sur sa bouche, les yeux écarquillés d'horreur.

Il se tourna vers elle. Elle était pâle comme un linge. Il repensa aux paroles de Magnus. « Si tu invoques un démon et que tu le pièges à l'intérieur d'un pentagramme, il ne peut rien contre toi. Mais entre dans le pentagramme, et il te tient à sa merci. »

Simon sentit une main se poser sur son épaule. Il lâcha le Président Miaou, qui bondit hors du cercle et alla se cacher sous un canapé. Quand il se retourna, la silhouette massive d'Azaël se dressait au-dessus de lui. De près, il distinguait les flammes qui dansaient dans ses yeux insondables et les craquelures sur sa peau, semblables à des fissures dans du marbre. Azaël sourit, et Simon s'aperçut que chacune de ses dents était couronnée d'une pointe métallique.

Le démon souffla un nuage de soufre brûlant sur Simon. Il perçut vaguement les cris d'Isabelle et la voix de Magnus, qui s'était mis à réciter des incantations. Azaël le souleva de terre et prit son élan pour le jeter de toutes ses forces.

Mais soudain, il lâcha le jeune homme – qui se roula en boule par terre – et recula d'un bond comme s'il venait de heurter une barrière invisible. Il y eut un vacarme semblable à un éboulement de rochers, puis Azaël tomba à genoux. Après s'être relevé péniblement, il poussa un rugissement, montrant des dents étincelantes, et fonça sur Simon qui, comprenant trop tard que l'ennemi revenait à la charge, écarta d'une main tremblante ses cheveux sur son front.

Azaël s'arrêta net. Ses bras retombèrent le long de son corps.

— Est-ce bien toi, le vagabond ?

Simon se figea. Magnus psalmodiait toujours à voix basse, mais les autres s'étaient tus. Simon avait peur de croiser le regard de ses amis. Clary et Jace avaient déjà vu la Marque à l'œuvre, mais pas eux. Pas étonnant qu'ils restent sans voix.

— Non, dit Azaël en plissant les yeux. Non, tu es trop jeune et le monde trop vieux. Qui a osé apposer la Marque du ciel sur un vampire ? Et pour quelle raison ?

— Touche-moi encore et tu le sauras, répondit Simon.

Azaël émit un son à mi-chemin entre le rire et un grognement de dégoût.

— Sans façon, lâcha-t-il. Si vous essayez de faire plier la volonté du ciel, même ma liberté ne justifie

342

pas que j'unisse mon destin au vôtre. (Il parcourut la petite assemblée du regard.) Vous êtes tous fous. Bonne chance, petits humains. Vous en aurez besoin.

À ces mots, il disparut dans un jaillissement de flammes en ne laissant derrière lui qu'un nuage de fumée noire et la puanteur du soufre.

— Tiens-toi tranquille, ordonna Jace en se servant de la pointe de sa dague pour ouvrir le chemisier de Clary de haut en bas.

Il finit de lui ôter le vêtement avec des gestes maladroits, et elle se retrouva assise sur le bord du lavabo, en jean et caraco à bretelles. L'ichor et le venin avaient traversé le tissu de son jean et de son manteau, et le fragile chemisier en soie était fichu. Jace le jeta dans le lavabo rempli d'eau, où il se mit à grésiller et, appliquant la pointe de sa stèle sur l'épaule de Clary, il se mit à tracer les contours d'une rune de guérison.

Elle ferma les yeux sous l'effet de la brûlure, puis la douleur se calma peu à peu.

— Ça va mieux ? demanda Jace.

Elle rouvrit les yeux.

— Oui, beaucoup mieux.

Ce n'était pas une guérison totale ; l'*iratze* n'avait pas beaucoup d'effet sur les brûlures causées par un venin démoniaque, mais la peau des Chasseurs d'Ombres cicatrisait vite. En outre, Clary, encore grisée par la bataille qu'elle venait de mener, sentait à peine la douleur.

— À ton tour, dit-elle.

Il lui tendit la stèle en souriant. Ils se trouvaient dans l'arrière-boutique du magasin d'antiquités. Sébastien avait verrouillé la porte et éteint les lumières pour ne pas attirer l'attention des passants. Tout excité à la perspective de « fêter ça », il hésitait sur la marche à suivre : rentrer à l'appartement pour se changer ou aller directement dans une boîte du Malá Strana.

Bien que Clary trouvât malvenu de faire la fête, ses pensées étaient occultées par le battement du sang dans ses veines. Elle s'étonnait qu'il lui ait fallu se battre aux côtés de Sébastien pour réveiller tous ses instincts de Chasseuse d'Ombres. Elle se sentait capable de franchir d'un bond le vide entre deux immeubles ou de faire cent pompes d'affilée.

— Enlève ta chemise, ordonna-t-elle en prenant la stèle.

Tandis qu'il s'exécutait, elle s'efforça de rester de marbre. Il avait une longue coupure sur le flanc, aux bords rouge violacé, et des brûlures sur la clavicule et l'épaule droite, causées par des projections de sang démoniaque. Il n'en était pas moins d'une beauté renversante. Sa peau d'un or pâle, ses épaules larges, ses hanches étroites, cette fine ligne de poils blonds qui s'étendait de son nombril jusqu'à la taille de son jean... Elle appliqua sa stèle sur son épaule, et traça avec application ce qui devait être sa millionième rune de guérison.

— C'est bon ? fit-elle une fois qu'elle eut terminé.

— Mmmm, répondit-il distraitement en se penchant vers elle.

Elle perçut son odeur, mélange de sang, de sueur

et du savon bon marché qu'il avait trouvé sur le bord du lavabo. Il ajouta :

— Ça m'a plu, pas à toi ? De se battre ensemble.

— C'était... intense.

Il l'agrippa par la taille de son jean mais la vue de la bague en or à son doigt la dégrisa un peu. « Ne te laisse pas distraire. Ce n'est pas Jace, ce n'est pas Jace, ce n'est pas Jace. »

Il frôla ses lèvres d'un baiser.

— J'ai trouvé ça incroyable. Tu as été incroyable.

— Jace, murmura-t-elle, mais on frappa la porte.

Jace la lâcha brusquement et elle glissa en se cognant contre le robinet, qui s'ouvrit en les aspergeant d'eau froide. Elle poussa un cri de surprise et Jace éclata de rire, puis il se tourna pour pousser le verrou tandis qu'elle fermait le robinet.

C'était Sébastien, évidemment. Il semblait particulièrement propre, compte tenu des récents événements. Il avait troqué sa veste en cuir tachée contre un vieux manteau militaire qui lui donnait un look à la fois chic et bohème.

Il leva les sourcils.

— Tu peux m'expliquer ce que ma sœur fait dans ce lavabo ?

— C'est moi qui l'ai fait chavirer, répondit Jace en se baissant pour ramasser sa chemise déchirée.

— Je t'ai trouvé un vêtement de rechange, dit Sébastien à Clary, qui avait réussi à s'extirper du lavabo et dégoulinait d'eau savonneuse. C'est vintage. Il me semble que c'est ta taille.

Étonnée, Clary rendit sa stèle à Jace et prit le vêtement que Sébastien lui tendait. C'était une robe – une combinaison, à proprement parler – d'un noir de jais avec des bretelles rebrodées de perles. Elles étaient ajustables et le tissu de la robe extensible, de sorte que Sébastien avait vu juste : oui, elle devrait lui aller. D'un côté, elle n'avait pas envie de porter un vêtement choisi par lui mais elle ne pouvait décemment pas espérer entrer dans un club en chemisier déchiré et jean trempé.

— Merci, dit-elle. Allez, sortez de là, tous les deux, pendant que je me change.

Ils obéirent et fermèrent la porte derrière eux. Leurs voix lui parvinrent de l'autre pièce et, bien qu'elle ne puisse pas entendre ce qu'ils se disaient, elle comprit à leur ton joyeux qu'ils échangeaient des plaisanteries. Tranquillement. Le plus naturellement du monde. « Comme c'est bizarre », songea-t-elle en se déshabillant pour enfiler la robe. Jace, qui ne s'ouvrait presque jamais aux autres, riait et plaisantait avec Sébastien.

Elle se retourna pour s'examiner dans le miroir. Le noir faisait ressortir la pâleur de sa peau. Ses yeux semblaient plus grands, plus sombres, ses cheveux plus roux, ses bras et ses jambes plus minces et plus pâles. Les boots qu'elle portait avec son jean apportaient une touche masculine à sa tenue. Elle n'était pas sûre de se trouver jolie, mais elle avait la tête de quelqu'un qui ne se laisse pas faire.

Elle se demanda si Isabelle approuverait.

Elle retourna dans l'arrière-boutique, où s'entassaient toutes les vieilleries qui n'avaient pas trouvé leur place dans le magasin. Un rideau en velours séparait les deux pièces. Jace et Sébastien discutaient de l'autre côté, mais elle n'entendait toujours pas leur conversation. Elle écarta le rideau et s'avança vers eux.

Ils avaient allumé les lumières, après avoir baissé le store en fer afin de se soustraire à la curiosité des passants. Sébastien passait en revue le contenu des étagères, ses longues mains retournant chaque objet pour l'examiner avant de le remettre à sa place.

Jace fut le premier à s'apercevoir de la présence de Clary. Son regard s'éclaira, et elle se souvint de la première fois où il l'avait vue habillée sur son trente et un, dans des vêtements d'Isabelle, pour se rendre à la fête de Magnus. Comme ce jour-là, ses yeux détaillèrent d'abord ses bottes, puis ses jambes, ses hanches, sa taille et sa poitrine avant de s'arrêter sur son visage. Il eut un sourire indolent.

— Je pourrais invoquer que c'est une nuisette et pas une robe, mais je crois que ce n'est pas dans mon intérêt.

— Dois-je te rappeler que c'est ma sœur ? lança Sébastien.

— La majorité des frères seraient ravis qu'un parfait gentleman comme moi chaperonne leur sœur en ville, répliqua Jace en prenant une veste militaire sur un cintre pour l'essayer.

— « Chaperonne » ? répéta Clary. Tu parles comme au XVIIIe siècle.

— Ça va se finir en duel au pistolet à l'aube, lâcha Sébastien en écartant le rideau de velours. Il faut que j'aille me laver les cheveux, ils sont pleins de sang.

— Chochotte ! s'exclama Jace en souriant avant d'attirer Clary contre lui. Tu te souviens de la fête de Magnus ? ajouta-t-il en baissant la voix. Quand tu as débarqué dans le hall avec Isabelle et que Simon a failli avoir une crise d'apoplexie ?

— C'est drôle, j'étais justement en train d'y penser. (Elle leva la tête vers lui.) Je ne me rappelle pas t'avoir entendu commenter mon apparence ce soir-là.

Il glissa les doigts sous les bretelles de sa robe.

— Je pensais que tu ne m'aimais pas beaucoup. Et je ne crois pas qu'une description détaillée de ce que j'avais envie de te faire t'aurait fait changer d'avis.

— Tu pensais que je ne t'aimais pas ? s'étonna Clary. Jace, est-ce que ça existe, une fille qui ne t'aime pas ?

Il haussa les épaules.

— Les asiles psychiatriques regorgent sans doute de malheureuses qui n'ont pas eu la chance d'être exposées à mes charmes.

Une question qu'elle avait toujours eu envie de lui poser sans jamais oser le faire lui brûlait les lèvres. Mais après tout, ce qu'il avait fait avant de la connaître n'avait pas d'importance. Comme s'il lisait dans ses pensées, il posa sur elle un regard tendre.

— Avant de te connaître, je ne m'étais jamais inté-ressé à ce que les filles pensaient de moi.

Quand Clary reprit la parole, sa voix tremblait un peu.

— Jace, je me demandais...

— Vous êtes agaçants avec vos roucoulades, lâcha Sébastien, qui revenait de la salle de bains les cheveux mouillés. Vous êtes prêts ?

Clary s'écarta en rougissant, mais Jace ne se démonta pas.

— C'est nous qui t'attendons, dit-il.

— J'ai l'impression que vous avez trouvé un moyen de tuer le temps. Allez, en route. Croyez-moi, vous allez adorer cet endroit.

— Je ne vais jamais récupérer ma caution, dit Magnus d'un ton morne.

Assis sur la table parmi les cartons de pizza et les tasses de café, il regardait le « clan des gentils » s'efforcer de réparer les dégâts causés par Azaël – les trous encore fumants dans les murs, la substance noire et soufrée qui gouttait des canalisations du plafond, les traces de cendre par terre. Le Président Miaou ronronnait, vautré sur les genoux du sorcier. Si Magnus était dispensé de corvée de nettoyage, c'était parce qu'il avait accepté de mettre son appartement sens dessus dessous ; quant à Simon, il était exempté lui aussi parce que, depuis l'incident du pentagramme, personne ne savait quoi faire de lui. Quand il avait essayé de parler à Isabelle, elle avait agité son chiffon dans sa direction d'un air menaçant.

— J'ai une idée, dit-il soudain. (Il était assis à côté de Magnus, les coudes posés sur les genoux.) Mais elle ne va pas te plaire.

— Quelque chose me dit que tu as raison, Sherwin.

— Simon. Mon nom est Simon.

— Si tu veux, fit Magnus avec un geste désinvolte. Parle-moi de ton idée.

— Je porte la Marque de Caïn. Ça veut dire que je suis invincible, pas vrai ?

— À mon avis, un objet inanimé pourrait te tuer par accident. Donc si tu envisages d'apprendre à danser la lambada sur un sol savonneux à proximité d'un trou hérissé de pieux, je te le déconseille.

— Mince. Envolée, mon activité du samedi.

— Mais à part ça, je ne vois pas, conclut Magnus en reportant le regard sur Alec qui se débattait avec un balai-brosse. Pourquoi ?

— Ce qui s'est passé dans le pentagramme avec Azaël m'a donné une idée. Tu prétends qu'il est encore plus dangereux d'invoquer un ange qu'un démon parce qu'il pourrait faire pleuvoir le feu du ciel sur nous. Mais si c'est moi qui m'en charge... (Simon hésita.) Eh bien, moi je ne risque rien, pas vrai ?

— Toi ? Invoquer un ange ?

— Tu pourrais me montrer comment on fait. Je sais que je ne suis pas un sorcier, mais si Valentin a réussi, je devrais pouvoir y arriver, moi aussi, non ? Après tout, il y a des humains qui ont recours à la magie.

— Je ne peux pas te promettre que tu survivras à cette expérience, déclara Magnus, mais Simon perçut une pointe d'intérêt derrière sa mise en garde. La Marque est une protection divine, mais peut-elle te protéger du ciel lui-même ? Je ne connais pas la réponse.

— Je n'en espérais pas. Mais tu conviens que de nous tous, c'est moi qui ai les meilleures chances, pas vrai ?

Magnus lança un coup d'œil à Maia qui, après avoir éclaboussé Jordan, éclata de rire en le voyant se détourner avec un cri. Elle repoussa une mèche de ses cheveux en laissant une trace noire sur son front. Elle semblait si jeune !

— Oui, répondit-il à contrecœur. C'est probablement toi.

— Qui c'est, ton père ? demanda Simon.

Magnus posa sur Alec un regard aussi indéchiffrable que celui du chat qu'il tenait sur ses genoux.

— Ce n'est pas mon sujet de conversation préféré, Smedley.

— Simon, corrigea Simon. Si je dois mourir pour vous, la moindre des choses serait de te souvenir de mon prénom.

— Tu ne vas pas mourir pour moi, objecta Magnus. S'il n'y avait pas Alec, je…

— Tu quoi ?

— J'ai fait un rêve, poursuivit Magnus, le regard perdu dans le vague. J'ai vu une ville avec des tours faites d'ossements et des rivières de sang dans les rues. Tu peux peut-être sauver Jace, vampire, mais pas le reste du monde. Les ténèbres approchent. « Un pays d'une obscurité profonde, où règnent l'ombre de la mort et la confusion, et où la lumière est semblable aux ténèbres. » S'il n'y avait pas Alec, je serais déjà loin d'ici.

— Où ça ?

— Oh, je me serais caché en attendant la fin du monde. Je ne suis pas un héros.

Magnus souleva le Président Miaou et le posa par terre.

— Tu aimes assez Alec pour rester, dit Simon. C'est un genre d'héroïsme.

— Tu aimais assez Clary pour te sacrifier, répliqua Magnus avec une amertume qui ne lui ressemblait guère. Regarde où ça t'a mené. (Il éleva la voix.) Bon, venez par ici, vous tous. Sheldon a une idée.

— Qui est Sheldon ? s'enquit Isabelle.

Les rues de Prague étaient obscures et glaciales. Bien que Clary ait drapé son manteau couvert d'ichor sur ses épaules, elle sentait la brise mordante s'insinuer en elle et chasser le reste d'euphorie laissée par la bataille. Elle s'acheta un verre de vin chaud pour retrouver un peu du vertige qu'elle avait éprouvé et se réchauffer les mains tandis qu'ils s'enfonçaient dans un labyrinthe de ruelles de plus en plus étroites et de plus en plus sombres. Il n'y avait ni plaques indiquant le nom des rue ni passants autour d'eux ; la seule source de lumière provenait de la lune, qui apparaissait et disparaissait derrière d'épais nuages. Enfin, ils gravirent un petit escalier en pierre qui débouchait sur une minuscule place éclairée par une inscription en lettres lumineuses : KOSTI LUSTR.

— Qu'est-ce que ça veut dire, *Kosti Lustr* ? demanda Clary.

— « Lustre en os. » C'est le nom du night-club, répondit Sébastien en s'avançant vers la porte.

Ses cheveux blonds reflétaient les couleurs changeantes du néon : rouge vif, bleu froid et or.

— Tu viens ?

En pénétrant dans le club, Clary se heurta à un mur de bruit. La grande salle bondée dans laquelle elle se trouvait ressemblait à l'intérieur d'une église, avec ses murs percés de vitraux multicolores. Des spots rose vif, vert fluo ou violet incandescent éclairaient les visages extatiques des danseurs qui se mouvaient au son de la transe déversée par les haut-parleurs. Clary avait l'impression que la musique s'immisçait jusque dans ses veines et faisait vibrer ses os. Il régnait une chaleur étouffante due à l'entassement des corps, et une odeur de sueur se mêlait à celle de la bière et du tabac.

Clary était sur le point de proposer à Jace d'aller danser quand Sébastien lui toucha l'épaule. Elle se raidit mais ne protesta pas.

— Viens, lui glissa-t-il à l'oreille. On ne va pas rester ici avec les *hoi polloi*.

D'une main de fer, il la guida parmi la foule. Clary avait l'impression qu'on s'écartait pour les laisser passer ; les danseurs qui croisaient le regard de Sébastien reculaient en baissant les yeux. La chaleur s'intensifia, et la jeune fille suffoquait presque quand ils atteignirent l'autre côté de la salle. À cet endroit se trouvait une porte qu'elle n'avait pas remarquée jusque-là. Au-delà, un vieil escalier en pierre s'enfonçait dans les ténèbres.

Une clarté aveuglante lui fit lever les yeux. Jace avait sorti sa pierre de rune de sa poche. La lumière crue qui en émanait soulignait les pleins et les creux de son visage. Il esquissa un sourire.

— Facile est la descente.

Clary frissonna. Elle se souvenait parfaitement de la citation de Virgile. « Facile est la descente aux enfers. »

— Venez, dit Sébastien en s'engageant dans l'escalier d'un pas gracieux et décidé.

Clary le suivit avec une pointe d'appréhension. L'air se rafraîchissait à mesure qu'elle s'enfonçait dans les entrailles du bâtiment, et le martèlement de la musique s'atténuait. Le bruit de leur respiration résonnait autour d'eux et leur ombre s'allongeait sur les murs. Soudain, une musique au rythme entêtant lui transperça les oreilles. Elle avait presque le tournis quand, arrivée au pied des marches, elle pénétra dans une immense salle.

Tout était en pierre, des murs ventrus au sol lisse. Une statue d'ange massive était appuyée contre un mur, la tête dissimulée dans l'ombre du plafond. Des rivières de grenats semblables à des gouttelettes de sang étaient suspendues à ses ailes. Des explosions de lumière et de couleur fusaient çà et là comme des feux d'artifice. À chaque fois, une pluie de paillettes tombait sur les danseurs. Des pétales de rose noire flottaient dans les fontaines en marbre alimentées en eau pétillante. Et, dominant la foule, un énorme lustre en os était suspendu au plafond par une longue corde dorée.

Ce sinistre objet, très complexe, se composait de plusieurs colonnes vertébrales assemblées les unes aux autres, qui en formaient la structure. Des fémurs et des tibias soutenaient des crânes humains, sur lesquels étaient fixées les bougies. Leur cire noire semblable à du sang démoniaque dégouttait sur les danseurs, qui ne paraissaient pas s'en apercevoir. À vrai dire, ces gens qui tournaient, virevoltaient, frappaient dans leurs mains n'étaient pas des êtres humains. Ce fut Sébastien qui répondit à la question muette de Clary.

— Des loups-garous et des vampires, lança-t-il. À Prague, ils ont conclu un pacte. C'est ici qu'ils viennent se... détendre.

Une brise chaude comme le sirocco soufflait sur la foule. Elle souleva les cheveux blonds de Sébastien, qui dissimulaient son regard.

Clary ôta son manteau et le tint contre elle comme un bouclier. Elle regarda autour d'elle avec de grands yeux. Elle percevait la nature surnaturelle des gens qui l'entouraient, les vampires avec leur pâleur et leur grâce languide, les loups-garous avec leurs gestes vifs et brusques. La plupart étaient jeunes, et se collaient les uns aux autres.

— Mais ça ne les dérange pas que des Nephilim viennent ici ?

— Ils me connaissent, répondit Sébastien. Et ils savent que tu es avec moi. (Il lui arracha son manteau des mains.) Je vais te débarrasser de ça.

— Sébastien...

Mais il avait déjà disparu dans la foule.

Clary se tourna vers Jace. Les pouces glissés dans les passants de sa ceinture, il regardait autour de lui d'un air détaché.

— C'est un vampire qui tient le vestiaire ? demanda-t-elle.

— Et pourquoi pas ? (Jace sourit.) Tu noteras qu'il ne m'a pas proposé de prendre ma veste. La galanterie se perd.

Devant son air perplexe, il conclut :

— Bref. Il est sans doute allé parler à quelqu'un.

— Alors on n'est pas là uniquement pour s'amuser ?

— Avec Sébastien, ce n'est jamais uniquement

pour s'amuser. (Jace lui prit la main pour l'attirer contre lui.) Avec moi, oui.

Conformément aux prévisions de Simon, personne ne s'enthousiasma pour son plan. Une clameur désapprobatrice s'éleva, suivie de voix s'efforçant de le détourner de son projet et de questions concernant les risques qu'il courait, pour la plupart adressées à Magnus. Assis dans un coin, Simon attendit l'accalmie.

Puis il sentit une main effleurer son bras et, en se retournant, il se trouva nez à nez avec Isabelle. Elle lui fit signe de la suivre.

Ils se réfugièrent dans l'ombre d'une colonne tandis que la dispute continuait derrière eux. Comme Isabelle s'était violemment opposée à son idée dès le début, il s'attendit à subir les foudres de sa colère. Mais elle se contenta de l'observer, les lèvres pincées.

— OK, dit-il enfin, exaspéré par son silence. Je suppose que tu es fâchée contre moi.

— Sans blague ? Je te botterais bien les fesses, vampire, mais je n'ai pas envie d'abîmer mes nouvelles chaussures.

— Isabelle…

— Je ne suis pas ta copine.

— Oui, je sais, répondit Simon avec un pincement de déception malgré tout.

— Et je ne t'ai jamais reproché de passer du temps avec Clary. Je t'ai même encouragé. Je sais à quel point elle compte pour toi et inversement. Mais là… c'est un risque dingue que tu veux prendre. Tu es sûr de toi ?

Simon parcourut du regard l'appartement dévasté de Magnus et le petit groupe en train de se bagarrer au sujet de son avenir.

— Ce n'est pas que pour Clary.

— Quoi, c'est au sujet de ta mère, c'est ça ? s'exclama Isabelle. C'est parce qu'elle t'a traité de monstre ? Tu n'as rien à prouver, Simon. C'est son problème, pas le tien.

— Non, ce n'est pas ça. Jace m'a sauvé la vie. J'ai une dette envers lui.

Isabelle parut surprise.

— Tu ne fais pas juste ça pour payer ta dette, dis ? Parce qu'il me semble que désormais, tout le monde est quitte.

— Non, pas complètement. Écoute, on connaît tous la situation. On ne peut pas laisser Sébastien se balader en liberté. C'est trop dangereux. L'Enclave a raison sur ce point. Mais s'il meurt, Jace meurt aussi. Et si Jace meurt, Clary...

— Elle survivra, répliqua Isabelle d'un ton sévère. Elle est forte.

— Elle ne s'en remettra peut-être jamais. Je ne veux pas qu'elle souffre. Je ne veux pas que tu souffres, toi aussi.

Isabelle croisa les bras.

— Et tu crois qu'elle ne souffrira pas s'il t'arrive quelque chose ?

Simon se mordit la lèvre. Il n'y avait pas réfléchi.

— Et toi ?

— Quoi, moi ?

— Tu serais triste s'il m'arrivait quelque chose ?

Elle le dévisagea sans ciller, le dos bien droit, le menton relevé.

— Oui.

— Mais tu acceptes que j'aide Jace ?

— Oui.

— Alors tu dois me laisser suivre mon idée. Pas seulement pour Jace ou pour Clary, ou pour toi, bien que ce soit en grande partie la raison. Je pense que Magnus a vu juste : les ténèbres approchent. Je crois que Raphaël craint sincèrement qu'une guerre n'éclate et que, pour l'instant, nous ne connaissons qu'une infime partie du plan de Sébastien. Mais ce n'est pas un hasard s'il a emmené Jace. Il sait que nous avons besoin de lui pour gagner cette guerre. Il connaît sa nature.

— Tu es aussi brave que Jace, dit Isabelle.

— Peut-être, mais je ne suis pas un Nephilim. Je n'ai pas ses pouvoirs. Et je ne compte pas autant pour beaucoup d'entre vous.

— Ah, les destins exceptionnels ! murmura Isabelle. Simon... tu comptes beaucoup pour moi.

— Tu es une guerrière, Isa. C'est ta vie. Mais si tu ne peux pas t'en prendre à Sébastien sans faire du mal à Jace, tu ne pourras pas te battre dans cette guerre. Si tu dois tuer Jace pour la gagner, ton cœur ne s'en remettra pas. Je peux faire quelque chose pour t'épargner ça.

— Ce n'est pas juste, dit-elle, la gorge nouée. Que ça tombe sur toi...

— J'ai choisi ce qui m'arrive. Pas Jace.

Isabelle soupira.

— D'accord, fit-elle et, le prenant par le coude, elle

l'entraîna vers les autres qui se turent en les voyant approcher, comme s'ils venaient enfin de s'apercevoir de leur absence.

— Ça suffit, dit-elle après s'être éclairci la voix. Simon a pris sa décision et ça ne regarde que lui. Il va invoquer Raziel. Et on va faire de notre mieux pour l'aider.

Ils dansèrent. Clary essayait de s'abandonner au martèlement de la musique, aux pulsations du sang dans ses veines, comme à l'époque où elle fréquentait le Pandémonium avec Simon. Contrairement à lui, Jace était un excellent danseur. Cela n'avait rien de surprenant. Du fait de l'entraînement au combat qu'il avait suivi et de sa grâce naturelle, son corps lui obéissait en tout ou presque. Quand il renversait la tête en arrière, sa gorge luisait de sueur à la lumière du lustre en os.

Elle remarqua que les autres danseurs l'observaient. Leur regard exprimait la méfiance, l'admiration, voire la convoitise. Un accès de possessivité incontrôlable s'empara d'elle. Elle se colla contre lui, à la manière de ces filles qu'elle avait souvent observées sur la piste sans jamais oser les imiter. Elle avait toujours pensé qu'elle serait maladroite, mais elle avait changé. Les mois d'entraînement payaient non seulement lors des combats mais aussi chaque fois qu'elle se servait de son corps. Pour la première fois, elle avait vraiment l'impression de le contrôler.

Jusqu'alors, Jace avait gardé les yeux fermés. Il les rouvrit au moment où une explosion de couleurs illuminait les ténèbres au-dessus d'eux. Des gouttes de liquide aux reflets métalliques s'abattirent sur leur tête. Bientôt, elles constellèrent la peau et les cheveux de Jace. Il en récolta une sur le bout de son doigt et la montra à Clary en souriant.

— Tu te souviens de ce que je t'ai dit au sujet de la nourriture féerique la première fois qu'on est allés chez Taki's ?

— Tu m'as raconté que tu avais couru tout nu dans Madison Avenue avec une ramure de cerf sur la tête, répondit Clary en clignant des yeux pour chasser de ses cils des gouttelettes argentées.

— Je n'ai jamais dit que ça m'était arrivé à moi, protesta-t-il. Eh bien, ce truc-là, c'est pareil. Ça rend fou. Mais ça peut être drôle, ajouta-t-il après un silence.

Il y eut une autre explosion au-dessus de leurs têtes. Cette fois, elle libéra un liquide bleu argenté. Jace en lécha une goutte tombée sur le dos de sa main sans cesser d'observer Clary.

Elle n'avait jamais bu et n'avait jamais pris de drogue, hormis la fois où, avec Simon, elle avait subtilisé une bouteille de Kahlúa dans le placard de sa mère, vers l'âge de treize ans. Ils avaient été malades ; Simon avait même fini par vomir dans une haie. Ce n'était pas un très bon souvenir, mais elle se rappelait la sensation de vertige, les fous rires idiots, la gaieté inexplicable.

Quand Jace baissa la main, sans cesser de la regarder, sa bouche avait des reflets argentés. Il semblait heureux.

Elle repensa aux jours qui avaient suivi la Guerre Mortelle, avant que Lilith ne prenne possession de l'esprit de Jace. À ce moment-là, il était encore le Jace heureux de la photo accrochée au mur. Oh oui, ils avaient été heureux, tous les deux. À cette époque-là, elle n'éprouvait pas le moindre doute quand elle le regardait, ni cette sensation de malaise, semblable à la piqûre de minuscules aiguilles, qui les éloignait l'un de l'autre.

Après s'être hissée sur la pointe des pieds, elle l'embrassa avec ferveur. Sa bouche avait un goût aigre-doux, mélange de sucre et de vin. Une pluie de gouttelettes argentées s'abattit de nouveau sur eux, et elle s'écarta de lui en se léchant délibérément les lèvres. Jace tendit la main vers elle mais elle se détourna en riant.

Soudain, elle se sentit libre et incroyablement légère. Elle savait qu'elle avait une tâche terriblement importante à accomplir, mais laquelle ? Elle ne parvenait pas à s'en souvenir. Les visages des danseurs autour d'elle ne l'effrayaient plus, elle s'étonnait de les trouver si beaux. Elle virevoltait dans une immense caverne, et les ombres qui l'entouraient avaient des couleurs plus belles et plus vives que n'importe quel coucher de soleil. La statue de l'ange avait une expression mille fois plus bienveillante que Raziel et sa froide lumière blanche. Un chant pur et cristallin s'échappait de ses lèvres. Elle tournait de plus en plus vite, oubliant ses peines et ses souvenirs, quand quelqu'un la ceintura par-derrière. Baissant la tête, elle vit deux mains couvertes de cicatrices lui enserrer la taille, de longs doigts gracieux, une rune de Voyance. Jace. Elle s'abandonna contre lui en fermant les yeux, la tête nichée au creux de son épaule. Elle sentait son cœur battre contre sa colonne vertébrale.

Brusquement, elle ouvrit les yeux et fit volte-face.

— Sébastien, murmura-t-elle.

Son frère la dévisagea en souriant.

— Clarissa, j'ai quelque chose à te montrer.

Clary voulut protester, mais ne parvint pas à se rappeler pourquoi elle devait dire non. C'était son frère ; elle devait l'aimer. Il l'avait emmenée dans cet endroit merveilleux. Il avait peut-être mal agi mais c'était du passé, et elle ne se rappelait plus ce qu'il avait fait de mal.

— J'entends des anges chanter dans ma tête, lui dit-elle.

Il gloussa.

— Tu as découvert que ces trucs argentés ne sont pas que des paillettes, à ce que je vois. (Il lui caressa la joue de son index ; quand il retira son doigt, il était couvert de la substance en question.) Viens, mon petit ange, ajouta-t-il en lui offrant sa main.

— Mais Jace... protesta-t-elle. Je l'ai perdu dans la foule...

— Il nous retrouvera.

La main de Sébastien se referma sur la sienne. Elle s'étonna de la trouver chaude et rassurante. Il l'entraîna vers l'une des fontaines au milieu de la pièce et la fit asseoir sur le rebord en marbre. Puis il s'assit à côté d'elle sans lui lâcher la main.

— Regarde dans l'eau, lança-t-il. Dis-moi ce que tu vois.

Elle se pencha sur la surface sombre du bassin. Elle examina ses yeux écarquillés, son maquillage qui avait coulé, ses cheveux emmêlés. Puis Sébastien se pencha à son tour. La couleur de ses cheveux lui rappelait celle du reflet de la lune dans les eaux d'une rivière. Elle tendit la main pour les toucher, et la surface du bassin se troubla, déformant leur image.

— Qu'est-ce qu'il y a ? demanda Sébastien.

Une inquiétude sourde perçait dans sa voix. Clary secoua la tête ; à quoi jouait-il ?

— Je nous ai vus, toi et moi, répondit-elle d'un ton réprobateur. C'est tout.

Il lui prit le menton pour qu'elle se tourne vers lui. Ses yeux étaient noirs comme la nuit ; un cercle gris séparait la pupille de l'iris.

— Tu ne vois pas ? On est pareils, toi et moi.

— Pareils ? répéta-t-elle en clignant des yeux. Non...

— Tu es ma sœur. Nous avons le même sang.

— Tu as du sang de démon dans les veines, lui rappela-t-elle. Le sang de Lilith. (Sans qu'elle puisse s'expliquer pourquoi, la chose lui sembla drôle, et elle se mit à glousser.) Toi, tu es l'ombre. Jace et moi, la lumière.

— Toi aussi, tu as une part d'ombre, fille de Valentin. Même si tu refuses de l'admettre. Si tu veux Jace, tu ferais mieux de l'accepter. Car il est en ma possession, désormais.

— Et toi, qui te possède ?

Sébastien ouvrit la bouche pour répondre, mais parut se raviser. Pour la première fois, il semblait à court d'arguments. Clary s'en étonna ; elle avait parlé sans réfléchir, sans que ses propos veuillent dire

grand-chose pour elle. Avant qu'elle puisse poursuivre, la voix de Jace s'éleva près d'eux.

— Qu'est-ce que vous faites ?

Il les observa tour à tour d'un air indéchiffrable.
Des gouttes argentées s'accrochaient encore à l'or de
ses cheveux.

— Clary, reprit-il d'un ton vaguement agacé.

Elle se leva d'un bond.

— Désolée. Je me suis perdue dans la foule.

— J'ai remarqué. Je dansais avec toi et tu as disparu
sans explication. Puis un loup-garou très insistant a
essayé de déboutonner mon jean.

Sébastien ricana.

— Garçon ou fille ?

— Je ne sais pas trop. Dans un cas comme dans
l'autre, il aurait pu se raser. (Il prit la main de Clary.)
Tu veux rentrer ou tu as encore envie de danser ?

— Ça te va si je danse encore un peu ?

— Allez-y, tous les deux, lâcha Sébastien avec un
sourire féroce. Ça ne me dérange pas de vous regarder.

Un souvenir surgit dans l'esprit de Clary : la vision
d'une empreinte de main sanglante. Elle s'évanouit
aussi vite qu'elle était venue, et Clary fronça les sourcils. La nuit était trop belle pour nourrir de vilaines
pensées. Elle jeta un dernier regard à son frère avant
que Jace ne l'entraîne de nouveau vers la foule. Une
autre boule de lumière colorée éclata au-dessus de
leurs têtes en faisant pleuvoir des gouttes argentées,
et elle leva la tête pour goûter leur saveur sur sa
langue.

Jace s'arrêta sous le lustre en os et elle se serra
contre lui tandis que le liquide coulait sur son visage

comme des larmes. À présent, ils ne dansaient plus vraiment : la foule tournoyait autour d'eux au rythme hypnotique de la musique, mais Clary y prêtait à peine attention. Un couple passa près d'eux en éclatant de rire et fit un commentaire moqueur en tchèque ; Clary ne le parlait pas, mais elle comprit sans mal ce qu'ils disaient : « Il y a des hôtels pour ça. »

Avec un soupir agacé, Jace lui prit la main et se fraya un chemin vers les alcôves qui s'alignaient le long des murs. Il y en avait des dizaines, de forme circulaire, dotées d'un banc et d'un rideau de velours qui permettait de s'isoler de la piste de danse. Jace tira le rideau et ils se jetèrent dans les bras l'un de l'autre.

Il faisait sombre dans l'alcôve, si sombre que Jace n'était plus qu'une silhouette se détachant sur l'obscurité. Il la plaqua contre le mur et ses mains descendirent le long de son corps jusqu'à trouver le bas de sa robe, qu'il remonta sur ses jambes.

— Qu'est-ce que tu fais ? murmura-t-elle. Jace ?

Les yeux de Jace brillaient dans la pénombre. Il eut un sourire malicieux.

— Tu n'auras qu'à me dire stop si tu veux que je m'arrête. Mais tu ne diras rien.

Sébastien écarta le rideau poussiéreux qui fermait l'alcôve et sourit.

Un homme était assis sur le banc, les coudes posés sur la table. Il avait de longs cheveux noirs tirés en arrière, une cicatrice en forme de feuille d'arbre sur une joue et des yeux émeraude. Il portait un costume blanc, et une pochette rebrodée de feuilles vertes dépassait de la poche de sa veste.

— Jonathan Morgenstern, dit l'homme.

Sébastien ne le corrigea pas. Les fées accordaient une grande importance aux noms, et ne l'auraient jamais appelé autrement que par celui que son père lui avait donné.

— Je n'étais pas certain que tu viendrais, Meliorn.

— Dois-je te rappeler que le Petit Peuple ne ment jamais ? répliqua le chevalier. (Il se pencha pour fermer le rideau derrière Sébastien.) Entre et assieds-toi. Un verre de vin ?

Sébastien s'installa sur le banc.

— Non, merci.

Le vin risquait de lui embrouiller l'esprit et les fées avaient la réputation de bien tenir l'alcool.

— Je dois dire que ton message m'a surpris, reprit-il.

— Tu es bien placé pour savoir que la reine s'intéresse de près à ta petite personne. Elle connaît tous tes faits et gestes. (Meliorn prit une gorgée de vin.) On a recensé une importante activité démoniaque à Prague ce soir. Elle s'inquiétait.

Sébastien ouvrit grand les bras.

— Comme tu peux le voir, je suis sain et sauf.

— De tels troubles ne manqueront pas d'attirer l'attention des Nephilim. J'en ai déjà repéré quelques-uns qui batifolent dans la foule.

— Je sais. Je les ai vus aussi. La reine ne fait pas grand cas de moi si elle s'imagine que je ne peux pas m'occuper tout seul de quelques Chasseurs d'Ombres.

Sébastien tira une dague de sa ceinture et la fit tournoyer devant lui.

— Je lui répéterai tes dires, marmonna Meliorn. Je dois admettre que je ne comprends guère l'intérêt qu'elle te porte. J'ai pris ta mesure et je ne te trouve pas à la hauteur, mais il faut croire que je n'ai pas les mêmes goûts que ma dame.

— « Tu as été pesé dans la balance et tu as été trouvé léger », cita Sébastien d'un ton amusé. Laisse-moi t'expliquer, chevalier. Je suis jeune. Je suis beau. Et je suis prêt à mettre le monde à feu et à sang pour obtenir ce que je veux. Comme moi, la reine a des objectifs à long terme. Mais ce que je voudrais savoir, c'est : quand sera venue la fin des Nephilim, de quel côté sera la Cour ? Avec moi ou contre moi ?

— Notre reine est dans ton camp, répondit Meliorn, impassible.

Sébastien esquissa un sourire.

— Voilà une excellente nouvelle.

Meliorn ricana.

— J'ai toujours pensé que la race humaine s'éteindrait toute seule. Il y a un millénaire, j'ai prophétisé que vous seriez responsables de votre propre mort. Mais je ne m'attendais pas à une telle fin.

Sébastien retourna sa dague entre ses doigts.

— Personne ne s'y attend.

— Jace, murmura Clary. Jace, on pourrait nous voir.

— Mais non, dit-il en l'embrassant dans le cou.

Elle avait du mal à rester accrochée au réel alors que les mains de Jace exploraient son corps. Les pensées se bousculaient dans sa tête, et ses doigts agrippaient le tee-shirt de Jace à le déchirer.

Elle sentait le mur glacé contre son dos, mais Jace avait fait glisser la bretelle de sa robe pour lui embrasser l'épaule, si bien qu'elle avait chaud et froid en même temps, et qu'elle frissonnait. Le monde semblait s'être fractionné en une multitude de fragments colorés comme dans un kaléidoscope, et il lui semblait qu'elle allait se déliter sous ses mains.

— Jace... murmura-t-elle en s'agrippant de plus belle à son tee-shirt, qui lui poissait les doigts.

Elle baissa les yeux et, l'espace d'une seconde, ne comprit pas ce qu'elle voyait. Un liquide aux reflets rouges et argentés. Du sang.

Elle leva la tête et vit, suspendu au plafond comme une monstrueuse piñata, un corps humain, la tête en bas. Du sang s'écoulait de sa gorge tranchée.

Elle voulut crier, mais aucun son ne franchit ses lèvres. Repoussant Jace dont les cheveux, les vêtements et les bras nus étaient couverts de sang, elle rajusta les bretelles de sa robe et tituba vers le rideau, qu'elle tira d'un coup sec.

La statue de l'ange avait changé d'aspect. Elle avait désormais des ailes de chauve-souris, et son visage bienveillant était déformé par un rictus narquois. Des corps mutilés d'hommes, de femmes et d'animaux étaient suspendus au plafond, et une pluie de sang s'abattait sur la foule. Les fontaines étaient remplies de sang, et ce que Clary avait pris pour des fleurs flottant à la surface des bassins étaient en réalité des mains tranchées. Un couple passa près de Clary : l'homme, grand et pâle, tenait dans ses bras une femme inerte, manifestement morte. Il lécha ses lèvres et, avant de se pencher pour la mordre encore, il sourit à Clary. Jace la rattrapa par le bras, mais elle se dégagea brusquement pour observer les aquariums alignés contre un mur. Elle avait d'abord cru qu'ils contenaient des poissons scintillants. En réalité, c'étaient des cadavres qui flottaient dans leurs eaux noires, leur chevelure ondulant autour d'eux comme des filaments de méduse. Elle songea à Sébastien dans son cercueil de verre. Un cri s'étrangla dans sa gorge, puis le silence et les ténèbres l'engloutirent.

14

Comme des cendres

Clary reprit lentement conscience, avec la même sensation de vertige que ce premier matin à l'Institut, quand elle s'était réveillée sans savoir où elle était. Tout son corps était endolori, et elle avait l'impression d'avoir reçu un coup de massue sur la tête. Sentant quelque chose peser sur son ventre, elle baissa les yeux et elle vit une main protectrice posée dessus. Elle reconnut les Marques, les cicatrices blanches à peines visibles et même le réseau de veines bleues sur l'avant-bras de Jace. La tension dans sa poitrine se relâcha et elle se redressa doucement dans le lit.

Elle reconnut le décor familier de la chambre de Jace, sa propreté méticuleuse. Il n'avait pas défait les draps et dormait dans ses vêtements de la veille, la tête appuyée contre le bois du lit. Il avait gardé ses chaussures, et il était encore couvert de la substance bizarre du club.

Il remua légèrement dans son sommeil, comme s'il percevait son absence, et replia son bras libre. Il paraissait épuisé ; sous ses longs cils baissés se dessinaient des cernes. Quand il dormait, il avait l'air vulnérable d'un petit garçon. Dans cette position, il semblait être redevenu lui-même.

Mais ce n'était pas le cas. Des images de la veille assaillirent Clary : les mains de Jace dans le noir, les cadavres, le sang. Elle eut un haut-le-cœur et plaqua la main sur sa bouche. Derrière la nausée subsistait l'impression tenace qu'un détail lui échappait.

Un détail important.

— Clary ?

Quand elle se retourna, Jace l'observait, les yeux mi-clos. La fatigue ternissait l'or de ses iris.

— Pourquoi tu es réveillée ? demanda-t-il. Le jour n'est même pas levé.

— Hier soir... répondit-elle d'une voix tremblante. Les corps... le sang...

— Quoi ?

— Je sais ce que j'ai vu.

Il secoua la tête.

— Les drogues féeriques. Tu savais, pourtant...

— Ça semblait si réel.

— Je suis désolé. J'avais envie de m'amuser. Elles sont censées rendre heureux, faire voir de jolies choses. J'avais envie qu'on s'amuse ensemble.

— J'ai vu du sang, murmura-t-elle. Et des cadavres flottant dans des aquariums.

— Des hallucinations.

— Et ce qui s'est passé entre nous... ?

Clary s'interrompit. Jace avait refermé les yeux. Sa poitrine se soulevait et s'abaissait au rythme paisible de sa respiration. Il s'était rendormi.

Elle se leva et alla se planter devant le miroir de la salle de bains. Le liquide argenté formait des plaques sur son corps. Cela lui fit penser au jour où un de ses stylos avait explosé dans son cartable et ruiné tout son contenu. Une des bretelles de son soutien-gorge était cassée, sans doute à cause des assauts répétés de Jace la nuit précédente. Son mascara avait laissé des traces noires sous ses yeux.

Le cœur au bord des lèvres, elle ôta la robe et les sous-vêtements, qu'elle jeta dans le panier à linge sale avant de se glisser sous le jet chaud de la douche.

Elle se lava les cheveux plusieurs fois pour les débarrasser de la substance poisseuse qui avait séché. C'était comme essayer d'ôter de la peinture à l'huile. L'odeur, tenace, rappelait celle de l'eau d'un vase dans lequel on aurait laissé pourrir des fleurs. Il lui semblait que tout le savon du monde ne suffirait pas à l'éradiquer.

Quand elle se sentit enfin propre, elle s'essuya et retourna dans la chambre pour s'habiller. Quel soulagement de retrouver son jean et ses bottes, et d'enfiler un sweat-shirt douillet. Ce n'est qu'en mettant ses chaussures qu'elle comprit enfin le pourquoi de son malaise, de cette impression qu'il lui manquait quelque chose. Elle se figea.

La bague. La bague en or qui lui servait à communiquer avec Simon. Elle avait disparu.

Affolée, elle se mit à sa recherche, vidant la panière à linge au cas où elle se serait prise dans la maille de sa robe, fouillant chaque recoin de la chambre de Jace, qui dormait toujours paisiblement. Elle passa la moquette et les draps au peigne fin, puis inspecta les tiroirs de la table de nuit.

Enfin, elle s'assit au bord du lit, le cœur battant, l'estomac noué.

La bague avait disparu. Elle l'avait égarée à un moment ou à un autre. Elle essaya de se rappeler la dernière fois où elle l'avait vue à son doigt. La portait-elle quand elle s'était battue contre les Elapidae ? L'avait-elle perdue chez l'antiquaire ou dans la boîte de nuit ?

Elle enfonça les ongles dans la toile de son jean. « Concentre-toi, se dit-elle. Concentre-toi. »

La bague avait pu glisser de son doigt alors qu'elle se trouvait dans l'appartement. Jace avait peut-être dû la porter pour rentrer. Elle tenait là une chance minuscule, mais il fallait explorer toutes les hypothèses.

Elle sortit dans le couloir sur la pointe des pieds, prit la direction de la chambre de Sébastien puis se ravisa. Elle ne voyait pas comment sa bague aurait pu échouer là-bas et le réveiller pouvait s'avérer contre-productif. Elle rebroussa chemin et descendit les marches en s'efforçant de faire le moins de bruit possible.

Les pensées se bousculaient dans sa tête. Sans moyen de contacter Simon, qu'allait-elle devenir ? Elle devait absolument l'informer au sujet de la boutique d'antiquités et de l'adamas. Elle aurait dû lui parler plus tôt. Elle avait envie de donner des coups de pied dans le mur, mais elle se força à se calmer, à réfléchir aux choix qui s'offraient à elle. Sébastien et Jace commençaient à lui faire confiance ; si elle parvenait à les semer pendant quelques minutes dans une rue bondée, elle pourrait peut-être appeler Simon d'une cabine téléphonique ou lui envoyer un e-mail d'un cybercafé. Elle connaissait mieux qu'eux les technologies terrestres. Le fait d'avoir perdu la bague ne signifiait pas que tout était fini.

Elle n'abandonnerait pas.

Elle était si absorbée dans ses pensées qu'elle ne vit pas Sébastien tout de suite. Par chance, il lui tournait le dos. Il se tenait debout dans le salon, face au mur.

Clary se figea au pied de l'escalier puis alla se plaquer contre la cloison qui séparait la cuisine de la pièce principale. « Il n'y pas de raison de paniquer », songea-t-elle. Elle vivait là. Si Sébastien l'apercevait, elle n'aurait qu'à prétexter qu'elle était descendue boire un verre d'eau.

L'occasion de l'observer à son insu était trop belle. Elle risqua un œil par-dessus le comptoir de la cuisine.

Sébastien lui tournait toujours le dos. Il avait troqué ses vêtements de la veille contre un jean et une chemise propres. Il tenait une stèle dans sa main droite, l'air pensif, et pendant un bref instant, il lui fit penser à Jocelyne, à sa façon de tenir un pinceau.

Elle ferma les yeux, émue et troublée comme à chaque fois qu'elle trouvait une similitude entre Sébastien et sa mère ou elle-même. Cela lui rappelait que le même sang coulait dans leurs veines.

Elle rouvrit les yeux juste à temps pour voir une porte apparaître devant Sébastien. Il prit une écharpe suspendue à une patère et disparut dans les ténèbres.

Clary n'eut qu'une fraction de seconde pour se décider. Devait-elle rester pour fouiller les chambres ou suivre Sébastien ? D'un bond, elle franchit la porte avant qu'elle ne se referme sur elle.

La pièce où dormait Luke n'était éclairée que par la lumière des réverbères que les stores laissaient passer. Jocelyne aurait peut-être dû demander une lampe, mais elle préférait rester dans l'obscurité. Cela lui évitait de voir sa blessure, la pâleur de son visage, les cernes sous ses yeux.

Dans cette pénombre, il ressemblait beaucoup au garçon qu'elle avait connu à Idris avant la création du Cercle. Elle le revoyait dans la cour de l'école, silhouette frêle aux cheveux bruns, aux yeux bleus et aux mains fébriles. Il était alors le meilleur ami de Valentin et pour cette raison, personne ne le regardait vraiment, y compris elle, sans quoi elle n'aurait pas été aussi aveugle quant à ses sentiments pour elle.

Elle repensa au jour de son mariage avec Valentin. Le soleil brillait à travers la verrière en cristal de la Salle des Accords. Elle avait dix-neuf ans à l'époque, Valentin vingt, et elle se rappelait la tristesse de ses parents, qui la trouvaient trop jeune pour se marier. Mais leur désapprobation ne l'avait pas affectée : ils ne pouvaient pas comprendre. Elle était convaincue alors qu'elle n'avait besoin de personne d'autre que de Valentin.

Luke était le témoin du marié. Elle se souvenait de l'expression de son visage quand elle avait marché dans l'allée ; elle ne lui avait jeté qu'un bref regard avant de concentrer toute son attention sur Valentin, mais elle se rappelait avoir pensé qu'il devait être malade. Plus tard, sur la place de l'Ange, tandis que les invités se pressaient autour d'eux (la plupart des membres du Cercle étaient présents, y compris

Maryse et Robert Lightwood, déjà mariés, et le jeune Jeremy Pontmercy, âgé d'à peine quinze ans), quelqu'un avait lancé sur le ton de la plaisanterie que si le marié s'était défilé, la mariée aurait dû épouser le témoin. Luke, vêtu d'un beau costume, arborait les runes censées porter chance à leur mariage. Il avait fière allure mais quand tout le monde avait ri, il avait blêmi. « Il doit vraiment haïr l'idée de m'épouser », avait-elle songé.

— Ne fais pas cette tête, avait-elle dit en riant. Je sais qu'on se connaît depuis toujours, mais je te promets que tu ne seras jamais obligé de me prendre comme femme !

Puis Amatis était arrivée en traînant derrière elle un Stephen hilare, et Jocelyne avait oublié Luke, le regard qu'il lui avait lancé et la façon étrange dont Valentin l'observait.

Elle lança un coup d'œil à Luke et sursauta. Il avait ouvert les yeux pour la première fois depuis plusieurs jours, et il la regardait.

— Luke... murmura-t-elle.

Il semblait perplexe.

— J'ai dormi longtemps ?

Elle avait envie de se jeter dans ses bras, mais l'épais pansement qui lui enveloppait la poitrine l'en empêcha. Elle lui prit la main, la posa sur sa joue en nouant ses doigts autour des siens et ferma les yeux pour retenir ses larmes.

— Trois jours environ.

— Jocelyne, dit-il d'un ton alarmé. Pourquoi sommes-nous au commissariat ? Où est Clary ? Je ne me souviens de rien...

En s'efforçant de maîtriser le tremblement de sa voix, elle lui raconta ce qui s'était passé : Sébastien, Jace, le fragment de métal démoniaque logé dans sa blessure, l'aide des Praetor Lupus.

— Clary, dit-il quand elle eut fini. Il faut aller la chercher.

Il lui lâcha la main et se redressa péniblement dans son lit. Même dans la pénombre, elle le vit pâlir et grimacer de douleur.

— C'est impossible, Luke. Rallonge-toi, je t'en prie. Tu ne crois pas que s'il existait un moyen de la retrouver, je serais partie sur-le-champ ?

Il posa les pieds par terre puis, avec un gémissement de douleur, il s'appuya sur les mains. Il avait l'air en piteux état.

— Mais le danger...

— Tu crois que je n'y ai pas pensé ?

Jocelyne le prit par les épaules et le poussa doucement vers ses oreillers.

— Simon communique avec elle tous les soirs. Elle va bien, je t'assure. Et tu n'es pas en état de faire quoi que ce soit. Ce n'est pas en te tuant que tu lui rendras service. Je t'en prie, Luke, fais-moi confiance.

— Je ne peux pas rester ici les bras croisés.

— Il le faudra bien, dit-elle en se levant. Quitte à ce que j'utilise la force pour t'empêcher de te lever. Qu'est-ce qui t'arrive, Lucian ? Tu as perdu la tête ? J'ai très peur pour Clary, et j'ai aussi eu très peur pour toi. S'il te plaît, ne me fais pas ça. S'il t'arrivait quelque chose...

Il la dévisagea d'un air surpris. Une tache rouge

s'étalait déjà sur le bandage blanc qui lui ceignait la poitrine : sa blessure s'était rouverte.

— Je...

— Quoi ?

— Je n'ai pas l'habitude de t'entendre exprimer tes sentiments, dit-il.

Il y avait une douceur dans sa voix qu'elle ne lui connaissait pas, et elle le considéra quelques instants avec étonnement.

— Luke. Rallonge-toi, s'il te plaît.

Il finit par capituler. Il était hors d'haleine. Elle se pencha vers la table de nuit pour lui servir un verre d'eau.

— Bois, s'il te plaît.

Luke obéit sans la quitter des yeux tandis qu'elle se rasseyait dans le fauteuil près du lit, où elle était restée si longtemps assise qu'elle s'étonnait presque de ne pas avoir fusionné avec lui.

— Tu sais à quoi je pensais juste avant que tu te réveilles ? lança-t-elle.

Il prit une autre gorgée d'eau avant de répondre :

— Tu avais l'air ailleurs.

— Je pensais au jour de mon mariage.

— La pire journée de ma vie.

— Pire que le jour où tu as été mordu ? demanda-t-elle en repliant ses jambes sous elle.

— Pire.

— À l'époque, j'ignorais ce que tu éprouvais pour moi. J'aurais aimé le découvrir plus tôt. Les choses auraient été différentes, j'imagine.

Il lui jeta un regard incrédule.

— Vraiment ?

— Je n'aurais pas épousé Valentin si j'avais su.

— Si...

— Non, fit-elle sèchement. J'étais trop bête pour deviner tes sentiments, mais j'étais aussi trop bête pour déchiffrer les miens. Je t'ai toujours aimé. Même si je ne le savais pas. (Elle se pencha et l'embrassa timidement, de crainte de lui faire mal, puis colla sa joue contre la sienne.) Promets-moi que tu ne te mettras pas en danger. Promets-le-moi.

— D'accord, c'est promis, dit-il en lui caressant les cheveux.

Elle se redressa, en partie satisfaite.

— Si seulement je pouvais remonter le temps pour tout changer et épouser le bon.

— Mais nous n'aurions pas eu Clary, lui rappela-t-il.

Elle aimait sa façon tranquille de dire « nous », comme si Clary était sa fille.

— Si tu avais été plus là quand elle était petite... (Jocelyne soupira.) J'ai l'impression d'avoir tout fait de travers. Je voulais tant la protéger que j'en ai sans doute trop fait. Elle se précipite au-devant du danger sans réfléchir. Nous étions encore des enfants quand nous avons vu nos amis périr au combat. Ce n'est pas le cas de Clary. Et je ne le lui souhaite pas, mais parfois j'ai peur qu'elle se croie invulnérable.

— Jocelyne, dit Luke avec douceur. Tu as fait ton travail de mère. Clary est quelqu'un de bien, avec des valeurs, et la notion du bien et du mal. Comme toi. On ne peut pas élever un enfant avec des principes contraires aux siens. Je ne crois pas que Clary se sente invulnérable. Je pense que, à l'exemple de sa mère, elle considère qu'il y a des choses qui méritent que l'on se sacrifie pour elles.

Clary suivit Sébastien dans un dédale de rues étroites en s'efforçant de rester dans l'ombre des bâtiments. Ils ne se trouvaient plus à Prague, elle s'en aperçut immédiatement. Les rues étaient plongées dans l'obscurité, le ciel avait le bleu trompeur de l'aube. Les enseignes au-dessus des boutiques étaient toutes en français, ainsi que les plaques indiquant le nom des rues : rue de Seine, rue Jacob, rue de l'Abbaye.

Tandis que Clary s'enfonçait dans la ville à la suite de Sébastien, des gens passaient près d'elle comme des fantômes. De temps à autre, une voiture filait dans la rue ; des camions stationnés près des commerces s'acquittaient de leurs livraisons matinales. Une odeur de fleuve et de détritus flottait dans l'air. Clary était à peu près sûre d'avoir deviné où ils se trouvaient, mais au détour d'une ruelle débouchant sur une large avenue, un panneau émergea de la pénombre brumeuse et le lui confirma. Des flèches donnaient les directions de Bastille, de Notre-Dame et du Quartier latin.

« Paris, songea-t-elle en se baissant derrière une voiture à l'arrêt au moment où Sébastien traversait la rue. On est à Paris. »

Quelle ironie ! Elle avait toujours voulu visiter cette ville avec quelqu'un qui la connaissait. Elle avait toujours rêvé d'arpenter ses rues, de peindre ses bâtiments, de voir la Seine. Mais elle ne s'était jamais imaginé qu'elle filerait Sébastien boulevard Saint-Germain !

Elle passa devant un bureau de poste, longea une succession de bars fermés devant lesquels le caniveau était jonché de bouteilles de bière et de mégots, puis s'engagea dans une rue étroite bordée d'immeubles bas. Sébastien s'arrêta devant l'un d'eux et Clary se plaqua contre le mur.

Elle le regarda taper le code de l'immeuble en suivant des yeux le mouvement de ses doigts. Un clic retentit ; la porte s'ouvrit et il se glissa à l'intérieur. Dès qu'elle se fut refermée, Clary se précipita. Elle tapa le code qu'elle avait mémorisé – X235 – puis attendit le clic. Quand il retentit, elle hésita entre la surprise et le soulagement. Cela ne pouvait pas être aussi facile !

Elle pénétra dans une cour carrée encadrée par des bâtiments d'aspect ordinaire. Trois portes donnaient sur différentes cages d'escalier qui permettaient d'accéder aux étages. Quant à Sébastien, il avait disparu.

Finalement, ce ne serait pas si facile.

Elle s'avança prudemment dans la cour, consciente qu'elle risquait de se faire repérer. Il faisait de plus en plus clair, et elle se réfugia dans l'ombre de la cage d'escalier la plus proche.

Des marches en bois menaient aux étages et aux caves, et, au mur, un miroir bon marché lui renvoyait le reflet de son visage blême. Une odeur très reconnaissable d'ordures en décomposition flottait dans l'air et, pendant un bref moment, elle crut qu'elle se trouvait près du local à poubelles, puis la lumière se fit dans son esprit fatigué. Cette puanteur signalait la présence de démons.

Ses muscles éreintés se mirent à trembler, mais elle serra les poings. Elle se souvint, la mort dans l'âme, qu'elle n'avait pas emporté d'arme. Avec un soupir, elle commença à descendre les marches.

À mesure qu'elle progressait, l'odeur s'intensifiait et il faisait de plus en plus sombre. Elle aurait donné cher pour avoir une stèle et une rune de vision nocturne en ce moment même. Soudain, son pied rencontra une substance visqueuse. Elle s'agrippa à la rampe et s'efforça de respirer par la bouche. Les ténèbres s'épaissirent jusqu'à ce qu'il fasse noir comme dans un four. Elle progressait à l'aveuglette ; son cœur battait si fort qu'elle craignait qu'il ne trahisse sa présence. Les rues de Paris et le monde ordinaire lui semblaient à des lieues de cet endroit. Il n'y avait plus que l'obscurité et elle, qui s'enfonçait indéfiniment dans les profondeurs de la terre.

Soudain, un point lumineux apparut au loin, semblable à l'extrémité enflammée d'une allumette. Elle distinguait sa main, à présent, et les marches en dessous d'elle. Il n'en restait que quelques-unes à descendre. Arrivée au pied de l'escalier, elle jeta un regard autour d'elle.

On était désormais bien loin d'un immeuble d'habitations ordinaire. Quelque part dans l'escalier, le bois avait laissé place à la pierre. Clary se tenait à présent dans une petite pièce éclairée par une torche qui dispensait une clarté verdâtre. Le sol lisse était gravé de symboles étranges. Elle traversa la pièce en les contournant pour se diriger vers la seule autre issue, une ouverture voûtée surplombée d'un crâne humain et de deux énormes haches ornementales disposées en croix.

De l'autre côté, elle entendit des voix. Elles étaient trop lointaines pour qu'elle saisisse ce qu'elles disaient, mais elle décida de les suivre.

Elle se demanda où elle était : se trouvait-elle encore sous Paris, ou venait-elle de pénétrer dans un tout autre monde, comme chaque fois qu'elle s'était introduite dans la Cité Silencieuse ? Elle pensa à Jace, qu'elle avait laissé en train de dormir. Il lui semblait que c'était dans une autre vie qu'elle l'avait côtoyé.

Elle faisait tout cela pour le ramener, fallait-il qu'elle s'en souvienne ? Elle avança dans le passage en se plaquant contre la paroi et progressa sans bruit vers les voix. Des torches vertes éclairaient le couloir à intervalles réguliers en dégageant une odeur de brûlé.

Soudain, une porte s'ouvrit dans le mur à sa gauche, et les voix s'intensifièrent.

— ... pas comme son père, disait l'une d'elles. Valentin n'aurait jamais accepté de négocier avec nous. Il nous aurait réduits en esclavage. Lui, il déposera ce monde à nos pieds.

Clary risqua un œil par l'ouverture.

Un groupe de démons conversaient dans une pièce vide. Ils ressemblaient à des lézards, avec leur peau d'un brun verdâtre, mais chacun d'eux avait six pattes semblables à des tentacules qui produisaient un bruit sec quand ils se déplaçaient. Leur grosse tête bulbeuse était dotée d'yeux noirs à facettes.

Clary sentit la bile lui monter à la gorge. Elle se souvint de l'un des premiers démons auxquels elle avait eu affaire, un Vorace. Cet être hybride, à mi-chemin entre le lézard, l'insecte et l'extraterrestre lui soulevait le cœur. Elle se plaqua contre le mur et tendit l'oreille.

— Enfin, si on décide de lui faire confiance.

Clary n'aurait su dire laquelle des créatures parlait. L'amas de petits tentacules qui leur tenait lieu de bouche vibrait quand elles émettaient des sons.

— La Grande Mère lui faisait confiance, elle. C'est son fils.

Sébastien. Évidemment, ils parlaient de Sébastien.

— C'est aussi un Nephilim. Ce sont nos ennemis jurés.

— Ce sont ses ennemis aussi. Le sang de Lilith coule dans ses veines.

— Mais celui qu'il appelle son compagnon porte en lui le sang des anges.

La créature cracha ce dernier mot avec tant de haine que Clary sursauta.

— Le fils de Lilith prétend qu'il le tient sous sa coupe, et c'est vrai qu'il a l'air docile.

Un ricanement s'éleva.

— Vous autres, les jeunes, vous vous inquiétez trop. Les Nephilim nous ont longtemps tenus à l'écart de ce monde, dont les richesses sont inestimables. Nous le réduirons en cendres après l'avoir vidé de sa substance. Quant à ce garçon mi-ange mi-humain, il sera le dernier à mourir. Nous lui dresserons un bûcher.

Clary sentit monter la rage en elle. Elle laissa échapper un soupir d'exaspération – un bruit minuscule, vraiment – mais le démon le plus proche d'elle releva brusquement la tête. Pendant une seconde, la jeune fille se figea, puis elle vit son image se refléter dans les yeux noirs de la créature.

Elle se détourna et prit ses jambes à son cou. Derrière elle, elle entendait les hurlements de ses poursuivants et le martèlement de leurs pattes sur le sol. Jetant un coup d'œil par-dessus son épaule, elle comprit qu'elle ne parviendrait pas à les semer. Ils l'avaient déjà presque rattrapée.

Hors d'haleine, elle franchit le passage voûté, se suspendit d'un bond au linteau et se jeta de toutes ses forces, pieds en avant, sur le premier assaillant, qui tomba en arrière avec un piaillement assourdissant. Toujours suspendue à son perchoir, Clary saisit l'une des haches et tira. La hache ne bougea pas d'un centimètre. Elle ferma les yeux, tira plus fort, et l'arme finit par céder dans un nuage de poussière et de fragments de mortier. Clary lâcha prise mais atterrit sur ses deux pieds, et brandit la hache devant elle. Elle était lourde, mais elle sentait à peine son poids. Elle éprouvait la même impression que dans la boutique d'antiquités. Il lui semblait que le temps s'était arrêté et que ses sensations s'amplifiaient. Elle sentait le moindre souffle d'air sur sa peau, la moindre irrégularité du sol sous ses pieds. Elle rassembla son courage alors qu'une autre créature s'avançait, juchée sur ses pattes de derrière telle une tarentule. Sous les tentacules bucaux, Clary entrevit deux énormes crocs.

Comme mue par une volonté propre, la hache qu'elle tenait à la main tournoya et alla s'enfoncer dans la poitrine de son adversaire. Clary se rappela tout à coup que Jace lui avait souvent conseillé de préférer la décapitation à la blessure en plein cœur, car tous les démons n'en possédaient pas. Mais dans le cas présent, elle eut de la chance. Elle avait dû toucher un organe vital, car le monstre poussa un hurlement strident ; du sang jaillit de sa blessure et il disparut. Sous le choc, Clary recula, son arme rendue poisseuse par l'ichor toujours à la main. Le sang du démon, noir comme du goudron, dégageait une odeur nauséabonde.

Au moment où une autre créature se précipitait vers elle, elle plongea et sectionna plusieurs de ses pattes avec sa hache. La bête poussa un hurlement et bascula sur le côté comme une chaise cassée ; mais déjà, un autre démon se jetait sur Clary en piétinant son congénère estropié. Elle repartit à l'assaut et lui planta sa hache dans la tête. Un jet d'ichor en jaillit et Clary recula jusqu'à se retrouver acculée contre les marches. Si un autre démon surgissait derrière elle, elle était morte.

Fou de douleur, le démon défiguré se jeta de nouveau sur elle. Une fois de plus, Clary abattit sa hache et trancha une des pattes de la créature, mais un tentacule s'enroula autour de son poignet. Elle poussa un cri et se débattit pour libérer son bras, mais le démon tenait bon. Clary avait l'impression que des milliers d'aiguilles chauffées à blanc lui perforaient la peau. Sans cesser de crier, elle écrasa son poing gauche sur la tête de son adversaire, à l'endroit où sa hache avait tranché la chair. Le démon émit un sifflement et relâcha brièvement son étreinte ; Clary parvint à se dégager mais il prenait déjà son élan pour se jeter sur elle...

Et soudain, l'éclair d'une lame surgie de nulle part transperça l'obscurité. Le poignard séraphique alla s'enfoncer dans le crâne du démon qui disparut aussitôt, et Sébastien s'avança vers Clary. Sa chemise blanche était couverte d'ichor. Derrière lui, la pièce était vide, à l'exception d'un démon qui se convulsait toujours par terre tandis qu'une substance noire s'écoulait de ses membres sectionnés, comme de l'huile s'échappant d'une voiture accidentée.

Clary le considéra d'un air ébahi. Il venait de lui sauver la vie.

— Ne t'approche pas, Sébastien, siffla-t-elle.

Il ne parut pas l'entendre.

— Ton bras.

Elle baissa les yeux vers son poignet, qui la faisait toujours atrocement souffrir. Il était couvert de cloques qui commençaient déjà à prendre une teinte bleutée.

Elle releva la tête. Les cheveux blond blanc de son frère formaient un halo dans l'obscurité. À moins que sa vision ne lui joue des tours. Car elle voyait aussi un halo autour de la torche verte et du poignard séraphique qui brillait dans la main de Sébastien. Il s'adressait à elle, mais elle n'entendait qu'un bruit indistinct, comme s'il parlait sous l'eau.

— ... poison mortel, disait-il. Qu'est-ce qui t'a pris, Clarissa ? (La suite lui échappa, et elle fit un effort pour se concentrer.)... te battre contre six démons Dahak avec une hache ornementale...

— Poison, répéta-t-elle. (Pendant quelques instants, elle distingua de nouveau le visage de son frère, le pli mécontent de sa bouche, ses yeux qui se détachaient avec une netteté inquiétante sur son visage.) On dirait que tu ne m'as pas sauvé la vie, en fin de compte…

Sa main se mit à trembler, et la hache tomba par terre. Elle s'affaissa contre le mur. Elle n'avait qu'une envie, s'allonger sur le sol. Sébastien ne semblait pourtant pas avoir l'intention de la laisser se reposer et il la souleva dans ses bras. Elle aurait bien voulu le repousser, mais ses forces l'avaient abandonnée. Elle ressentit une douleur fugace au creux du bras, la brûlure d'une stèle. Puis une torpeur l'envahit. La dernière chose qu'elle vit avant de fermer les yeux fut le crâne suspendu au-dessus de la voûte. Elle aurait pu jurer qu'une lueur moqueuse brillait dans ses orbites vides.

15

Magdalena

La douleur et la nausée affluaient par vagues de moins en moins espacées. Clary ne distinguait autour d'elle qu'un brouillard coloré. Elle avait conscience que son frère la portait : chacun de ses pas se répercutait à l'intérieur de son crâne comme un coup de marteau. Elle se cramponnait à lui et la puissance de ses bras la réconfortait ; c'était bizarre, tout de même, de se sentir en sécurité dans les bras de Sébastien. Il semblait veiller à ne pas trop la secouer. Elle entendait vaguement sa voix qui répétait son nom.

Puis le silence se fit. Pendant quelques instants, elle crut que c'était fini, qu'elle était morte en se battant contre des démons, comme la plupart des Chasseurs d'Ombres. Puis elle sentit une autre brûlure au creux de son bras, et un flux glacé qui lui parcourait les veines. Elle ferma les yeux pour lutter contre la douleur, mais la sensation de froid lui faisait l'effet d'un seau glacé en pleine figure. Puis, lentement, le monde cessa de tanguer autour d'elle, les vagues de nausées s'espacèrent et la douleur se calma. Elle respirait de nouveau.

Elle ouvrit les yeux.

D'un ciel bleu.

Allongée sur le dos, elle fixait un ciel immense parcouru de nuages cotonneux, qui lui rappelait le ciel peint sur le plafond de l'infirmerie à l'Institut. Elle s'étira. Son poignet droit portait encore la marque de ses blessures, pareille à un bracelet rose. Une *iratze* commençait à s'estomper sur son bras gauche et elle avait une *mendelin* – pour la douleur – au creux du coude.

Elle inspira profondément. Une odeur de feuilles mortes flottait dans l'air automnal. Elle discernait des arbres au loin, ainsi qu'un bruit de circulation.

Un rire s'éleva, et elle s'aperçut qu'elle était allongée sur un banc, la tête sur les genoux de son frère. Elle se redressa brusquement et Sébastien rit de nouveau. Il était assis à un bout du banc, son écharpe roulée en boule sur ses genoux pour faire un oreiller à Clary. Il avait déboutonné sa chemise blanche pour cacher les taches d'ichor. En dessous, il portait un simple tee-shirt gris. Son bracelet en argent étincelait à son poignet. D'un air amusé, il la regarda s'asseoir aussi loin de lui que possible.

— Heureusement que tu es petite, lança-t-il, sans quoi j'aurais eu beaucoup plus de mal à te porter.

Elle s'efforça de maîtriser le tremblement de sa voix.

— Où sommes-nous ?

— Au jardin du Luxembourg. C'est un très joli parc. J'étais obligé de t'emmener dans un endroit où je pourrais t'allonger, et le milieu de la chaussée ne me semblait pas être une bonne option.

— Tu sais comment ça s'appelle, laisser quelqu'un mourir en pleine rue ? De la non-assistance à personne en danger.

Il se frotta les mains comme pour les réchauffer.

— Pourquoi je te laisserais mourir après m'être donné autant de mal pour te sauver la vie ?

Elle examina son bras. La blessure avait quasiment disparu.

— Pourquoi tu l'as fait ?

— Parce que tu es ma sœur.

Elle avala péniblement sa salive. Le soleil matinal donnait des couleurs au visage de Sébastien. Il avait quelques traces de brûlure dans le cou, sans doute causées par les éclaboussures d'ichor.

— Avant, ça ne t'intéressait pas beaucoup d'avoir une sœur.

— Ah oui ?

Il la jaugea du regard. Elle se souvint que, après qu'elle avait été empoisonnée par le Vorace, Jace l'avait soignée et sauvée. Tout comme Sébastien. Peut-être avaient-ils plus de points communs qu'elle ne voulait le croire, même avant d'être enchaînés l'un à l'autre par un sortilège.

— Notre père est mort, poursuivit-il. Nous n'avons pas d'autre famille. Toi et moi, nous sommes les derniers Morgenstern. Tu es la seule à avoir le même sang que moi dans les veines.

— Tu savais que je te suivais.

— Évidemment.

— Et tu ne m'en as pas empêchée.

— Je voulais voir ce que tu ferais. Et je l'admets,

je ne pensais pas que tu me suivrais jusqu'au sous-sol. Tu es plus courageuse que je le croyais.

Il prit son écharpe et la noua autour de son cou. Le jardin commençait à se remplir de touristes, de parents tenant des enfants par la main, de vieillards qui s'asseyaient sur les bancs pour fumer leur pipe.

— Tu n'aurais jamais pu les vaincre, reprit-il.

— Peut-être que si.

Il eut un sourire fugace, involontaire.

— Peut-être, après tout.

Elle frotta ses chaussures contre l'herbe humide de rosée. Pour rien au monde, elle n'aurait remercié Sébastien.

— Pourquoi tu négocies avec les démons ? demanda-t-elle. Je les ai entendus parler de toi. Je sais ce que tu manigances.

— Tu ne sais rien. (Son sourire avait disparu, il prenait de nouveau ses grands airs.) D'abord, ce n'est pas avec eux que je négociais. Ils montaient juste la garde. C'est la raison pour laquelle ils se trouvaient dans une autre pièce et que je n'étais pas avec eux. Les Dahak ont beau être vicieux et méfiants, ils ne sont pas très malins, et ils ne connaissaient pas toute l'histoire. Ils se contentaient de répéter ce qu'ils avaient entendu de la bouche de leurs maîtres, des Démons Supérieurs. C'est avec eux que j'avais rendez-vous.

— Et c'est censé me remonter le moral ?

Il se pencha vers elle.

— Je n'essaie pas de te tranquilliser. J'essaie de te dire la vérité.

— Pas étonnant que tu sois à cran ! s'exclama-t-elle.

Ce n'était pas vrai : Sébastien avait au contraire l'air si calme que c'en était exaspérant, mais à en juger par son pouls, qui battait à sa tempe, il n'était pas aussi détendu qu'il le prétendait.

— Les Dahak ont dit que tu allais livrer notre monde aux démons.

— Allons, ce n'est pas mon genre de faire des choses pareilles.

Clary lui jeta un regard lourd de sous-entendus.

— Je croyais que tu étais censée me donner une chance, poursuivit-il. Je ne suis plus le même. Et puis, je ne suis pas le seul à avoir cru en Valentin. C'était mon père. Notre père. Ce n'est pas facile de remettre en cause ce qu'on t'a inculqué pendant ton enfance.

Clary croisa les bras ; l'air froid annonçait l'hiver.

— C'est vrai.

— Valentin se trompait. Il était tellement obsédé par les soi-disant torts que lui avait causés l'Enclave qu'il ne songeait qu'à leur montrer qu'il avait raison. Il voulait que l'Ange apparaisse pour leur expliquer que lui, Valentin, était le digne héritier de Jonathan Shadowhunter, et que sa façon de voir les choses était la bonne.

— Ça ne s'est pas vraiment passé comme ça.

— Je sais ce qui s'est passé. Lilith me l'a raconté.

Il avait prononcé ce nom avec désinvolture, comme s'il arrivait à tout le monde d'avoir une conversation avec la mère de tous les sorciers.

— Qu'est-ce que tu t'imagines, Clary ? Que ça s'est passé comme ça parce que l'Ange déborde de compassion ? Les anges sont des êtres insensibles. Raziel s'est fâché parce que Valentin avait oublié la mission des Chasseurs d'Ombres.

— Qui est ?

— Qui est de tuer les démons. C'est notre devoir. Tu sais sans doute que de plus en plus de démons pénètrent dans notre monde depuis quelques années, et que nous ne savons pas comment les empêcher de nous envahir ?

Sa phrase faisait écho à ce que lui avait dit Jace la première fois qu'ils s'étaient rendus à la Cité Silencieuse. Il lui semblait que cela remontait à une éternité. « Ils sont de plus en plus nombreux. Autrefois, notre monde ne subissait que de petites invasions démoniaques faciles à contenir. Mais depuis ma naissance, un nombre croissant de démons s'est introduit chez nous. L'Enclave est contrainte d'envoyer des Chasseurs d'Ombres en permanence et, souvent, ils ne reviennent pas. »

— Une grande guerre se prépare, et l'Enclave n'est pas du tout prête, poursuivit Sébastien. Sur ce point, mon père avait raison. Ils sont trop prisonniers de leurs habitudes pour percevoir la menace ou changer foncièrement. Je ne souhaite pas voir disparaître toutes les Créatures Obscures, contrairement à Valentin, mais je crains que l'aveuglement de l'Enclave ne cause la destruction de notre monde.

— Tu t'imagines que je vais te croire quand tu prétends que son sort te préoccupe ?

— Eh bien, j'y vis, répondit Sébastien d'un ton étonnamment calme. Et à situation extrême, mesure extrême. Pour anéantir l'ennemi, il faut le comprendre, voire traiter avec lui. Si je parviens à convaincre ces Démons Supérieurs de me faire confiance, alors je pourrai les attirer jusqu'ici, où nous les détruirons ainsi que ceux qui suivront. Ça devrait changer le cours des choses. Les démons comprendraient que notre monde n'est pas aussi facile à conquérir qu'ils se l'imaginaient.

Clary secoua la tête.

— Toi et Jace, vous comptez accomplir tout ça à vous seuls ? Vous êtes fortiches, je le reconnais, mais à ce point... ?

Sébastien se leva.

— Figure-toi que j'ai déjà tout planifié. Viens avec moi, j'ai quelque chose à te montrer.

Elle hésita.

— Jace ?

— Il dort encore. Crois-moi, je le sais. (Il tendit la main.) Allez, viens. Si je ne peux pas te convaincre avec des mots, laisse-moi te prouver que j'ai un plan.

Des images surgirent dans la tête de Clary : la boutique d'antiquités à Prague, la bague des fées perdue, Jace l'étreignant dans l'alcôve du club, les cadavres dans les aquariums, Sébastien brandissant un poignard séraphique.

Elle prit la main qu'il lui tendait pour l'aider à se relever.

Il fut décidé, après maintes discussions, que pour invoquer Raziel, le « clan des gentils » choisirait un endroit isolé.

— On ne peut pas invoquer un ange de six mètres de haut au beau milieu de Central Park, observa sèchement Magnus. Ça risquerait d'attirer l'attention, même à New York.

— Raziel mesure six mètres de haut ? demanda Isabelle, qui s'était vautrée dans un fauteuil qu'elle avait rapproché de la table.

Elle avait des cernes sous les yeux. Tout comme Alec, Magnus et Simon, elle était épuisée. Ils veillaient depuis des heures, le nez dans des livres dont certains étaient si vieux que leurs pages avaient l'épaisseur du papier à cigarette. Isabelle et Alec lisaient le latin et le grec ; Alec avait une meilleure connaissance des langues démoniaques que sa sœur, mais Magnus était le seul à en comprendre certaines. S'apercevant qu'ils seraient plus utiles ailleurs, Maia et Jordan étaient retournés au commissariat pour prendre des nouvelles de Luke. Quant à Simon, il s'efforçait de rendre service par d'autres moyens, en allant chercher du café et de la nourriture, du papier et des crayons, en recopiant des symboles sur les instructions de Magnus ou en nourrissant le Président Miaou, qui l'avait remercié en vomissant une boule de poils sur le carrelage de la cuisine.

— À vrai dire, il ne mesure qu'un mètre soixante-dix mais il aime bien exagérer, répondit Magnus avec impatience. C'est un ange, Isabelle. Tu n'as donc jamais rien étudié ?

La fatigue n'améliorait pas son humeur. Il avait des paillettes sur les mains à force de se frotter les yeux.

Isabelle fit claquer sa langue en signe d'exaspération.

— Valentin a invoqué un ange dans sa cave. Je ne vois pas pourquoi il te faut autant de place...

— Parce que Valentin est BEAUCOUP plus malin que moi, rugit Magnus en jetant son stylo sur la table. Écoute...

— Ne parle pas à ma sœur sur ce ton, intervint Alec d'un ton calme mais déterminé.

Magnus le dévisagea, surpris.

— Isabelle, poursuivit Alec, la taille des anges, quand ils apparaissent dans notre dimension, varie selon leur pouvoir. L'ange que Valentin a invoqué était moins puissant que Raziel. Et s'il fallait invoquer un ange supérieur tel que Michel ou Gabriel...

— Je ne pourrais pas les contraindre au moyen d'un sortilège, même pendant un laps de temps très bref, dit Magnus d'un ton radouci. Si on a choisi Raziel, c'est en partie parce qu'en tant que créateur des Chasseurs d'Ombres, il compatira peut-être à votre situation. Et puis, il est tout indiqué pour vous venir en aide. Un ange moins puissant n'en serait peut-être pas capable, et un ange plus puissant... Eh bien, si ça tournait mal...

— Ce ne serait peut-être pas seulement moi qui mourrais, dit Simon.

Magnus se rembrunit, et Alec baissa les yeux vers les papiers éparpillés sur la table. Isabelle posa sa main sur celle de Simon.

— Je n'en reviens pas qu'on envisage d'invoquer Raziel, dit-elle. Toute ma vie, j'ai juré sur son nom. On sait que notre pouvoir dérive des anges. Mais l'idée d'en voir un en chair et en os... Je n'arrive pas à me l'imaginer. C'est trop incroyable.

Le silence se fit autour de la table. La lueur qui brillait dans le regard de Magnus poussa Simon à se demander s'il avait déjà vu un ange. Il hésitait à lui poser la question quand son téléphone se mit à vibrer, lui évitant d'avoir à prendre une décision.

— Une seconde, marmonna-t-il en se levant.

Il s'adossa à l'un des piliers du loft pour consulter son téléphone. C'était un texto de Maia : « Bonne nouvelle ! Luke est réveillé, il parle. Il devrait s'en tirer. »

Un immense soulagement l'envahit. Enfin, une bonne nouvelle. Il toucha la bague à son doigt.

Clary ?

Pas de réponse. Il ravala son inquiétude. Elle était sans doute en train de dormir. Levant les yeux, il s'aperçut que tous les regards étaient braqués sur lui.

— Qui c'était ? s'enquit Isabelle.

— Maia. Luke s'est réveillé, il parle. Il sera bientôt sur pied.

La nouvelle fut accueillie par un concert d'exclamations, mais Simon regardait toujours la bague à son doigt.

— Elle vient de me donner une idée.

Isabelle se leva, fit quelques pas vers lui puis s'arrêta, l'air anxieux. Il ne pouvait pas la blâmer de s'inquiéter. Depuis peu, il avait des idées carrément suicidaires.

— Laquelle ? demanda-t-elle.

— Qu'est-ce qu'il nous faut pour invoquer Raziel ? Combien d'espace ?

Magnus réfléchit quelques instants.

— Un rayon d'un bon kilomètre. Un plan d'eau, ce serait bien. Comme le lac Lyn…

— La ferme de Luke, déclara Simon. Dans le nord de l'État. C'est à une ou deux heures d'ici. Je sais comment y aller, et il y a un lac. Pas aussi grand que le lac Lyn, mais...

Magnus ferma le livre qu'il tenait à la main.

— Ce n'est pas une mauvaise idée, Seamus.

— Une heure ou deux ? lança Isabelle en consultant l'horloge murale. On pourrait y être vers...

— Ah non, fit Magnus en repoussant son livre loin de lui. Ton enthousiasme sans limites m'impressionne beaucoup, Isabelle, mais je suis trop fatigué pour accomplir correctement le rituel d'invocation. Et je n'ai pas envie de prendre le moindre risque. Je pense que, sur ce point, on est tous d'accord.

— Alors quand ? demanda Alec.

— Il nous faut au moins quelques heures de sommeil. Je propose qu'on parte en début d'après-midi. Entre-temps, Sherlock – pardon, Simon – peut appeler Jordan pour lui emprunter sa camionnette. Et maintenant... (Il se leva en repoussant une liasse de papiers.)... Je vais me coucher. Isabelle, Simon, vous pouvez dormir dans la chambre d'amis si vous voulez.

— Ce serait mieux qu'ils fassent chambre à part, marmonna Alec.

Isabelle lança un regard interrogateur à Simon, mais il avait de nouveau son téléphone à la main.

— Bon, fit-il. Je repasse vers midi mais pour l'instant, j'ai un truc important à faire.

De jour, Paris était une ville aux rues étroites et sinueuses qui débouchaient sur de larges avenues bordées d'immeubles en pierre dorée ; le fleuve la scindait en deux comme une cicatrice. Sébastien, bien qu'il ait dit vouloir prouver à Clary qu'il avait un plan, ne parla pas beaucoup pendant le trajet. Ils remontèrent une rue regorgeant de galeries d'art et de boutiques de livres anciens pour accéder au quai des Grands-Augustins.

Un vent froid soufflait de la Seine, et Clary frissonna. Sébastien dénoua son écharpe et la lui tendit. Elle était encore chaude du contact de sa peau.

— Ne sois pas bête, dit-il. Tu as froid. Mets-la.

Clary s'exécuta.

— Merci, marmonna-t-elle sans réfléchir, puis elle tressaillit.

« Et voilà. » Elle avait remercié Sébastien. Elle attendit d'être foudroyée sur place, mais rien ne se produisit.

Il lui lança un regard intrigué.

— Ça va ? On dirait que tu vas éternuer.

— Ça va très bien.

Une odeur d'eau de Cologne citronnée imprégnait l'écharpe. Ils se remirent en route. Cette fois, Sébastien ralentit le pas pour marcher au même rythme que Clary, et fit halte pour lui expliquer qu'ils entraient dans le Ve arrondissement, que le pont qu'ils voyaient au loin était le pont Saint-Michel. Un groupe de jeunes gens passa près d'eux, et Clary ne put s'empêcher de remarquer l'allure très sophistiquée des filles, en pantalon moulant et talons aiguilles, les cheveux au vent. L'une d'elles s'arrêta pour lancer un regard admiratif à Sébastien, mais il ne sembla pas s'en apercevoir.

« Jace, lui, s'en serait aperçu », songea Clary. Sébastien attirait le regard, avec ses cheveux presque blancs et ses yeux sombres. La première fois qu'elle l'avait vu, elle l'avait trouvé beau, et il avait les cheveux teints en noir à l'époque, ce qui ne lui allait guère. La pâleur naturelle de ses cheveux mettait en valeur son teint, ses pommettes saillantes, la courbe gracieuse de son visage. Il avait des cils incroyablement longs, plus foncés que ses cheveux et légèrement recourbés, comme ceux de Jocelyne. Quelle injustice ! Pourquoi Clary n'avait-elle pas hérité des cils de la famille ? Et pourquoi Sébastien, lui, n'avait-il pas une seule tache de rousseur ?

— Bon, et on vient d'où ? demanda-t-elle de but en blanc.

Il la dévisagea sans comprendre.

— Comment ça ?

— Tu as dit qu'on était les derniers Morgenstern. C'est un nom germanique, ça. Alors on est d'origine allemande ? C'est quoi, notre histoire ? Pourquoi on n'est pas plus nombreux ?

— Tu ne sais donc rien de la famille de Valentin ? demanda-t-il d'un ton incrédule en s'arrêtant net. Ta mère ne t'a rien dit ?

— C'est aussi ta mère et, non, elle ne m'a rien dit. Valentin n'est pas son sujet de conversation préféré.

— Les Chasseurs d'Ombres ont des noms composés, expliqua Sébastien en grimpant sur le mur qui longeait le fleuve.

Il tendit la main vers Clary et, après une hésitation, elle se hissa à côté de lui. La Seine coulait en contrebas ; des bateaux-mouches glissaient tranquillement sur ses eaux gris-vert.

— Fair-child, Light-wood, White-law. Morgenstern

signifie « l'étoile du matin ». C'est un nom germanique, oui, mais notre famille était suisse.

— « Était » ?

— Valentin était fils unique, répondit Sébastien.
Son père – notre grand-père – a été tué par des Créatures Obscures et notre grand-oncle est mort au
combat sans laisser de descendance. Ça, ajouta-t-il en
touchant ses cheveux, ça me vient du côté Fairchild.
Ils ont des origines anglaises. Mais, comme Valentin,
je tiens plus du côté suisse.

— Et nos grands-parents, tu sais quelque chose à
leur sujet ? demanda Clary, fascinée malgré elle.

Sébastien sauta du mur et l'aida à descendre à son
tour. Elle se cogna contre lui en retombant sur ses
deux pieds – sous l'œil à la fois envieux et goguenard
d'une jeune passante – et recula précipitamment. Elle
fut tentée de crier à la fille que Sébastien était son
frère et qu'elle le haïssait, mais elle tint sa langue.

— Je ne sais rien de nos grands-parents maternels.
Comment le pourrais-je ? ajouta-t-il avec un petit sourire. Viens. Je vais te montrer un endroit que j'adore.

Clary resta en arrière.

— Je croyais que tu voulais m'exposer ton plan.

— Chaque chose en son temps.

Sébastien se remit en marche et, au bout de quelques instants, elle le suivit. « Trouve ce qu'il manigance. Et d'ici là, sois gentille. »

— Le père de Valentin, comme lui, ne croyait
qu'en la force, reprit Sébastien. Nous sommes les
guerriers choisis par Dieu. C'était sa conviction. La
douleur rend plus fort. Après sa mort...

— Valentin n'était plus le même, dit Clary. Oui, Luke m'a raconté.

— Il aimait son père autant qu'il le haïssait. Tu as peut-être compris cela au contact de Jace. Valentin nous a éduqués selon les mêmes principes que son père. On reproduit toujours ce qu'on a vécu.

— Mais Jace... Valentin lui a enseigné autre chose que l'art de la guerre : les langues étrangères, le piano...

— Ce devait être l'influence de Jocelyne, répliqua Sébastien à contrecœur, comme si ce seul nom lui faisait horreur. Elle pensait qu'il fallait pouvoir parler de livres, de musique, d'art. Alors Valentin a transmis cela à Jace.

Sébastien s'arrêta devant une grille en fer forgé peinte en bleu. Après l'avoir poussée, il fit signe à Clary de le suivre.

— Et toi ? s'enquit-elle.

Sébastien lui montra ses mains, qu'il avait indubitablement héritées de sa mère : longues, agiles, faites pour tenir une plume ou un pinceau.

— J'ai appris à jouer des instruments de la guerre et à peindre des paysages de sang. Je ne suis pas comme Jace.

Ils se trouvaient dans une allée étroite entre deux rangées d'immeubles construits avec la pierre caractéristique des bâtiments parisiens. Leurs toits en zinc étincelaient au soleil. Sous leurs pieds, des pavés, et pas la moindre voiture stationnée. À leur gauche se trouvait un café dont l'enseigne en bois accrochée à un poteau était le seul indice de la présence d'un commerce dans l'allée.

— J'aime cet endroit, dit Sébastien en suivant le regard de Clary, parce qu'on a l'impression d'être transporté dans un autre siècle. Pas de voitures ni de néons. On s'y sent en paix.

Clary lui lança un regard interloqué. « Il ment, pensa-t-elle. Sébastien n'a pas de réflexions de ce genre-là. Sébastien a essayé de réduire en cendres Alicante, il ignore ce que c'est que la paix. »

Elle songea alors à l'endroit où il avait grandi. Elle ne l'avait jamais vu, mais Jace le lui avait décrit. Une petite maison – un cottage, plus précisément – dans une vallée non loin d'Alicante. Les nuits devaient être silencieuses là-bas, et le ciel constellé d'étoiles. Mais se pouvait-il que cela lui manque ? Pouvait-on éprouver ce genre d'émotion quand on n'était pas vraiment humain ?

« Ça ne te gêne pas de te promener dans les rues où Sébastien Verlac a grandi et vécu avant que tu l'assassines ? avait-elle envie de demander. Ça ne te gêne pas de porter son nom, de savoir que, quelque part, sa tante pleure sa mort ? Et qu'est-ce que ça veut dire, "il n'était pas censé se débattre ?" »

Il la considéra d'un air pensif. Il avait le sens de l'humour – cela ne lui avait pas échappé – et un esprit mordant qui n'était pas sans rappeler celui de Jace. Mais il ne souriait jamais.

— Viens, dit-il, l'arrachant à ses réflexions. C'est ici qu'on fait le meilleur chocolat chaud de Paris.

Clary ne pouvait pas vérifier ses dires, étant donné que c'était la première fois qu'elle visitait la ville, mais une fois installée, elle dut admettre que le chocolat était excellent. On le prépara à leur table dans un pot en céramique bleue, avec de la crème, du cacao et du sucre. Le résultat était si épais que la cuillère tenait presque toute seule dans la tasse. Ils commandèrent aussi des croissants qu'ils trempèrent dans leur boisson chaude.

— Tu sais, si tu veux un autre croissant, dis-le, dit Sébastien en s'adossant à sa chaise. Tu t'es jetée sur celui-ci comme la misère sur le pauvre monde.

— J'avais faim, protesta-t-elle avec un haussement d'épaules. Écoute, si tu veux me parler, vas-y. Essaie de me convaincre.

Il se pencha vers elle en posant les coudes sur la table.

— J'ai réfléchi à la question que tu m'as posée hier soir.

— J'avais des hallucinations et je ne me rappelle pas un traître mot de ce que je t'ai dit.

— Tu m'as demandé qui me possédait.

Clary, qui allait porter sa tasse à la bouche, suspendit son geste.

— Ah oui ?

Sébastien scruta attentivement son visage.

— Je n'ai pas de réponse à te donner.

Elle reposa sa tasse, soudain mal à l'aise.

— C'était juste une façon de parler.

— À mon tour de te poser une question. Tu crois que tu peux me pardonner ? Tu crois que le pardon est possible pour quelqu'un comme moi ?

— Je ne sais pas, répondit Clary en s'agrippant au bord de la table. Je... je ne sais pas grand-chose sur le pardon au sens religieux du terme. Je ne connais que sa définition ordinaire.

Elle soupira, consciente qu'elle parlait pour ne rien dire. Le regard de Sébastien braqué sur elle la gênait ; il semblait réellement attendre qu'elle lui donne des réponses qu'elle seule détiendrait.

— Je sais juste que pour être pardonné, il faut changer, se confesser, se repentir. Réparer le mal.

Elle baissa les yeux. Il n'existait aucun moyen pour Sébastien de réparer ses fautes.

— *Ave atque vale*, dit-il, les yeux fixés sur sa tasse.

Clary se souvint que, chez les Chasseurs d'Ombres, c'était la formule funéraire traditionnelle.

— Pourquoi tu dis ça ? Je suis toujours vivante, à ce que je sache.

— Tu sais que c'est extrait d'un poème de Catulle, n'est-ce pas ? *Frater, ave atque vale.* Il y parle de cendres, de rites funéraires, et du chagrin que lui cause la mort de son frère. J'ai appris ce poème par cœur quand j'étais plus jeune, mais il ne m'inspire rien, ni la peine, ni le deuil, ni les questionnements du poète sur ce que ce serait de mourir sans personne pour le regretter. (Il jeta un regard perçant à Clary.) Si Valentin nous avait élevés ensemble, est-ce que tu m'aurais aimé ?

Clary faillit en lâcher sa tasse. Sébastien l'observait sans trahir la gêne naturelle qui accompagnait ce genre de question bizarre, mais avec la curiosité d'un scientifique examinant une forme de vie inconnue.

— Eh bien... tu es mon frère. Je suppose que je t'aurais aimé. Il... l'aurait bien fallu.

Il continua de la fixer avec insistance. Elle fut tentée de lui retourner la question. Cependant, elle le soupçonnait de ne rien savoir de l'amour fraternel.

— Mais ce n'est pas Valentin qui m'a élevée, conclut-elle. Et à vrai dire, je l'ai tué.

Elle ne savait pas trop pourquoi elle avait dit cela. Elle cherchait peut-être à le mettre en colère. Après tout, Jace lui avait raconté que, d'après lui, Valentin était la seule personne qui comptât pour Sébastien.

Mais il ne broncha pas.

— En fait, c'est l'Ange qui l'a tué, rectifia-t-il. Bien que ce soit à cause de toi. Tu sais, la première fois que je t'ai rencontrée à Idris, j'espérais que tu serais comme moi. Et quand je me suis aperçu que nous n'avions rien de commun, je t'ai haïe. Mais quand je suis revenu à la vie et que Jace m'a raconté ce que tu avais fait, j'ai compris que je m'étais trompé. On est pareils, toi et moi.

— Tu m'as déjà dit la même chose hier soir. Mais c'est faux…

— Tu as tué notre père, protesta-t-il tranquillement. Et tu t'en fiches. Tu n'y as jamais repensé, pas vrai ? Valentin a battu Jace jusqu'au sang pendant les dix premières années de sa vie, et Jace le pleure toujours, alors qu'ils ne sont pas du même sang. Mais il était ton père, tu l'as tué et ça ne t'a pas empêchée de dormir.

Clary resta bouche bée. Quelle injustice ! Valentin n'avait jamais été un père pour elle ; il ne l'avait jamais aimée. C'était un monstre qui méritait de mourir. Elle l'avait tué parce qu'elle n'avait pas le choix.

L'image de Valentin enfonçant l'Épée dans la poitrine de Jace s'imprima dans son esprit. Mais ensuite, il avait pleuré son fils qu'il venait d'assassiner. Clary, elle, n'avait jamais pleuré la mort de son père. Cela ne lui avait même pas traversé l'esprit.

— J'ai raison, pas vrai ? reprit Sébastien. Ose dire le contraire. Ose dire que tu n'es pas comme moi.

Clary contempla son chocolat, qui était froid à présent. Les pensées se bousculaient dans sa tête.

— Je croyais que pour toi, c'était Jace qui te ressemblait, dit-elle d'une voix étranglée. Que c'était pour ça que tu voulais l'avoir à tes côtés.

— J'ai besoin de Jace. Mais au fond, il n'est pas comme moi. Toi, oui.

Il se leva. Il avait dû payer l'addition à un moment ou à un autre ; Clary n'en avait pas souvenir.

— Viens, fit-il.

Il tendit la main mais cette fois, elle ne la prit pas. Elle se leva à son tour et renoua son écharpe d'un geste mécanique. Le chocolat qu'elle avait bu lui restait sur l'estomac. Elle sortit à la suite de Sébastien, qui s'arrêta dans l'allée pour observer le ciel.

— Je ne suis pas comme Valentin, lâcha-t-elle. Notre mère...

— Ta mère me haïssait, lui rappela-t-il. Elle me hait toujours. Tu l'as vue, non ? Elle a essayé de me tuer. Tu penses que tu tiens d'elle ? Très bien. Jocelyne Fairchild est sans pitié. Elle a fait semblant d'aimer notre père pendant des mois, voire des années, afin de rassembler suffisamment d'informations pour le trahir. Elle a participé à l'Insurrection et vu tous les amis de son mari se faire assassiner. Elle t'a volé tes souvenirs. Tu lui as pardonné ? Et quand elle a fui Idris, tu crois qu'elle a ne serait-ce qu'envisagé de m'emmener avec elle ? Elle a dû accueillir la nouvelle de ma mort avec un grand soulagement.

— C'est faux ! s'écria Clary. Elle gardait une boîte contenant tes affaires de bébé. Chaque année, pour ton anniversaire, elle la sortait d'un tiroir et elle pleurait toutes les larmes de son corps. J'ai vu cette boîte dans ta chambre.

La bouche fine et bien dessinée de Sébastien se crispa et, tournant le dos à Clary, il s'enfonça dans l'allée.

— Sébastien ! cria-t-elle. Sébastien, attends.

Elle n'était pas sûre de savoir pourquoi elle le rappelait. D'accord, elle ne connaissait pas le chemin de l'appartement, mais ce n'était pas la seule raison. Elle avait besoin de se défendre, de lui prouver qu'il avait tort.

— Jonathan Christopher Morgenstern ! cria-t-elle plus fort.

Il s'arrêta net et la regarda s'avancer vers lui, la tête penchée sur le côté, les yeux mi-clos.

— Je parie que tu ne connais pas mon deuxième prénom, lança-t-elle.

— Adèle. Clarissa Adèle.

— Pourquoi Adèle ? demanda-t-elle quand elle l'eut rejoint. Je ne l'ai jamais su.

— Moi-même, je n'en sais rien, dit-il. Je sais que Valentin ne voulait pas de ce prénom. Il souhaitait t'appeler Seraphina, comme sa mère.

Il se remit en route, et cette fois ils marchèrent côte à côte.

— Après la mort de son mari, elle a succombé à une crise cardiaque, poursuivit-il. Valentin disait toujours que c'était le chagrin qui l'avait tuée.

Clary songea à Amatis, qui n'avait jamais oublié Stephen, son premier amour ; au père de celui-ci, qui était mort de chagrin ; à l'Inquisitrice qui avait consacré toute sa vie à se venger. À la mère de Jace, qui s'était ouvert les poignets en apprenant la mort de son époux.

— Avant de rencontrer des Nephilim, je croyais qu'il était impossible de mourir de chagrin.

Sébastien ricana.

— Nous ne nous attachons pas comme les humains. Enfin, si, parfois, je suppose. On n'est pas tous pareils. Mais les liens qui nous unissent sont souvent indestructibles. C'est pour cette raison que nous ne savons pas comment nous comporter avec ceux qui ne sont pas comme nous. Les Créatures Obscures, les Terrestres...

— Ma mère va épouser un loup-garou, lui rappela Clary, piquée au vif.

Ils avaient fait halte devant un immeuble en pierre avec des volets bleus, situé presque au bout de l'allée.

— C'était un Nephilim autrefois, objecta Sébastien. Et regarde notre père. Ta mère l'a trahi et abandonné, mais il n'a quand même jamais cessé de l'attendre et d'essayer de la convaincre de revenir. Le placard plein de vêtements...

Il secoua la tête.

— Mais Valentin disait souvent à Jace que l'amour est une faiblesse, objecta Clary. Qu'il finit par détruire les gens.

— Tu ne penserais pas ça, toi, si tu avais passé la moitié de ta vie à poursuivre une femme qui te hait, parce que tu n'es pas capable de l'oublier ? Essaie d'imaginer que la personne que tu aimes le plus au monde te plante un couteau dans le dos ! Peut-être que tu ressembles plus à Jocelyne qu'à Valentin, mais quelle importance ? Tu as un cœur de pierre, Clarissa. Ne prétends pas le contraire.

Avant qu'elle puisse protester, il gravit le perron de la maison aux volets bleus et appuya sur l'un des interphones, en face duquel était inscrit le nom « Magdalena ». Au bout d'un moment, une voix éraillée retentit dans le haut-parleur :

— Qui est là ? demanda-t-elle en français.

— Le fils et la fille de Valentin, répondit Sébastien dans la même langue. Nous avions rendez-vous.

Il y eut un silence, puis l'interphone émit un bourdonnement. Sébastien tint poliment la porte à Clary. Ils gravirent en silence un escalier dont les marches en bois étaient aussi usées et polies que la coque d'un bateau. Au dernier étage, la porte d'un appartement était entrouverte. Sébastien entra le premier, et Clary le suivit.

Elle pénétra dans une vaste pièce lumineuse. À travers une fenêtre, elle aperçut une rue bordée de restaurants et de boutiques. On n'entendait plus le bruit de la circulation. Les murs, les rideaux et les meubles étaient blancs, et les canapés moelleux recouverts de coussins multicolores. Une partie de l'appartement avait été aménagée en studio. Le soleil entrant par la verrière éclairait une grande table. Des chevalets dissimulés sous un linge étaient disséminés çà et là. Une blouse tachée de peinture était suspendue à un crochet sur le mur.

Une femme se tenait près de la table. Clary lui aurait donné l'âge de Jocelyne si certains détails n'avaient pas brouillé les pistes. Elle portait une blouse noire informe qui dissimulait son corps ; seules ses mains, son visage et sa gorge étaient visibles. L'une de ses joues était tatouée d'une rune dont les contours épais s'étendaient de sa tempe à sa bouche. Clary ne connaissait pas cette rune, mais elle en perçut la signification : pouvoir, habileté, minutie. La femme avait des cheveux auburn qui lui tombaient jusqu'à la taille, ses yeux brillaient d'un éclat terni, orange comme une flamme mourante.

Croisant les mains devant elle, elle dit en français, d'une voix mélodieuse qui trahissait une certaine nervosité :

— Tu dois être Jonathan Morgenstern. Et elle, c'est ta sœur ? Je pensais que...

Sébastien lui répondit en anglais.

— Oui, je suis bien Jonathan Morgenstern. Et voici ma sœur, Clarissa. Mais je vous en prie, parlez anglais. Elle ne comprend pas le français.

La femme s'éclaircit la voix.

— Mon anglais est rouillé. Cela fait des années que je ne le pratique plus.

— Moi, je le trouve très bien. Clarissa, je te présente Sœur Magdalena.

Clary ouvrit de grands yeux.

— Mais je croyais que les Sœurs de Fer ne quittaient jamais leur forteresse...

— En effet, dit Sébastien. À moins qu'elles ne tombent en disgrâce après avoir pris part à l'Insurrection. Qui a armé le Cercle, à ton avis ? (Il adressa un sourire glacial à Magdalena.) Les Sœurs de Fer ne sont pas des combattantes. Mais Magdalena a fui la Forteresse avant qu'on ne découvre le rôle qu'elle avait joué dans l'Insurrection.

— Lorsque ton frère m'a contactée, je n'avais pas vu un seul Nephilim depuis quinze ans, déclara Magdalena.

Il était difficile de déterminer qui elle regardait pendant qu'elle parlait ; son regard éteint vagabondait à travers la pièce sans jamais se poser.

— C'est vrai ? reprit-elle. Tu en as trouvé ?

Sébastien prit un petit sac pendu à sa ceinture et en sortit un objet qui ressemblait à un fragment de quartz. Il le posa sur la table et le rayon de soleil qui filtrait à travers la verrière sembla l'éclairer de l'intérieur. Clary retint son souffle. C'était le morceau d'adamas provenant de la boutique d'antiquités de Prague.

Magdalena laissa échapper un léger sifflement.

— De l'adamas pur, dit Sébastien. Aucune rune ne l'a touché.

La Sœur de Fer contourna la table et posa ses mains tremblantes, couvertes de runes sur le précieux matériau.

— De l'adamas pur, répéta-t-elle dans un souffle. Cela fait des années que je n'ai pas touché le métal sacré.

— À vous de le travailler, maintenant, dit Sébastien. Quand vous aurez terminé, je vous en donnerai pour vous. Enfin, si vous pensez que vous pouvez fabriquer ce que je vous ai demandé.

Magdalena se redressa fièrement.

— Ne suis-je pas une Sœur de Fer ? N'ai-je pas prononcé mes vœux ? Mes mains n'ont-elles pas déjà forgé le métal céleste ? Je te donnerai ce que je t'ai promis, fils de Valentin, n'aie crainte.

— Ravi de l'entendre, répliqua Sébastien avec une pointe de moquerie dans la voix. Je repasserai ce soir. Vous savez comment me contacter en cas de besoin.

Magdalena secoua la tête. Elle avait déjà reporté son attention sur l'adamas, qu'elle caressait du bout des doigts.

— Oui. Tu peux t'en aller.

Sébastien hocha la tête et prit congé. Clary hésita. Elle avait envie de saisir cette femme par le col pour lui faire avouer la tâche que Sébastien lui avait confiée. Elle aurait voulu savoir pourquoi elle s'était rangée du côté de Valentin. Comme si elle percevait son hésitation, Magdalena leva les yeux et eut un petit sourire.

— Vous deux… fit-elle.

Et, l'espace d'un instant, Clary pensa qu'elle allait dire : « Je ne comprends pas ce que vous faites ensemble ; d'après la rumeur, vous vous détestez. La fille de Jocelyne est une vraie Chasseuse d'Ombres tandis que le fils de Valentin est un criminel. » Mais elle secoua la tête avant d'ajouter :

— Mon Dieu… mais vous êtes le portrait craché de vos parents.

16

FRÈRES ET SŒURS

À leur retour dans l'appartement, Clary et Sébastien trouvèrent le salon vide et des assiettes sales dans l'évier.

— Je croyais que Jace dormait, dit-elle d'un ton accusateur.

Sébastien haussa les épaules.

— Il dormait quand je suis parti. Je crois savoir où il est.

Depuis qu'ils étaient sortis de chez Magdalena, ils avaient à peine échangé quelques mots, mais Clary n'avait pas trouvé ce silence pesant. Elle avait laissé son esprit vagabonder, et seule la vue de Sébastien marchant à ses côtés la ramenait de temps à autre à la réalité.

— Dans sa chambre ? suggéra-t-elle en se dirigeant vers l'escalier.

— Non, répondit-il en passant devant elle. Viens, je vais te montrer.

Il gravit les marches quatre à quatre et entra dans la grande chambre, Clary sur les talons. À sa stupéfaction, il tapota la cloison de la penderie, qui coulissa sur un escalier s'enfonçant dans l'obscurité, puis se tourna vers sa sœur avec un sourire narquois.

— Tu plaisantes ? souffla-t-elle. Un passage secret ?

— Ne me dis pas que c'est ce qui t'a le plus frappée aujourd'hui !

Il descendit les marches et, ignorant sa fatigue, Clary le suivit. L'escalier débouchait sur une grande pièce au sol recouvert de parquet. Tout un arsenal était accroché au mur : *kindjals*, *chakhrams*, masses, épées, dagues, arbalètes, coups-de-poing américains, étoiles de ninja, haches, épées de samouraï.

Jace se tenait debout au centre de cercles concentriques peints à même le sol, le dos tourné à la porte. Pieds nus, vêtu en tout et pour tout d'un bas de jogging noir, il tenait un poignard dans chaque main. Une image s'imprima dans la tête de Clary : le dos nu de Sébastien, couturé de cicatrices. Celui de Jace était lisse, à l'exception de ses Marques de Chasseur d'Ombres... et des griffures qu'elle lui avait faites la veille au club, emportée par la passion. Elle se sentit rougir, mais une question lui vint à l'esprit : pourquoi Valentin avait-il fouetté un de ses fils et pas l'autre ?

— Jace, dit-elle.

Il se retourna, luisant de sueur, et une expression méfiante s'imprima sur ses traits.

— Où étiez-vous passés ?

Sébastien s'avança pour examiner les armes accrochées au mur.

— J'ai pensé que Clary aurait envie de se promener dans Paris.

— Vous auriez pu me laisser un mot, marmonna Jace. Notre situation n'est pas des plus sûres, Jonathan. Je n'ai pas envie de m'inquiéter pour Clary...

— Je l'ai suivi, dit-elle précipitamment.

— Tu as fait quoi ?

— J'ai suivi Sébastien. J'étais réveillée et j'avais envie de savoir où il allait.

Elle glissa les mains dans ses poches et lui jeta un regard de défi.

— Eh bien, fit-il, agacé, la prochaine fois que tu décides de sortir sans m'en avertir, laisse-moi au moins un mot.

— J'ai emmené Clary voir Magdalena, intervint Sébastien, qui avait décroché une étoile de ninja du mur pour l'examiner. On lui a apporté l'adamas.

Jace, qui venait de jeter un couteau en l'air pour le rattraper, manqua son coup et la lame alla se planter par terre.

— Ah oui ?

— Et j'ai parlé de notre plan à Clary, ajouta Sébastien. Je lui ai dit qu'on avait l'intention d'attirer des Démons Supérieurs ici pour les détruire.

— Mais comment vous comptez vous y prendre ? demanda Clary. Tu ne m'as pas tout expliqué.

— J'ai pensé qu'il valait mieux t'en parler en présence de Jace.

Sans crier gare, Sébastien lança l'étoile de ninja à Jace, qui, rapide comme l'éclair, brandit son poignard pour la faire dévier de sa trajectoire. Sébastien émit un sifflement admiratif.

— Beau réflexe, commenta-t-il.

Clary se tourna vivement vers son frère.

— Tu aurais pu le blesser...

— Tu oublies que j'en aurais fait les frais, lui rappela Sébastien. Je voulais te montrer à quel point je lui fais confiance. Maintenant, j'aimerais que toi, tu en fasses autant avec nous. (Il la jaugea du regard.) L'adamas que j'ai apporté à la Sœur de Fer aujourd'hui, tu sais à quoi il sert ?

— Évidemment. À fabriquer des poignards séraphiques, des stèles. Les tours d'Alicante sont en adamas.

— La Coupe Mortelle aussi.

Clary secoua la tête.

— Non, la Coupe Mortelle est en or. Je l'ai vue de mes propres yeux.

— De l'adamas recouvert d'une couche d'or. Le manche de l'Épée Mortelle a aussi été forgé avec ce métal. Il paraît qu'il a servi à la construction des palais célestes. Et ce n'est pas facile de s'en procurer. Seules les Sœurs de Fer peuvent y avoir accès et le travailler.

— Alors pourquoi tu en as donné à Magdalena ?

— Pour qu'elle puisse fabriquer une autre coupe, répondit Jace.

— Une autre Coupe Mortelle ? (Clary dévisagea tour à tour les deux garçons d'un air incrédule.) Mais c'est impossible. Dans le cas contraire, l'Enclave n'aurait pas autant paniqué en apprenant que la coupe originelle avait disparu. Et Valentin n'aurait pas fait des pieds et des mains pour l'obtenir...

— Ce n'est qu'une coupe, objecta Jace. Quel que soit le secret de sa fabrication, ça restait une coupe jusqu'à ce que l'Ange verse son sang dedans. C'est ce qui l'a rendue spéciale.

— Et vous croyez pouvoir convaincre Raziel de verser son sang dans une autre coupe pour vous ? Bonne chance.

— C'est une ruse, Clary, expliqua Sébastien. Les démons s'imaginent que nous sommes à la recherche de l'équivalent démoniaque de Raziel. Un démon puissant qui mêlerait son sang au nôtre pour créer une nouvelle race de Chasseurs d'Ombres qui ne soit pas soumise à la Loi, au Covenant, aux règles dictées par l'Enclave.

— Vous leur avez dit que vous vouliez créer une race de Chasseurs d'Ombres... en négatif ?

— Oui, en quelque sorte, répondit Sébastien en riant. Jace, tu veux bien m'aider à lui expliquer ?

— Valentin était un fanatique, dit Jace. Il se trompait sur de nombreux points, notamment à propos des Créatures Obscures. En revanche, il avait raison au sujet de l'Enclave et du Conseil. Tous les Inquisiteurs étaient corrompus. Les Lois dictées par l'Ange sont arbitraires et absurdes, sans parler des châtiments. « La Loi est dure, mais c'est la Loi. » Combien de fois as-tu entendu ça ? Combien de fois a-t-il fallu louvoyer pour éviter l'Enclave et ses lois quand nous essayions de les sauver ? Qui m'a mis en prison ? L'Inquisitrice. Qui a mis Simon en prison ? L'Enclave. Qui l'aurait laissé brûler vif ?

Le cœur de Clary s'était mis à battre plus vite. Elle se désespérait d'entendre ce raisonnement de la bouche de Jace. Il avait à la fois tort et raison, comme Valentin. Pourtant, lui, elle avait envie de le croire.

— J'admets que l'Enclave est corrompue, dit-elle.

Mais ça ne justifie pas qu'on passe des accords avec les démons.

— Notre mission est de les détruire, dit Sébastien. Mais l'Enclave gaspille son énergie ailleurs. Les boucliers s'affaiblissent, et un nombre croissant de démons envahit notre monde, mais l'Enclave fait la sourde oreille. Nous avons ouvert une brèche dans le Nord, sur l'Île Wrangel, et nous attirerons les démons là-bas par la promesse de la Coupe. Sauf que quand ils y verseront leur sang, ils seront détruits. J'ai passé un marché avec plusieurs Démons Supérieurs. Quand Jace et moi nous les aurons éliminés, l'Enclave comprendra qu'il faut désormais faire avec nous. Ils seront obligés de nous écouter.

Clary ouvrit de grands yeux.

— Tuer un Démon Supérieur, ce n'est pas si facile.

— J'en ai tué un aujourd'hui, répliqua Sébastien. C'est d'ailleurs pour ça que le fait d'avoir éliminé ses gardes ne créera pas de problèmes. Je m'étais débarrassé de leur maître avant.

Clary observa tour à tour Jace et Sébastien. Jace ne broncha pas ; quant à Sébastien, il la regardait fixement, comme s'il essayait de lire dans ses pensées.

— Eh bien, fit-elle, j'en apprends de belles. Ça ne me plaît pas que vous couriez des risques pareils. Mais je suis contente que vous me fassiez assez confiance pour m'en parler.

— Je te l'avais dit ! s'exclama Jace. Je t'avais dit qu'elle comprendrait.

— Je n'ai jamais prétendu le contraire, rétorqua Sébastien sans quitter Clary des yeux.

Elle avala péniblement sa salive.

— Je n'ai pas beaucoup dormi hier soir. J'ai besoin de me reposer.

— Dommage, fit Sébastien. J'allais te proposer une visite à la tour Eiffel.

Son regard ne trahissait aucune émotion ; Clary n'aurait su dire s'il était sérieux. Avant qu'elle puisse répondre, Jace lui prit la main.

— Je viens avec toi. Je n'ai pas beaucoup dormi non plus. (Il se tourna vers Sébastien.) On se voit au dîner ?

Sébastien ne répondit pas. Ils avaient presque atteint l'escalier lorsqu'il rappela Clary.

— Quoi ? fit-elle en se retournant.

— Mon écharpe.

— Oh. C'est vrai.

Elle s'avança vers lui en s'acharnant fébrilement sur le nœud de l'écharpe. Après quelques instants, il soupira et la rejoignit en quelques enjambées. Immobile, elle le laissa dénouer adroitement l'écharpe en quelques gestes. Elle eut l'impression que ses doigts s'attardaient plus que nécessaire sur sa gorge...

Elle se souvint du baiser qu'ils avaient échangé ; à ce moment-là, elle avait eu l'impression de tomber dans un trou noir. Elle recula précipitamment.

— Merci de me l'avoir prêtée, dit-elle en rejoignant Jace sans accorder un regard à Sébastien qui l'observait d'un air perplexe, l'écharpe à la main.

Debout au milieu des tas de feuilles mortes, Simon scruta l'allée. Une fois de plus, il eut le réflexe humain d'inspirer une grande bouffée d'air frais. Il se trouvait à Central Park, près de Shakespeare Garden. Les arbres avaient perdu leur lustre automnal : l'or, le vert et le rouge avaient laissé place au brun et au noir. La plupart des branches n'avaient plus de feuilles.

Il toucha de nouveau la bague à son doigt.

Clary ?

Une fois encore, il n'obtint pas de réponse. Il sentit ses muscles se contracter. Cela faisait trop longtemps qu'il était sans nouvelles. Il se répétait inlassablement qu'elle devait dormir, mais il ne parvenait pas à se débarrasser de cette angoisse qui lui nouait l'estomac. Cette bague était son seul lien avec Clary, et en ce moment même il ne sentait rien d'autre que le poids d'un morceau de métal mort à son doigt.

Il remonta l'allée sur quelques mètres, passa près des statues et des bancs gravés de citations de Shakespeare. L'allée bifurqua vers la droite et, soudain, il la vit, assise sur un banc, le regard ailleurs, ses cheveux bruns rassemblés en une longue tresse. Elle l'attendait, parfaitement immobile.

Il redressa le dos et s'avança vers elle. Il lui semblait que chacun de ses pas était lesté de plomb.

À son approche, elle se retourna, et son visage pâle blêmit encore davantage alors qu'il s'asseyait près d'elle.

— Simon, dit-elle dans un souffle. Je n'étais pas sûre que tu viendrais.

— Salut, Rebecca, lança-t-il.

Elle tendit la main et il la serra en remerciant silencieusement le ciel d'avoir pensé à mettre des gants ce matin-là. Leur dernière rencontre remontait seulement à quatre mois, mais elle lui évoquait déjà la photographie de quelqu'un qu'il avait connu jadis.

Tout chez elle lui semblait pourtant familier : ses cheveux bruns, ses yeux sombres de la même couleur et de la même forme que les siens, son nez constellé de taches de rousseur. Elle portait un jean, une parka jaune vif et une écharpe verte ornée de grosses fleurs jaunes. Clary qualifiait son style vestimentaire de « hippie chic ». La moitié de ses vêtements venaient des boutiques de fripes ; elle fabriquait le reste elle-même.

Soudain, ses yeux se remplirent de larmes.

— Simon, murmura-t-elle en se jetant dans ses bras.

Il se laissa étreindre en lui tapotant maladroitement le dos. Puis elle s'écarta en s'essuyant les yeux et fronça les sourcils.

— Ce que ta peau est froide ! Tu devrais porter une écharpe. (Elle lui lança un regard accusateur.) Bon, où étais-tu passé ?

— Je te l'ai dit. Je vis chez un ami.

Elle eut un rire bref.

— C'est un peu court, comme explication. Qu'est-ce qui se passe, bon sang ?

— Becky…

— J'ai appelé maman pour Thanksgiving, dit-elle en regardant les arbres droit devant elle. Tu sais, au sujet du train que je devais prendre. Et tu sais ce qu'elle m'a répondu ? Que ce n'était pas la peine de venir parce qu'il n'y aurait pas de Thanksgiving. Puis je t'ai appelé et tu n'as pas décroché. J'ai rappelé maman pour savoir où tu étais. Elle m'a raccroché au nez. Comme ça. Alors je suis allée la voir, et c'est là que j'ai découvert tous ces grigris sur la porte. Je me suis mise en rogne, et tu sais ce qu'elle m'a dit ? Que tu étais mort. Mort. Mon propre frère. Elle m'a dit que tu étais mort et qu'un monstre avait pris ta place.

— Qu'est-ce que tu as fait ?

— J'ai fichu le camp, répondit Rebecca.

Simon sentait qu'elle essayait de paraître détachée, mais la peur perçait dans sa voix.

— Visiblement, maman a perdu la boule, poursuivit-elle.

— Oh, fit Simon.

Rebecca avait toujours eu des relations tendues avec leur mère. Elle aimait bien l'appeler « la dingo » ou « la folle ». Mais c'était la première fois qu'elle pensait vraiment ce qu'elle disait.

— Oh, tu peux le dire, répliqua-t-elle avec colère. J'étais affolée. Je t'ai envoyé des dizaines de textos. Pour finir, j'ai reçu un message bidon me disant que tu étais « chez un ami ». Et maintenant, tu me donnes rendez-vous ici ? Enfin, Simon ! Ça fait combien de temps que ça dure, cette histoire ?

— De quoi tu parles ?

— À ton avis ? De la crise de maman ! (Rebecca tira sur son écharpe.) Il faut faire quelque chose. Parler à un médecin. La mettre sous médocs. Je ne sais pas quoi faire. J'ai besoin de ton avis. Tu es mon frère, quand même !

— Je ne peux pas t'aider, murmura Simon.

Elle se radoucit.

— Je sais que c'est terrible pour toi. Tu es encore au lycée. Mais il faut qu'on prenne cette décision ensemble.

— Ce que je veux dire, c'est que je ne peux pas la prendre en charge avec toi. Elle a raison. Je suis un monstre.

Rebecca resta bouche bée quelques instants.

— Elle t'a lavé le cerveau ?

— Non...

— Tu sais, reprit-elle d'une voix tremblante, j'ai même cru qu'elle t'avait fait du mal, à sa façon de parler... Et puis j'ai pensé : « Non, elle n'aurait jamais osé. » Mais si elle a levé la main sur toi, Simon, il faut que...

Incapable d'en supporter davantage, Simon ôta son gant et se tourna vers sa sœur. C'était elle qui, sur la plage, lui tenait la main quand il était trop petit pour patauger tout seul dans l'océan. Elle qui avait essuyé le sang sur son visage après un entraînement de foot mémorable, elle qui avait séché ses larmes à la mort de leur père, alors que leur mère passait ses journées dans son lit à contempler le plafond comme un zombie. Elle qui lui lisait des histoires dans son lit à l'époque où il portait encore des Babygro. Elle qui avait fait rétrécir tous ses vêtements à la machine à laver un jour de grand ménage. Elle qui préparait son déjeuner les jours où sa mère n'avait pas le temps. Rebecca, sa sœur. Le dernier lien qu'il devait rompre.

— Touche ma main, dit-il.

Elle obéit et tressaillit.

— Elle est glacée. Tu es malade ?

— On peut dire ça.

Il la dévisagea longuement dans l'espoir qu'elle devinerait toute seule, mais elle l'observait d'un air confiant. Il réprima un geste d'impatience. Ce n'était pas sa faute. Elle ne savait pas.

— Maintenant, prends mon pouls, reprit-il.

— Je ne sais pas faire, Simon. Je suis étudiante en histoire de l'art, je te rappelle.

Il prit sa main et la posa sur son poignet.

— Appuie bien. Tu sens quelque chose ?

Elle resta immobile un long moment.

— Non. Je devrais ?

— Becky...

Il repoussa sa main d'un geste irrité. Il n'y avait plus qu'un seul moyen.

— Regarde-moi, dit-il, et comme elle levait les yeux, il sortit les crocs.

Elle poussa un hurlement et tomba à la renverse dans un tas de feuilles mortes. Quelques promeneurs lui jetèrent un regard intrigué, mais on était à New York et ils poursuivirent leur chemin sans se retourner.

Simon se sentit soudain terriblement abattu. Il était arrivé à ses fins, mais ça lui faisait tout de même quelque chose de la voir accroupie par terre, la main plaquée sur la bouche et les joues si pâles que les taches de son sur sa peau ressortaient violemment. La même réaction que sa mère. Il se rappelait avoir dit à Clary qu'il n'y avait pas pire que de se méfier de ceux qu'on aime. Il se trompait. Le pire, c'était de leur inspirer de la crainte.

— Rebecca, dit-il, et sa voix se brisa. Becky...

La main toujours plaquée sur la bouche, elle secoua la tête, assise sur son tas de feuilles mortes, l'écharpe traînant par terre. En d'autres circonstances, il aurait peut-être trouvé la scène comique.

Il se leva du banc et alla s'agenouiller près d'elle. Il avait rentré ses crocs mais elle le regardait comme s'ils étaient encore là. D'un geste hésitant, il toucha son épaule.

— Becky, je ne te ferai jamais aucun mal. Ni à toi ni à maman. Je voulais juste te voir une dernière fois pour t'annoncer que je m'en vais et que tu ne me reverras plus. Je vais vous laisser tranquilles. Vous pourrez fêter Thanksgiving entre vous. Je ne me montrerai pas. Je n'essaierai pas d'avoir de vos nouvelles. Je...

— Simon...

Rebecca lui saisit le bras pour l'attirer contre elle, et il faillit perdre l'équilibre. La dernière fois qu'elle avait eu ce geste, c'était le jour de l'enterrement de leur père.

— Ça me ferait trop de peine de ne plus te voir.

— Oh, fit-il en s'asseyant à son tour par la terre.

Il était si surpris qu'il ne savait que dire.

Rebecca le serra plus fort, et il s'abandonna à son étreinte. Malgré sa frêle corpulence, elle l'avait porté quand ils étaient enfants, et elle en était encore capable.

— Je pensais que tu ne voudrais plus me voir, poursuivit-il.

— Pourquoi ? demanda-t-elle.

— Parce que je suis un vampire.

Comme c'était drôle de s'entendre le dire tout haut !

— Alors, ça existe, les vampires ?

— Oui. Et les loups-garous. Et d'autres trucs encore plus bizarres. C'est… arrivé comme ça. On m'a attaqué. Je ne l'ai pas choisi, même si ça ne fait aucune différence. C'est ma vie, désormais.

— Est-ce que… (Rebecca hésita, et Simon sentit qu'elle s'apprêtait à poser la seule question qui importât vraiment.)… tu mords les gens ?

Il songea à Isabelle, et chassa précipitamment cette pensée de son esprit. « J'ai mordu une fille de treize ans. Et un type. C'est moins bizarre que ça en a l'air. » Non. Ces choses-là, sa sœur n'avait pas besoin de les savoir.

— Je bois du sang en bouteille. Du sang d'animal. Je ne m'en prends pas aux gens.

— Bon. (Elle soupira.) Bon.

— Et ça ne te pose pas de problème ?

— Non. Je t'aime, dit-elle en lui tapotant maladroitement le dos.

Soudain, il s'aperçut qu'elle pleurait. Une grosse larme coula sur sa main. Une autre suivit, et il referma les doigts dessus. Il frissonna, mais ce n'était pas le froid ; pourtant, elle ôta son écharpe et les en enveloppa tous les deux.

— On va s'en sortir, reprit-elle. Tu es mon petit frère, espèce d'idiot, et je t'aime quoi qu'il arrive.

Et ils s'assirent, épaule contre épaule, le regard fixé sur l'obscurité entre les arbres.

Il faisait clair dans la chambre de Jace ; le soleil de midi se déversait par les fenêtres ouvertes. Dès que Clary fut entrée dans la pièce, il ferma la porte, poussa le verrou, puis déposa ses couteaux sur la table de nuit. Elle allait lui demander si tout allait bien quand il la prit par la taille et la serra contre lui.

Malgré ses bottes qui la grandissaient un peu, il devait encore se baisser pour l'embrasser. Ses lèvres avaient un goût de sel. Elle essaya de se concentrer exclusivement sur ses sensations : l'odeur familière de sa peau, de sa sueur, le frôlement de ses cheveux encore humides sur sa joue, le contact de ses épaules et de son dos, la façon dont leurs corps s'emboîtaient.

Il l'aida à ôter son sweat-shirt. En dessous, elle portait un tee-shirt à manches courtes, et elle sentit à travers le tissu la chaleur émanant de son corps. Sa main glissa jusqu'au bouton de son jean, et elle se sentit défaillir.

Il lui fallut tout son sang-froid pour immobiliser son poignet.

— Jace, arrête.

Il s'écarta pour scruter son visage, le regard voilé, le cœur battant.

— Pourquoi ?

Elle ferma les yeux.

— Hier soir, si on... si je ne m'étais pas évanouie, je ne sais pas ce qui se serait passé, et on était au milieu d'une pièce remplie de gens. Tu crois vraiment que j'avais envie de vivre ma première fois avec toi en présence d'un tas d'étrangers ?

— Ce n'est pas notre faute, protesta-t-il en lui caressant les cheveux. Ce truc argenté, c'était de la drogue féerique, je te l'ai dit. Mais j'ai retrouvé mon état normal, et toi aussi...

— Et Sébastien est là, et je suis épuisée, et...

« Et ce serait vraiment une mauvaise idée et on le regretterait tous les deux. »

— … et je n'en ai pas envie, conclut-elle.

— Vraiment ? fit-il, incrédule.

— Je suis désolée si c'est la première fois qu'on te le dit, Jace, mais non. Je n'en ai pas envie. (Elle fixa avec insistance sa main toujours posée sur la taille de son jean.) Et là, encore moins.

Il leva les sourcils, mais s'écarta d'elle sans un mot.

— Jace…

— Je vais prendre une douche froide, annonça-t-il en se dirigeant vers la salle de bains, l'air impassible.

Une fois qu'il eut claqué la porte derrière lui, elle s'avança vers le lit fait avec soin et s'assit, la tête dans les mains. Ce n'était pas la première fois qu'elle se disputait avec Jace ; il lui semblait qu'ils se querellaient autant que la moyenne des couples, et jamais à propos de sujets graves. Mais la froideur soudaine de Jace la troublait ; son air lointain, inaccessible ravivait la question qu'elle gardait toujours à l'esprit : restait-il un peu du vrai Jace au fond de lui ? Y avait-il encore quelque chose à sauver ?

Voici la Loi de la Jungle – le ciel a son âge et mieux serait mentir,

Le Loup qui la garde peut prospérer, mais le Loup qui l'enfreint doit mourir.

Comme la liane autour du tronc, la Loi passe derrière et devant ;

Car la force du Clan c'est le Loup, et la Force du Loup c'est le Clan.

Jordan parcourut d'un regard distrait le poème punaisé au mur de sa chambre. C'était une vieille affiche trouvée chez un bouquiniste, dont les mots étaient entourés d'une guirlande de feuilles. L'auteur du poème n'était autre que Rudyard Kipling, et il résumait si bien les règles régissant la vie des loups-garous que Jordan s'était souvent demandé s'il n'était pas lui-même une Créature Obscure, ou s'il n'avait pas entendu parler des Accords. En voyant l'affiche, Jordan s'était senti obligé de l'acheter alors qu'il n'avait jamais été un grand amateur de poésie.

Depuis une heure, il faisait les cent pas dans son appartement en jetant des coups d'œil répétés à son téléphone pour vérifier si Maia lui avait envoyé un texto. De temps à autre, il allait inspecter le contenu du réfrigérateur au cas où quelque chose de comestible y serait apparu comme par enchantement. Il ne voulait pas courir le risque d'aller faire des courses au cas où elle se serait présentée à l'appartement entre-temps. Il avait pris une douche, nettoyé la cuisine, essayé en vain de s'absorber dans un programme télé, et commencé à ranger tous ses DVD par couleur.

Il ne tenait pas en place, comme avant chaque pleine lune, alors qu'il était sur le point de se transformer. Mais ces jours-ci, la lune était descendante, et ce n'était pas la Transformation qui le rendait nerveux. Non, c'était Maia et son absence, après deux jours entiers passés en sa compagnie.

Elle s'était rendue sans lui au commissariat sous prétexte que le moment était mal choisi pour imposer à la meute la présence d'un étranger, alors que Luke était presque guéri. Ce n'était pas la peine que Jordan vienne, d'après elle, puisqu'il s'agissait simplement de demander à Luke si Magnus et Simon pouvaient se rendre à la ferme le lendemain. Ensuite, elle appellerait là-bas pour avertir d'éventuels membres de la meute dépêchés sur place de vider les lieux. Jordan était bien obligé d'admettre qu'elle avait raison : il n'était pas nécessaire qu'il l'accompagne. Pourtant, à peine avait-elle franchi la porte qu'il avait commencé à s'agiter. S'était-elle enfuie parce qu'elle en avait assez d'être avec lui ? Avait-elle encore changé d'avis à son sujet ? Et que se passait-il au juste entre eux ? Étaient-ils vraiment ensemble ? « Tu aurais peut-être dû lui poser la question avant de coucher avec elle, gros malin », se dit-il avant de s'apercevoir qu'il s'était de nouveau planté devant le réfrigérateur qui renfermait toujours le même contenu : des flacons de sang, un demi-kilo de bœuf haché à moitié décongelé, une pomme bosselée.

La clé tourna dans la porte d'entrée, et il s'écarta d'un bond du réfrigérateur. Il examina ses vêtements, un jean et un vieux tee-shirt. Pourquoi n'avait-il pas pris le temps de se raser, de soigner sa tenue ou de s'asperger d'eau de toilette ? Il se recoiffa rapidement juste avant que Maia n'entre dans le salon et ne pose son double de clés sur la table basse. Elle avait troqué ses vêtements de la veille contre un jean et un sweat-shirt rose pâle. Elle avait les joues rosies par le froid, les lèvres rouges, les yeux brillants. Il mourait d'envie de l'embrasser, mais il demanda :

— Alors... comment ça s'est passé ?

— Bien. Magnus peut utiliser la ferme. Je l'ai déjà prévenu par texto. (Elle s'avança vers Jordan et posa les coudes sur le comptoir.) J'ai aussi raconté à Luke ce qu'avait dit Raphaël au sujet de Maureen. J'espère que j'ai bien fait.

Jordan parut perplexe.

— Qu'est-ce qui t'a fait penser qu'il fallait le mettre au courant ?

Elle se décomposa.

— Oh, mince. Ne me dis pas que j'étais censée garder le secret.

— Non. Je me demandais juste...

— Eh bien, s'il y a un vampire incontrôlable qui se promène en liberté dans Lower Manhattan, la meute doit en être informée. C'est son territoire. Et puis, j'avais besoin d'entendre son avis au sujet de Simon : est-ce qu'il faut le lui dire ou non ?

— Tu veux mon opinion à moi ? s'exclama Jordan d'un ton faussement vexé, mais une part de lui-même l'était vraiment.

Ils en avaient déjà discuté, pour décider si Jordan devait annoncer à sa « mission » que Maureen semait la terreur dans Manhattan. Fallait-il ajouter un autre fardeau à tout ce que Simon traversait déjà ? Jordan était d'avis de ne pas lui en parler : que pouvait-il y faire, de toute manière ? Mais Maia n'était pas convaincue.

Elle se hissa sur le comptoir et le fixa d'un regard malicieux.

— Je voulais l'avis d'un adulte.

Il attrapa ses jambes qui se balançaient.

— J'ai dix-huit ans... ce n'est pas assez adulte pour toi ?

Elle tâta les muscles de ses épaules.

— Eh bien, vu sous cet angle...

Il l'attira contre lui pour l'embrasser et sentit ses veines s'embraser quand elle lui rendit ses baisers en se pressant contre lui. Il ôta son bonnet pour libérer ses boucles tandis qu'elle ôtait son tee-shirt et caressait ses épaules, son dos et ses bras nus en ronronnant comme un chat au creux de son cou. Il se sentait à la fois grisé par leur étreinte et délesté d'un poids. Elle ne s'était pas lassée de lui, en fin de compte.

— Jordy, murmura-t-elle. Attends.

Elle ne l'appelait jamais comme cela, à moins que ce soit sérieux. Son cœur se mit à battre plus vite.

— Qu'est-ce qui ne va pas ?

— C'est juste... si chaque fois qu'on se voit, on finit au lit... Et je sais que c'est moi qui ai commencé, je ne te blâme pas... Mais il faudrait peut-être qu'on parle.

Au prix d'un effort, il demanda d'une voix égale :

— D'accord, de quoi tu veux parler ?

Elle le dévisagea en silence puis, au bout d'un moment, elle secoua la tête et dit :

— De rien.

Nouant les mains autour de sa nuque, elle l'attira contre lui et l'embrassa de plus belle en collant son corps contre le sien.

— De rien du tout.

Quand Jace sortit enfin de la salle de bains en frictionnant ses cheveux mouillés avec une serviette, Clary l'attendait, assise au bord du lit. Après avoir enfilé un tee-shirt en coton bleu, il alla s'asseoir à côté d'elle ; une forte odeur de savon émanait de lui.

— Je suis désolé, dit-il.

Elle le dévisagea d'un air surpris. Elle s'était demandé s'il était capable d'avoir des regrets dans son état actuel. Son expression était grave, un peu intriguée, mais sincère.

— Waouh, fit-elle. La douche froide a dû être brutale.

Il eut un petit sourire, mais retrouva immédiatement son sérieux.

— Je n'aurais pas dû te forcer la main. C'est juste que... Il y a trois mois de ça, le seul fait de te tenir dans mes bras aurait été impensable.

— Je sais.

Il prit son visage dans ses mains pour la regarder, et tout lui parut familier chez lui : l'iris doré de ses yeux, la cicatrice sur sa joue, sa lèvre inférieure pulpeuse, la dent légèrement ébréchée qui lui donnait un air canaille. Pourtant, elle avait cette impression qu'on éprouve parfois en revenant voir la maison de son enfance : la façade a beau être la même, c'est une autre famille qui y vit.

— Je m'en fichais, reprit-il. Je te voulais, quoi qu'il arrive. Je t'ai désirée dès le début. Tu étais la seule qui comptait pour moi.

— Mais, Jace, protesta Clary, mal à l'aise. Ce n'est pas vrai. Ta famille comptait pour toi. Et... j'ai toujours senti ta fierté d'être un Nephilim.

— Ma fierté ? Quand on est mi-ange, mi-humain, on ne se sent jamais à sa place. Nous ne sommes pas des anges. Nous ne sommes pas aimés du ciel. Raziel se fiche de notre sort. On ne peut même pas le prier.

Ou alors on prie pour rien. Tu te rappelles quand je croyais que j'avais du sang démoniaque parce que ça expliquait ce que je ressentais pour toi ? En un sens, c'était presque un soulagement de l'admettre. Je n'ai jamais été un ange. Ou alors, un ange déchu, ajouta-t-il.

— Un ange déchu, c'est un démon.

— Je ne veux pas être un Nephilim. Je veux être plus fort, plus rapide, meilleur qu'un être humain. Mais différent de ce que je suis. Je ne veux pas être soumis aux lois d'un ange qui se moque de notre sort. Je veux être libre. (Il caressa les cheveux de Clary.) Je suis heureux maintenant, Clary. Ça fait la différence, non ?

— Je croyais qu'on était heureux ensemble, dit-elle.

— J'ai toujours été heureux avec toi. Mais je croyais que je ne le méritais pas.

— Et maintenant tu penses que si ?

— Maintenant, je ne pense plus. Tout ce que je sais, c'est que je t'aime. Et pour la première fois, ça suffit.

Elle ferma les yeux. Un instant plus tard, il l'embrassait de nouveau, mais très tendrement, cette fois, et elle s'abandonna à ses baisers. Sa chaleur était si réconfortante ; les battements de son cœur lui faisaient l'effet d'une musique familière, et si la tonalité était légèrement altérée, les yeux fermés, elle ne voyait pas la différence. C'était le même sang qui coulait dans leurs veines ; la reine avait vu juste. Son cœur battait au même rythme que celui de Jace ; il s'était arrêté quand il avait cessé de respirer. Si elle devait tout recommencer sous le regard impitoyable de Raziel, elle agirait exactement pareil.

Cette fois, ce fut lui qui s'écarta.

— On fera comme tu voudras, dit-il. Quand tu voudras.

Clary frissonna. Les mots de Jace étaient simples, mais sa voix recelait une part de séduction et de danger : « Comme tu veux, quand tu veux. » Sa main descendit le long de son dos, s'attarda vers sa taille. Elle avala péniblement sa salive. Elle était capable de résister, mais jusqu'à un certain point.

— Tu peux me faire la lecture ? demanda-t-elle soudain.

Il la regarda, l'air abasourdi.

— Hein ?

Elle désigna les livres posés sur sa table de nuit.

— Ça fait beaucoup à digérer. Ce que Sébastien a dit, ce qui s'est passé hier soir. J'ai besoin de sommeil, mais je suis trop à cran. Quand j'étais petite et que je n'arrivais pas à dormir, ma mère me lisait des histoires pour me détendre.

— Je te rappelle ta mère, maintenant ? Il faut que je me trouve un parfum plus viril.

— Non, c'est juste... Ça pourrait être sympa.

Il s'adossa aux oreillers et tendit la main vers la pile de livres.

— Tu veux que je te lise quelque chose en particulier ?

D'un geste ostentatoire, il prit le livre sur le dessus de la pile. La reliure était en cuir, et le titre frappé en lettres d'or. *Un conte de deux villes*.

— Dickens ne déçoit jamais...

— Je l'ai lu au lycée mais je ne m'en souviens pas du tout, dit Clary en s'installant à côté de Jace.

— Parfait. Il paraît que j'ai une belle voix quand je lis, très mélodieuse, ironisa-t-il.

Il ouvrit le livre à la page de garde, sur laquelle figurait une longue dédicace tracée à l'encre, désormais presque illisible, mais dont Clary parvint à déchiffrer la signature : William Herondale.

— Un de tes ancêtres ? demanda Clary.

— Oui. C'est bizarre que ce livre ait atterri chez Valentin. Mon père avait dû le lui donner.

Jace choisit une page au hasard et se mit à lire :

« – *Soyez bénie pour tant de compassion, dit-il en se découvrant la figure ; n'ayez pas peur, ne craignez pas de m'entendre ; je suis semblable à un homme qui est mort au début de sa carrière, et dont on peut supposer que la vie aurait été belle.*

— *Ne dites pas cela, monsieur Carton ; vous avez devant vous la meilleure partie de votre existence, vous serez digne de vous-même, vous le pouvez, j'en suis sûre.* »

— Oh, je me rappelle maintenant, dit Clary. C'est un triangle amoureux. Elle choisit le moins marrant des deux.

Jace gloussa.

— Ça, c'est toi qui le dis. Il devait s'en passer de belles, sous les jupons des dames victoriennes.

— C'est vrai, tu sais.

— Quoi, ce que je viens de dire ?

— Non. Que tu as une belle voix quand tu lis.

Clary se blottit contre l'épaule de Jace. C'était dans des moments tels que celui-ci – plus que quand elle l'embrassait – que son cœur se serrait. Dans ces moments-là, il lui semblait que Jace était redevenu lui-même. Tant qu'elle gardait les yeux fermés, en tout cas.

— Ça plus des abdos en acier, lança-t-il en choisissant une autre page. Que rêver de mieux ?

17

Adieux

« As I strolled down along the quay
All in the lateness of the day
I heard a lovely maiden say :
"Alack, for I can get no play."
A minstrel boy heard what she said
And straight he rushed to her aid...[1] »

— On est obligés d'écouter cette chanson gei-
gnarde ? demanda Isabelle en martelant de son pied
botté le tableau de bord de la camionnette.

— Il se trouve que j'aime cette chanson, fillette, et
comme c'est moi qui conduis, c'est moi qui décide,
répliqua Magnus d'un ton dédaigneux.

Simon s'était étonné qu'il sache conduire, sans trop
savoir pourquoi. Après tout, Magnus étant immortel,
il avait forcément trouvé le temps de passer son permis.

---

1. Alors que je me promenais sur le quai/En fin de journée/
J'entendis une jolie jeune fille se lamenter :/ « Hélas, je ne trouve
pas de galant ! »/Un jeune ménestrel, en l'entendant,/Se précipita pour lui venir en aide... (*N.d.T.*)

Bien que Simon ne pût s'empêcher de s'interroger sur la date de naissance qui figurait sur le document...

Isabelle se contenta de lever les yeux au ciel, sans doute parce qu'il n'y avait pas assez de place pour un geste d'humeur dans l'habitacle où ils s'entassaient à quatre. Simon avait été surpris qu'elle les accompagne. Il avait d'ailleurs prévu de se rendre seul à la ferme avec Magnus, mais Alec avait également insisté pour venir, contre l'avis du sorcier qui jugeait leur projet « trop dangereux ». Au moment où Magnus démarrait la camionnette, Isabelle avait déboulé dans l'escalier, hors d'haleine.

— Je viens aussi, avait-elle annoncé en franchissant la porte de l'immeuble.

Aussitôt dit, aussitôt fait. Personne n'avait réussi à l'en dissuader. Elle n'avait pas regardé Simon ni expliqué les raisons de sa décision, mais elle était là. Elle portait un jean et une veste en daim violette qu'elle avait dû piquer dans le placard de Magnus. Elle était collée contre Simon, qui lui-même était écrasé contre la portière de la camionnette. Une mèche de cheveux d'Isabelle lui chatouillait la joue.

— Qu'est-ce que c'est, au fait ? Un groupe de musique féerique ? demanda Alec qui examinait, les sourcils froncés, le lecteur CD qui n'en contenait pas.

Magnus avait simplement appuyé sur un bouton d'un doigt auréolé d'une flamme bleue, et la musique s'était mise en marche.

Magnus ne répondit pas, mais la musique retentit plus fort.

« *To mirror went she straightaway*
And did her ebon hair array
And for her gown she much did pay.
Then down she walked along the street,
A handsome lad she chanced to meet,
And sore by dawn were her dainty feet,
But all the boys were gay.[1] »

Isabelle ricana.

— C'est vrai que tous les garçons sont gays ! En tout cas, dans cette camionnette. Enfin, à part toi, Simon.

— Tu as remarqué ? répondit-il.

— Je me considère comme bisexuel, précisa Magnus.

— Je t'en prie, ne prononce jamais ce mot devant mes parents, gémit Alec. Surtout mon père.

— Je croyais que tes parents avaient accepté ton coming-out, s'étonna Simon en se penchant par-dessus Isabelle pour regarder Alec qui, comme à son habitude, semblait de mauvaise humeur.

En dehors de quelques banalités, Simon n'avait jamais beaucoup discuté avec Alec. Ce n'était pas facile de le connaître. Mais Simon devait admettre que depuis qu'il avait coupé les ponts avec sa mère, il était vraiment curieux d'entendre la réponse d'Alec.

---

1. Vers son miroir elle se dirigea/Ses cheveux noir ébène elle recoiffa/ Pour sa robe très cher elle paya/ Puis dans la rue alla se promener/Un beau jeune homme vint lui parler/ À l'aube ses jolis pieds étaient tout meurtris/Mais tous les garçons étaient gays. (*N.d.T.*)

— Ma mère semble l'avoir accepté, répondit-il. Mais mon père… pas vraiment. Un jour, il m'a demandé ce qui avait pu m'arriver pour que je devienne gay.

Simon sentit Isabelle se figer près de lui.

— Il a dit ça ? s'exclama-t-elle, incrédule. Alec, tu ne m'en as pas parlé.

— J'espère que tu lui as répondu que tu avais été piqué par une araignée gay[1], ironisa Simon.

Magnus ricana ; Isabelle n'eut pas l'air de comprendre.

— J'ai lu les comics de Magnus donc je sais à quoi tu fais référence, dit Alec avec un petit sourire.

— Ce devait être une grosse araignée, commenta Magnus, et il poussa un petit cri quand Alec lui donna un coup d'épaule. Aïe, OK, j'arrête.

— Oh ça va, fit Isabelle, manifestement agacée de ne pas comprendre l'allusion. De toute manière, papa n'est pas près de rentrer d'Idris.

Alec soupira.

— Désolé d'avoir gâché ta vision de notre gentille famille. Tu cherches à te convaincre que mon homosexualité ne gêne pas notre entourage, je le vois bien, mais ce n'est pas le cas.

— Si tu ne me dis pas quand les autres sont blessants avec toi, comment tu veux que je t'aide ? répliqua Isabelle, qui commençait à s'échauffer.

— Isa, il ne s'agit pas d'une attaque en particulier, c'est tout un tas de petites choses, dit Alec d'un ton las. Quand Magnus et moi sommes partis en voyage, et que j'ai appelé sur la route, papa ne m'a pas

---

1. Clin d'œil à *Spiderman*. (*N.d.T.*)

demandé comment j'allais. Quand je me lève pour prendre la parole lors des réunions de l'Enclave, personne ne m'écoute, et je ne sais pas si c'est dû à mon âge ou à autre chose. J'ai surpris maman en train de discuter avec une amie de ses petits-enfants, et en me voyant, elles se sont tues. Irina Cartwright m'a dit que c'était dommage que personne ne puisse hériter de mes yeux bleus. (Il haussa les épaules et lança un regard à Magnus, qui lâcha le volant pendant quelques secondes pour poser sa main sur la sienne.) Ce n'est pas d'un coup de couteau dans le cœur qu'il faudrait que tu me protèges. C'est d'un million de petites piques quotidiennes.

— Alec, murmura Isabelle, mais avant qu'elle puisse ajouter quoi que ce soit, ils arrivèrent à un embranchement, près duquel un écriteau en bois indiquait en grosses lettres : FERME DES TROIS FLÈCHES. Simon revoyait Luke, accroupi dans le salon de la ferme en train de tracer soigneusement l'inscription à la peinture noire ; puis Clary avait dessiné quelques fleurs – désormais à moitié effacées – au bas de la pancarte.

— Tourne à gauche, dit-il en tendant le bras pour indiquer la direction en évitant de justesse la tête d'Alec. On est arrivés, Magnus.

Il avait fallu plusieurs chapitres de Dickens pour que Clary succombe à la fatigue et s'endorme contre l'épaule de Jace. Dans un demi-sommeil, elle se rappelait qu'il l'avait portée jusque dans la chambre où elle s'était réveillée le premier jour. Il avait tiré les rideaux et fermé la porte en partant, laissant la pièce dans l'obscurité. Elle s'était rendormie, bercée par le son de sa voix qui appelait Sébastien du couloir.

Elle avait de nouveau rêvé du lac gelé, de Simon, d'une ville semblable à Alicante avec des tours en os et des rivières de sang. Quand elle s'éveilla, elle s'était entortillée dans ses draps et la lumière du jour avait laissé place au crépuscule. D'abord, elle crut que les voix de l'autre côté de la porte faisaient partie de son rêve, mais comme elles se rapprochaient, elle tendit l'oreille, l'esprit encore embrumé de sommeil.

— Salut, petit frère, lança Sébastien. Alors, c'est fait ?

Il y eut un long silence puis la voix étonnamment atone de Jace répondit.

— Oui, c'est fait.

— Et la vieille ? Elle a fabriqué la Coupe ?

— Oui.

— Montre-la-moi.

Un froissement de tissu. Un silence. Puis :

— Tiens, prends-la si tu veux, dit Jace.

— Non, fit Sébastien d'un ton pensif. Garde-la pour l'instant. C'est toi qui l'as récupérée, après tout.

— Mais c'était ton plan. Et je l'ai exécuté comme tu me l'as demandé. Maintenant, si tu permets...

— Non. (Clary s'imagina Sébastien planté devant Jace, l'air menaçant.) Quelque chose ne va pas, je le sens. Je peux lire en toi, tu sais.

— Je suis fatigué. Et beaucoup de sang a été versé. Je veux juste me laver, dormir et...

Jace s'interrompit. Sébastien finit sa phrase pour lui.

— Et voir ma sœur.

— J'aimerais la voir, oui.

— Elle dort depuis plusieurs heures.

— Il faut que je te demande la permission ? demanda Jace d'un ton tranchant, qu'il n'avait pas employé avec Sébastien depuis longtemps.

— Non, répondit celui-ci d'une voix qui trahissait la surprise. Si tu as envie d'aller l'admirer dans son sommeil, ne te gêne pas. Je ne comprends pas...

— Et tu ne comprendras jamais, répliqua Jace.

Il y eut un silence. Clary pouvait clairement se représenter Sébastien regardant Jace s'éloigner, l'air perplexe. Il lui fallut un moment pour prendre conscience qu'il allait entrer dans sa chambre d'un instant à l'autre. À peine s'était-elle rallongée que la porte s'ouvrit, laissant filtrer un rai de lumière jaune qui l'aveugla momentanément. Elle poussa un grognement somnolent en espérant qu'il était réaliste et roula sur le dos, la main plaquée sur son visage.

— Hein... ?

La porte se referma et la pièce fut de nouveau plongée dans l'obscurité. Elle ne distinguait que la silhouette de Jace qui s'avançait lentement vers le lit. Elle ne put s'empêcher de songer à une autre nuit où il était entré dans sa chambre pendant qu'elle dormait, et où il s'était posté près de son lit en vêtements de deuil. « J'ai marché toute la nuit, avait-il dit. Je ne pouvais pas fermer l'œil et mes pas m'ont conduit jusqu'à toi. »

Il n'était à présent qu'une silhouette couronnée de cheveux blonds, éclairés par le rai de lumière filtrant sous la porte.

— Clary, murmura-t-il en tombant à genoux devant le lit.

Comme elle ne bougeait pas, il reprit dans un souffle :

— Clary, c'est moi. C'est moi.

Elle ouvrit les yeux et le vit agenouillé près d'elle, vêtu d'un long manteau noir boutonné jusqu'au col. Elle distingua sur son cou des runes de silence, d'agilité et de précision, qui formaient un collier sur sa peau. Il l'observait de ses grands yeux clairs et, en plongeant son regard dans le sien, elle vit Jace, son Jace. Celui qui l'avait sauvée du Vorace, qui l'avait regardée protéger Simon du soleil se levant sur l'East River, qui lui avait raconté l'histoire d'un petit garçon dont le père avait tué l'oiseau. Le Jace qu'elle aimait.

Son cœur bondit dans sa poitrine.

— Je t'en prie, murmura-t-il d'un ton implorant. Je t'en prie, crois-moi.

Elle le crut aussitôt. C'était son Jace, cela ne faisait aucun doute. Mais...

— Comment ?

— Clary, chuuut...

Elle fit mine de se redresser dans son lit, mais il la força à se rallonger en la maintenant par les épaules.

— On parlera plus tard. Il faut que je parte.

Elle le saisit par la manche.

— Ne me laisse pas.

Il garda les yeux baissés pendant quelques instants puis releva la tête, mais en voyant l'expression de ses yeux, Clary se tut.

— Attends un peu après que je suis sorti, chuchota-t-il. Puis monte dans ma chambre. Sébastien ne doit pas savoir qu'on est ensemble. Pas ce soir. (Il se leva et lui lança un regard anxieux.) Ne le laisse pas s'approcher de toi.

— Ta stèle. Donne-la-moi, dit-elle.

Comme il hésitait, elle tendit la main sans le quitter des yeux. Il fouilla dans sa poche et sortit sa stèle, qu'il lui remit. Leurs mains se frôlèrent et elle frissonna : ce simple contact lui parut presque aussi intense que leurs baisers au club. Il avait dû le sentir, lui aussi, car il retira brusquement sa main et recula vers la porte. Il tâtonna pour trouver la poignée et sortit sans quitter Clary des yeux, jusqu'à ce qu'il ait refermé la porte sur lui.

Elle resta immobile dans le noir, un peu sonnée. Il lui semblait que son cœur devait redoubler d'efforts pour continuer à battre. Jace. Son Jace.

Ses doigts se crispèrent sur la stèle. À son contact froid, elle retrouva ses esprits et, appliquant la pointe de l'instrument sur l'intérieur de son bras, elle traça lentement les courbes d'une rune de silence sur sa peau pâle veinée de bleu.

Puis elle alla entrouvrir la porte. Sébastien était sans doute allé dormir. Un air de musique classique, de celle que Jace affectionnait, lui parvenait du poste de télé. Elle se demanda si Sébastien appréciait la musique ou toute autre forme d'art. Pour cela, il fallait être humain.

Elle sortit dans le couloir, traversa le salon, gravit l'escalier à pas de loup, courut jusqu'à la chambre de Jace et se glissa à l'intérieur en refermant la porte sans bruit.

Par les fenêtres ouvertes, elle aperçut les toits de Paris et un croissant de lune. C'était une belle soirée. Une pierre de rune posée sur la table de nuit éclairait faiblement Jace, debout face à la vue. Il avait ôté son long manteau noir qui gisait en tas à ses pieds. Elle comprit immédiatement pourquoi il ne l'avait pas fait dès son arrivée : ses habits étaient couverts de sang. Sa chemise grise était déchirée comme si on en avait lacéré le tissu avec un couteau tranchant. Il avait remonté sa manche, et un bandage déjà rougi ceignait son avant-bras. À ses pieds, le sol était éclaboussé de sang. Elle posa la stèle sur la table de nuit.

— Jace…

Elle fit quelques pas vers lui mais il la tint à distance d'une main levée.

— N'approche pas, dit-il d'une voix tremblante.

Il défit un par un les boutons de sa chemise tachée de sang puis l'ôta et la jeta à terre.

Clary ouvrit de grands yeux. La rune de Lilith était toujours là, mais on aurait dit qu'elle venait d'être tracée avec l'extrémité chauffée à blanc d'un tisonnier. Elle porta involontairement la main à son cœur.

— Oh !

— Oui, oh. Ça ne va pas durer, Clary. Je ne resterai moi-même que le temps que ma blessure guérisse.

— Je… je me suis posé la question, bégaya Clary. Pendant que tu dormais… j'ai envisagé de lacérer la rune comme le soir où on a combattu Lilith. Mais j'avais peur que Sébastien ne sente quelque chose.

— Il l'aurait senti. S'il n'a rien remarqué aujourd'hui c'est parce que j'ai été blessé avec un *pugio*, une dague trempée dans le sang d'un ange. Elles sont extrêmement rares ; je n'en avais jamais vu auparavant. (Il se passa la main dans les cheveux.) La lame s'est transformée en cendres à mon contact, mais elle a causé des dégâts.

— Tu t'es battu contre un démon ? Pourquoi Sébastien n'est pas venu avec...

— Clary, dit Jace dans un souffle. Ma blessure sera plus longue à guérir qu'un coup de couteau ordinaire... mais ça ne va pas durer éternellement. Et je redeviendrai *l'autre*.

— Combien de temps il te reste ?

— Je ne sais pas. Mais je voulais... j'avais besoin d'être avec toi le plus longtemps possible. (Il lui tendit la main d'un geste hésitant, comme s'il n'était pas sûr d'être bien accueilli.) Tu crois que tu pourrais...

Sans hésiter, elle se jeta dans ses bras. Il la serra contre lui et enfouit le visage dans son cou. Il émanait de lui une odeur de sang, de sueur, de cendres et de Marques.

— C'est toi, murmura-t-elle. C'est vraiment toi.

Il s'écarta d'elle pour la contempler en lui caressant doucement la joue. Que cette douceur lui avait manqué ! C'était une des raisons pour lesquelles elle était tombée amoureuse de ce garçon, la douceur dont il faisait preuve avec ceux qu'il aimait, malgré son esprit sarcastique et ses cicatrices.

— Tu m'as manqué, dit-elle. Tu m'as tellement manqué...

Il ferma les yeux et elle vit une larme rouler sur sa joue, alors qu'il ne pleurait jamais.

— Ce n'est pas ta faute, chuchota-t-elle en l'embrassant.

Il n'avait toujours pas dit un mot, mais elle sentait les battements frénétiques de son cœur. Il la serrait fort contre lui comme s'il ne comptait jamais la lâcher.

Elle l'embrassa de nouveau mais cette fois sans la fièvre qui s'était emparée d'eux dans cette discothèque. C'était un baiser de réconfort, censé exprimer tout ce qu'ils n'avaient pas le temps de se dire. Il l'embrassa à son tour, d'abord de façon hésitante puis plus passionnément.

Elle connaissait sa force, et pourtant elle s'étonna de la facilité avec laquelle il la porta jusqu'au lit et la déposa doucement parmi les oreillers. Puis il s'allongea sur elle d'un mouvement leste qui lui rappela à quoi servaient toutes les Marques tatouées sur son corps. Force. Grâce. Légèreté.

Au moment où les mains de Jace trouvaient le bas de son tee-shirt, elle tendit les bras et voûta le dos pour l'aider à l'ôter, puis l'attira contre elle et ils s'embrassèrent de plus belle en explorant leurs corps sans se hâter. Le sentant frissonner de désir, elle comprit qu'ils ne pourraient bientôt plus faire marche arrière, mais elle s'en moquait. Elle savait désormais ce que c'était de le perdre. Elle avait déjà vécu ces journées sombres et vides. Et elle savait que si elle le perdait à nouveau, elle voudrait se raccrocher à ce souvenir. Avoir été aussi proche de lui que l'on pouvait l'être de quelqu'un.

— Clary, fit-il soudain. (Il s'écarta d'elle, les mains tremblantes.) Je ne peux pas... Si on ne s'arrête pas maintenant, ensuite on ne pourra plus s'arrêter.

— Tu n'as pas envie ? demanda-t-elle, étonnée.

Il était rouge, échevelé, la sueur plaquait ses cheveux blonds sur son front et sur ses tempes.

— Si, c'est juste que je n'ai jamais...

— Ah bon ? Tu n'as jamais fait ça avant ?

— Si, répondit-il avec un soupir.

Il chercha vainement sur son visage une trace de désapprobation ou de jugement. Bah, de toute façon, elle s'en était toujours doutée.

— Mais pas avec quelqu'un qui compte, ajouta-t-il en lui effleurant la joue. Je ne suis même pas sûr de savoir comment m'y prendre.

Elle rit tout bas.

— Tu viens de me prouver le contraire.

— Ce n'est pas ce que je voulais dire. Je te veux plus que tout, mais... (Il s'interrompit.) Par l'Ange, je vais le regretter par la suite.

— Ne me dis pas que tu essaies de me protéger, s'emporta-t-elle, parce que...

— Ce n'est pas ça. Je ne fais pas dans l'abnégation. Je... je suis jaloux.

— Jaloux ? Mais de qui ?

— De moi. (Il fit la grimace.) Je ne supporte pas l'idée qu'il te touche. Lui. L'autre moi. Celui que Sébastien contrôle.

Elle sentit ses joues s'empourprer.

— Hier soir au club...

Il baissa la tête. Un peu perplexe, elle lui caressa le dos.

— Je m'en souviens, dit-il. Et ça me rend fou, parce que c'était moi sans être moi. Quand on est ensemble, je veux que ce soit la vraie toi et le vrai moi.

— Comme en ce moment même, non ?

— Si. Mais pour combien de temps ? Je pourrais redevenir l'autre à n'importe quel moment. Je ne peux pas t'infliger – nous infliger – ça. Je ne sais même pas comment tu fais pour supporter la compagnie de cet étranger qui a mon visage...

— Même pour cinq minutes, ça valait le coup de te retrouver. Je n'aurais pas voulu que ça se termine sur ce toit. Même cet autre toi-même recèle au fond de lui des fragments du vrai toi. C'est comme si je te regardais à travers une paroi de verre dépoli. Au moins, j'en ai le cœur net maintenant. Ce n'est pas toi.

— Qu'est-ce que tu veux dire ?

Elle soupira.

— Jace, à l'époque où on a vraiment commencé à sortir ensemble, le premier mois, tu avais l'air heureux. On passait de bons moments tous les deux. Et puis il m'a semblé que tout ce bonheur commençait à te fatiguer. Tu ne voulais plus être avec moi, ni même me regarder...

— J'avais peur de te faire du mal. Je croyais que je perdais la boule.

— Tu ne souriais plus, tu ne blaguais plus. Mais je ne t'en veux pas. C'était Lilith qui contrôlait tes pensées, qui modifiait ton comportement. Ça peut sembler bête, mais n'oublie pas que je n'avais jamais eu de copain avant toi. Alors j'ai cru que tout était normal. Que tu t'étais simplement lassé de moi.

— Jamais je...

— Je ne veux pas que tu me rassures. Je veux juste que tu saches que quand tu es... sous son emprise, tu as l'air heureux. Je suis venue ici parce que je voulais te sauver. (Elle baissa la voix.) Mais j'ai commencé à me demander s'il fallait te rendre une vie qui ne faisait pas ton bonheur.

Il secoua la tête.

— J'avais de la chance. Beaucoup de chance, et je ne le voyais pas. Je t'aime. Tu me rends très heureux. Et maintenant que je sais ce que c'est d'être quelqu'un d'autre, je veux retrouver ma vie d'avant. Je veux retrouver ma famille. Je veux te retrouver toi.

Il l'embrassa fiévreusement, ses mains agrippèrent sa taille puis les draps, et il se redressa, haletant.

— Non, on ne peut pas...

— Alors arrête de m'embrasser ! Je reviens tout de suite.

Après avoir ramassé son tee-shirt, elle alla s'enfermer dans la salle de bains. Elle contempla son reflet dans le miroir. Elle avait l'air hagard, les cheveux emmêlés, les joues cramoisies. Après s'être rhabillée, elle s'aspergea le visage d'eau froide puis rassembla ses cheveux en chignon. Une fois qu'elle eut retrouvé ses esprits, elle prit une serviette de toilette, l'humidifia puis la frotta avec du savon.

Quand elle revint dans la chambre, Jace était assis au bord du lit, en jean et chemise déboutonnée, éclairé par un rayon de lune. À cet instant, il ressemblait à la statue d'un ange.

— Enlève ta chemise, ordonna-t-elle.

Jace leva les sourcils.

— Je ne vais pas me jeter sur toi, poursuivit Clary avec impatience. Je suis capable de résister à la vue d'un torse nu, tu sais.

— Tu es sûre ? demanda-t-il en ôtant sa chemise. J'ai souvent déclenché des émeutes en me déshabillant.

— Oui, eh bien, je ne vois que moi ici. Je veux juste nettoyer le sang sur ta blessure.

Il se redressa docilement. Le sang avait taché sa chemise et coulé sur son ventre mais, après examen, Clary constata que la plupart de ses coupures étaient superficielles. Grâce à l'*iratze* qu'il avait utilisée un peu plus tôt, elles avaient déjà presque cicatrisé.

Le visage tourné vers elle, il garda les yeux fermés tandis qu'elle le nettoyait avec la serviette humide. Elle frotta les traces de sang séché sur son cou, essora le linge, le mouilla de nouveau avec le verre d'eau posé sur la table de nuit, puis s'attaqua à son torse.

— Clary, dit-il soudain.

— Oui ?

— Quand il aura repris le contrôle, je ne me rappellerai pas avoir été moi-même ni t'avoir parlé, mais dis-moi… Est-ce que ma famille va bien ? Est-ce qu'ils savent…

— Ce qui t'est arrivé ? En partie. Et non, ça ne va pas fort.

Jace ferma les yeux.

— Je pourrais te mentir, poursuivit-elle. Mais tu dois savoir. Ils t'aiment énormément, et ils ont très envie que tu rentres.

— Pas dans cet état.

Elle lui toucha l'épaule.

— Tu veux bien me raconter ce qui s'est passé ?

Jace soupira.

— J'ai tué quelqu'un.

Clary fut tellement choquée qu'elle en laissa tomber la serviette. Elle se baissa pour la ramasser ; quand elle se redressa, Jace avait les yeux fixés sur elle. Son visage éclairé par la lune reflétait une grande tristesse.

— Qui ? demanda-t-elle.

— Tu l'as rencontrée, répondit-il. La femme que tu es allée voir avec Sébastien. Magdalena. La Sœur de Fer.

Il tendit le bras pour récupérer un objet parmi les draps froissés du lit avant de se tourner de nouveau vers Clary. Il tenait à la main une réplique exacte de la Coupe Mortelle sauf qu'au lieu d'être en or, elle était faite d'adamas.

— Sébastien m'a envoyé la chercher chez Magdalena ce soir. Et il m'a aussi donné l'ordre de la tuer. Elle ne s'y attendait pas. Elle espérait juste être payée en échange de son travail. Elle croyait que nous étions du même côté. J'ai attendu qu'elle m'ait remis la Coupe, puis j'ai pris ma dague et... (Il inspira profondément.) Je l'ai poignardée. J'ai visé le cœur mais elle s'est détournée et je l'ai raté de peu. Elle a reculé en s'appuyant à sa table de travail, qui était couverte de poudre d'adamas. Elle m'en a jeté une pleine poignée à la figure. Quand j'ai recouvré la vue, elle tenait un *aegis* dont la lumière m'a transpercé les yeux. Elle s'est jetée sur moi ; j'ai ressenti une douleur aiguë à la poitrine, et la lame du poignard a volé en éclats. (Il rit tristement.) Si j'avais été en tenue de combat, ça ne serait pas arrivé. Mais je ne m'étais pas changé avant de partir parce que je ne la croyais pas capable de s'en prendre à moi. L'*aegis* a brûlé la Marque de Lilith et soudain, je suis redevenu moi-même, debout près du corps de cette femme, une dague ensanglantée dans une main et la Coupe dans l'autre.

— Je ne comprends pas. Pourquoi Sébastien t'a-t-il demandé de la tuer ? Elle allait te remettre la Coupe quoi qu'il arrive. Elle a dit que...

— Tu te souviens de ce que Sébastien nous a raconté au sujet de l'horloge de la place de la Vieille-Ville à Prague ?

— Que le roi avait fait crever les yeux de l'horloger pour l'empêcher de reproduire son chef-d'œuvre ailleurs, répondit Clary. Mais je ne vois pas...

— Sébastien a voulu se débarrasser de Magdalena pour s'assurer qu'elle ne fabriquerait pas d'autre coupe identique. Et pour éviter qu'elle révèle son secret.

— Mais quel secret ? Jace, qu'est-ce que Sébastien manigance ?

— Il ne t'a pas menti : il a vraiment l'intention d'invoquer des démons. Et un en particulier. Lilith.

— Mais Lilith est morte ! Simon l'a tuée.

— Les Démons Supérieurs ne meurent pas vraiment. Ils vivent dans l'espace entre les mondes qu'on appelle communément le Néant. Simon n'a réussi qu'à détruire son pouvoir et à la renvoyer là d'où elle vient. Mais là-bas, elle se reforme lentement. Elle renaîtra de ses cendres. Cela prendra des siècles... sauf si Sébastien lui donne un coup de pouce.

Clary sentit son sang se glacer.

— Mais comment ?

— En la rappelant sur Terre. Il veut mélanger son sang avec le sien dans la Coupe et créer une nouvelle armée de Chasseurs d'Ombres. Il veut être la réincarnation de Jonathan Shadowhunter, mais du côté des démons, cette fois.

— Une armée de Chasseurs d'Ombres ? Vous êtes costauds tous les deux, mais ça ne fait pas une armée.

— Beaucoup de Nephilim sont restés loyaux envers Valentin ou bien haïssent les décisions actuelles de l'Enclave. Ces gens-là sont prêts à suivre Sébastien. Il les a contactés. Ils seront présents pour l'invocation de Lilith. (Jace soupira.) Et ensuite ? Avec Lilith derrière lui, qui d'autre encore rejoindra sa cause ? Va savoir... Il cherche la guerre. Il est convaincu qu'il la gagnera, et je ne parierais pas le contraire. À chaque fois qu'il créera un nouveau Nephilim maléfique, il étendra son pouvoir. Ajoute à cela les démons avec qui il a déjà fait alliance, et je ne suis pas sûr que l'Enclave puisse le vaincre.

— Sébastien n'a pas changé. Ton sang n'a rien changé en lui. Il est toujours le même. (Le regard de Clary se posa sur Jace.) Mais toi aussi, tu m'as menti.

— C'est *lui* qui t'a menti.

Clary avait du mal à y voir clair.

— Je sais que ce Jace-là n'est pas toi...

— *Il* pense que c'est pour ton bien et que tu seras plus heureuse en fin de compte, donc il t'a menti. Mais moi, je ne te ferais jamais une chose pareille.

— Si l'*aegis* peut te blesser sans que Sébastien le sente, pourrait-il le tuer sans conséquence pour toi ?

Jace secoua la tête.

— Je ne crois pas. Si j'avais un *aegis*, j'essaierais peut-être, mais... non. Nos forces vitales sont liées. Une blessure, c'est une chose, mais s'il mourait...

Il ajouta d'un ton déterminé :

— Tu connais le meilleur moyen d'en finir. Plante une dague dans mon cœur. Je m'étonne que tu ne l'aies pas fait pendant que je dormais.

— Et toi, à ma place, tu l'aurais fait ? répliqua-t-elle d'une voix tremblante. Je pensais qu'il existait un autre moyen d'arranger les choses. Et je le pense toujours. Donne-moi ta stèle, je vais ouvrir un Portail.

— Ici, c'est impossible, répondit Jace. Ça ne marchera pas. Le seul moyen d'entrer et de sortir, c'est de traverser le mur près de la cuisine. C'est aussi de là qu'on déplace l'appartement.

— Tu peux nous transporter jusqu'à la Cité Silencieuse ? Peut-être que les Frères trouveront un moyen de te séparer de Sébastien. On révélera ses projets à l'Enclave pour qu'ils se tiennent prêts.

— Je peux nous transporter devant l'une des entrées. J'irai les voir. On ira ensemble. Mais sois bien sûre d'une chose, Clary : une fois que je leur aurai dit ce que je sais, ils me tueront.

— Non, ils ne...

— Clary... Un bon Chasseur d'Ombres devrait se résigner à mourir pour empêcher Sébastien d'exécuter son plan.

— Mais ce n'est pas ta faute, protesta-t-elle.

Elle avait élevé la voix, et elle poursuivit dans un murmure afin que Sébastien, qui était toujours en bas, ne l'entende pas :

— Tu ne peux rien contre ce qui t'est arrivé. Tu es une victime dans cette histoire. Ce n'est pas toi, c'est quelqu'un d'autre qui a pris ton visage. Tu ne mérites pas d'être puni.

— Ce n'est pas une question de châtiment mais de pragmatisme. Si on me tue, Sébastien mourra. Ça revient à se sacrifier sur le champ de bataille. C'est bien joli de dire que je ne suis pas responsable, que ça m'est tombé dessus. Mais bientôt, je serai de nouveau quelqu'un d'autre... Clary, je sais que ça n'a pas de sens, mais je me souviens de tout. De m'être promené avec toi à Venise, de cette nuit au club, et d'avoir dormi dans ce lit avec toi. Et tu sais quoi ? C'est tout ce que j'ai toujours voulu, mener cette vie-là avec toi. Qu'est-ce que je suis censé penser, quand la pire chose qui me soit arrivée me donne exactement ce que je veux ? Peut-être que Jace Lightwood est capable de voir en quoi tout cela est mal, mais Jace Wayland, le fils de Valentin... lui, il adore cette vie-là.

Ses grands yeux dorés brillaient alors qu'il la regardait, et elle songea à Raziel, à son regard qui semblait receler toute la sagesse et toute la tristesse du monde.

— C'est pour ça qu'il faut que j'aille là-bas, conclut-il. Avant que tout s'efface. Avant que je redevienne l'autre.

— Où ça, « là-bas » ?

— À la Cité Silencieuse. Il faut que je me rende... et que je leur donne la Coupe.

Troisième partie

Tout a changé

Tout a changé, complètement changé :
Une terrible beauté est née.

William Butler Yeats,
« Pâques, 1916 »

18

Raziel

*C*lary ?

Simon était assis sous le porche, à l'arrière de la maison ; il avait les yeux fixés sur le sentier menant au lac, qui serpentait à travers le verger de pommiers. Isabelle et Magnus discutaient, debout au milieu du chemin. Magnus jeta un coup d'œil vers le lac, puis contempla les montagnes basses qui encerclaient la ferme. Il prenait des notes dans un petit carnet avec un stylo qui crachait des étincelles bleues. Alec se tenait à quelque distance de là, le regard tourné vers les arbres bordant les collines qui séparaient la maison de la route. On aurait dit qu'il cherchait à rester aussi loin que possible de Magnus tout en demeurant à portée de voix. Simon avait l'impression – bien qu'il fût le premier à admettre qu'il n'était pas très observateur, du moins pour ce genre de choses – que malgré le climat propice à la plaisanterie qui avait régné dans la voiture, une distance perceptible s'était récemment instaurée entre Alec et Magnus.

La main droite de Simon reposait sur sa main

gauche, et ses doigts faisaient tourner la bague à son doigt.

Clary, s'il te plaît.

Il avait essayé de la contacter toutes les heures depuis qu'il avait reçu le message de Maia au sujet de Luke, mais elle n'avait pas donné signe de vie.

Clary, je suis à la ferme. Je repense aux moments qu'on a passés ici.

C'était une journée très chaude pour la saison, et une légère brise agitait les dernières feuilles sur les branches des arbres. Après avoir passé trop de temps à s'interroger sur la tenue de mise pour rencontrer un ange (son costume acheté pour la fête de fiançailles de Jocelyne et de Luke lui avait semblé un peu trop habillé), il avait fini par garder son jean et son tee-shirt. Il avait tant de souvenirs heureux et ensoleillés liés à cette maison ! Aussi loin qu'il se souvienne, il y avait séjourné chaque été ou presque avec Jocelyne et Clary. Ils nageaient dans le lac. La peau de Simon brunissait tandis que Clary prenait sans arrêt des coups de soleil et que les taches de rousseur se multipliaient sur ses épaules et sur ses bras. Ils jouaient au base-ball avec les pommes du verger, ainsi qu'au Scrabble et au poker, jeu auquel Luke était imbattable.

Clary, je suis sur le point de faire quelque chose de stupide et de dangereux, voire de suicidaire. C'est mal d'avoir envie de te parler une dernière fois ? Je fais ça pour t'aider alors que je ne sais même pas si tu es en vie. Mais si tu étais morte, je le sentirais, pas vrai ?

— Allez, on y va, dit Magnus en se postant au pied des marches.

Il vit la bague au doigt de Simon, mais ne fit pas de commentaire.

Simon se leva en époussetant son jean et le précéda sur le chemin. Le lac scintillait à l'horizon comme une pièce de monnaie. Bientôt, il distingua le vieux ponton où, un jour, ils avaient voulu amarrer deux kayaks, mais les planches avaient cédé sous leur poids. Il pouvait presque entendre le bourdonnement indolent des abeilles et sentir la chaleur écrasante de l'été sur ses épaules. En arrivant sur la rive, il se retourna et contempla la ferme avec ses bardeaux blancs, ses volets verts, sa vieille véranda et ses meubles en osier fatigués.

— Tu aimes vraiment cet endroit, hein ? lança Isabelle, dont la chevelure claquait au vent comme une bannière.

— Comment tu le sais ?

— Je le vois à ton expression. On dirait que tu penses à un bon souvenir.

— Oui, c'était bien, dit Simon. J'ai eu de la chance.

Il fit mine de rajuster ses lunettes sur son nez, se souvint qu'il n'avait plus besoin de les porter et baissa le bras.

Isabelle observa le lac. Elle portait de petits anneaux d'or aux oreilles ; l'un d'eux s'était pris dans ses cheveux, et Simon fut tenté de le libérer pour lui caresser la joue du bout des doigts.

— Et c'est fini ? demanda-t-elle.

Il haussa les épaules. Il regardait Magnus, qui tenait à la main ce qui ressemblait à une longue canne flexible avec laquelle il traçait des signes dans le sable humide de la berge. Il tenait son carnet ouvert dans l'autre main, et psalmodiait tout en dessinant. Alec l'observait avec l'air de quelqu'un qui regarde un étranger.

— Tu as peur ? demanda Isabelle en se rapprochant un peu de Simon.

— Je ne sais pas. La peur, c'est surtout des sensations physiques : le cœur qui s'accélère, la transpiration, le pouls qui bat plus vite. C'est fini pour moi, tout ça.

— C'est dommage, murmura Isabelle, les yeux fixés sur l'eau. Les garçons qui transpirent, je trouve ça sexy.

Il sourit malgré lui. Cela s'avérait plus difficile que ce qu'il avait cru ; peut-être qu'il avait peur, en fin de compte.

— Assez de vos impertinences, mademoiselle.

Isabelle esquissa un sourire puis soupira.

— Tu sais que je n'aurais jamais pensé avoir envie d'un garçon qui me fasse rire ?

Simon se tourna vers elle et lui prit la main sans craindre qu'Alec les surprenne.

— Isa...

— Bon, j'ai fini, cria Magnus. Simon, viens par ici.

Il se tenait à l'intérieur du cercle qu'il venait de dessiner, qui dispensait une vague clarté blanche. En réalité, il s'agissait de deux cercles concentriques entre lesquels il avait tracé une multitude de symboles qui brillaient eux aussi d'un éclat gris-bleu, comme s'ils reflétaient le lac.

Isabelle laissa échapper un autre soupir, et Simon s'éloigna sans la regarder. Cela ne servirait qu'à rendre les choses plus difficiles. Il alla se poster au centre du cercle, à côté de Magnus, et là, il lui sembla qu'il regardait le monde à travers un mur d'eau ; autour de lui, tout était devenu flou, indistinct.

— Tiens, dit Magnus en lui mettant dans les mains le carnet aux pages noircies de runes qu'il avait retranscrites en phonétique. Tu n'auras qu'à lire. Ça devrait marcher, en principe.

Simon ôta la bague en or qui le reliait à Clary, et la tendit à Magnus.

— Au cas où, dit-il en se demandant d'où lui venait ce calme étrange, je te confie cette bague. C'est notre seul lien avec Clary.

Magnus hocha la tête et glissa la bague à son doigt.

— Tu es prêt, Simon ?

— Hé, tu te souviens de mon prénom, maintenant ?

Magnus lui jeta un regard indéchiffrable et sortit du cercle. Immédiatement, sa silhouette devint floue, elle aussi. Alec et Isabelle vinrent se poster près de lui ; Isabelle avait les bras croisés et, bien qu'il ne distinguât pas son visage, Simon voyait bien qu'elle avait l'air malheureux.

Il s'éclaircit la voix.

— Je pense que vous devriez y aller.

Mais ils ne bougèrent pas. Ils semblaient attendre qu'il reprenne la parole.

— Merci d'être venus avec moi, déclara-t-il enfin après s'être creusé la cervelle pour trouver quelque chose à dire.

Il n'aimait pas les discours d'adieux ni les embrassades théâtrales. Il se tourna d'abord vers Alec.

— Euh... Alec. Je t'ai toujours préféré à Jace. (Puis,

à l'intention de Magnus :) Magnus, j'aurais aimé avoir le cran de porter les mêmes pantalons que toi.

Et enfin, Isabelle. Malgré l'espèce de brume qui les séparait, il voyait qu'elle le fixait de ses yeux noirs comme de l'obsidienne.

— Isabelle...

Mais il ne pouvait pas lui dire ce qu'il ressentait devant Alec et Magnus. Après lui avoir adressé un signe de tête, il recula jusqu'au centre du cercle.

— Bon... au revoir.

Il lui sembla qu'ils s'adressaient à lui, mais il ne parvint pas à les entendre. Puis ils reprirent le chemin de la maison, et il les suivit des yeux jusqu'à ce qu'ils aient disparu au loin.

Il ne pouvait pas supporter l'idée de mourir sans avoir parlé à Clary une dernière fois. Il ne se souvenait pas des derniers mots qu'ils avaient échangés et pourtant, en fermant les yeux, il entendait encore son rire résonner dans le verger. Il se rappelait parfaitement cette époque, avant que tout ne soit bouleversé. C'était peut-être le meilleur endroit pour mourir. La plupart de ses bons souvenirs étaient ici, après tout. Si l'Ange le foudroyait sur place, ses cendres seraient disséminées sur le verger et sur le lac. Bizarrement, cette idée l'apaisa.

Il songea à Isabelle. Puis à sa famille : sa mère, son père, Becky. « Clary, se dit-il enfin. Où que tu sois, tu es ma meilleure amie. Tu seras toujours ma meilleure amie. »

Puis il ouvrit le carnet et se mit à réciter les incantations.

— Non ! protesta Clary en se levant. Jace, tu ne peux pas faire ça. Ils vont te tuer.

Il enfila une chemise propre et la boutonna sans la regarder.

— Ils essaieront d'abord de me séparer de Sébastien, objecta-t-il d'un ton dubitatif. Si ça ne marche pas, alors oui, ils me tueront.

Elle fit mine de le prendre dans ses bras mais il se détourna pour chausser ses bottes.

— Je n'ai pas le choix, Clary. C'est la meilleure chose à faire.

— C'est de la folie. Tu es en sécurité ici. Tu n'as pas le droit de sacrifier ta vie...

— Rester ici, c'est une trahison. C'est mettre une arme dans les mains de l'ennemi.

— Qui se préoccupe de trahison ou de Loi ? Pour moi, ce qui compte, c'est toi. On va trouver une solution.

— Tu sais bien que c'est impossible. (Jace empocha la stèle posée sur la table de nuit, puis prit la Coupe Mortelle.) Je ne vais pas rester moi-même assez longtemps. Je t'aime, Clary. Fais ça pour moi.

— C'est hors de question. Je n'ai pas l'intention de t'aider à te faire tuer.

Mais il se dirigeait déjà vers la porte. Il sortit dans le couloir, Clary sur les talons.

— Tu es fou, chuchota-t-elle. Tu vas te jeter dans la gueule du loup...

Il poussa un soupir exaspéré.

— Tu peux parler.

— Oui, et ça te rend furieux, répliqua-t-elle en le

suivant dans l'escalier. Tu te souviens de ce que tu m'as dit à Alicante ?

Il posa la Coupe sur le comptoir de la cuisine et prit la stèle dans sa poche.

— Je n'avais aucun droit de te dire ça, murmurat-il. Clary, c'est notre nature. Nous sommes des Chasseurs d'Ombres. Nous prenons des risques, et pas seulement sur le champ de bataille.

Clary secoua la tête et lui saisit les poignets.

— Je ne te laisserai pas faire.

Une expression peinée s'imprima sur les traits de Jace.

— Clarissa...

Elle prit une grande inspiration ; elle avait peine à croire ce qu'elle s'apprêtait à faire. Mais elle songea à la morgue de la Cité Silencieuse, aux corps de Chasseurs d'Ombres étendus sur les tables de dissection ; l'idée que Jace puisse compter parmi eux lui était insupportable. Tout ce qu'elle avait fait jusqu'à présent n'avait servi qu'un seul but : lui sauver la vie. Et pas seulement pour son propre bien. Elle pensait aussi à Alec, à Isabelle et à Maryse, qui aimait Jace comme un fils. Alors, sans plus réfléchir, elle cria :

— Jonathan ! Jonathan Christopher Morgenstern !

Jace ouvrit de grands yeux.

— Clary... bredouilla-t-il, mais il était trop tard.

Le pas de Sébastien résonnait déjà dans le couloir ; elle n'avait pas le temps d'expliquer à Jace qu'il était la seule arme dont elle disposât pour le forcer à rester.

Sébastien ne se donna pas la peine de dévaler les marches ; il sauta par-dessus la rambarde et atterrit entre eux deux, l'air mal réveillé. Il portait un tee-shirt et un pantalon noir, et Clary se demanda fugitivement s'il avait dormi dans ses vêtements. Il les observa tour à tour.

— On se dispute, les amoureux ?

Un objet étincela dans sa main. Un couteau ?

— Sa rune est endommagée, répondit Clary d'une voix tremblante. Il voulait rentrer pour se rendre à l'Enclave...

Rapide comme l'éclair, Sébastien arracha la Coupe des mains de Jace et la posa bruyamment sur le comptoir de la cuisine. Jace, toujours blême de surprise, le dévisagea sans bouger. Sébastien l'agrippa par le devant de sa chemise puis, appliquant la pointe de sa stèle sur son torse, il traça rapidement une *iratze* sur sa peau et recula d'un pas. Jace se mordit la lèvre, les yeux étincelants de haine.

— Honnêtement, Jace, fit Sébastien, tu ne pensais pas t'en tirer comme ça ?

Jace serra les poings tandis que l'*iratze*, noire comme du charbon, commençait à s'imprimer sur sa peau.

— Tu me remercieras plus tard, poursuivit Sébastien. Même toi, tu dois admettre que ta décision d'aller te faire tuer est un peu excessive.

Clary crut que Jace allait répliquer, mais il n'en fit rien. Il dévisagea longuement Sébastien comme s'ils étaient soudain seuls au monde, et dit d'un ton glacial en détachant chaque syllabe :

— Je ne m'en souviendrai pas plus tard, mais toi, oui. Cette personne qui se comporte comme ton ami... (Il fit un pas vers Sébastien.)... cette personne qui agit comme si elle avait de l'affection pour toi... elle n'existe pas. Moi, j'existe. Et je te hais. Je te haïrai toujours. Et aucune magie, aucun sortilège au monde ne peut changer ça.

Le sourire de Sébastien se figea. Puis, se tournant vers Clary, Jace ajouta :

— Je veux que tu saches la vérité... Je ne t'ai pas tout dit.

— La vérité est dangereuse, intervint Sébastien en brandissant sa stèle comme un couteau. Fais attention à ce que tu dis.

Jace tressaillit. Il semblait avoir du mal à respirer. Manifestement, la guérison de la rune maléfique tatouée sur son torse le faisait souffrir.

— Le projet d'invoquer Lilith, de fabriquer une nouvelle coupe, de créer une armée... ce n'était pas l'idée de Sébastien. C'était la mienne.

Clary se figea.

— Quoi ?

— Sébastien savait ce qu'il voulait. Mais c'est moi qui ai trouvé le moyen d'y arriver. Une autre Coupe Mortelle, c'était mon idée.

Il se convulsa de douleur ; elle imaginait sans mal ce qui se passait sous sa chemise : la peau qui cicatrisait, la rune de Lilith qui se reformait et retrouvait son pouvoir.

— Ou *son* idée, devrais-je dire, reprit-il. Celle de cette chose qui me ressemble mais qui n'est pas moi. Il mettrait le monde à feu et à sang si Sébastien le lui demandait. C'est cette chose que tu viens de sauver, Clary. Tu ne comprends pas ? Je préférerais mille fois mourir...

Sa voix s'étrangla et il se plia en deux, puis il releva la tête, l'air hébété. Son regard se posa sur Sébastien.

Clary sentit son cœur se serrer, bien qu'elle soit la cause de ce qui venait de se produire.

— Qu'est-ce qui se passe ? demanda Jace.

Sébastien lui adressa un grand sourire.

— Bienvenue parmi nous.

Jace cligna des yeux, l'air confus, puis il parut se renfermer sur lui-même, comme à chaque fois que Clary avait essayé d'évoquer des événements qui le dépassaient : le meurtre de Max, la guerre à Idris, les souffrances qu'il causait à sa famille.

— Il est l'heure ? demanda-t-il.

Sébastien consulta ostensiblement sa montre.

— Presque. Pourquoi tu ne pars pas devant ? On te suit. Tu n'as qu'à t'occuper des préparatifs.

Jace jeta un coup d'œil autour de lui.

— La Coupe... où est-elle ?

Sébastien prit le précieux calice sur le comptoir de la cuisine.

— Ici. On est distrait ?

Jace sourit et prit docilement la Coupe des mains de Sébastien. Il n'y avait plus aucune trace du garçon qui avait défié Sébastien quelques instants plus tôt.

— OK, dit-il. On se retrouve là-bas.

Il se tourna vers Clary, qui demeurait clouée sur place, et l'embrassa sur la joue puis s'éloigna en lui adressant un clin d'œil. Il y avait de l'affection dans son regard, mais quelle importance ? Ce n'était pas son Jace. Hébétée, elle le regarda s'éloigner. Sa stèle étincela dans sa main, et une porte s'ouvrit dans le mur. Clary entrevit des rochers et un bout de ciel bleu. Puis Jace franchit la porte et disparut.

Elle enfonça ses ongles dans les paumes de ses

mains. Un sanglot monta dans sa gorge et il lui fallut toute sa volonté pour ne pas fondre en larmes. Sébastien se tourna vers elle, les yeux étincelants.

— Tu m'as appelé, dit-il.

— Il voulait se rendre à l'Enclave, murmura-t-elle sans trop savoir auprès de qui elle essayait de se défendre. Ils l'auraient tué.

Elle avait fait ce qu'elle devait faire ; elle s'était servie de la seule arme dont elle disposât, même si elle la méprisait.

— Tu m'as appelé, répéta-t-il en s'avançant vers elle.

Il écarta une longue mèche de cheveux roux de son visage et la glissa derrière son oreille.

— Il t'a parlé du plan, alors ? Il t'a tout dit ?

Elle réprima un frisson de dégoût.

— Non. Je ne sais pas ce que vous avez prévu pour ce soir. Que voulait dire Jace par : « Il est l'heure » ?

Il se pencha pour l'embrasser sur le front ; elle sentit la brûlure de ses lèvres comme un tison entre ses deux yeux.

— Tu verras bien, répondit-il. Tu as gagné le droit de rester, Clarissa. Tu pourras observer la scène à mes côtés ce soir, au septième site sacré. Les deux enfants de Valentin... enfin réunis.

Sans quitter des yeux les notes que Magnus avait prises pour lui, Simon récita l'incantation. La musicalité des mots lui rappelait l'extrait de la Haftarah qu'il avait lu le jour de sa Bar-Mitzvah, sauf qu'alors il savait ce que les mots signifiaient.

Soudain, il eut l'impression que l'air autour de lui

devenait plus dense. Il pesait sur ses épaules et sa poitrine, et se réchauffait considérablement. S'il avait été humain, la chaleur aurait été intolérable. Il la sentait sur sa peau, et une odeur de brûlé s'échappait de ses vêtements. Il garda les yeux fixés sur le carnet tandis qu'une goutte de sang coulait de la racine de ses cheveux sur le papier.

Quand il eut prononcé le dernier mot – « Raziel » –, il leva la tête. Le sang dégoulinait sur son visage. La brume alentour s'était dissipée, et devant lui, il distingua les eaux scintillantes du lac, aussi transparentes que du verre.

Et soudain, une explosion.

Au centre du lac, les flots prirent une teinte dorée, puis virèrent au noir. Une immense vague s'éleva jusqu'à former une colonne d'eau d'une étrange beauté. Des gouttelettes rafraîchirent le visage brûlé de Simon. Il pencha la tête en arrière mais, tout à coup, le ciel devint sombre, son azur dévoré par une accumulation soudaine de nuages menaçants. La colonne d'eau retomba au moment où une silhouette scintillante émergeait du lac.

Simon avait la bouche sèche. Il avait vu d'innombrables tableaux représentant des anges. Il avait entendu les avertissements de Magnus. Et pourtant il eut l'impression d'avoir été transpercé par une lance quand la créature déploya des ailes gigantesques qui semblaient cacher le ciel. Leurs plumes blanches aux reflets d'or et d'argent étaient dotées d'yeux perçants qui le fixaient avec mépris. Puis les ailes s'agitèrent, chassant les nuages autour d'elles, et un homme – ou la silhouette d'un homme haute de plusieurs étages – se dressa devant lui.

Sans trop savoir pourquoi, il avait commencé à claquer des dents. L'écho d'un pouvoir immense – voire quelque chose de plus vaste encore que le pouvoir : les forces élémentaires de l'univers – semblait émaner de l'Ange cependant qu'il se dressait de toute sa taille. Dans un premier temps, Simon eut l'impression de se trouver face à une version géante de Jace, de la taille d'un panneau d'affichage. Mais, après examen, l'Ange ne lui ressemblait pas du tout. Il semblait recouvert d'une pellicule d'or, des ailes jusqu'au blanc des yeux. Ses cheveux évoquaient des fragments de métal recourbés. Il était à la fois étrange et terrifiant. « Trop d'obscurité peut tuer, songea Simon. Mais trop de lumière aveugle. »

Qui ose troubler mon repos ? tonna l'ange dans sa tête, d'une voix pareille au tintement d'une énorme cloche.

« En voilà, une question épineuse », pensa Simon. Si Jace avait été à sa place, il aurait pu répondre : « Un Nephilim », et Magnus aurait dit : « Un Enfant de Lilith », ou « Un grand sorcier ». Clary et l'Ange avaient déjà fait connaissance, ils se seraient peut-être salués sans cérémonie. Mais Simon, lui, n'avait pas d'autre titre que son nom, et il n'avait pas de hauts faits à son actif.

— Simon Lewis, dit-il enfin en posant à terre son carnet. Enfant de la Nuit et… ton serviteur.

Mon serviteur ? répéta Raziel d'un ton glacial. *Tu me siffles comme un chien et tu oses t'appeler mon serviteur ? Tu seras rayé à jamais de ce monde. Que ton destin serve d'avertissement à ceux qui seraient tentés de t'imiter. Mon propre peuple n'a pas le droit de m'invoquer. Pourquoi devrait-il en être autrement pour toi, vampire ?*

Simon n'aurait pas dû s'étonner que l'Ange connaisse sa nature mais, dans son esprit, il s'était peint un Raziel plus... humain.

— Je...

Croyais-tu que, parce que le sang d'un de mes descendants coule dans tes veines, j'allais me montrer plus miséricordieux ? Si c'est le cas, tu t'es trompé. Le Ciel réserve sa pitié à ceux qui la méritent. Ceux qui enfreignent les lois du Covenant n'en font pas partie.

À ces mots, l'Ange pointa un doigt sur Simon.

Il attendit son châtiment en récitant intérieurement : « Écoute, Israël, l'Éternel est notre Dieu, l'Éternel est un... »

Qu'est-ce donc que cette marque sur ton front, mon garçon ?

La voix de Raziel trahissait une certaine confusion.

— C'est la première marque, bredouilla Simon. La Marque de Caïn.

Raziel baissa le bras.

Je t'aurais volontiers châtié, mais cette Marque m'en empêche. Elle est censée provenir de la main de Dieu, mais je sais qu'en l'occurrence ce n'est pas le cas. Comment est-ce possible ?

L'étonnement manifeste de l'Ange redonna du courage à Simon.

— C'est l'œuvre d'un de tes enfants, répondit-il. Une Chasseuse d'Ombres particulièrement douée. Elle m'a marqué pour me protéger. (Il s'avança au bord du cercle.) Raziel, je suis venu te demander une faveur au nom des Nephilim. Ils se retrouvent

confrontés à un immense danger. L'un des leurs a...
fait alliance avec les ténèbres, et il menace tous les
autres. Ils ont besoin de ton aide.

Je n'interviendrai pas.

— Mais, quand Jace est mort, protesta Simon, tu
l'as ressuscité. Ne te méprends pas, on en était tous
très heureux, mais si tu ne t'en étais pas mêlé, on n'en
serait pas là. Donc, quelque part, c'est à toi de réparer
tes torts.

*Je n'ai peut-être pas la possibilité de te tuer, mais je ne
vois aucune raison de te donner ce que tu veux.*

— Je n'ai encore rien demandé...

*Tu veux une arme susceptible de séparer Jonathan Mor-
genstern de Jonathan Herondale. Tu en tueras un et tu
épargneras l'autre. Le plus simple, bien entendu, serait de
les tuer tous les deux. Ton Jonathan est déjà mort une fois ;
peut-être la mort le réclame-t-elle encore et inversement.
Cette pensée t'a-t-elle traversé l'esprit ?*

— Non, répondit Simon. Je sais qu'on n'est pas
grand-chose comparé à vous, les anges, mais on ne
tue pas nos amis. On essaie de les sauver. Si le Ciel
ne l'entend pas de cette oreille, il n'aurait pas dû nous
donner la capacité d'aimer. (Simon repoussa ses cheveux pour exposer la Marque.) D'accord, tu n'es pas
obligé de m'aider. Mais si tu ne le fais pas, rien ne
m'empêche de t'invoquer encore et encore, maintenant que je sais que tu ne peux rien contre moi. Imagine un peu, mon doigt éternellement appuyé sur ta
sonnette céleste...

Contre toute attente, Raziel gloussa.

*Tu es têtu, ma parole ! Un véritable guerrier de ton
peuple, comme celui dont tu portes le nom, Simon*

Maccabeus. Et de même qu'il a tout sacrifié pour son frère Jonathan, tu devras tout donner pour le tien. Tu y consens ?

— Ce n'est pas seulement de lui qu'il s'agit, objecta Simon, un peu abasourdi. Mais, oui, je te donnerai tout ce que tu voudras.

Si j'accède à ta requête, jures-tu de ne plus jamais m'importuner ?

— Je ne pense pas que ce sera un problème, répondit Simon.

Très bien, fit l'Ange. *Je vais te dire ce que je souhaite. Je veux que cette Marque blasphématoire disparaisse de ton front, car ce n'est pas à toi de la porter.*

— Mais... si tu la fais disparaître, tu pourras me tuer, protesta Simon. C'est la seule chose qui me protège de ta colère, non ?

L'Ange réfléchit quelques instants. *Je jure de ne pas te faire de mal, que tu portes la Marque ou non.* Comme Simon hésitait, il s'emporta. *La parole d'un ange est la plus sacrée qui soit. Tu oses en douter, vampire ?*

— Je...

Simon observa un nouveau silence qui lui sembla s'étirer atrocement. Des souvenirs défilaient dans sa tête : Clary, debout sur la pointe des pieds, traçant la Marque sur son front avec sa stèle La première fois qu'il l'avait vue à l'œuvre, il avait eu l'impression d'être frappé par la foudre, une décharge d'énergie d'une force incommensurable. Cette Marque était une malédiction qui le terrifiait, qui faisait de lui un objet de crainte et d'envie. Il l'avait haïe. Pourtant, l'idée de renoncer à sa particularité...

Il avala péniblement sa salive.

— Très bien. Je suis d'accord.

L'Ange esquissa un sourire terrible et aveuglant.

Alors je promets de ne pas te nuire, Simon Maccabeus.

— Lewis, corrigea Simon. Mon nom de famille, c'est Lewis.

Mais tu partages le sang et la foi des Maccabées. On prétend qu'ils furent marqués par la main de Dieu. Dans tous les cas, tu es un guerrier du Ciel, vampire, que tu le veuilles ou non.

L'Ange bougea, et Simon sentit ses yeux larmoyer, car Raziel semblait déplacer le ciel avec lui comme une cape, dans un tourbillon de noir, d'argent et de blanc cotonneux. L'air miroita autour de Simon et, soudain, un objet étincela au-dessus de lui comme un éclair de métal. Il tomba à ses pieds, après avoir heurté un caillou.

C'était une épée banale, usée, dont le manche était noirci et le fil irrégulier comme si de l'acide en avait rongé le métal, mais à la pointe aiguisée. On aurait dit un objet archéologique qui n'aurait pas été nettoyé correctement. L'Ange reprit la parole.

Un jour qu'il approchait de Jericho, Josué vit un homme debout devant lui, une épée à la main. Josué s'avança vers lui et dit : « Es-tu l'un des nôtres, ou de nos ennemis ? » L'homme répondit : « Ni l'un ni l'autre, je suis le chef des armées de l'Éternel, et me voici devant toi. »

Simon examina l'objet à ses pieds.

— Et c'est cette épée-là ?

Voici l'épée de l'archange Michel, chef des armées célestes. Elle est dotée du feu sacré. Frappe ton ennemi avec elle, et elle ôtera tout le mal en lui. S'il est plus mauvais que bon, elle lui ôtera aussi la vie. Elle rompra sans aucun doute le lien qui l'unit à ton ami sans pour autant blesser ce dernier.

Simon se baissa pour ramasser l'épée, et sentit une décharge d'énergie se propager le long de son bras jusqu'à son cœur immobile. D'instinct, il brandit l'arme vers le ciel, et les nuages au-dessus de lui s'écartèrent un bref instant tandis qu'un rayon de soleil illuminait le métal terne de la lame.

L'Ange jeta un regard sévère à Simon. *Le nom de l'épée ne peut être prononcé par tes lèvres indignes. Tu l'appelleras Glorieuse.*

— Je... Merci, bredouilla Simon.

Ne me remercie pas. Je t'aurais tué si j'avais pu, vampire, mais ta Marque puis mon serment t'ont protégé. La Marque de Caïn était censée t'avoir été donnée par Dieu, or ce n'est pas le cas. Qu'elle disparaisse de ton front, que sa protection te soit ôtée. Et si tu m'invoques encore, je refuserai de t'aider.

À ces mots, le rayon de soleil s'intensifia jusqu'à emprisonner Simon dans une cage de lumière. L'épée lui brûla les mains ; il poussa un cri et tomba à terre tandis qu'une douleur atroce lui perforait le crâne. Il avait l'impression qu'on lui enfonçait une aiguille chauffée à blanc entre les yeux. Il enfouit la tête dans ses bras, torturé par la pire souffrance qu'il ait connue depuis la nuit de sa mort.

La douleur reflua lentement, par vagues. Il roula sur le dos, le regard tourné vers le ciel, la tête encore lourde. Les nuages noirs commençaient à se disperser ; l'Ange avait disparu, les eaux du lac bouillonnaient sous le ciel de plus en plus bleu.

Simon se redressa péniblement en clignant des

yeux. Il vit quelqu'un courir vers lui sur le chemin, une silhouette aux longs cheveux noirs vêtue d'une veste violette dont les pans claquaient au vent comme des ailes. Elle se précipita sur la berge en soulevant un nuage de sable et se jeta à son cou.

— Simon !

Il sentit les battements réguliers de son cœur contre sa poitrine.

— Quand je t'ai vu tomber, j'ai cru que tu étais mort !

Échoué comme un navire sur le rivage, Simon se laissa étreindre sans bouger, de peur de tomber en morceaux.

— Je suis déjà mort.

— Je sais, répliqua Isabelle avec impatience. Je voulais dire plus mort que d'habitude.

— Isa... dit-il en levant son visage vers le sien.

Elle était assise à califourchon sur lui, les bras noués autour de son cou, ce qui n'était guère confortable. Il se laissa tomber avec elle dans le sable et se perdit dans ses yeux noirs qui semblaient contenir le ciel tout entier.

Soudain, elle toucha son front, stupéfaite.

— Ta Marque a disparu.

— Raziel me l'a ôtée en échange de l'épée, expliqua-t-il en montrant l'arme près de lui.

Au loin, il distingua deux silhouettes debout devant la véranda de la ferme, qui les observaient.

— C'est l'épée de l'archange Michel, reprit-il. On l'appelle Glorieuse.

— Simon... fit Isabelle en l'embrassant sur la joue. Tu as réussi.

Magnus et Alec avaient pris le chemin du lac.
Simon ferma les yeux, à bout de forces, et Isabelle se
pencha vers lui en effleurant sa joue de ses cheveux.

— Tais-toi, murmura-t-elle, soudain au bord des
larmes. Tu n'es plus maudit. Tu n'es plus maudit.

— Je sais.

Simon serra ses doigts dans les siens. Il avait
l'impression de flotter sur une rivière obscure, et que
les ténèbres se refermaient peu à peu sur lui. Seule la
main d'Isabelle l'empêchait de sombrer.

19

Amour et sang

Clary fouillait méthodiquement la chambre de Jace. Elle avait enfilé un jean et noué ses cheveux à la va-vite. Le dessous de ses ongles était incrusté de poussière à force de passer au peigne fin chaque recoin : elle avait rampé sous le lit et l'armoire, inspecté le contenu des tiroirs et les poches de tous les vêtements de Jace pour trouver une deuxième stèle. Rien.

Elle avait raconté à Sébastien qu'elle était épuisée et qu'elle avait besoin de s'allonger un peu ; il l'avait congédiée d'un geste, l'air absent. Chaque fois qu'elle fermait les yeux, elle revoyait Jace, son air trahi, le regard qu'il lui avait lancé, comme s'il ne la connaissait plus.

Mais il ne servait à rien d'y repenser. Elle pouvait s'asseoir au bord du lit et pleurer toutes les larmes de son corps au souvenir de ce qu'elle avait fait, cela n'y changerait rien. Elle devait à Jace et elle se devait à elle-même de continuer. Si elle pouvait mettre la main sur une stèle...

Elle venait de soulever le matelas pour examiner le sommier quand on frappa à la porte. Elle sursauta, serra les poings, prit une grande inspiration et alla ouvrir.

Sébastien se tenait sur le seuil. Pour la première fois, il avait opté pour d'autres couleurs que le noir et le blanc. Il portait le même pantalon, les mêmes boots, mais il avait troqué sa chemise contre une tunique en cuir rouge rebrodée de runes en fil d'or et d'argent, fermée sur le devant par une rangée d'attaches en métal. Il arborait un bracelet en argent à chaque poignet, et l'anneau des Morgenstern brillait à son doigt.

Elle le dévisagea avec surprise.

— Tu as mis du rouge ?

— C'est une tenue de cérémonie, expliqua-t-il. Les couleurs n'ont pas la même signification pour les Chasseurs d'Ombres que pour les humains. (Il prononça ce dernier mot avec une pointe de mépris.) Tu connais la vieille comptine que les Nephilim chantent à leurs enfants, n'est-ce pas ?

« *Du noir pour chasser la nuit tombée*
Du blanc pour le deuil et le respect des morts
De l'or pour la robe de la mariée
Et du rouge pour jeter un sort. »

— Les Chasseuses d'Ombres portent une robe couleur or pour leur mariage ? s'étonna Clary.

Non qu'elle s'intéressât beaucoup à la question, mais elle s'était glissée dans l'embrasure de la porte pour qu'il ne puisse pas voir le désordre qui régnait dans la chambre d'ordinaire impeccable de Jace.

— Désolé d'avoir brisé ton rêve de mariage en blanc, répliqua-t-il en souriant. En parlant de vêtements, je t'ai apporté de quoi t'habiller.

Il lui en tendit un qu'il avait jusqu'à présent gardé derrière son dos. Elle le lui prit des mains et le déplia pour l'examiner : c'était un long tube de tissu rouge avec de curieux reflets cuivrés et des bretelles en fil doré.

— C'est la robe que portait notre mère lors des cérémonies du Cercle, avant qu'elle décide de trahir notre père, expliqua-t-il. Mets-la. Je veux que tu la portes ce soir.

— Ce soir ?

— Eh bien, tu ne peux pas assister à la cérémonie dans cette tenue, objecta-t-il en l'examinant de la tête aux pieds. Il faut que tu fasses bonne impression auprès de nos nouveaux alliés.

L'esprit troublé, Clary demanda :

— Et... je dois être prête dans combien de temps ?

— Dans une heure, à peu près. Il faut qu'on soit sur le lieu de rendez-vous à minuit. Les autres sont censés se rassembler là-bas. On ne peut pas se permettre d'être en retard.

Une heure... Le cœur battant, Clary jeta la robe sur le lit. Quand elle se tourna de nouveau vers Sébastien, il l'observait avec un petit sourire, comme s'il attendait qu'elle se change devant lui.

Elle allait fermer la porte quand il lui saisit le poignet.

— Ce soir, tu m'appelleras Jonathan Morgenstern.

Un frisson parcourut Clary et elle baissa les yeux pour qu'il n'y voie pas brûler sa haine pour lui.

— Comme tu voudras.

Dès qu'il eut tourné les talons, elle enfila une des vestes en cuir de Jace, dont la chaleur et l'odeur familière la rassurèrent. Puis, après s'être chaussée, elle se glissa dans le couloir en regrettant de ne pas avoir trouvé de stèle pour tracer une rune de silence sur son bras. Le bruit de ses pas résonnait à ses oreilles comme des coups de canon. En bas, elle entendait l'eau du robinet couler et Sébastien siffloter. Le dos plaqué contre le mur, elle gagna à pas de loup sa chambre.

La pièce n'était éclairée que par les lumières de la ville filtrant à travers les rideaux tirés. Elle était sens dessus dessous, comme lors de sa première visite. Elle commença par le placard rempli de vêtements coûteux – chemises en soie, vestes en cuir, costumes Armani, chaussures italiennes. Une chemise blanche tachée de sang séché était roulée en boule sur le sol. Clary l'examina longuement avant de refermer le placard.

Ensuite, elle s'attaqua au bureau, ouvrit les tiroirs, passa en revue la paperasse. Elle aurait bien voulu mettre la main sur une fiche intitulée : « Mon plan diabolique », mais ce n'était pas si simple. Elle trouva des dizaines de bouts de papier noircis de chiffres et de symboles alchimiques complexes, ainsi qu'une feuille de papier à lettres sur laquelle étaient inscrits, de la main de Sébastien, les deux mots suivants : « Ma belle. » Elle passa quelques instants à se demander qui pouvait être la mystérieuse destinataire de cette lettre inachevée – elle n'imaginait pas que Sébastien puisse avoir des sentiments pour quelqu'un – puis se consacra à la table de nuit.

Elle ouvrit le tiroir qui contenait, lui aussi, de la paperasse. Au milieu du désordre, un objet brillant attira son attention.

C'était sa bague.

Pendant tout le trajet jusqu'à Brooklyn, Isabelle garda le bras autour de la taille de Simon. Il se sentait migraineux et courbaturé. Magnus lui avait rendu sa bague au bord du lac, mais il n'avait pas pu joindre Clary. Et, surtout, il avait faim. Il aimait le contact du corps d'Isabelle, sa main posée sur son coude, mais l'odeur de son sang mêlée aux effluves de son parfum le torturait.

Il commençait à faire nuit, le soleil se couchait tôt en cette fin d'automne, et l'intérieur de la camionnette était plongé dans la pénombre. Les voix d'Alec et de Magnus s'étaient réduites à un murmure. Simon ferma les yeux ; il voyait encore l'image de l'Ange, imprimée sur ses paupières comme une explosion de lumière blanche.

Simon ! Tu es là ?

La voix de Clary résonna dans sa tête, l'arrachant aussitôt à sa léthargie.

Clary ? J'étais si inquiet...

Sébastien m'avait pris ma bague. Simon, je n'ai pas beaucoup de temps. Ils ont fabriqué une autre Coupe Mortelle. Ils ont l'intention d'invoquer Lilith et de créer une armée de Chasseurs d'Ombres dotés des mêmes pouvoirs que les Nephilim mais ralliés aux démons.

— Tu plaisantes !

Il fallut un moment à Simon pour s'apercevoir qu'il

avait parlé tout haut. Isabelle remua à côté de lui et Magnus lui lança un regard intrigué.

— Tout va bien, vampire ?

— C'est Clary, répondit Simon. Elle essaie de me parler.

Tous trois le dévisagèrent avec la même expression stupéfaite. Il plaqua les mains sur ses oreilles et s'enfonça dans son siège en s'efforçant de se concentrer.

Quand vont-ils passer à l'acte ?

Cette nuit. Je ne sais pas où nous sommes exactement mais il est environ dix heures du soir ici.

Alors tu as quatre heures d'avance sur nous. Tu es en Europe ?

Je n'en sais rien. Sébastien a mentionné un endroit appelé le septième site sacré. J'ignore ce que c'est, mais j'ai trouvé des notes dans un tiroir : apparemment, il s'agirait d'un ancien tombeau, et d'une espèce de porte permettant aux démons de pénétrer dans notre monde.

Clary, je n'ai jamais entendu parler de cet endroit...

Mais Magnus et les autres savent peut-être. S'il te plaît, Simon, préviens-les tout de suite. Sébastien va ressusciter Lilith. Il veut déclarer la guerre aux Chasseurs d'Ombres. Il a environ quarante ou cinquante Nephilim à sa solde. Ils seront présents. Simon, il veut mettre le monde à feu et à sang. Il faut faire tout notre possible pour l'en empêcher.

Si ça devient trop dangereux, il faut que tu te tires de là.

Elle protesta d'une voix lasse. *J'aimerais bien. Mais j'ai l'impression que c'est trop tard.*

Simon avait vaguement conscience que des regards inquiets étaient braqués sur lui, mais il s'en moquait.

Il lui semblait que Clary était dans un gouffre, et sa voix une corde qui la retenait. S'il tirait de toutes ses forces, il parviendrait peut-être à la hisser sur la terre ferme.

Clary, écoute-moi. Je ne peux pas t'expliquer comment, c'est une trop longue histoire, mais on a trouvé une arme susceptible d'être utilisée contre Sébastien sans blesser Jace. D'après... la personne qui nous l'a donnée, elle peut les séparer.

Les séparer ? Mais comment ?

Il a dit qu'elle ôterait tout le mal chez celui qu'elle frapperait. Alors si on s'en sert sur Sébastien, j'imagine qu'elle rompra le lien maléfique qui l'unit à Jace. Simon sentit sa tête l'élancer de nouveau, et pria pour paraître plus confiant qu'il ne l'était en réalité. *Enfin, je ne sais pas trop. C'est une épée très puissante, en tout cas. On l'appelle Glorieuse.*

Et elle les séparera sans les tuer ?

Eh bien, c'est l'idée. Enfin, il y a des risques que Sébastien y passe. Ça dépendra du bien qu'il y a en lui. Du moins, c'est ce qu'a dit l'Ange...

L'ange ? L'inquiétude perçait dans la voix de Clary. *Simon, qu'est-ce que tu...*

Clary s'interrompit, et Simon fut soudain submergé par une tempête d'émotions simultanées : surprise, frustration, terreur. Il se redressa brusquement sur son siège.

Clary ?

Mais seul le silence lui répondit.

Clary ? répéta-t-il, puis à haute voix :

— Bon sang, elle a encore filé.

— Qu'est-ce qui s'est passé ? demanda Isabelle. Elle va bien ? Qu'est-ce qu'il y a ?

— Je crois qu'il nous reste beaucoup moins de temps que prévu, annonça Simon d'un ton calme qui ne reflétait guère le tumulte intérieur qui l'assaillait. Magnus, gare-toi. Il faut qu'on discute.

— Je te demanderais bien ce que tu fabriques dans ma chambre, petite sœur, mais j'ai comme une impression de déjà-vu, dit Sébastien en se plantant sur le seuil.

Clary déglutit péniblement ; elle avait la gorge sèche. La silhouette de Sébastien se détachait sur le couloir éclairé, mais elle ne parvenait pas à voir l'expression de son visage.

— Je te cherchais, hasarda-t-elle.

— Tu es assise sur mon lit, lâcha-t-il. Tu croyais que je me cachais en dessous ?

Il entra dans la chambre d'un pas nonchalant, comme s'il détenait un secret connu de lui seul.

— Et pourquoi tu me cherchais ? Pourquoi tu ne t'es pas changée pour la cérémonie ?

— La robe... bégaya-t-elle. Elle... ne va pas.

— Bien sûr que si, dit-il en s'asseyant sur le lit. Tous les autres vêtements rangés dans cette chambre te vont. Cette robe devrait t'aller aussi.

— Elle est en mousseline. Ce n'est pas un tissu extensible.

— Ce n'est pas la peine, tu es toute menue.

Il saisit son poignet et elle serra le poing pour dissimuler la bague à son doigt.

— Regarde, je peux encercler ton poignet avec mes doigts.

— Le septième site sacré, dit-elle en évitant son regard. C'est là que Jace est allé ?

— Oui. Je l'ai envoyé en éclaireur. Il s'occupe des préparatifs. On le retrouve là-bas.

Clary sentit son cœur se serrer.

— Il ne revient pas ?

— Pas avant la cérémonie, non. (Sébastien sourit.) Ce qui est une bonne chose, étant donné qu'il sera très déçu quand il saura.

Il lui agrippa brusquement la main et la força à déplier les doigts.

— Tu pensais peut-être que je ne savais pas reconnaître un bijou féerique ? Que la reine est bête au point d'imaginer, quand elle t'a envoyée la chercher, que tu la lui donnerais ? Elle voulait que tu l'apportes ici. C'est le moyen qu'elle a trouvé de me la faire parvenir.

Avec un sourire narquois, il arracha la bague du doigt de Clary.

— Tu es en contact avec la reine ? demanda-t-elle. Mais comment ?

— Grâce à cette bague, justement, répondit Sébastien d'une voix suave.

Clary se souvint des paroles de la reine : « Jonathan Morgenstern pourrait être un allié puissant si je n'en fais pas mon ennemi. Nous existons depuis des temps immémoriaux ; nous ne prenons pas de décisions à la légère, et nous attendons de savoir dans quelle direction soufflera le vent. »

— Tu crois vraiment qu'elle t'aurait laissée mettre

la main sur un objet te permettant de communiquer avec tes amis si elle n'avait pas eu une idée derrière la tête ? reprit Sébastien. Depuis que j'ai récupéré la bague, j'ai parlé avec elle. Elle a espionné toutes vos conversations. Tu as été bien bête de lui faire confiance, petite sœur. La reine de la Cour des Lumières se range toujours du côté des vainqueurs. En l'occurrence, le nôtre, Clary. Oublie tes amis Chasseurs d'Ombres. Ta place est avec nous. Avec moi. Ton sang crie sa soif de pouvoir, comme le mien. Quoi que ta mère ait pu faire pour manipuler ta conscience, tu sais qui tu es. (Il lui saisit de nouveau le poignet pour l'attirer vers lui.) Jocelyne a pris la mauvaise décision. Elle s'est ralliée à l'Enclave, au mépris de sa famille. C'est ta seule chance de réparer son erreur.

— Lâche-moi, Sébastien, gémit Clary en essayant de se dégager. Lâche-moi.

— Tu es si frêle. Qui pourrait croire que tu es un volcan au lit ?

Elle se leva d'un bond.

— Qu'est-ce que tu viens de dire ?

Il se leva à son tour avec un sourire en coin. Il était si grand qu'il dut se pencher pour lui parler de sa voix grave et rocailleuse.

— Tout ce qui atteint Jace m'atteint aussi. Même une griffure dans le dos, petite sœur. Ne me dis pas que ce n'est pas toi.

Clary sentit la rage monter en elle. Elle regarda le visage hilare de son frère, et songea à Jace, à Simon, à la discussion qu'ils venaient d'avoir. Si la reine les avait vraiment espionnés, alors elle était déjà au courant pour l'épée glorieuse. Mais Sébastien, lui, ne savait encore rien. Il ne pouvait pas savoir.

Après lui avoir arraché la bague des mains, elle la jeta par terre. Sébastien poussa un cri, mais elle l'avait déjà écrasée d'un coup de talon.

Il lui lança un regard incrédule.

— Tu...

Elle prit son élan et lui assena un grand coup de poing dans l'estomac. Il était plus grand et plus costaud qu'elle, mais l'effet de surprise joua en sa faveur. Tandis qu'il se pliait en deux, elle en profita pour subtiliser la stèle, suspendue à sa ceinture, et prit ses jambes à son cou.

Magnus donna un brusque coup de volant qui fit crisser les pneus de la camionnette. Isabelle poussa un cri. Le véhicule s'engagea en cahotant sur le bas-côté de la route et s'arrêta sous un bouquet d'arbres en partie dénudés.

Un instant plus tard, ils ouvrirent les portières et descendirent de voiture. Le soleil se couchait, et Magnus avait laissé les phares allumés ; ils nimbaient le petit groupe d'une clarté inquiétante.

— Maintenant, vampire, dit-il en secouant si fort la tête que des paillettes volèrent, tu vas me dire ce qui se passe.

Alec s'adossa à la camionnette tandis que Simon se lançait dans des explications. Il répéta sa conversation avec Clary en s'efforçant d'être aussi précis que possible.

— Est-ce qu'elle a parlé de s'enfuir avec Jace ? demanda Isabelle, le visage pâle dans la lumière jaunâtre des phares.

— Non, répondit-il. Isa... je ne crois pas que Jace veuille s'en aller. Il est très bien là où il est.

Isabelle croisa les bras et regarda ses pieds, le visage dissimulé sous un rideau de cheveux noirs.

— Qu'est-ce que c'est que cette histoire de septième site sacré ? demanda Alec. Je connais les sept merveilles du monde, mais les sept sites sacrés ?

— Ils intéressent davantage les sorciers que les Nephilim, répondit Magnus. Chacun de ces sites est relié aux autres par des lignes invisibles qui forment une matrice, une espèce de réseau au sein duquel les sortilèges sont amplifiés. Le septième site est le dolmen de Poulnabrone. En irlandais, *Poll na mBrón* signifie « la caverne des douleurs ». Ce dolmen se trouve dans une zone désertique appelée le Burren. C'est un bon endroit pour invoquer un Démon Supérieur. (Il tira sur une mèche de ses cheveux.) Ça sent mauvais. Très mauvais.

— Tu crois qu'il en est capable ? lui demanda Simon. Tu crois qu'il peut créer des Chasseurs d'Ombres maléfiques ?

— La nature est duelle, Simon. Celle des Nephilim est séraphique, mais si elle était démoniaque, ils n'en seraient pas moins forts et puissants que maintenant. En revanche, ils seraient voués à la destruction de l'humanité plutôt qu'à sa protection.

— Il faut qu'on aille là-bas pour les arrêter, décréta Isabelle.

— Pour arrêter Sébastien, tu veux dire, lui rappela son frère.

— Jace est son allié désormais. Il faut l'accepter, Alec, intervint Magnus.

Une petite bruine avait commencé à tomber. Les gouttes brillaient comme de l'or à la lumière des phares.

— L'Irlande a cinq heures d'avance sur nous, reprit-il. Ils accompliront le rituel à minuit. Il est cinq heures ici. Il nous reste donc une heure et demie – deux heures au maximum – pour les arrêter.

— Alors il ne faut pas traîner, dit Isabelle avec un soupçon de panique dans la voix.

— Isa, on n'est que quatre, protesta Alec. On n'a aucune idée de combien ils seront...

Simon lança un coup d'œil à Magnus, qui regardait Alec et Isabelle se disputer d'un air étonnamment détaché.

— Magnus, pourquoi on ne s'est pas téléportés jusqu'à la ferme ? Tu as déjà téléporté la moitié d'Idris dans la plaine de Brocelinde.

— Je voulais vous donner l'occasion de pouvoir changer d'avis, répondit Magnus sans quitter des yeux son petit ami.

— Mais on peut se téléporter d'ici, dit Simon. Tu peux le faire, n'est-ce pas ?

— Oui mais comme l'a dit Alec, on ne sait pas ce qui nous attend. Je suis un sorcier assez puissant, mais Jonathan Morgenstern n'est pas un Chasseur d'Ombres ordinaire, et Jace non plus, d'ailleurs. Or, s'ils parviennent à invoquer Lilith... Elle est sans doute très affaiblie, mais elle n'en demeure pas moins Lilith.

— Elle est morte, objecta Isabelle. Simon l'a tuée.

— Les Démons Supérieurs ne meurent pas. Simon l'a renvoyée d'où elle venait. Il lui faudra du temps pour se reformer et retrouver toute sa puissance, à moins que Sébastien ne la rappelle ici.

— Nous avons l'épée. Nous pouvons vaincre Sébastien. Nous avons Magnus et Simon…

— On ne sait même pas si l'épée marchera, dit Alec. Et encore faut-il arriver jusqu'à Sébastien. Quant à Simon, il n'est plus invulnérable. Il peut se faire tuer comme n'importe lequel d'entre nous.

Tous les regards convergèrent vers Simon.

— Il faut essayer, dit-il. C'est vrai, on ne connaît pas leur nombre. Mais il nous reste assez de temps, si on utilise un Portail, pour aller chercher des renforts.

— Des renforts auprès de qui ? demanda Isabelle.

— Je vais aller chercher Maia et Jordan, répondit Simon tout en passant en revue les différentes possibilités. Il faudrait voir si Jordan peut obtenir de l'aide auprès des Praetor Lupus. Magnus, tu devrais aller au commissariat pour tenter de convaincre les membres de la meute qui s'y trouvent. Isabelle, Alec…

— Tu proposes qu'on se disperse ? s'exclama Isabelle. Bon, il va falloir envoyer des messages…

— Il est hors de question d'envoyer quoi que ce soit, décréta Magnus. C'est beaucoup trop dangereux. Il va falloir retourner à l'Institut et mettre l'Enclave au courant.

Pour toute réponse, Isabelle se dirigea vers la camionnette. Elle ouvrit la portière, et prit Glorieuse sur la banquette. L'épée étincela dans la pénombre, et la lumière des phares éclaira les mots gravés sur la lame : *Quis ut Deus ?*

La bruine plaquait les cheveux noirs de la jeune femme sur sa nuque. Elle semblait plus redoutable que jamais lorsqu'elle rejoignit le petit groupe.

— On n'a qu'à laisser la camionnette ici. On se sépare et on se retrouve à l'Institut dans une heure. Puis on y va, quel que soit le nombre. (Elle regarda tour à tour chacun de ses compagnons d'un air de défi.) Simon, prends ça, ajouta-t-elle en lui tendant Glorieuse.

— Moi ? fit-il, stupéfait. Mais je... je ne me suis jamais vraiment servi d'une épée.

— C'était ton initiative, lui rappela-t-elle. C'est à toi que l'Ange l'a donnée. C'est donc à toi qu'il revient de la porter.

Clary courut dans le couloir, dévala l'escalier et s'arrêta à l'endroit où, d'après Jace, se trouvait le seul moyen d'entrer dans l'appartement ou d'en sortir.

Elle ne se faisait guère d'illusions ; il lui restait trop peu de temps pour ouvrir la porte. Elle entendait déjà les bottes de Sébastien claquer sur les marches en verre. Elle écrasa la pointe de la stèle sur le mur et se mit à tracer frénétiquement des lignes : *une rune très simple, en forme de croix...*

La main de Sébastien se referma sur le dos de sa veste et comme il la tirait en arrière, la stèle lui échappa des mains. Il la souleva et la plaqua contre la paroi. Le choc lui coupa le souffle. Puis il jeta un coup d'œil à la Marque qu'elle venait de tracer sur le mur et sourit d'un air narquois.

— Une rune de descellement ? lui glissa-t-il à l'oreille. Et tu ne l'as même pas terminée ? De toute façon, tu crois vraiment qu'il existe un endroit sur cette terre où je ne pourrais pas te retrouver ?

Clary lui fit une réponse qui lui aurait valu un renvoi de Saint-Xavier. Comme il éclatait de rire, elle le gifla si fort qu'elle se brûla les doigts. Surpris, il desserra son étreinte et elle parvint à se dégager. Elle se précipita vers la chambre du rez-de-chaussée, qui avait le mérite de posséder un verrou...

Mais il bondit devant elle et agrippa les pans de sa veste. Ses pieds se dérobèrent sous elle, et elle serait tombée s'il ne l'avait pas de nouveau plaquée contre le mur en faisant barrière de son corps.

Il souriait d'un air diabolique. Il ne restait plus trace du garçon élégant qui s'était promené avec elle au bord de la Seine. Ses yeux étaient devenus entièrement noirs, comme le fond d'un puits.

— Qu'est-ce qui ne va pas, petite sœur ? Tu as l'air contrariée.

Elle pouvait à peine respirer.

— J'ai... écaillé... mon vernis... en giflant... ta sale face, répondit-elle en lui adressant un geste obscène.

— Charmant. (Il ricana.) Comment j'ai deviné que tu nous trahirais ? Comment j'ai su que tu ne pourrais pas t'en empêcher ? Parce que tu me ressembles trop.

Il se serra un peu plus contre elle en l'immobilisant de son corps.

— On n'a rien en commun, toi et moi. Lâche-moi...

— Tu me ressembles trait pour trait, susurra-t-il dans son oreille. Tu nous as infiltrés. Tu as fait semblant d'être notre alliée, notre amie.

— En ce qui concerne Jace, je n'ai jamais joué la comédie.

Une lueur de jalousie brilla dans le regard de Sébastien. Mais de qui était-il jaloux ? D'elle ou de Jace ? Elle n'aurait su le dire. Il se pencha si près d'elle qu'elle sentit ses lèvres effleurer sa joue.

— Tu nous as bien eus tous les deux, chuchota-t-il en lui serrant le bras comme dans un étau. Et Jace en particulier...

En la voyant tressaillir, il ouvrit de grands yeux.

— Tu as couché avec lui, c'est ça ?

Il semblait presque le prendre comme une trahison.

— Ce ne sont pas tes affaires.

Il lui prit le menton.

— Ce n'est pas comme ça que tu le feras changer, mais c'était bien tenté. (Il esquissa un sourire glacial.) Tu sais qu'il ne se souvient de rien, pas vrai ? Est-ce qu'il t'a fait passer un bon moment, au moins ? Parce qu'avec moi, tu aurais apprécié.

Elle sentit un goût de bile envahir sa bouche.

— Tu es mon frère !

— Ces mots ne signifient rien pour nous. Nous ne sommes pas humains. Leurs règles et leurs lois stupides sur l'ADN ne s'appliquent pas à nous. C'est vraiment hypocrite, quand on y réfléchit. L'histoire comporte déjà des exemples. Les pharaons de l'Égypte ancienne épousaient leurs sœurs, tu sais. Cléopâtre s'est mariée avec son frère pour renforcer la lignée.

Clary lui jeta un regard haineux.

— Je savais que tu étais dingue, mais pas à ce point.

— Oh, je ne vois pas ce qu'il y a de fou là-dedans. On est destinés l'un à l'autre.

— Je suis destinée à Jace !

Il eut un geste vague.

— Tu peux avoir Jace.

— Je croyais que tu avais besoin de lui.

— J'ai besoin de lui. Mais on se le partagera. Je me moque de ce que tu fais tant que tu sais que tu m'appartiens.

Elle fit mine de le repousser.

— Je n'appartiens à personne.

Le regard qu'il lui lança la cloua sur place.

— Je te pensais plus maligne que ça.

À ces mots, il plaqua sa bouche sur la sienne.

L'espace d'un instant, elle se revit à Idris, près des ruines calcinées du manoir des Fairchild. Ce jour-là, Sébastien l'avait embrassée et elle avait eu l'impression de tomber dans un puits sans fond. Sur le moment, elle avait pensé que quelque chose ne tournait pas rond chez elle. Qu'elle ne pouvait embrasser personne d'autre que Jace. Qu'elle était fichue.

Désormais, elle savait, et alors que la bouche glacée de Sébastien cherchait la sienne, elle lui mordit la lèvre inférieure de toutes ses forces.

Il poussa un cri et se détourna en portant la main à sa bouche. Elle sentit sur sa langue le goût amer et métallique du sang. Il la dévisagea d'un air hébété tandis qu'un filet rouge coulait le long de son menton.

Alors, prenant son élan, elle lui décocha un bon coup de pied dans l'estomac. Il se plia en deux et elle en profita pour se précipiter vers l'escalier. Elle avait dévalé la moitié des marches quand il la rattrapa par le col et la jeta contre le mur. Elle tomba à genoux, le souffle coupé.

Sébastien s'avança vers elle, les poings serrés, les yeux étincelants de rage. Clary aurait dû être terrifiée, mais un détachement souverain s'était emparé d'elle. Le temps semblait s'être arrêté. Elle se souvint de ce qu'elle avait ressenti dans la boutique d'antiquités à Prague : elle s'était fait happer par un monde où chaque mouvement était aussi précis qu'une horloge. Au moment où Sébastien fondait sur elle, elle bondit et le fit tomber d'un autre coup de pied.

Cette fois, elle n'essaya même pas de fuir. Elle s'empara du vase en porcelaine posé sur la table et, au moment où il se relevait, elle le lui lança à la tête. Le vase vola en éclats dans une pluie de gouttelettes et de feuilles. Sébastien tituba, et une tache rouge s'épanouit sur ses cheveux blond clair.

Avec un rugissement, il se rua sur Clary. Elle aurait eu la même impression si elle avait été chargée par un bulldozer. Elle fit un vol plané sur la table en verre et atterrit par terre au milieu des débris. Sébastien se jeta sur elle en traînant son corps parmi les éclats de verre brisé, un rictus féroce sur les lèvres. Il la frappa au visage du dos de la main. Aveuglée par le sang, Clary sentit un goût de sel lui envahir la bouche. Elle donna des coups de genou à l'aveuglette, mais c'était comme frapper un mur. Il lui saisit les mains pour les immobiliser.

— Clary, Clary, Clary…

Il était hors d'haleine. Au moins, elle avait réussi à l'essouffler.

— Pas mal, reprit-il. Tu n'étais pourtant pas une grande combattante à Idris.

Il approcha son visage du sien et lécha du bout de la langue sa joue maculée.

— L'autre jour, tu m'as demandé qui me possédait, chuchota-t-il. Eh bien, c'est toi. Nous avons le même sang. La première fois que tu m'as vu, mon visage te disait quelque chose, pas vrai ? Et réciproquement.

— Tu as perdu la tête, suffoqua-t-elle.

— C'est dans la Bible. Dans le Chant de Salomon. « Tu as ravi mon cœur, ma sœur, mon épouse ; tu as ravi mon cœur par l'un de tes yeux, par l'une des chaînes de ton cou. » (Il effleura sa gorge et se mit à jouer avec la chaîne retenant l'anneau des Morgenstern.) « Je dors, mais mon cœur est éveillé ; c'est la voix de mon bien-aimé qui frappe, disant : Ouvre-moi, ma sœur, mon amour, ma colombe, mon immaculée. »

Elle se tenait immobile, le corps tendu par l'effort. Il posa la main sur sa taille et glissa les doigts dans la ceinture de son jean. Sa peau était brûlante ; elle sentait le désir qu'il avait d'elle.

— Tu ne m'aimes pas, dit-elle d'une voix étranglée.

Il comprimait l'air dans ses poumons. Elle se souvint de la mise en garde de sa mère : les émotions de Sébastien étaient toujours feintes. Il lui semblait qu'elle avait les idées claires comme du cristal ; heureusement, l'euphorie de la bataille n'altérait pas sa concentration.

— Et toi, ça t'est égal que je sois ton frère, lâcha Sébastien. Je connais tes sentiments pour Jace ; tu éprouvais les mêmes à l'époque où tu croyais qu'il était ton frère. Tu ne peux pas me mentir.

— Jace vaut cent fois mieux que toi.

— Personne ne m'arrive à la cheville, répliqua-t-il en souriant. « Tu es un jardin fermé, ma sœur, ma fiancée. Une source fermée, une fontaine scellée. » Mais plus maintenant, pas vrai ? Jace a veillé au grain.

Il agrippa le bouton de son jean et Clary profita de cet instant de distraction pour ramasser un éclat de verre de bonne taille à côté d'elle et le lui planter dans l'épaule.

Il recula en poussant un cri, l'air plus étonné que meurtri. De nouveau, elle le blessa avec son arme improvisée, mais cette fois à la cuisse, et au moment où il s'écartait, elle lui assena un coup de coude dans la gorge. Il se plia en deux, pris d'une quinte de toux ; d'une roulade, elle se jucha sur lui puis arracha le fragment de verre de sa cuisse. Elle allait frapper la veine qui palpitait sur son cou quand elle suspendit son geste.

Il l'observait, le corps secoué par l'hilarité. Il était couvert de sang, son sang à lui et son sang à elle. Soudain, il écarta les bras comme les ailes d'un ange déchu, un ange tombé du ciel.

— Vas-y, petite sœur, tue-moi, dit-il. Tue-moi et Jace mourra aussi.

La main de Clary s'abattit.

20

Une porte sur les ténèbres

Clary poussa un cri de frustration et planta le morceau de verre dans le plancher, à quelques centimètres de la gorge de Sébastien.

Il rit de nouveau.

— Tu vois, tu ne peux pas me tuer.

— Va au diable, rugit-elle. C'est Jace que je ne peux pas tuer.

— C'est la même chose.

Il se redressa si vite qu'elle le vit à peine bouger, puis il la frappa au visage avec tant de force qu'elle glissa sur le sol jonché d'éclats de verre ; le mur stoppa sa chute et elle se mit à cracher du sang. Sébastien la rejoignit en quelques enjambées, la saisit par les pans de sa veste et la remit debout.

Cette fois, elle ne se débattit pas. À quoi bon ? Il finirait toujours par avoir le dessus. Il l'examina, immobile.

— Ça pourrait être pire. On dirait que ta veste a limité les dégâts.

Elle lui jeta un regard noir tandis qu'il la soulevait dans ses bras comme à Paris, quand il l'avait emmenée loin des démons Dahak. Mais à ce moment-là, elle s'était sentie troublée, sinon reconnaissante, alors qu'en cet instant même, elle lui vouait une haine brûlante. Elle resta sur le qui-vive pendant qu'il la portait dans l'escalier. Elle s'efforça d'oublier son bras sous ses cuisses et ses mains dans son dos.

« Je vais le tuer, pensa-t-elle. Je trouverai un moyen. »

Il entra dans la chambre de Jace et la déposa par terre. Comme elle titubait, il la rattrapa de justesse et lui arracha sa veste. En dessous, elle ne portait qu'un tee-shirt. Il était en lambeaux et taché de sang.

Sébastien émit un sifflement.

— Tu t'es mise dans un bel état, petite sœur. Tu ferais mieux d'aller te nettoyer.

— Non, répondit-elle. Qu'ils voient ce qu'il t'a fallu faire pour me convaincre de venir avec toi.

Il lui prit le menton pour la forcer à le regarder, le visage à quelques centimètres du sien. Elle se contraignit à ne pas fermer les yeux ; elle ne voulait pas lui donner cette satisfaction.

— Tu m'appartiens, dit-il. Et tu seras à mes côtés, même s'il faut que j'emploie la force pour que tu viennes.

— Pourquoi ? demanda-t-elle, la rage au cœur. Qu'est-ce que ça change ? D'accord, tu ne peux pas tuer Jace, mais moi si. Pourquoi tu ne le fais pas ?

L'espace d'un instant, le regard de Sébastien se voila comme s'il fixait un objet invisible.

— Ce monde disparaîtra dans les flammes de l'enfer, dit-il enfin. Mais je vous mettrai à l'abri, Jace et toi, si vous m'obéissez. C'est une faveur que je n'accorderai à personne d'autre. Tu ne vois donc pas que tu es folle de la refuser ?

— Tu ne vois donc pas qu'il m'est impossible de me battre à tes côtés alors que tu projettes de réduire le monde en cendres ?

— Mais pourquoi ? fit-il d'un ton presque plaintif. Pourquoi ce monde t'est-il si précieux ? Tu sais qu'il y en a d'autres. Dis-moi que tu m'aimes et que tu te battras avec moi.

— Jamais je ne t'aimerai, cracha-t-elle. Tu te trompes, on n'a pas le même sang. Le tien est empoisonné.

Il se contenta de sourire, les yeux étincelants, et se mit à tracer une *iratze* sur sa peau. Elle ne l'en détesta pas moins. Son bracelet tintait à son poignet tandis qu'il s'appliquait à dessiner la rune.

— Je savais que tu mentais, dit-elle soudain.

— Je dis tellement de mensonges, ma belle. Lequel en particulier ?

— Ton bracelet. Les mots « *Acheronta movebo* » ne veulent pas dire : « Ainsi en est-il toujours des tyrans. » Ça, c'est : « *Sic semper tyrannis* ». La phrase est de Virgile : « *Flectere si nequeo superos, Acheronta movebo* (Si je ne peux fléchir les dieux, j'invoquerai l'enfer) ».

— Ton latin est meilleur que ce je ne croyais.

— J'apprends vite.

— Pas assez, il faut croire. Maintenant, va te nettoyer dans la salle de bains, dit-il en la poussant devant lui.

Il prit la robe de cérémonie et la lui mit dans les mains.

— Le temps presse, et ma patience a des limites.

513

Si tu n'es pas sortie dans dix minutes, je viens te chercher. Et, crois-moi, ce n'est pas dans ton intérêt.

— Je meurs de faim, gémit Maia. J'ai l'impression de ne pas avoir mangé depuis des jours.

Elle ouvrit la porte du réfrigérateur et fit la grimace.

Jordan s'avança derrière elle et enfouit la tête au creux de son cou.

— On n'a qu'à commander. Pizza, thaï, mexicain, tout ce qui te plaira tant que ça ne coûte pas plus de vingt-cinq dollars.

Elle se tourna vers lui en riant. Elle portait une de ses chemises, qui lui arrivait presque aux genoux. Ses cheveux étaient rassemblés en chignon au creux de sa nuque.

— Quelle générosité, ironisa-t-elle.

— Rien n'est trop beau pour toi. (Il la souleva dans ses bras et l'assit sur l'un des tabourets de bar.) Je peux t'offrir des tacos si tu veux, ajouta-t-il en l'embrassant.

Ses lèvres étaient douces, elles avaient un goût de dentifrice. Elle fut parcourue de ce frisson familier qui accompagnait chacun de leurs baisers.

Elle rit et lui caressa la nuque. Mais la sonnerie du téléphone l'arrêta dans son élan, et Jordan s'écarta d'elle en fronçant les sourcils.

— C'est mon portable.

Tout en lui étreignant la taille d'une main, il chercha à tâtons son téléphone sur le comptoir ; quand il le trouva, il avait cessé de sonner. Il examina l'écran d'un air soucieux.

— Ce sont les Praetor.

Ils n'appelaient qu'en cas d'extrême urgence. Maia s'adossa au comptoir en soupirant.

— Rappelle-les.

Il hocha la tête. Sans plus prêter attention à lui, elle sauta de son tabouret et se dirigea de nouveau vers le réfrigérateur, sur la porte duquel étaient affichés différents menus. Ayant trouvé celui de son restaurant thaï préféré, elle se tourna vers Jordan.

Il se tenait au milieu du salon, le visage livide, son téléphone à la main. Maia entendait une voix lointaine, métallique s'échapper de l'appareil.

Elle se précipita vers lui, prit le téléphone, l'éteignit et le posa sur le comptoir.

— Jordan ? Qu'est-ce qui s'est passé ?

— Mon camarade de chambre... Nick... Tu te souviens ? bredouilla-t-il, l'air incrédule. Tu ne l'as jamais rencontré mais...

— J'ai vu des photos de lui. Il lui est arrivé quelque chose ?

— Il est mort.

— Comment ?

— La gorge tranchée. On l'a vidé de son sang. Ils pensent qu'il suivait sa mission, et qu'elle l'a tué.

— Maureen ? Mais ce n'est qu'une gamine !

— C'est un vampire désormais.

Jordan prit une grande inspiration ; ses yeux brillaient.

— Maia...

Une panique soudaine envahit Maia. S'embrasser, se câliner, voire coucher ensemble, c'était une chose. Réconforter quelqu'un qui venait de perdre un ami, c'en était une autre. Cela exigeait une certaine implication, des sentiments pour l'autre.

— Jordan, dit-elle à mi-voix en se hissant sur la pointe des pieds pour l'enlacer. Je suis désolée.

Le cœur de Jordan battait à tout rompre contre le sien.

— Nick n'avait que dix-sept ans.

— C'était un Praetor, comme toi. Il savait que c'était dangereux.

Jordan se serra un peu plus contre elle, mais il ne dit rien.

— Jordan. Je t'aime. Je t'aime et je suis désolée.

Elle le sentit se figer contre elle. C'était la première fois qu'elle prononçait ces mots depuis longtemps. Il expira de l'air, comme s'il avait retenu son souffle jusqu'à présent.

— Maia… murmura-t-il.

Mais cette fois, il fut interrompu par la sonnerie du téléphone de Maia.

— Je m'en fiche, dit-elle. Je ne réponds pas.

Il s'écarta d'elle.

— Non. Non, ça peut être important. Vas-y, décroche.

Elle se dirigea vers le comptoir en soupirant. Son portable avait cessé de sonner, mais un message s'affichait sur l'écran. Elle sentit son estomac se nouer.

— Qu'est-ce qu'il y a ? demanda Jordan, comme s'il avait perçu sa tension soudaine.

— C'est une urgence. (Elle se tourna vers lui, le téléphone à la main.) Un appel aux armes transmis à toute la meute. De la part de Luke… et de Magnus. Il faut qu'on parte sur-le-champ.

Clary était assise sur le sol de la salle de bains de
Jace, le dos appuyé contre la baignoire, les jambes
étendues devant elle. Elle avait nettoyé le sang sur
son visage et rincé ses cheveux dans le lavabo. Elle
portait la robe de cérémonie de sa mère, qu'elle avait
remontée jusqu'aux cuisses, et le sol était glacé contre
ses mollets nus.

Elle regarda ses mains aux doigts fins, aux ongles
coupés court et aux phalanges constellées de taches de
son. Rien ne semblait avoir changé chez elle, du moins
en apparence mais, ces derniers jours, des transforma-
tions dont elle ne pouvait pas encore prendre la pleine
mesure s'étaient opérées en elle.

Elle se leva et alla s'examiner dans le miroir. Les
flammes de ses cheveux et de sa robe accentuaient sa
pâleur. Elle avait des bleus sur les épaules et sur la
gorge.

— Alors, on s'admire ?

Elle n'avait pas entendu Sébastien ouvrir la porte,
mais il était là, appuyé contre le chambranle, son
insupportable sourire narquois sur les lèvres. Il portait
une tenue de combat qu'elle ne lui avait jamais vue
auparavant, fabriquée avec le même tissu résistant que
les équipements classiques, mais d'un rouge qui rappelait celui du sang frais. Il avait ajouté un accessoire
à sa tenue : une arbalète, qu'il portait avec nonchalance bien qu'elle semblât très lourde.

— Tu es ravissante, petite sœur. Une compagne
digne de moi.

Ravalant ses injures, elle se dirigea vers la porte. Il

la saisit par le bras au moment où elle passait près de lui, et caressa son épaule nue.

— Tu n'as pas de marques sur les épaules. Je n'aime pas que les femmes abîment leur peau avec des cicatrices. Tiens-t'en aux bras et aux jambes pour ça.

— Je préférerais que tu évites de me toucher.

Il ricana en levant son arbalète dans sa main. Clary remarqua qu'elle était déjà armée, prête à l'emploi.

— Avance, dit-il. Je suis juste derrière toi.

Elle obéit et se dirigea vers la porte avec une sensation de picotement entre les omoplates, s'imaginant que la flèche de l'arbalète était pointée vers cet endroit précis. Ils descendirent l'escalier, traversèrent la cuisine et le salon. Sébastien poussa un grognement en voyant la rune de Clary griffonnée sur le mur. Il la précéda et tendit la main vers la paroi ; une porte apparut, ouverte sur des ténèbres.

Clary sentit la flèche de l'arbalète se ficher dans son dos.

— Avance.

Avec un soupir, elle s'enfonça dans l'obscurité.

Alec appuya sur le bouton de l'ascenseur et s'adossa à la paroi.

— Combien de temps nous reste-t-il ?

Isabelle jeta un coup d'œil à l'écran éclairé de son téléphone portable.

— Environ quarante minutes.

L'ascenseur s'éleva dans les airs. Isabelle examina son frère du coin de l'œil. Il était fatigué à en juger par les cernes sous ses yeux. Malgré sa taille et sa force, ses yeux bleus et ses cheveux noirs soyeux un peu longs sur la nuque lui donnaient l'air vulnérable.

Il répondit à sa question silencieuse :

— Je vais très bien. Et j'ai plus de dix-huit ans. Je peux faire ce que je veux. Toi, par contre, tu vas avoir des problèmes parce que tu as découché.

— J'ai envoyé un texto à maman tous les soirs, lâcha Isabelle au moment où l'ascenseur s'arrêtait. Je lui ai dit que j'étais avec toi et Magnus. Ce n'est pas comme si elle ne savait pas où je dormais. Et en parlant de Magnus…

Alec passa le bras devant elle pour pousser la grille de l'ascenseur.

— Quoi ?

— Ça va, tous les deux ? Je veux dire, ça se passe bien ?

Alec lui jeta un regard incrédule.

— Tout part à vau-l'eau et toi, tu veux savoir où en sont mes amours avec Magnus ?

Isabelle pressa le pas pour rattraper son frère dans le couloir. Alec avait de longues jambes et elle avait parfois du mal à le suivre.

— Ça se passe bien, je crois, poursuivit-il.

— Tu crois ? fit Isabelle. On sait ce que ça signifie quand tu dis ça. Qu'est-ce qui s'est passé ? Vous vous êtes disputés ?

Alec pianotait sur le mur tout en marchant, signe incontestable de son malaise.

— Cesse de te mêler de ma vie amoureuse, Isa. Et toi, au fait ? Pourquoi tu n'es pas en couple avec Simon ? Ça crève les yeux qu'il te plaît.

— Pas du tout ! s'offusqua-t-elle.

— À d'autres, dit Alec, qui semblait lui-même surpris, maintenant qu'il y réfléchissait. Tu le regardes avec des yeux de merlan frit. Il n'y a qu'à voir l'état dans lequel tu t'es mise au bord du lac, quand l'Ange est apparu...

— J'ai cru qu'il était mort !

— Quoi, plus mort qu'il ne l'est déjà ? répliqua sèchement Alec. (En voyant l'expression de sa sœur, il haussa les épaules.) Écoute, ça ne me dérange pas qu'il te plaise. J'ai juste du mal à comprendre pourquoi vous ne sortez pas ensemble.

— Parce que je ne lui plais pas.

— Bien sûr que si ! Tu plais à tous les garçons.

— Excuse-moi, mais je crois que ton avis est biaisé.

— Isabelle, fit-il de ce ton typique, mélange d'affection et d'agacement, qu'il réservait à sa sœur. Tu sais bien que tu es sublime. Les garçons t'ont toujours couru après. Pourquoi Simon serait-il différent ?

Elle haussa les épaules.

— Je ne sais pas. Mais il est différent, ça oui. La balle est dans son camp. Il connaît mes sentiments pour lui. Mais ce n'est pas pour autant qu'il se jette dans mes bras.

— Pour être honnête, il a d'autres chats à fouetter en ce moment.

— Je sais, mais il a toujours été comme ça. Clary...

— Tu crois qu'il est toujours amoureux d'elle ?

Isabelle se mordit la lèvre.

— Je... pas exactement. Je crois qu'elle est la seule personne qui lui reste de sa vie d'avant, qu'il ne peut pas renoncer à elle. Et tant qu'il ne le pourra pas, je doute qu'il y ait de la place pour moi.

Ils avaient presque atteint la bibliothèque. Alec lança un coup d'œil à sa sœur.

— Mais s'ils sont juste amis...

— Alec.

Isabelle le fit taire d'un geste. Des voix leur parvenaient de la bibliothèque. La première, stridente et immédiatement reconnaissable, était celle de leur mère.

— Comment ça, elle a disparu ?

— Personne ne l'a vue depuis deux jours, dit une autre voix, douce et féminine, un peu contrite. Elle vit seule, alors les gens n'étaient pas sûrs... Mais on s'est dit que, comme vous connaissez son frère...

Sans réfléchir, Alec poussa la porte de la bibliothèque. Maryse était assise derrière le grand bureau en acajou au milieu de la pièce. Deux silhouettes familières se tenaient devant elle : Aline Penhallow, en tenue de combat, et Helen Blackthorn, les cheveux en désordre. Toutes deux se tournèrent vers les nouveaux arrivants, l'air surpris. Helen était elle aussi en tenue de combat, et le noir de ses vêtements faisait ressortir sa pâleur.

— Isabelle, dit Maryse en se levant. Alexander. Qu'y a-t-il ?

Aline chercha la main d'Helen. L'anneau des Penhallow – et son emblème, une chaîne de montagnes – brillait au doigt de cette dernière tandis que le blason des Blackthorn, une couronne d'épines, ornait la bague d'Aline. Isabelle haussa les sourcils ; échanger les anneaux de famille, ce n'était pas une décision qu'on prenait à la légère.

— Si on vous dérange, on peut partir... commença Aline.

— Non, restez, dit Isabelle en s'avançant vers elles. On aura peut-être besoin de votre aide.

Maryse se rassit.

— Tiens, mes enfants me font la grâce de leur présence. Où étiez-vous passés, tous les deux ?

— Je te l'ai dit, répondit Isabelle. On était chez Magnus.

— Pourquoi ? Cette question ne te concerne pas, Alec. C'est à ma fille qu'elle s'adresse.

— Parce que l'Enclave a cessé de se préoccuper du sort de Jace, répliqua Isabelle. Mais pas nous.

— Et Magnus voulait nous donner un coup de main, ajouta Alec. Il a passé des nuits entières à éplucher ses livres de sortilèges pour essayer de localiser Jace. Il a même invoqué le...

— Non. (Maryse le fit taire d'un geste.) Ne me le dis pas. Je ne veux pas savoir.

Le téléphone noir posé sur son bureau sonna. Tous les regards se braquèrent sur lui. Un appel sur le téléphone noir venait forcément d'Idris. Personne ne prit l'initiative de répondre, et quelques instants plus tard la sonnerie se tut.

— Pourquoi êtes-vous ici ? demanda Maryse en se tournant de nouveau vers sa progéniture.

— On cherchait Jace et... reprit Isabelle.

— C'est à l'Enclave de s'en charger, pas à vous, l'interrompit sèchement Maryse.

Elle semblait fatiguée et amaigrie. Alec frappa du poing sur le bureau.

— Tu vas nous écouter ? L'Enclave n'a pas retrouvé Jace, mais nous, si, et Sébastien avec lui. Maintenant, on sait ce qu'ils manigancent, et il nous reste très peu de temps pour les arrêter, ajouta-t-il en jetant un coup d'œil à l'horloge sur le mur. Alors, tu es prête à nous aider ou pas ?

Le téléphone sonna de nouveau et, une fois encore, Maryse ne fit pas mine de décrocher. Elle regardait Alec, le visage livide.

— Qu'est-ce que vous avez fait ?

— On sait où est Jace, maman, dit Isabelle. On a aussi découvert quels sont les projets de Sébastien. Ah, et on sait comment le tuer sans nuire à Jace...

— Ça suffit. (Maryse secoua la tête.) Alexander, explique-toi calmement et de manière concise, merci.

Alec se lança dans un bref récit en mettant de côté, du moins de l'avis d'Isabelle, tous les passages croustillants. Bien que sa version des faits ait été très abrégée, Aline et Helen ouvraient de grands yeux étonnés quand il eut terminé. Maryse se tenait très droite, le visage figé. Après un silence, elle demanda d'une voix étouffée :

— Pourquoi avez-vous fait tout cela ?

Alec sembla pris de court.

— Pour Jace, répondit Isabelle. Pour le retrouver.

— Vous vous rendez compte que vous ne me laissez pas d'autre choix que d'en référer à l'Enclave, dit Maryse, la main posée sur le téléphone. Vous auriez mieux fait de ne pas venir.

Isabelle sentit sa gorge se serrer.

— Tu nous en veux parce qu'on vient t'informer de ce qui se passe ?

— Si je préviens l'Enclave, ils enverront toutes leurs forces. Jia n'aura pas d'autre choix que de leur ordonner de tuer Jace dès qu'ils l'apercevront. Avez-vous la moindre idée du nombre de Chasseurs d'Ombres qui se sont rangés du côté du fils de Valentin ?

Alec secoua la tête.

— Une quarantaine, apparemment.

— Supposons qu'on dépêche le double d'effectifs... Il y a fort à parier que l'on vaincrait ses troupes, mais Jace, quelles chances aurait-il de s'en sortir vivant ? Quasiment aucune. Ils le tueront pour ne pas courir de risque.

— Dans ce cas, on ne peut pas les mettre au courant, décréta Isabelle. On se passera de l'aide de l'Enclave.

Maryse la dévisagea en secouant la tête.

— La Loi nous oblige à les avertir.

— Je me fiche de la Loi... s'emporta Isabelle.

Mais, voyant le regard d'Aline posé sur elle, elle se tut.

— Ne t'inquiète pas, intervint cette dernière. Je ne dirai rien à ma mère. J'ai une dette envers vous. Et envers toi en particulier, Isabelle.

Isabelle revit le démon qu'elle avait tenu en respect avec son fouet alors qu'il s'en prenait à Aline sur le pont d'Idris.

— Et puis, Sébastien a tué mon cousin, poursuivit-elle. Le vrai Sébastien Verlac. J'ai de bonnes raisons de le haïr, tu sais.

— Quand bien même, fit Maryse. En prenant le parti de ne pas les avertir, nous enfreignons la Loi. Nous pourrions être sanctionnés, ou pire.

— Pire ? lança Alec. À quoi tu penses ? À l'exil ?

— Je ne sais pas, Alexander. Ce serait à Jia Penhallow, ou à celui ou celle qui occupera le poste d'Inquisiteur, de décider de notre châtiment.

— Si c'est papa qui l'obtient, il se montrera peut-être clément, marmonna Isabelle.

— Si nous ne prenons pas la peine de les informer de la situation, Isabelle, ton père n'a aucune chance de devenir Inquisiteur.

— Est-ce qu'on risque d'être privés de nos Marques ? Est-ce qu'on pourrait perdre l'Institut ?

— Isabelle, dit Maryse. On pourrait tout perdre.

Clary cligna des yeux pour ajuster sa vue à l'obscurité. Elle se trouvait sur une vaste plaine rocheuse battue par le vent. Des touffes d'herbe poussaient entre des amas de roche grise. Au loin, de mornes collines se détachaient sur le ciel nocturne. Une lumière blanche et crue brillait devant eux. Il ne pouvait s'agir que de lumière de sort.

Le bruit d'une explosion retentit. Clary se retourna et s'aperçut que la porte avait disparu ; à sa place, il n'y avait plus que des touffes d'herbe brûlée encore fumantes. Sébastien écarquilla les yeux.

— Qu'est-ce…

Clary éclata de rire. Une joie mauvaise l'envahit devant l'air décontenancé de son frère. Elle ne lui avait jamais vu cet air horrifié, vulnérable.

Il braqua son arbalète sur elle, à quelques centimètres de sa poitrine. S'il tirait à cette distance, elle mourrait sur le coup.

— Qu'est-ce que tu as fait ? gémit-il.

Clary lui lança un regard triomphant.

— La rune que tu as prise pour une rune de descellement… Eh bien, ce n'en était pas une. C'est une rune de ma création.

Elle se rappelait l'avoir inventée le soir où Jace était venu lui rendre visite chez Luke.

— Elle a détruit l'appartement à l'instant où on a ouvert la porte. Il n'existe plus. Tu ne pourras plus l'utiliser. Ni toi ni personne.

— Quoi ?

L'arbalète se mit à trembler dans les mains de Sébastien.

— Espèce de petite garce...

— Vas-y, tue-moi. Et va t'expliquer avec Jace après. Je te mets au défi de le faire.

Sébastien abaissa lentement son arme. Ses yeux lançaient des éclairs.

— Il y a des choses pires que la mort, dit-il. Je te les ferai toutes subir, petite sœur, une fois que tu auras bu à la Coupe. Et tu aimeras ça.

Pour toute réponse, elle lui cracha au visage.

— Retourne-toi ! rugit-il en pointant son arbalète sur elle, et elle s'exécuta, en proie à un vertige dû autant à la terreur qu'au sentiment de triomphe qu'elle éprouvait.

Il la poussa le long d'une pente rocheuse. Elle était chaussée de mules, et elle sentait le moindre caillou, la moindre aspérité de la roche sous ses pieds. En se rapprochant de la lumière, elle découvrit un spectacle à couper le souffle.

Devant elle se dressait une petite colline couronnée d'un énorme tombeau en pierre qui n'était pas sans rappeler Stonehenge, avec sa grosse dalle plate posée sur deux pierres verticales. Une autre pierre plate formant une espèce de scène s'étendait au pied du monument funéraire. Une quarantaine de Nephilim en robe rouge tenant une torche à la main étaient rassemblés en demi-cercle près d'un pentagramme projetant une clarté bleuâtre.

Jace faisait les cent pas sur la « scène », en tenue de combat rouge, comme Sébastien ; jamais encore ils n'avaient paru si semblables. En se rapprochant, Clary entendit ce qu'il disait :

— ... gratitude pour votre loyauté, même pendant les années difficiles, et pour votre foi en Valentin, que vous témoignez maintenant à ses fils et à sa fille.

Un murmure parcourut l'assemblée. Sébastien poussa Clary devant lui et, émergeant de l'obscurité, ils rejoignirent Jace sur l'estrade. En les apercevant, il inclina la tête puis se tourna de nouveau vers la foule, le sourire aux lèvres.

— Vous êtes ceux qui serez sauvés. Il y a mille ans, l'Ange nous a fait don de son sang pour engendrer une nouvelle race de guerriers. Mais ça n'a pas suffi. Mille ans ont passé, et nous agissons toujours dans l'ombre. Nous protégeons des Terrestres que nous n'aimons pas de forces dont ils ignorent tout, et une Loi obsolète, sclérosée, nous empêche de nous faire connaître comme leurs sauveurs. Nous mourons par centaines, sans merci, pleurés seulement par les nôtres, et sans pouvoir compter sur l'Ange qui nous a créés. Oui, j'ose le dire. Notre créateur ne nous viendra jamais en aide et, quoi qu'il arrive, nous serons toujours seuls. Plus seuls même que les Terrestres car, comme l'a dit un jour l'un de leurs grands hommes de science, ils sont « comme des enfants jouant sur le rivage, alors que le grand océan de la vérité s'étend devant eux, encore inexploré ». Mais la vérité, nous, nous la connaissons.

Nous sommes les sauveurs de cette Terre, et nous devrions la gouverner.

« Jace est un bon orateur, songea Clary, le cœur serré, tout comme Valentin. » Sébastien et elle s'étaient postés derrière lui, face à la plaine et à la foule. Elle sentait le regard des Chasseurs d'Ombres peser sur eux.

— Raziel est cruel et indifférent à nos souffrances, reprit Jace. Il est temps de se tourner vers Lilith, la Grande Mère. Elle nous donnera le pouvoir sans nous punir. Elle fera de nous des chefs sans nous imposer la Loi. Le pouvoir nous revient de droit. Il est temps de le réclamer.

Sans cesser de sourire, il lança un coup d'œil à Sébastien, qui s'avança à son tour.

— Et maintenant, je passe le flambeau à Jonathan. Ce rêve est le sien, annonça Jace d'une voix suave avant de laisser sa place.

Il vint se poster près de Clary, et sa main chercha la sienne.

— Joli discours, marmonna-t-elle. (Sébastien venait de prendre la parole ; elle l'ignora et se tourna vers Jace.) Très convaincant.

— Tu trouves ? Je voulais commencer par « Amis, Romains, traîtres[1] », mais je n'étais pas sûr qu'ils comprennent la plaisanterie.

— Tu les considères comme des traîtres ?

Il haussa les épaules.

------

1. Citation empruntée au *Jules César* de Shakespeare et légèrement modifiée. La citation exacte est : « Amis, Romains, compatriotes ». *(N.d.T.)*

— C'est ce que l'Enclave penserait, en tout cas. (Il observa Clary.) Tu es magnifique, dit-il d'une voix étrangement désincarnée. Qu'est-ce qui s'est passé ?

— Qu'est-ce que tu veux dire ? demanda-t-elle, surprise.

Il ouvrit sa veste. En dessous, il portait une chemise blanche tachée de sang. Elle nota qu'il avait pris soin de tourner le dos à la foule pour lui montrer cela.

— Je sens ce qu'il sent, tu l'avais oublié ? J'ai dû utiliser une *iratze* en catimini. J'avais l'impression qu'on me découpait la peau avec une lame de rasoir.

Clary soutint son regard. Il ne servait à rien de mentir, après tout.

— On s'est battus.

Il scruta son visage.

— Eh bien, j'espère que vous avez réglé votre problème.

— Jace… murmura-t-elle, mais il avait déjà reporté son attention sur Sébastien.

Son profil se détachait distinctement sur le clair de lune, comme une silhouette découpée dans du papier noir. Devant eux, Sébastien, qui avait posé son arbalète, leva les bras.

— Est-ce que vous êtes avec moi ? cria-t-il.

Un murmure parcourut la foule, et Clary se raidit. Un homme d'un certain âge repoussa son capuchon et harangua Sébastien.

— Ton père nous a fait beaucoup de belles promesses. Il n'en a tenu aucune. Pourquoi devrait-on te faire confiance ?

— Parce que moi, mes engagements, je les tiendrai dès ce soir, répondit Sébastien.

À ces mots il tira de sa tunique la reproduction de la Coupe Mortelle qui étincela au clair de lune. Les murmures redoublèrent.

— J'espère que ça va bien se passer, dit Jace en aparté. J'ai l'impression de ne pas avoir dormi la nuit dernière.

Il faisait face à la foule et au pentagramme, l'air particulièrement intéressé par le déroulement de la scène. La lumière du sort sculptait les pleins et les creux de son visage. Clary distinguait la cicatrice sur sa joue, la jolie courbe de ses lèvres. « Quand il aura repris le contrôle, je ne me rappellerai pas avoir été moi-même. » Il avait dit vrai. Il avait oublié jusqu'au moindre détail. Elle avait beau avoir déjà été témoin de son amnésie, la réalité n'en était pas moins douloureuse.

Sébastien s'avança au bord du pentagramme et se mit à réciter : « *Abyssum invoco. Lilith invoco. Mater mea, invoco.* »

Il tira une dague de sa ceinture et entailla la paume de sa main. Du sang jaillit, noir au clair de lune. Après avoir rangé son couteau, il tendit la main au-dessus de la Coupe, sans cesser de psalmodier.

C'était maintenant ou jamais.

— Jace, murmura Clary. Je sais que ce n'est pas vraiment toi. J'espère qu'au fond, tu n'es pas d'accord avec tout ça. Essaie de te rappeler qui tu es, bon sang !

Il se tourna brusquement vers elle et la considéra avec stupéfaction.

— De quoi tu parles ?

— Je t'en prie, Jace, essaie de te souvenir. Je t'aime. Tu m'aimes…

— Oui, je t'aime, Clary, répliqua-t-il d'un ton vaguement agacé. Mais tu as dit que tu comprenais. Ce moment, c'est le point culminant de tout ce qu'on a fait jusque-là.

Sébastien versa le contenu de la Coupe au milieu du pentagramme. « *Hic est enim calix sanguinis mei.* »

— « On » ? chuchota Clary. Je n'ai rien à voir avec ses projets, et toi non plus...

Jace laissa échapper une exclamation de surprise. D'abord, elle crut que c'était l'effet de ses paroles – que, peut-être, elle avait réussi à percer sa carapace – mais, suivant son regard, elle s'aperçut qu'une boule de feu s'était formée au centre du pentagramme. Elle faisait à peu près la taille d'une balle de baseball mais, sous ses yeux, elle se disloqua jusqu'à prendre la forme d'une femme entièrement faite de flammes.

— Lilith, dit Sébastien. Toi qui m'as appelé, je t'appelle à mon tour. Comme tu m'as rendu la vie, je te rends la tienne.

Lentement, les flammes s'obscurcirent et bientôt, elle se tint devant eux, grande comme la moitié d'un être humain, avec des cheveux noirs tombant en cascade jusqu'aux chevilles, le corps nu, gris comme de la cendre et fissuré de lignes plus sombres, à l'instar d'un ruisseau de lave. Elle tourna vers Sébastien des orbites dans lesquelles se tordaient des serpents noirs comme le jais.

— Mon enfant, murmura-t-elle.

Le visage de Sébastien s'éclaira ; sa peau semblait si pâle en cet instant, et ses vêtements paraissaient noirs au clair de lune.

— Mère, je t'ai appelée comme tu me l'as demandé. Ce soir, tu ne seras pas seulement ma génitrice mais aussi celle d'une race nouvelle. (Il montra les Chasseurs d'Ombres immobiles de frayeur.) La Coupe, ajouta-t-il en tendant à la démone le calice au bord taché de sang.

Lilith rit, et son rire se répercuta, pareil au crissement d'énormes pierres frottant les unes contre les autres. Elle prit la Coupe et, d'un geste désinvolte, elle se trancha le poignet d'un coup de dents. Un sang noir et bourbeux s'écoula dans la Coupe, qui prit une teinte sombre et opaque à son contact.

— Pour les Chasseurs d'Ombres, la Coupe Mortelle a été un talisman et un moyen de se transformer ; qu'il en soit de même pour cette Coupe Infernale, dit-elle d'une voix rauque. (Elle s'agenouilla et tendit le calice à Sébastien.) Bois mon sang.

Il prit la Coupe, qui était devenue noire comme de l'hématite.

— À mesure que ton armée grossira, qu'il en aille de même pour ma force, siffla Lilith. Bientôt je serai assez puissante pour revenir vraiment… et nous nous partagerons le pouvoir, mon fils.

Sébastien inclina la tête.

— Nous nous portons garants de ta résurrection, mère.

Lilith éclata de rire et leva les bras vers le ciel. Des flammes léchèrent son corps et elle s'éleva dans les airs avant d'exploser en une multitude de particules lumineuses qui bientôt s'éteignirent comme les braises d'un feu mourant. Alors, d'un coup de pied,

Sébastien brisa le pentagramme, et releva la tête en souriant d'un air féroce.

— Cartwright, dit-il. Amène-moi le premier.

La foule se sépara en deux, et un homme en robe s'avança, traînant derrière lui une femme qui titubait. Une chaîne reliait le bras de la prisonnière à celui de son geôlier, et ses longs cheveux hirsutes dissimulaient son visage. Clary se raidit.

— Jace, qu'est-ce qui se passe ?

— Rien, répondit-il en regardant droit devant lui, l'air absent. Personne ne sera blessé. Regarde.

Cartwright, dont le nom disait vaguement quelque chose à Clary, posa la main sur la tête de sa captive et la força à s'agenouiller. Puis il la saisit par les cheveux pour lui faire lever la tête. Elle posa sur Sébastien un regard à la fois provocateur et terrifié, le visage soudain éclairé par la lune.

Clary retint son souffle. « Amatis. »

21
Les hordes de l'enfer

S oudain, les yeux bleus d'Amatis, si semblables à ceux de Luke, se posèrent sur Clary. Elle semblait étourdie, choquée, absente, comme si on l'avait droguée. Elle tenta de se relever mais Cartwright la força à rester à genoux. Sébastien se dirigea vers eux, la Coupe à la main.

Clary voulut se précipiter, mais Jace la retint par le bras. Pour l'empêcher de se débattre, il la ceintura et mit une main en bâillon sur sa bouche. Sébastien s'adressait à Amatis d'une voix basse, hypnotique. Elle secouait violemment la tête, mais Cartwright la maintenait par les cheveux. Clary l'entendit pousser un cri qui fut emporté par le vent.

Elle songea à la nuit où elle avait regardé Jace dormir en pensant combien il aurait été facile de mettre un terme à tout cela d'un seul coup de couteau. Mais à ce moment-là, « tout cela » n'avait ni visage ni plan. Maintenant qu'il y avait Amatis, maintenant que Clary connaissait les projets de son frère, il était trop tard.

Sébastien avait pris Amatis par les cheveux pour lui renverser la tête en arrière. Tandis qu'il vidait de force le contenu de la Coupe dans sa bouche, elle toussa, le menton maculé de sang noir.

Une fois sa tâche terminée, il recula d'un pas. Amatis fit un bruit de gorge atroce, et son corps se convulsa. Ses yeux révulsés devinrent aussi noirs que ceux de Sébastien. Elle porta les mains à son visage, poussa un gémissement étranglé, et Clary s'aperçut avec stupéfaction que les contours de la rune de Voyance s'atténuaient sur sa main jusqu'à disparaître complètement.

Les bras d'Amatis retombèrent le long de son corps. Son expression s'était radoucie et ses yeux avaient retrouvé leur bleu originel. Ils se posèrent sur Sébastien.

— Relâche-la, dit-il à Cartwright, les yeux fixés sur Amatis. Laisse-la venir à moi.

Cartwright s'exécuta et recula de quelques pas ; il semblait hésiter entre la peur et la fascination.

Amatis resta immobile un moment, les bras ballants. Puis elle s'avança vers Sébastien et s'agenouilla à ses pieds. Ses cheveux traînaient dans la terre.

— Maître, dit-elle. Comment puis-je te servir ?

— Lève-toi, ordonna-t-il.

Amatis obéit d'un geste gracieux. Elle semblait se mouvoir d'une nouvelle façon. Tous les Chasseurs d'Ombres étaient agiles, mais elle bougeait désormais avec une grâce silencieuse que Clary trouva inquiétante. Elle se tenait très droite devant Sébastien, et pour la première fois, Clary s'aperçut que ce qu'elle avait d'abord pris pour une longue robe blanche était en réalité une chemise de nuit, comme si on l'avait arrachée à son lit. Quel cauchemar cela avait dû être de se réveiller ici parmi ces silhouettes encapuchonnées, dans cet endroit désolé !

— Approche, dit Sébastien.

Amatis approcha. Elle mesurait une bonne tête de moins que lui, et dut tendre le cou pour qu'il lui glisse quelques mots à l'oreille. Un sourire glacial étira ses lèvres.

— Tu aimerais te mesurer à Cartwright ? demanda soudain Sébastien.

Cartwright laissa tomber la chaîne qu'il tenait et porta la main à sa ceinture. C'était un homme jeune, aux cheveux blonds, au visage large et à la mâchoire carrée.

— Mais je...

— Une démonstration de ses pouvoirs s'impose, non ? dit Sébastien. Approche, Cartwright. Ce n'est qu'une femme après tout, et plus âgée que toi par-dessus le marché. Aurais-tu peur ?

Cartwright parut décontenancé, mais il tira une longue dague de sa ceinture. Les yeux de Sébastien étincelèrent.

— Frappe-le, Amatis.

Elle sourit.

— Avec plaisir.

À une vitesse prodigieuse, elle bondit dans les airs et désarma son adversaire d'un coup de pied dans l'estomac. Tandis qu'il reculait en titubant, elle lui administra un coup de tête puis fit volte-face, le saisit par le dos de sa robe et le jeta à terre. Il atterrit à ses pieds avec un craquement horrible, et poussa un gémissement de douleur.

— Ça, c'est pour m'avoir agressée en pleine nuit,

dit-elle en essuyant du dos de la main sa lèvre inférieure, qui saignait un peu.

Quelques rires étouffés parcoururent la foule.

— Vous voyez, reprit Sébastien. Même un Chasseur d'Ombres sans capacité ni force particulière
– excuse-moi, Amatis – devient plus rapide et plus
résistant que son pendant séraphique. (Il se frappa la
paume du poing.) Le pouvoir ! Le véritable pouvoir.
Qui veut être le prochain ?

Il y eut un moment d'hésitation, puis Cartwright
se releva péniblement en se tenant l'estomac.

— Moi, dit-il en jetant un regard venimeux à
Amatis, qui se contenta de sourire.

Sébastien tendit la Coupe Infernale vers lui.

— Approche.

Cartwright obéit, et une file se forma derrière lui.
Amatis se tenait un peu l'écart, les bras croisés, l'air
tranquille. Clary chercha son regard. C'était la sœur
de Luke. Si les choses s'étaient passées comme prévu,
elle serait devenue sa tante par alliance.

Clary songea à sa petite maison au bord du canal,
à sa gentillesse, à l'amour qu'elle avait éprouvé pour
le père de Jace. « S'il vous plaît, pensa-t-elle. S'il vous
plaît, montrez-moi que vous êtes toujours la même. »
Comme si Amatis avait entendu sa prière, elle tourna
la tête dans sa direction et sourit. Mais son sourire
n'exprimait ni chaleur ni réconfort. C'était celui de
quelqu'un qui vous regarde vous noyer sans lever le
petit doigt pour vous aider, songea Clary avec un
frisson. Ce n'était pas Amatis. Amatis n'existait plus.

Jace avait renoncé à la bâillonner avec sa main ; de
toute façon elle n'avait plus aucune envie de crier.

Personne ne lui viendrait en aide. Le garçon qui la tenait dans ses bras n'était pas Jace. Ce n'était plus que l'ombre de ce qu'il avait été, une coquille vide dans laquelle elle avait placé ses vœux, son amour, ses rêves.

Et en faisant cela, elle s'était rendue grandement coupable envers le véritable Jace. Dans sa quête pour le sauver, elle avait presque oublié qui elle essayait de sauver. Elle se souvint de ce qu'il lui avait dit pendant les quelques minutes où il était redevenu lui-même. « Je ne supporte pas l'idée qu'il te touche. Lui. L'autre moi. »

Il avait essayé de se rendre à l'Enclave, et elle l'en avait empêché. Elle n'avait pas tenu compte de ce qu'il ressentait. Elle avait choisi à sa place, dans un moment de panique, sans comprendre qu'en lui sauvant la vie, elle l'avait condamné à vivre une existence qu'il méprisait.

Elle s'affaissa contre lui et, prenant ce changement soudain comme le signe qu'elle avait renoncé à se débattre, il relâcha son étreinte. Le dernier Chasseur d'Ombres s'avançait devant Sébastien pour boire avidement le sang de Lilith.

— Clary... murmura Jace.

Mais elle n'entendit pas la suite. Un cri s'éleva, et le Chasseur d'Ombres qui tendait les bras vers le calice recula en titubant, une flèche plantée dans la gorge. Incrédule, Clary tourna la tête et vit Alec, debout au sommet du dolmen en tenue de combat, son arc à la main. Il eut un sourire satisfait et prit une autre flèche dans son carquois.

À sa suite, une meute de loups déferla sur la plaine, leur fourrure mouchetée luisait au clair de lune. Maia et Jordan se trouvaient probablement parmi eux. Derrière venaient des Chasseurs d'Ombres marchant de front : Isabelle et Maryse Lightwood, Helen Blackthorn, Aline Penhallow et Jocelyne, ses cheveux roux visibles de loin. Simon les accompagnait ; le manche d'une épée en argent dépassait de son épaule. Enfin venait Magnus, des flammes bleues crépitant au bout de ses doigts.

Le cœur de Clary bondit dans sa poitrine.

— Je suis là ! cria-t-elle. Je suis là !

— Tu la vois ? demanda Jocelyne.

Simon scruta l'obscurité devant lui, ses sens de vampire aiguisés par l'odeur du sang.

— Je la vois ! s'écria-t-il soudain. Elle est avec Jace. Ils sont derrière cette rangée de Chasseurs d'Ombres là-bas.

— S'ils sont aussi loyaux envers Sébastien que le Cercle envers Valentin, ils feront bouclier de leur corps pour le protéger, ainsi que Jace et Clary. (Une froide colère animait Jocelyne ; ses yeux verts étincelaient.) Il va falloir percer leur défense pour les atteindre.

— Notre première cible, c'est Sébastien, lui rappela Isabelle. Simon, on va te ménager un passage. Une fois qu'on sera débarrassés de lui...

— Les autres s'éparpilleront probablement, dit Magnus. À moins qu'ils ne tombent avec Sébastien ; ça dépend de la force du lien qui les unit à lui. On peut toujours espérer. (Il releva fièrement la tête.) En parlant d'espérer, vous avez vu ce tir de flèche impeccable ? C'est mon amoureux qui a fait ça.

Il sourit et agita les doigts ; une pluie d'étincelles bleues en jaillit. Il brillait de mille feux. « Seul Magnus est capable de porter une armure à paillettes », songea Simon, résigné.

Isabelle prit le fouet enroulé autour de sa taille et le fit claquer devant elle.

— OK, Simon. Tu es prêt ?

Simon redressa les épaules. Ils se trouvaient encore à une distance respectable de l'ennemi, lequel essayait de faire front malgré la confusion qui régnait parmi les Chasseurs d'Ombres en robe rouge. Il sourit malgré lui.

— Au nom de l'Ange, Simon, s'étonna Isabelle. Qu'est-ce qu'il y a de drôle ?

— Leurs poignards séraphiques ne marchent plus, répondit-il. Ils essaient de comprendre pourquoi. Sébastien vient de leur ordonner de se trouver d'autres armes.

Un cri s'éleva ; une autre flèche venait d'atteindre sa cible. Un Chasseur d'Ombres renégat tomba face contre terre. Profitant de ce que ses camarades rompaient le rang, Simon chargea, et les autres avec lui.

C'était comme plonger dans un océan noir grouillant de requins et autres créatures vicieuses aux dents longues. Ce n'était pas la première bataille que livrait Simon, mais pendant la Guerre Mortelle, il venait de recevoir la Marque de Caïn. Elle n'avait pas commencé à faire réellement effet, mais bien des démons avaient reculé en la voyant. Il n'aurait jamais pensé qu'il la regretterait un jour, et pourtant... Il s'efforça de se frayer un chemin parmi les Chasseurs d'Ombres, qui resserraient les rangs en fendant l'air de leur épée. Isabelle et Magnus se tenaient à ses côtés pour les protéger, Glorieuse et lui. Le fouet d'Isabelle s'abattait sans faiblir, et des étincelles rouges, bleues et vertes jaillissaient des mains de Magnus. Des jets de flammes colorées frappaient les Nephilim ennemis et les consumaient sur place. D'autres avaient maille à partir avec les loups de Luke qui leur sautaient à la gorge.

Une dague fendit l'air à une vitesse étonnante et atteignit le flanc de Simon. Il poussa un cri mais continua d'avancer, sachant que la blessure se serait refermée d'ici quelques secondes. Il fonça dans la mêlée...

Et se figea. Une silhouette familière se tenait devant lui. C'était la sœur de Luke, Amatis. En le voyant, elle parut le reconnaître. Que faisait-elle ici ? Était-elle venue se battre à leurs côtés ?

Elle se jeta sur lui, une dague à la main. Elle avait beau être rapide, ses réflexes n'auraient pu se mesurer à ceux d'un vampire si celui-ci n'avait pas été trop surpris pour réagir. Amatis était la sœur de Luke ; il la connaissait. Ces quelques secondes d'incrédulité auraient signé son arrêt de mort si Magnus n'avait pas surgi devant lui. Des flammes bleues jaillirent de ses doigts, mais Amatis fut plus rapide. Les évitant de justesse, elle se glissa derrière Magnus, et Simon vit étinceler son arme au clair de lune. La lame traversa l'armure du sorcier puis Amatis recula d'un pas, sa dague couverte de sang. Isabelle poussa un cri en voyant Magnus tomber à genoux, les yeux écarquillés de surprise. Simon voulut lui venir en aide, mais il

fut emporté par la foule qui se battait autour de lui.
Il cria le nom de Magnus au moment où Amatis se
penchait vers le sorcier étendu à terre pour lui donner
le coup de grâce...

— Lâche-moi ! cria Clary en se débattant pour se
libérer.

Les Chasseurs d'Ombres en robe rouge, alignés en
rang serré devant elle, l'empêchaient de voir sa famille
et ses amis. Jace la maintenait contre lui d'une poigne
de fer tandis que, non loin d'eux, Sébastien suivait la
bataille, l'air furieux. Ses lèvres remuaient et Clary
n'aurait su dire s'il jurait, priait ou récitait une incantation.

— Lâche-moi, espèce de...

Sébastien se tourna vers elle ; un rictus effrayant
déformait ses traits.

— Fais-la taire, Jace.

Sans lâcher Clary, Jace répliqua :

— On va rester là sans réagir, et s'en remettre à
eux pour notre protection ?

Il montra d'un signe de tête les Chasseurs d'Ombres
devant eux.

— Oui, répondit Sébastien. On ne peut pas prendre
le risque d'être blessés.

Jace secoua la tête.

— Je n'aime pas ça. Le camp adverse est trop nombreux. (Il tendit le cou pour observer la foule.) Et
Lilith ? Tu ne peux pas la rappeler pour qu'elle nous
donne un coup de main ?

— Quoi, ici ? fit Sébastien d'un ton méprisant.
Non ! Et puis, dans l'immédiat, elle est trop faible

pour nous être vraiment utile. Avant, elle aurait écrasé des armées entières, mais cette maudite Créature Obscure et sa Marque de Caïn l'ont renvoyée dans le néant en éparpillant son essence. C'est déjà beaucoup qu'elle soit apparue pour nous faire don de son sang.

— Lâche, cracha Clary. Tu as fait de tous ces gens tes esclaves et tu ne bouges pas le petit doigt pour les aider...

Sébastien leva la main comme pour la gifler. Elle aurait bien voulu qu'il cède à son impulsion en présence de Jace, mais un sourire narquois étira ses lèvres, et il se ravisa.

— Si Jace te relâchait, je suppose que tu te battrais ? dit-il.

— Évidemment !

— De quel côté ?

Sébastien fit un pas vers elle et brandit la Coupe Infernale. Malgré tous les Chasseurs d'Ombres qui y avaient bu, elle contenait la même quantité de sang.

— Tiens-lui la tête, Jace.

— Non ! cria-t-elle en redoublant d'efforts pour se dégager.

Jace lui prit le menton, mais elle crut percevoir de l'hésitation dans son geste.

— Sébastien, dit-il. Non...

— Ce n'est pas la peine de rester ici, marmonna Sébastien. Nous valons mieux que cette chair à canon. Nous avons vérifié que la Coupe Infernale fonctionne, c'est tout ce qui compte. (Il agrippa Clary par le devant de sa robe.) Mais ce sera beaucoup plus facile de s'échapper si elle ne remue pas dans tous les sens.

— On la fera boire plus tard...

— Non ! rugit Sébastien. Maîtrise-la. (Il appuya la Coupe contre les lèvres de Clary, qui se débattait toujours en serrant les dents.) Bois, dit-il si bas qu'elle l'entendit à peine. Je t'avais prévenue qu'avant le lever du jour, tu m'obéirais au doigt et à l'œil. Bois.

Le regard de Sébastien s'assombrit ; dans ses efforts pour la faire boire, il lui coupa la lèvre inférieure avec le bord de la Coupe. Elle sentit le goût de son sang sur sa langue. Ses forces décuplées par la colère, elle s'appuya sur Jace pour prendre son élan, et décocha un coup de pied dans le sternum de Sébastien, déchirant sa robe au passage. Il recula, le souffle coupé ; au même moment, elle donna un coup de tête à Jace. Elle entendit un craquement bien distinct quand leurs crânes entrèrent en contact avec son visage. Il poussa un cri et desserra son étreinte assez longtemps pour qu'elle parvienne à se libérer. Elle plongea dans la mêlée sans se retourner.

Maia courait sur le sol inégal, assaillie par les effluves puissants de la bataille : le sang, la sueur, l'odeur de caoutchouc brûlé de la magie noire.

La meute s'était dispersée dans la plaine, et tuait à coups de dents et de griffes. Maia restait près de Jordan, non pour être protégée, mais parce qu'elle avait découvert qu'ensemble, ils étaient plus efficaces. Elle n'avait participé qu'à une seule bataille jusque-là, celle de la plaine de Brocelinde, qui avait opposé les démons aux Créatures Obscures. Ici, dans le Burren, leurs adversaires étaient beaucoup moins nombreux mais cependant impressionnants : ils maniaient leurs armes avec une force et une dextérité effrayante. Maia avait vu un homme de petite corpulence décapiter un loup avec une dague à lame courte. C'était un corps d'homme sans tête, ensanglanté et méconnaissable, qui était retombé sur le sol.

Alors qu'elle repassait cette image dans sa tête, un Nephilim en robe rouge surgit devant eux, une épée à double tranchant dans la main. Jordan poussa un rugissement, mais ce fut Maia qui se jeta sur leur assaillant. Il se baissa en donnant un coup d'épée. Elle ressentit une vive douleur à l'épaule et tomba à quatre pattes par terre. Il y eut un bruit de métal, et elle comprit que l'homme avait perdu son arme dans la mêlée. Avec un grognement satisfait, elle s'apprêta à repartir à l'assaut mais Jordan avait déjà sauté à la gorge du Chasseur d'Ombres... qui le saisit par le cou comme s'il avait affaire à un chiot indiscipliné.

— Espèce de vermine, cracha-t-il, et bien que ce ne soit pas la première fois que Maia entendait ce genre d'insulte, la haine qui transparaissait dans sa voix la fit frissonner. Tu mériterais de finir en manteau, ajouta-t-il.

Maia enfonça ses crocs dans sa jambe. Il poussa un hurlement et recula en gesticulant, mais elle ne lâcha pas prise pour autant. Jordan bondit de nouveau et, cette fois, l'homme se tut, la gorge tranchée net.

Amatis allait planter son couteau dans le cœur de Magnus quand une flèche siffla dans les airs et transperça son épaule avec tant de force qu'elle tomba face contre terre. Elle poussa un hurlement bientôt noyé sous le tintement des lames autour d'elle. Isabelle s'agenouilla près de Magnus ; levant les yeux, Simon aperçut Alec, immobile sur son perchoir, l'arc à la main. Il était sans doute trop loin pour voir son amoureux. Isabelle comprimait la blessure du sorcier avec ses mains. Celui-ci, qui débordait d'énergie en temps normal, restait complètement immobile. Elle croisa le regard de Simon ; ses mains étaient couvertes de sang mais elle secoua énergiquement la tête.

— N'abandonne pas ! Trouve Sébastien.

Après une brève hésitation, Simon se jeta à corps perdu dans la bataille. Les Chasseurs d'Ombres en rouge avaient commencé à rompre le rang. Les loups faisaient leur possible pour les disperser. Jocelyne se battait à l'épée contre un homme enragé dont le bras libre était couvert de sang, et Simon fit un constat étonnant en se frayant un chemin parmi les combattants : aucun des Nephilim en robe rouge n'était marqué.

Il s'aperçut aussi, en voyant l'un d'eux se jeter sur Aline avec une masse – mais il fut aussitôt repoussé par Helen, qui venait de surgir de nulle part – qu'ils étaient beaucoup plus rapides que les Nephilim qu'il avait côtoyés jusque-là, hormis Jace et Sébastien, évidemment. « Ils bougent avec l'agilité d'un vampire », songea-t-il au moment où l'un d'eux chargeait un loup-garou et lui ouvrait le ventre d'un seul geste. En touchant le sol, la créature prit l'apparence d'un homme corpulent aux cheveux blonds bouclés. D'abord soulagé que ce ne soit ni Maia ni Jordan, Simon éprouva ensuite un pincement de culpabilité. Il poursuivit sa route. Une odeur puissante de sang flottait dans l'air. De nouveau, il regretta la Marque de Caïn. S'il l'avait portée, il aurait terrassé tous ses ennemis en un clin d'œil.

Soudain, un Chasseur d'Ombres en robe rouge surgit devant lui en faisant tournoyer une énorme épée. Simon se baissa mais cela s'avéra inutile. L'homme s'était déjà effondré, une flèche plantée dans le cou. Relevant la tête, Simon vit Alec, toujours juché sur son dolmen ; impassible, il tirait ses flèches avec une précision de machine. À chaque fois, elles faisaient mouche, mais Alec y prêtait à peine attention. Aussitôt qu'une flèche s'envolait, il en prenait une autre dans son carquois. Simon entendit l'une d'elles siffler à son oreille tandis qu'il se dirigeait vers une brèche dans le champ de bataille.

Soudain, il se figea. Il venait d'apercevoir Clary, silhouette minuscule se frayant un chemin à mains nues et à grands coups de pied. Quand elle le vit, une expression incrédule se peignit sur son visage et ses lèvres formèrent son nom.

Jace marchait juste derrière elle, le visage couvert de sang. La foule des combattants s'écartait pour le laisser passer. Derrière lui, Simon distingua une silhouette familière vêtue de rouge, avec les mêmes cheveux blond clair que Valentin.

Sébastien. Il se cachait toujours derrière la dernière ligne de ses Chasseurs d'Ombres. En l'apercevant, Simon tira Glorieuse de son fourreau. Quelques instants plus tard, un mouvement de foule poussa la jeune fille dans sa direction. Elle semblait manifestement ravie de le revoir. Un soulagement immense envahit Simon, et il dut admettre qu'il avait craint qu'à l'instar d'Amatis, elle ne soit plus elle-même.

— Donne-moi l'épée ! cria-t-elle, sa voix presque noyée sous le tumulte de la bataille.

Il obéit ; en cet instant, elle n'était plus Clary, son amie d'enfance, mais une Chasseuse d'Ombres, un ange vengeur qui faisait corps avec l'épée qu'il venait de lui confier.

« C'est comme un tourbillon », songeait Jocelyne. Le *kindjal* de Luke à la main, elle se frayait un chemin parmi les hommes en rouge qui l'assaillaient. Ils surgissaient si vite qu'elle n'avait pas le temps de réfléchir ; elle savait juste qu'elle devait rester en vie, ne pas se laisser submerger par le nombre.

Affolée, elle cherchait parmi les combattants sa fille ou Jace, car là où il était, Clary serait forcément aussi. De gros rochers éboulés étaient disséminés sur la plaine tels des icebergs sur une mer immobile. Elle escalada l'un d'eux pour avoir une meilleure vue du champ de bataille, mais elle ne distinguait que des corps qui s'affrontaient, le rutilement des armes, et les silhouettes des loups évoluant parmi les hommes.

En descendant de son perchoir, elle trouva quelqu'un qui l'attendait. Il portait une robe rouge, et une cicatrice livide, relique d'une ancienne bataille, lui barrait la joue. Il n'était plus de la première jeunesse, mais Jocelyne le reconnut immédiatement.

— Jeremy, dit-elle d'une voix à peine audible pardessus la clameur de la bataille. Jeremy Pontmercy.

L'homme qui avait été jadis le plus jeune membre du Cercle posa sur elle des yeux injectés de sang.

— Jocelyne Morgenstern. Tu es venue te joindre à nous ?

— Me joindre à vous ? Jeremy, non...

— Tu faisais partie du Cercle autrefois, dit-il en faisant un pas vers elle. Tu étais des nôtres. Et maintenant nous suivons ton fils.

— J'avais déjà pris mes distances quand vous suiviez mon mari. Qu'est-ce qui te fait penser que je vais me battre à vos côtés maintenant que c'est mon fils qui a pris le relais ?

— Soit tu es avec nous, soit tu es contre nous, Jocelyne. Tu ne peux pas t'opposer à ta propre descendance.

— Jonathan est le plus grand fléau que Valentin ait engendré, dit-elle doucement. Jamais je ne le soutiendrai. À vrai dire, je n'ai jamais soutenu Valentin non plus. Alors quel espoir as-tu de me convaincre à présent ?

Il secoua la tête.

— Tu m'as mal compris. Tu ne peux pas t'opposer à ton fils. Ni à nous. L'Enclave ne peut rien contre notre armée. Ils ne sont pas préparés. Le monde sera mis à feu et à sang. Tout ce que tu as toujours connu sera détruit. Et nous naîtrons des cendres de votre défaite, tel un phénix triomphant. C'est ta seule chance. Je doute que ton fils t'en donne une autre.

— Jeremy... Tu étais très jeune quand Valentin t'a recruté. Tu peux revenir en arrière, l'Enclave te pardonnera...

— C'est impossible, dit-il avec une joie mauvaise. Tu ne comprends donc pas ? Ceux qui ont pris parti pour ton fils ne sont plus des Nephilim.

Avant que Jocelyne puisse répliquer, un filet rouge jaillit de la bouche de Jeremy Pontmercy et il s'effondra par terre. Maryse s'avança en tenant à la main une lourde épée. Les deux femmes échangèrent un regard par-dessus le cadavre encore chaud du Chasseur d'Ombres. Puis Maryse se détourna et repartit à l'attaque.

Dès que les doigts de Clary se furent refermés sur le manche de l'épée, un faisceau de lumière dorée en jaillit, illuminant les mots gravés sur la lame : *Quis ut Deus ?* Le manche se mit à luire comme s'il renfermait la lumière du soleil. Clary fut si surprise qu'elle faillit laisser tomber l'épée, croyant qu'elle venait de prendre feu, mais les « flammes » semblaient contenues à l'intérieur du manche et le métal restait froid au toucher.

Ensuite, tout sembla se dérouler au ralenti. Elle chercha désespérément Sébastien des yeux dans la foule. Elle ne pouvait pas le voir, mais elle savait qu'il se trouvait derrière le rang serré des Chasseurs d'Ombres en robe rouge. Elle s'avançait vers eux l'épée à la main quand Jace lui barra la route.

— Clary... dit-il.

Elle ne pouvait pas l'entendre tant la clameur de la bataille était assourdissante. Les combattants s'écartèrent autour d'eux comme la mer Rouge s'ouvrant devant Moïse.

— Jace, dit-elle. Ôte-toi de mon chemin.

Elle entendit Simon crier quelque chose dans son dos. Jace secoua la tête, le regard impénétrable. Son visage était couvert de sang, sa pommette enflée et bleuie.

— Donne-moi cette épée, Clary.

— Non, fit-elle en reculant d'un pas.

Glorieuse éclairait l'espace entre eux ainsi que l'herbe piétinée et rouge de sang.

— Jace, je peux te séparer de Sébastien. Je peux le tuer sans te faire de mal...

Il fit la grimace. Ses yeux étaient de la même couleur flamme que l'épée, à moins qu'ils n'aient reflété sa lumière. Elle n'aurait su le dire mais quelle importance ? Elle regardait ce Jace qui n'était pas Jace, et des souvenirs lui revenaient en mémoire. Elle se rappelait la nuit qu'ils avaient passée ensemble à Idris, allongés main dans la main sur le lit étroit, et le garçon qui, le regard hanté, lui avait confessé un meurtre à Paris.

— Tuer Sébastien ? s'exclamait à présent le Jace qui n'était pas Jace. Tu as perdu l'esprit ?

Elle se souvenait aussi de la nuit où Valentin avait passé Jace au fil de l'épée, au bord du lac Lyn. Cette nuit-là, elle s'était sentie mourir avec lui alors qu'elle le regardait agoniser sur la plage. Quand elle l'avait ramené à la vie et qu'il avait ouvert les yeux, son regard brillait comme l'épée, comme le sang incandescent de l'Ange. « J'errais dans le noir. J'étais une ombre parmi les ombres, avait-il dit. Et soudain, je t'ai entendue prononcer mon nom. »

Un autre événement plus récent s'immisça dans les souvenirs de Clary : Jace faisant face à Sébastien dans le salon de l'appartement de Valentin, et lui disant qu'il préférerait mourir que de vivre ainsi. L'autre

Jace, lui, voulait l'épée, quitte à la prendre de force. Sa voix trahissait l'impatience, la sévérité ; c'était celle d'un adulte qui s'adresse à un enfant. Elle comprit à cet instant précis que, de même que ce Jace-là n'était pas celui qu'elle connaissait, elle n'était pas la Clary qu'il aimait, jeune fille docile dont il gardait un souvenir erroné.

— Donne-moi l'épée, répéta-t-il d'un ton impérieux en tendant la main vers elle. Donne-la-moi, Clary.

— Tu la veux ?

Elle leva Glorieuse comme il le lui avait appris. La flamme à l'intérieur s'intensifia jusqu'à ce qu'elle semble toucher les étoiles. Jace l'observa d'un air incrédule ; il avait visiblement du mal à croire qu'elle puisse s'en prendre à lui.

— Tu n'as qu'à venir la chercher.

Les yeux de Jace brillaient comme ce jour-là près du lac quand elle lui planta l'épée dans la poitrine. Elle comprenait maintenant que c'était le seul moyen. Il était mort, elle l'avait ramené à la vie, et voilà que tout recommençait.

On ne peut pas tromper la mort. Elle finit toujours par avoir son dû.

La main de Clary descendit sur le manche au moment où la lame glissait sur les os de la colonne vertébrale de Jace puis s'enfonçait dans sa chair. Pourtant, il ne bougea pas et elle se cramponna de toutes ses forces à Glorieuse.

Un cri s'éleva. Un hurlement de rage, de souffrance et de peur mêlées. « Sébastien », songea Clary. Sébastien hurlait parce qu'elle venait de rompre le lien.

Mais Jace resta silencieux. En dépit de tout, il demeurait calme et serein, pareil à une statue. Il baissa les yeux vers Clary, et son regard brilla comme s'il se remplissait de lumière.

Puis soudain, il s'embrasa.

Alec ne se rappelait pas avoir sauté du haut du dolmen ni même couru dans la plaine entre les cadavres des Chasseurs d'Ombres et des loups-garous. Il cherchait quelqu'un des yeux sans se soucier du reste. Il trébucha et faillit tomber ; quand il releva la tête, il aperçut Isabelle, agenouillée près de Magnus.

Il lui sembla que ses poumons se vidaient brusquement de tout l'air qu'ils contenaient. Il n'avait jamais vu Magnus si pâle, si immobile. Il y avait du sang sur son plastron en cuir et sur le sol autour de lui. « Mais c'est impossible », songea Alec. Magnus avait vécu si longtemps… Il était immortel. Alec ne pouvait pas imaginer qu'il meure avant lui.

— Alec, dit Isabelle. Alec, il respire.

Alec poussa un long soupir et tendit la main vers sa sœur.

— Ta dague.

Elle lui remit son arme en silence. Contrairement à lui, elle n'avait pas été très attentive lorsqu'on leur avait montré les premiers soins à prodiguer aux blessés ; elle avait décidé que les runes étaient là pour résoudre ce genre de problème. Les dents serrées, Alec découpa le plastron de Magnus puis il déchira sa chemise, étonné que ses mains ne tremblent pas. Le sorcier avait perdu beaucoup de sang ; il avait une grosse entaille sur le côté droit. Mais à en juger par sa respiration, ses poumons n'avaient pas été perforés. Alec ôta sa veste, la roula en boule et s'en servit pour comprimer la blessure qui saignait toujours.

Magnus ouvrit les yeux.

— Aïe, dit-il faiblement. Arrête de t'appuyer sur moi.

— Par l'Ange, murmura Alec d'un ton plein de gratitude. Tu es vivant. (Il glissa sa main libre sous la tête de Magnus.) J'ai cru...

Il chercha sa sœur des yeux, mais elle s'était discrètement éclipsée.

— Je t'ai vu tomber, poursuivit-il à mi-voix. (Il se pencha pour embrasser Magnus avec mille précautions, comme s'il craignait de lui faire mal.) J'ai cru que tu étais mort.

Magnus eut un sourire en coin.

— Quoi, à cause de cette griffure ? (Il baissa les yeux vers la veste d'Alec tachée de sang.) Bon, d'accord, une grosse griffure. Il aurait fallu que ce soit un très gros chat.

— Tu délires ou quoi ? demanda Alec.

— Non. (Magnus fronça les sourcils.) Amatis a visé mon cœur, mais elle n'a touché aucun organe vital. Le problème, c'est que j'ai perdu beaucoup de sang et que je suis trop faible pour me soigner tout seul. (Il fut pris d'une quinte de toux.) Donne-moi ta main. (Alec s'exécuta.) Tu te rappelles quand je t'ai demandé un peu de ta force sur le bateau de Valentin ?

— Il t'en faut maintenant ? s'enquit Alec. Vas-y, prends.

— J'aurai toujours besoin de ta force, Alec, dit Magnus.

Il ferma les yeux, et leurs doigts entrelacés se mirent à briller dans la nuit comme s'ils absorbaient la lumière des étoiles.

Le feu du manche de l'épée jaillit et se propagea à sa lame puis au bras de Clary comme une décharge d'électricité. Il lui sembla que de la foudre parcourait ses veines et, sous l'effet de la douleur, elle se roula en boule comme pour empêcher son corps de voler en éclats.

Jace tomba à genoux, l'épée toujours enfoncée dans le torse. Elle répandait autour d'elle une clarté blanche qui semblait se diffuser dans tout le corps du jeune homme, traversé de flammes dorées qui rendaient sa peau translucide. Ses cheveux avaient pris la couleur du bronze. Ses os brillaient sous sa peau. Glorieuse elle-même semblait fondre sous la chaleur. Jace avait la tête renversée en arrière, le corps arqué tandis que l'incendie faisait rage. Clary dut reculer car la chaleur qui émanait de lui était trop forte. Ses mains agrippaient sa poitrine, et un ruisseau de sang doré s'écoulait entre ses doigts. Le rocher sur lequel il était agenouillé noircit, se craquela et tomba en cendres. Glorieuse acheva de se consumer dans une pluie d'étincelles, et Jace tomba face contre terre.

Clary essaya de se relever mais ses jambes se dérobèrent sous elle. Elle avait encore l'impression d'avoir du feu dans les veines. Elle se traîna jusqu'à Jace en s'écorchant les mains dans la terre et en finissant de déchirer sa robe.

Il gisait sur le flanc, un bras replié sous la tête, l'autre tendu devant lui. Elle se blottit près de lui. Une chaleur surnaturelle émanait de son corps, mais elle n'y prêta pas garde. Avec des gestes lents et douloureux de vieille femme, elle l'étendit sur la pierre noircie et tachée de sang. Elle examina son visage, qui avait retrouvé son apparence initiale, et posa la main sur son torse, à l'endroit où une tache de sang ressortait sur le rouge plus sombre de sa tenue. Elle avait senti les bords de la lame frotter contre ses os. Elle avait vu son sang s'écouler entre ses doigts. Il y en avait tellement qu'il avait poissé ses cheveux.

Et pourtant… « Elle ôtera tout le mal en lui », avait dit l'Ange.

— Jace, murmura-t-elle.

Tout autour d'eux, les survivants de l'armée de Sébastien fuyaient dans le Burren en abandonnant leurs armes. Elle ne prêta pas attention à eux.

— Jace…

Il ne bougea pas. Son visage demeurait immobile sous le clair de lune, et ses longs cils jetaient des ombres sur ses joues.

— Je t'en prie, reprit-elle d'une voix rauque. Regarde-moi.

À chaque respiration, ses poumons la brûlaient. Elle ferma les yeux, et quand elle les rouvrit, sa mère était à genoux près d'elle, les joues inondées de larmes. Pourquoi Jocelyne pleurait-elle ?

— Clary, chuchota-t-elle. Laisse-le partir. Il est mort.

Au loin, Clary vit Alec agenouillé près de Magnus.

— Non, dit-elle. L'épée a tué le mal en lui. Il est toujours vivant.

Jocelyne passa les doigts dans les boucles sales de sa fille.

— Clary, non…

« Jace, pensa Clary avec colère en agrippant ses bras. Tu es plus fort que ça. Si c'est vraiment toi, cette fois, ouvre les yeux et regarde-moi. »

Soudain, Simon s'avança vers eux et s'agenouilla à son tour. Il voulut prendre la main de Clary mais elle lui lança un regard noir ainsi qu'à Jocelyne, puis elle vit Isabelle s'approcher à petits pas, les yeux écarquillés de stupeur, les vêtements tachés de sang. Incapable d'affronter sa peine, Clary se détourna.

— Et Sébastien ? croassa-t-elle. Il faut se mettre à sa recherche.

« Et me laisser tranquille. »

— On s'en occupe, répondit Jocelyne en se penchant vers sa fille, l'air anxieux. Clary, laisse-le partir. Clary, ma chérie…

— Laissez-la, dit Isabelle d'un ton cinglant.

Clary entendit sa mère protester, mais tout ce qui se passait autour d'elle lui semblait aussi lointain que si elle assistait à une pièce de théâtre, assise au dernier rang. Plus rien ne comptait que Jace. Des larmes lui picotaient les yeux.

— Jace, bon sang, dit-elle d'une voix étranglée. Tu n'es pas mort.

— Clary, fit Simon, il y avait un risque…

« Laisse-le », lui demandait-il, mais elle ne pouvait pas, elle ne voulait pas.

— Jace, murmura-t-elle comme un mantra en se rappelant qu'à Renwick, il l'avait tenue dans ses bras en répétant son nom. Jace Lightwood…

Elle se figea. Elle venait de percevoir un mouvement si minuscule qu'elle pensa d'abord avoir rêvé. Avait-il vraiment battu des cils ? Elle se pencha, faillit perdre l'équilibre et posa la main sur le tissu rouge et déchiqueté de sa veste, comme si elle essayait de guérir la blessure qu'elle avait causée. Et là, sous ses doigts, elle sentit – mais c'était si merveilleux qu'elle n'y crut pas tout de suite – les battements de son cœur.

Épilogue

D'abord, Jace ne sentit rien du tout. Puis une douleur cuisante surgit des ténèbres qui l'environnaient. Il avait l'impression d'avoir avalé des flammes ; il suffoquait, la gorge en feu. Il chercha désespérément à aspirer de l'air pour éteindre l'incendie et ouvrit les yeux.

Il ne vit d'abord que des ombres, puis une pièce vaguement familière plongée dans l'obscurité, dotée d'une rangée de lits et d'une fenêtre qui laissait entrer une lumière bleutée. Il était allongé dans un enchevêtrement de draps et de couvertures ; sa poitrine lui faisait mal comme si un poids mort appuyait dessus et, en tâtonnant, il s'aperçut qu'un épais bandage l'enveloppait.

— Jace...

Cette voix, il la connaissait aussi bien que la sienne. Des doigts agrippèrent les siens et, obéissant à un réflexe conditionné par des années d'affection et de proximité, il les serra.

— Alec, dit-il, presque étonné d'entendre le son de sa propre voix.

Il avait l'impression d'avoir été refondu, comme de l'or dans un creuset, mais était-il vraiment redevenu lui-même ? Il scruta le regard anxieux d'Alec, et comprit où il était. À l'infirmerie de l'Institut. Chez lui.

— Je suis désolé... murmura-t-il.

Une main fine et calleuse lui caressa la joue, et une autre voix familière s'éleva :

— Ne t'excuse pas. Tu n'as pas à t'excuser.

Il ferma les yeux à demi. Le poids sur sa poitrine était toujours là ; il était autant dû à sa culpabilité qu'à sa blessure.

— Isa...

— C'est vraiment toi, cette fois, pas vrai ? demanda-t-elle d'une voix étranglée.

— Isabelle, intervint Alec d'un ton sous-entendant qu'il ne fallait pas contrarier Jace, mais celui-ci prit la main de la jeune fille.

Il vit ses yeux brillants dans la lueur de l'aube, son air d'expectative. Cette Isabelle-là, aimante et inquiète, seule sa famille la connaissait.

— Oui, c'est moi, répondit-il après s'être éclairci la voix. Je comprendrais que tu ne me croies pas, mais je te jure sur l'Ange que c'est bien moi, Isa.

Alec ne fit pas de commentaire, mais il serra plus fort la main de Jace.

— Tu n'as pas besoin de jurer, dit-il. (De sa main libre, il toucha la rune *parabatai* tatouée près de la clavicule du blessé.) Je sais que tu dis la vérité. Je le sens. Je n'ai plus l'impression qu'il me manque un morceau de moi-même.

— J'ai ressenti le même manque, tu sais. Même quand j'étais Sébastien. Sauf que je n'arrivais pas à en

identifier la cause. Ce manque, c'était toi. Mon *parabatai*. (Jace se tourna vers Isabelle.) Et toi. Ma sœur...

Soudain, une lumière vive l'aveugla ; sa blessure
recommença à l'élancer, et il revit le visage de Clary
éclairé par le flamboiement de l'épée. Une étrange
sensation de brûlure s'insinua dans ses veines.

— Clary. Dites-moi qu'elle...

— Elle va très bien, répondit précipitamment Isabelle.

Sa voix trahissait la surprise et un léger malaise.

— Jure-le-moi. Tu ne dis pas ça pour me tranquilliser, hein ?

— Elle t'a embroché avec une épée, lui rappela Isabelle.

Jace eut un rire étranglé.

— Elle m'a sauvé la vie, oui !

— C'est vrai, dit Alec.

— Quand est-ce que je pourrai la voir ?

— C'est bien toi, ça, répliqua Isabelle d'un ton
amusé.

— Les Frères Silencieux sont venus vérifier l'état
de ta blessure, dit Alec en touchant le bandage de
Jace. Quand ils sauront que tu t'es réveillé, ils vont
sans doute vouloir t'interroger avant de te laisser voir
Clary.

— Je suis resté combien de temps dans les
vapes ?

— Deux jours environ. Depuis qu'on t'a rapatrié
du Burren, on était quasiment sûrs que tu allais t'en
tirer. Mais ce n'est pas si facile de se remettre d'une
blessure infligée par l'épée d'un archange.

— Tu sous-entends que je vais avoir une cicatrice ?

— Et moche avec ça, répondit Isabelle. En plein sur le torse.

— Mince. Et moi qui voulais poser pour des marques de sous-vêtements !

Jace parlait d'un ton détaché, mais il ne pouvait pas s'empêcher de penser que cette cicatrice était une bonne chose : il devait garder une trace de ce qui lui était arrivé. Il avait failli perdre son âme, et cette marque lui rappellerait que la volonté était fragile et le bien difficile à discerner. Ses forces revenaient peu à peu, il le sentait, et il les consacrerait à la traque de Sébastien. À cette pensée, il se sentit soudain plus léger. Il tourna la tête vers Alec.

— Je n'aurais jamais imaginé qu'un jour je ne me battrais pas dans le même camp que toi.

— Mais ça n'arrivera plus, dit Alec d'un ton déterminé.

— Jace, intervint timidement Isabelle. Essaie de rester calme, d'accord ? C'est juste que...

— Quoi ? Qu'est-ce qui ne va pas ?

— Eh bien, tu brilles un peu, répondit-elle. Juste un tout petit peu.

— Quoi ?

Jace baissa les yeux et il s'aperçut que les veines de son avant-bras scintillaient légèrement dans la pénombre.

— Apparemment, ce serait un effet secondaire de la blessure causée par l'épée, expliqua Alec. Ça disparaîtra sans doute assez vite, mais les Frères Silencieux s'y intéressent de près, évidemment.

Jace poussa un soupir et sa tête retomba sur l'oreiller. Il était trop fatigué pour réfléchir à ce fait nouveau.

— Vous allez devoir aller les chercher, je suppose, lança-t-il.

— Ils nous ont demandé de les prévenir dès que tu serais réveillé, répondit Alec, mais il ajouta : Sauf si tu souhaites qu'on attende un peu.

— Je me sens fatigué, confessa Jace. Si je pouvais dormir quelques heures de plus…

— Bien sûr, fit Isabelle du ton définitif d'une mère protégeant son petit, et elle repoussa une mèche qui lui tombait sur le front.

Jace ferma les yeux.

— Vous n'allez pas me laisser, dites ?

— Non, répondit Alec. Tu sais bien que non.

— Jamais, ajouta Isabelle en serrant l'autre main de Jace dans la sienne. Les Lightwood sont solidaires.

Soudain, Jace s'aperçut qu'elle pleurait ; même après tout ce qui s'était passé, elle l'aimait encore. Ils l'aimaient tous les deux.

Il s'endormit, veillé d'un côté par Isabelle et de l'autre par Alec, tandis que le jour se levait.

— Comment ça, je ne peux pas le voir ? s'exclama Clary.

Assise dans le salon de Luke, elle entortillait le fil du téléphone autour de ses doigts.

— Ça ne fait que trois jours, et il a passé le plus clair de son temps à dormir, répondit Isabelle.

Entendant des voix derrière elle, Clary dressa l'oreille pour les identifier. Elle crut reconnaître celle de Maryse, mais était-elle en train de parler à Jace ou à Alec ?

— Les Frères Silencieux l'examinent encore, poursuivit Isabelle. Ils n'autorisent toujours pas les visites.

— Qu'ils aillent se faire voir !

Clary s'adossa aux coussins ramollis du canapé. C'était une belle journée d'automne, et le soleil inondait la pièce, mais son humeur n'était pas pour autant au beau fixe.

— Isabelle ! Je veux juste vérifier qu'il va bien, qu'il va se remettre complètement de sa blessure et qu'il n'a pas enflé comme un ballon...

— Enflé comme un ballon ? Ne sois pas ridicule !

— Comment tu veux que je le sache ? Personne ne me dit rien !

— Il va très bien, dit Isabelle (Clary sentit au ton de sa voix qu'elle lui cachait quelque chose.) Alec dort dans le lit à côté du sien, et maman et moi nous relayons à son chevet toute la journée. Les Frères Silencieux ne le torturent pas, rassure-toi. Ils veulent juste entendre ce qu'il sait au sujet de Sébastien, de l'appartement, etc.

— Mais je ne peux pas croire que Jace ne m'appelle pas s'il est en état de le faire. À moins qu'il ne veuille pas me voir...

— C'est possible, oui, lâcha Isabelle. Ça a peut-être un rapport avec le fait que tu l'aies embroché.

— Isabelle...

— Je plaisantais. Au nom de l'Ange, Clary, tu ne pourrais pas faire preuve d'un peu de patience ? (Isabelle soupira.) Laisse tomber. J'ai oublié à qui je parlais. Écoute, Jace a dit – et je ne suis pas censée te le répéter, note bien – qu'il avait besoin de discuter avec toi. Si tu pouvais juste attendre...

— Je ne fais que ça ! s'exclama Clary.

Elle disait vrai. Elle avait passé les deux nuits précédentes à attendre des nouvelles de Jace et à revivre la semaine passée dans ses moindres détails. La Chasse Sauvage ; la boutique d'antiquités à Prague ; les fontaines de sang ; les yeux noirs de Sébastien ; le corps de Jace plaqué contre le sien ; la Coupe Infernale ; la puanteur amère de l'ichor ; et enfin Glorieuse, la décharge d'électricité, les battements du cœur de Jace sous ses doigts. Il n'avait pas ouvert les yeux qu'elle criait déjà : « Il est vivant, son cœur bat ! » Tout le monde était accouru, y compris Alec qui soutenait un Magnus livide.

— Je passe mon temps à ressasser, poursuivit-elle. Ça me rend folle.

— Sur ce point-là, on est d'accord. Tu sais quoi ?

— Oui ?

Un silence.

— Tu n'as pas besoin de ma permission pour venir voir Jace. Tu n'en fais toujours qu'à ta tête, Clary Fray. À chaque fois, tu fonces sans savoir comment ça va se terminer, et tu t'en sors grâce à ton culot.

— Pas quand il s'agit de ma vie personnelle, Isa.

— Eh bien, c'est peut-être dommage, fit cette dernière avant de raccrocher.

Clary fixa le combiné du téléphone d'un air incrédule puis, avec un soupir, elle raccrocha à son tour et retourna dans sa chambre.

Simon était vautré à plat ventre sur le lit, les pieds posés sur les oreillers, le menton dans sa main. Son ordinateur portable était ouvert au pied du lit, l'écran figé sur une image de *Matrix*. Il leva les yeux à son entrée dans la pièce.

— Ça s'arrange ?

— Pas vraiment, répondit-elle en se dirigeant vers son placard

Elle avait opté pour un jean et un sweat-shirt bleu ciel que Jace aimait bien, dans l'éventualité où elle serait autorisée à le voir. Après avoir enfilé une veste en velours côtelé, elle s'assit à côté de Simon, et chaussa ses bottines.

— Isabelle refuse de me dire quoi que ce soit. Les Frères Silencieux ne veulent pas que Jace reçoive de visites, mais je m'en fiche. J'y vais quand même.

Simon roula sur le dos.

— Ça, c'est ma petite tête de mule !

— La ferme, dit-elle. Tu veux venir avec moi pour voir Isabelle ?

— J'ai rendez-vous avec Becky à l'appartement.

— Super. Envoie-lui le bonjour.

Clary finit de lacer ses chaussures et se pencha pour ébouriffer les cheveux de Simon.

— D'abord, il a fallu que je m'habitue à cette marque sur ton front. Maintenant il va falloir que je m'habitue à son absence.

— Avec ou sans, c'est toujours moi.

— Simon, tu te souviens de ce qui était écrit sur la lame de l'épée ?

— *Quis us Deus.*

— J'ai cherché, et ça signifie : « Qui est l'égal de Dieu ? » C'est une question-piège. La réponse, c'est personne, évidemment. Personne n'est l'égal de Dieu. Tu ne remarques rien ?

Il la dévisagea d'un air interloqué.

— Remarquer quoi ?

— Tu l'as dit. *Deus.* Dieu.

Simon resta un instant bouche bée.

— Je...

— Je sais ce que Camille t'a raconté ; qu'elle pouvait prononcer le nom de Dieu parce qu'elle ne croyait pas en Lui, mais moi je crois que ça a un lien avec la façon dont chacun voit les choses. Si tu penses que tu es damné, alors tu l'es. Dans le cas contraire...

Elle toucha la main de Simon, qui serra brièvement ses doigts dans les siens, l'air troublé.

— J'ai besoin de temps pour y réfléchir.

— Tu as tout ton temps. Mais je suis là si tu as besoin de parler.

— Ça vaut pour toi aussi. Quoi qu'il puisse se passer entre Jace et toi à l'Institut... tu sais que tu es toujours la bienvenue à l'appartement si tu veux en discuter.

— Au fait, comment va Jordan ?

— Très bien, répondit Simon. Maia et lui sont ensemble, ça crève les yeux. Ils en sont à ce stade un peu énervant où ils ont tout le temps envie d'être seuls. (Il fronça le nez.) Quand elle n'est pas là, il n'arrête pas de ressasser qu'elle est sortie avec pas mal de types alors que lui a passé trois années d'entraînement quasi militaire chez les Praetor.

— Tu parles ! Je doute qu'elle prête attention à ce genre de détail.

— Tu connais les hommes. On a l'ego sensible.

— Je ne décrirais pas l'ego de Jace comme sensible.

— Non, Jace, c'est un peu le char d'assaut antiaérien de l'ego masculin, résuma Simon.

La bague en or féerique brillait à l'annulaire de sa main droite. Depuis que sa jumelle avait été détruite, elle ne détenait plus aucun pouvoir, du moins en apparence, mais Simon l'avait gardée. Sans crier gare, Clary se pencha pour l'embrasser sur le front.

— Tu es le meilleur ami dont on puisse rêver, tu sais ça ?

— Oui, je le savais, mais c'est toujours agréable de l'entendre.

Clary se redressa en riant.

— Ça te dit de marcher jusqu'au métro ensemble ? À moins que tu préfères rester ici plutôt que d'aller dans ta chouette garçonnière à Manhattan.

— C'est ça. Pour me retrouver coincé entre mon coloc' transi d'amour et ma sœur. (Il se leva du lit et la suivit au salon.) Tu ne veux pas te téléporter ?

Elle haussa les épaules.

— Je ne sais pas. C'est... un peu du gâchis.

Elle traversa le couloir et, après avoir frappé à la porte de la chambre de Luke, passa la tête dans l'embrasure.

— Luke ?

— Entre.

Elle obéit, Simon sur les talons. Luke était assis sur son lit. Le renflement du bandage qui lui ceignait la poitrine était visible sous sa chemise en flanelle. Une pile de magazines était posée devant lui. Simon en prit un au hasard.

— « Mariées d'hiver : scintillez comme une princesse de glace », lut-il à voix haute. Je ne suis pas sûr qu'une tiare en flocons de neige soit le look idéal pour toi, Luke.

Luke soupira.

— Jocelyne a pensé que ce serait une bonne idée de planifier le mariage pour retrouver une vie normale.

Il avait des cernes sous les yeux. Jocelyne s'était résignée à le mettre au courant pour Amatis quand il se trouvait encore au commissariat. Depuis qu'il était rentré chez lui, il n'avait pas mentionné le nom de sa sœur une seule fois, et Clary non plus.

— Si ça ne tenait qu'à moi, poursuivit-il, je m'enfuirais à Las Vegas avec elle, et nous aurions un mariage à cinquante dollars sur le thème des pirates célébré par Elvis.

— Je pourrais être le moussaillon d'honneur, suggéra Clary. (Elle se tourna vers Simon.) Et toi, tu serais...

— Ah non, moi je suis trop cool pour les mariages à thème.

— Tu parles, tu joues à Donjons & Dragons ! Tu es un geek, Simon Lewis, lui rappela-t-elle d'un ton affectueux.

— Le geek, c'est chic, déclara-t-il. Les filles adorent les intellos à lunettes.

Luke se racla la gorge.

— Je suppose que vous êtes venus ici pour me dire quelque chose ?

— Je vais voir Jace à l'Institut, annonça Clary. Tu veux que je te rapporte un truc ?

Il secoua la tête.

— Ta mère est partie faire des courses. (Il se pencha pour lui ébouriffer les cheveux et grimaça de douleur ; sa guérison était lente.) Amusez-vous bien.

Clary songea qu'elle s'apprêtait à affronter une Maryse furieuse, une Isabelle fatiguée, un Alec absent, et un Jace qui ne voulait pas la voir. Elle soupira.

— Tu parles !

L'hiver était enfin arrivé en ville : une odeur de métal, d'humidité, de terre mouillée et de fumée flottait dans l'air, y compris dans le tunnel du métro. Tout en marchant le long des rails, Alec voyait son souffle former de petits nuages blancs devant lui, et il glissa sa main libre dans la poche de son caban bleu pour la réchauffer. La pierre de rune qu'il tenait dans l'autre main éclairait le tunnel recouvert de carrelage écru et vert et les câbles qui pendaient comme des toiles d'araignée sur les murs. Cela faisait longtemps que ce tunnel n'avait pas vu passer de rame.

Alec s'était encore levé avant le réveil de Magnus. Il dormait tard depuis la bataille du Burren. Il avait déployé beaucoup d'énergie pour se soigner, mais il n'était pas entièrement rétabli. Les sorciers étaient immortels, pas invulnérables. « Quelques centimètres plus haut, et c'en était fini de moi, avait-il dit d'un ton penaud en examinant la blessure. Mon cœur aurait cessé de battre. »

Pendant quelques minutes, Alec avait vraiment pensé que Magnus était mort. Alors qu'il s'était si souvent torturé à l'idée de vieillir et de mourir avant lui. Quelle ironie c'eût été s'il avait succombé sur ce champ de bataille ! Qu'est-ce qui lui avait pris d'envisager sérieusement la proposition de Camille pendant ne serait-ce qu'une seconde ?

Il aperçut de la lumière devant lui : la station de City Hall, éclairée par ses lustres et ses verrières. Il était sur le point de rempocher sa pierre de rune quand une voix familière s'éleva derrière lui.

— Alec ! Alexander Gideon Lightwood.

Alec sentit son cœur bondir dans sa poitrine. Il se retourna lentement.

— Magnus ?

Magnus s'avança dans le cercle de lumière diffusé par la pierre de rune. Il semblait d'humeur particulièrement sombre, avec ses cheveux hirsutes, et sa veste jetée par-dessus un tee-shirt, et Alec ne put s'empêcher de se demander s'il avait froid.

— Magnus, répéta-t-il. Je croyais que tu dormais.

— À l'évidence !

Alec avala péniblement sa salive. Il n'avait jamais vu Magnus aussi en colère. Son regard était lointain, impénétrable.

— Tu m'as suivi ? demanda Alec.

— On peut dire ça. Le fait de savoir où tu allais m'a un peu aidé.

D'un geste raide, Magnus sortit une feuille de papier pliée de sa poche. Dans la pénombre, Alec vit seulement qu'elle était couverte d'une écriture appliquée.

— Tu sais, quand elle m'a dit que tu étais venu ici, quand elle m'a parlé du marché qu'elle avait conclu avec toi… je ne l'ai pas crue. Je ne voulais pas la croire. Et pourtant tu es là.

— Camille t'a prévenu…

Magnus l'interrompit d'un geste.

— Tais-toi, dit-il d'un ton las. Bien sûr qu'elle m'a prévenu. Je t'avais pourtant dit qu'elle était experte en manipulation, mais tu ne m'as pas écouté. À ton avis, qui préférait-elle avoir de son côté ? Toi ou moi ? Tu as dix-huit ans, Alexander. Tu n'es pas vraiment un allié indispensable.

— Je lui ai déjà dit que je ne voulais pas tuer Raphaël, protesta Alec. Je venais la prévenir que sa proposition ne m'intéresse pas.

— Et tu as fait tout ce chemin pour ça ? s'exclama Magnus, les sourcils levés. Tu ne crois pas que tu aurais pu lui faire passer le message autrement, en prenant tes distances, par exemple ?

— C'était...

— Et même si tu n'étais venu que pour lui dire qu'il n'y a pas de marché qui tienne, poursuivit Magnus d'un ton terriblement calme, pourquoi maintenant ? Pour lui faire une petite visite de courtoisie ? Explique-toi, Alexander, je n'ai pas tout compris.

Alec avait une boule dans la gorge. Il existait forcément un moyen de faire comprendre à Magnus que s'il était venu voir Camille, c'était parce qu'elle était la seule personne à qui il pouvait parler de lui. La seule qui l'ait connu intimement, la seule qui ait percé à jour ses faiblesses humaines, ses particularités, ses curieuses sautes d'humeur qu'Alec ne savait pas toujours gérer.

— Magnus...

Il fit un pas vers Magnus, et pour la première fois, celui-ci s'écarta. Son attitude était franchement hostile. Il regardait Alec comme un étranger.

— Je suis vraiment désolé, dit-il d'une voix tremblante. Je ne voulais pas...

— J'y ai pensé, moi aussi, tu sais, l'interrompit Magnus. C'était une des raisons pour lesquelles je voulais mettre la main sur le Livre Blanc. L'immortalité peut être un lourd fardeau. Tu penses aux innombrables jours qui t'attendent alors que tu es allé partout, que tu as tout vu. La seule chose que je n'ai pas expérimentée, c'est de vieillir aux côtés de quelqu'un que j'aime. Je me suis dit que ce quelqu'un, ce pourrait être toi. Mais ça ne te donne pas le droit de choisir à ma place.

— Je sais, dit Alec, le cœur battant. Je sais, et je n'avais pas l'intention de le faire...

— Je serai absent toute la journée. Ça te laissera le temps de récupérer tes affaires. Laisse la clé sur la table de la salle à manger. (Il scruta le visage d'Alec.) C'est fini. Je ne veux plus te revoir, Alec. Ni toi ni tes amis. J'en ai assez d'être le sorcier de service.

Les mains d'Alec s'étaient mises à trembler si fort qu'il en laissa tomber sa pierre de rune. La lumière s'éteignit et, tombant à genoux, il se mit à tâtonner parmi la terre et les détritus. Soudain, la lumière revint et il se releva. Il vit Magnus debout devant lui, la pierre de rune à la main. Elle diffusait une étrange lumière colorée.

— Normalement, il faut être un Chasseur d'Ombres pour réussir à la faire marcher, dit Alec sans réfléchir.

Magnus lui tendit la pierre, dont le cœur s'éclairait de reflets rouge sombre rappelant les braises d'un feu. Alec la lui prit des mains et soudain, l'expression du sorcier changea.

— Tu es gelé.

— Ah oui ?

— Alexander…

Magnus l'attira contre lui, et la clarté de la pierre vacilla avant de changer de couleur. Alec n'avait encore jamais observé pareil phénomène. Il appuya sa tête contre l'épaule de Magnus. Le cœur de ce dernier ne battait pas comme un cœur humain ; il était plus lent, plus régulier. Parfois, Alec se disait que c'était la seule constante dans sa vie.

— Embrasse-moi, dit-il.

D'un geste doux, presque absent, Magnus lui caressa la joue. Quand il se pencha pour l'embrasser, Alec perçut son odeur de santal. Il agrippa la manche de sa veste, et la pierre de rune entre eux s'éclaira soudain de reflets rose, bleu et vert.

Ce fut un baiser triste. Quand Magnus recula, Alec s'aperçut que la pierre avait retrouvé son éclat laiteux.

— *Aku cinta kamu*, murmura Magnus.

— Qu'est-ce que ça veut dire ?

— Que je t'aime.

— Mais si tu m'aimes…

— Évidemment ! Et même plus que je le croyais. Mais c'est fini. Ça ne change rien à ce que tu as fait.

— Mais c'était juste une erreur, protesta Alec. Une petite erreur de rien du tout…

Magnus ricana.

— Une petite erreur ? Ça revient à assimiler la première traversée du Titanic à un incident nautique. Alec, tu as essayé d'écourter ma vie.

— C'était juste... Elle m'a fait une proposition, mais j'ai réfléchi et je n'ai pas pu l'accepter... Je ne pouvais pas te faire ça.

— Il a tout de même fallu que tu y réfléchisses ! Et tu ne m'en as même pas parlé. (Magnus secoua la tête.) Tu ne me fais pas confiance.

— Si... Je vais essayer. Donne-moi une autre chance.

— Non, dit Magnus. Et si je peux te donner un conseil : évite Camille. Une guerre se prépare, Alexander, et il ne faudrait pas qu'on doute de ta loyauté, n'est-ce pas ?

À ces mots, Magnus tourna les talons, les mains dans les poches, et s'éloigna lentement, comme un infirme. Alec le regarda jusqu'à ce qu'il se soit fondu dans l'obscurité.

L'été, l'Institut était un endroit frais, mais à présent que l'hiver s'installait, il y faisait chaud. La nef était éclairée par des rangées de cierges qui faisaient miroiter les vitraux. Clary laissa la porte se refermer derrière elle et se dirigea vers l'ascenseur. Elle avait parcouru la moitié de l'allée centrale quand elle entendit un rire derrière elle.

Elle se retourna. Isabelle était assise sur l'un des vieux bancs de la nef, les pieds appuyés sur le dossier des sièges devant elle. Elle portait des cuissardes sur un jean étroit, ainsi qu'un pull rouge qui découvrait une de ses épaules couvertes de symboles noirs. Clary se souvint des paroles de Sébastien, qui n'aimait pas que les femmes abîment leur peau avec des Marques, et frémit intérieurement.

— Tu ne m'as pas entendue t'appeler ? demanda Isabelle. Ce que tu peux être distraite !

Clary s'adossa à un banc.

— Je ne t'ignorais pas, je t'assure.

Isabelle se leva.

— Oh, je sais. C'est pour ça que j'ai employé le mot « distraite » et pas « mal élevée ».

— Tu es là pour me demander de partir ? demanda Clary.

Elle voulait voir Jace. Elle voulait le voir plus que tout au monde. Mais après tout ce qu'elle avait traversé au cours du dernier mois, elle devait reconnaître que le plus important, c'était qu'il soit en vie, et qu'il soit redevenu lui-même. Tout le reste était secondaire.

— Non, répondit Isabelle en se dirigeant vers l'ascenseur, et Clary lui emboîta le pas. Je trouve toute cette histoire ridicule. Tu lui as sauvé la vie.

— Tu as laissé entendre que certaines choses m'échappaient.

— C'est la vérité. (Isabelle appuya sur le bouton de l'ascenseur.) Jace t'expliquera. Je suis venue à ta rencontre parce qu'il y a deux ou trois autres trucs que tu dois savoir.

Clary écouta les craquements et les grincements familiers de la vieille cage d'ascenseur qui se mettait en branle.

— Comme quoi ?

— Mon père est revenu, répondit Isabelle en évitant le regard de Clary.

— Pour vous rendre visite ou pour de bon ?

— Pour de bon.

Isabelle semblait calme, mais Clary se souvint de son chagrin en apprenant que Robert convoitait le poste d'Inquisiteur.

— En fait, Aline et Helen nous ont épargné de sérieux problèmes. On a décidé de venir à votre secours sans en référer à l'Enclave. Ma mère était sûre que si on les mettait au courant, ils enverraient des gens pour tuer Jace. Elle n'a pas pu s'y résoudre. C'est quand même la famille.

L'ascenseur s'arrêta dans un autre grincement ; Clary suivit Isabelle à l'intérieur en réprimant une furieuse envie de la serrer dans ses bras. Elle doutait qu'elle apprécierait.

— Donc Aline a dit au Consul – qui, après tout, est sa mère – qu'on n'avait pas eu le temps d'alerter l'Enclave, qu'elle avait reçu l'ordre de rester en arrière pour l'appeler, mais que le téléphone n'avait pas fonctionné. Bref, elle a raconté un mensonge gros comme elle. Toujours est-il que c'est notre version des faits et qu'on s'y tient. Je ne pense pas que Jia l'ait crue, mais on s'en fiche ; ce n'est pas comme si elle avait à cœur de punir maman. Il lui fallait juste une histoire qui lui permette de ne pas nous sanctionner. Après tout, l'opération n'a pas tourné au désastre. On est allés là-bas, on a récupéré Jace, on a tué la plupart des Chasseurs d'Ombres renégats, et on a mis Sébastien en fuite.

L'ascenseur s'arrêta dans un soubresaut.

— Alors on n'a aucune idée de l'endroit où il se trouve ? demanda Clary. Je m'étais dit, maintenant que j'ai détruit l'appartement – ou la poche dimensionnelle, si tu veux – qu'on pourrait facilement le localiser.

— On a essayé, dit Isabelle. Il est introuvable. D'après les Frères Silencieux, grâce à la magie de Lilith... Eh bien, il est fort, Clary. Très fort. Il faut qu'on garde à l'esprit qu'il est là, qu'il détient la Coupe Infernale, qu'il prépare son prochain coup. (Elle ouvrit la grille de l'ascenseur et sortit.) Tu crois qu'il reviendra pour toi... ou pour Jace ?

Clary hésita.

— Pas tout de suite, répondit-elle enfin. Pour lui, nous sommes les derniers morceaux du puzzle. Il voudra d'abord régler tout le reste. Il veut une armée. Il veut être prêt. Nous sommes un peu... les trophées du vainqueur. Un moyen de combler sa solitude.

— Il doit vraiment se sentir seul, observa Isabelle sans la moindre trace de compassion dans la voix.

Clary songea à Sébastien, à son visage qu'elle s'efforçait d'oublier et qui hantait ses cauchemars.

— Tu n'as pas idée, dit-elle.

Arrivée au pied de l'escalier qui menait à l'infirmerie, Isabelle s'arrêta brusquement.

— C'est comment ? demanda-t-elle.

— Quoi ?

— L'amour. Comment on sait qu'on est amoureuse ? Et comment on sait que l'autre est amoureux ?

— Euh...

— Simon, par exemple. Comment tu as su qu'il était amoureux de toi ?

— Eh bien... il me l'a dit.

— Il te l'a dit ?

Pour toute réponse, Clary haussa les épaules.

— Et avant ça, tu ne t'en doutais pas ?

— Non, vraiment pas, répondit Clary. Isa... si tu as des sentiments pour Simon, ou si tu veux savoir s'il a des sentiments pour toi... tu devrais peut-être lui en parler directement.

Isabelle ôta une peluche imaginaire sur sa manche.

— Pour lui dire quoi ?

— Ce que tu ressens pour lui.

Isabelle se rembrunit.

— Je ne devrais pas avoir à le faire.

Clary secoua la tête.

— Bon sang. Alec et toi, vous êtes pareils...

Isabelle ouvrit de grands yeux.

— Pas du tout ! Moi, je papillonne. Lui, il n'est jamais sorti avec personne avant Magnus. Il est jaloux, pas moi...

— Tout le monde est jaloux, dit Clary d'un ton définitif. Qui vous demande de vous sacrifier ? C'est d'amour qu'il s'agit, pas de la bataille des Thermopyles. Vous n'êtes pas obligés de garder vos sentiments pour vous.

Isabelle leva les bras au ciel.

— Alors tout à coup, tu es devenue une experte ?

— Pas du tout, mais je connais Simon. Si tu ne lui parles pas, il va se dire que tu n'es pas intéressée et il laissera tomber. Il a besoin de toi, Isa, et tu as besoin de lui. Il a aussi besoin que ce soit toi qui le dises.

Avec un soupir, Isabelle commença à gravir les marches. Clary l'entendit marmonner :

— C'est ta faute, tu sais. Si tu ne lui avais pas brisé le cœur...

— Isabelle !

— Quoi ? C'est vrai.

— Oui, et je crois me rappeler que quand il a été transformé en rat, tu étais d'avis de le laisser tel quel.

— Non, c'est faux.

— Si...

Clary se tut. L'escalier débouchait sur un long couloir qui bifurquait dans deux directions. Devant la porte à deux battants de l'infirmerie, elle aperçut la silhouette encapuchonnée d'un Frère Silencieux qui semblait monter la garde dans une position méditative.

Isabelle le désigna d'un geste.

— Et voilà, dit-elle. Bon courage pour passer le barrage.

À ces mots, elle s'éloigna dans le couloir en faisant claquer ses talons.

Avec un soupir, Clary chercha sa stèle pendue à sa ceinture. Elle doutait qu'il existe une Marque susceptible de berner un Frère Silencieux, mais peut-être qu'en s'approchant suffisamment près pour pouvoir tracer une rune de sommeil...

Clary Fray. La voix dans sa tête semblait amusée.

— Frère Zachariah.

Résignée, elle remit sa stèle à sa place et s'avança vers le Frère Silencieux en regrettant qu'Isabelle ne soit pas restée avec elle.

Je présume que tu es venue voir Jonathan.

Frère Jeremiah releva la tête, mais son visage resta dissimulé sous son capuchon.

Au mépris des ordres de la Confrérie.

— S'il vous plaît, appelez-le Jace. C'est trop déroutant.

Jonathan est un joli prénom très emblématique chez les Chasseurs d'Ombres. C'est le premier nom. Les Herondale l'ont toujours perpétué...

— Il n'a pas été baptisé par un Herondale, dit Clary. Et sur la dague qu'il a héritée de son père, on trouve les initiales S.W.H. gravées dans la lame. *Stephen William Herondale.*

Clary fit un autre pas vers Frère Zachariah.

— Vous en savez beaucoup sur les Herondale. Et de tous les Frères Silencieux, c'est vous qui semblez le plus humain. La plupart d'entre eux ne montrent jamais leurs émotions. On dirait des statues. Vous, vous ressentez des choses. Vous vous souvenez de votre vie.

Mais une vie de Frère Silencieux, c'est aussi la vie, Clary Fray. Si tu veux dire par là que je me souviens de ma vie avant la Confrérie, c'est exact.

— Vous avez déjà été amoureux ? Avant d'entrer dans les ordres, je veux dire. Vous avez connu quelqu'un pour qui vous auriez tout donné ?

Il y eut un long silence, puis :

Cela m'est arrivé deux fois. Il est des souvenirs que le temps n'efface pas, Clarissa. Demande à ton ami Magnus Bane, si tu ne me crois pas. L'éternité ne permet pas d'oublier la perte d'un être cher ; à la longue, cela devient juste supportable.

— Eh bien moi, je n'ai pas l'éternité, dit Clary d'une petite voix. S'il vous plaît, laissez-moi voir Jace.

Frère Zachariah ne bougea pas. Elle ne voyait toujours pas son visage dissimulé sous le capuchon de sa robe, dont seules dépassaient ses mains croisées devant lui.

— S'il vous plaît, répéta Clary.

Alec se hissa sur le quai de la station de City Hall et se dirigea au pas de charge vers l'escalier. Dans sa tête, l'image de Magnus disparaissant dans l'obscurité avait laissé place à une idée fixe : tuer Camille Belcourt.

Tout en gravissant l'escalier, il tira un poignard séraphique de sa ceinture puis il surgit dans l'entresol situé sous City Hall Park. Les verrières colorées laissaient entrer la lumière hivernale. Il rempocha sa pierre de rune et brandit son poignard séraphique.

— Amriel, chuchota-t-il, et la lame du poignard s'éclaira.

Il parcourut les lieux du regard. Le canapé était toujours là, mais nulle trace de Camille. Il lui avait envoyé un message pour lui annoncer sa venue, mais maintenant qu'il avait eu vent de sa trahison, il ne s'étonnait pas qu'elle ne l'ait pas attendu. Emporté par sa colère, il donna un coup de botte dans le canapé. Un des pieds céda, et le meuble s'effondra dans un nuage de poussière.

Un petit rire cristallin s'éleva d'un coin de la pièce.

Alec fit volte-face, le poignard séraphique à la main. L'obscurité était si épaisse que même la lumière d'Amriel ne lui permettait pas d'y voir clair.

— Camille ? dit-il d'une voix étonnamment calme. Camille Belcourt. Sors de ta cachette.

Un autre rire retentit, et la silhouette d'une adolescente émergea de la pénombre. Âgée de douze ou treize ans à peine, et très mince, elle portait un jean troué, un tee-shirt rose à manches courtes orné d'une licorne pailletée, et une longue écharpe rose qui, comme son menton et le bas de son tee-shirt, était tachée de sang. Elle observait Alec de ses grands yeux malicieux.

— Je te connais, murmura-t-elle et, tandis qu'elle parlait, il vit ses incisives étinceler. Alec Lightwood. Tu es un ami de Simon. Je t'ai vu à ses concerts.

Il la dévisagea. Et lui, l'avait-il déjà vue ? Peut-être... dans un bar à l'occasion d'un de ces concerts où l'avait traîné Isabelle. Il n'en était pas certain ; mais cela ne signifiait pas pour autant qu'il ignorait à qui il avait affaire.

— Maureen, dit-il. Tu es la Maureen de Simon.

Elle eut un sourire satisfait.

— C'est ça, la Maureen de Simon.

Elle regarda ses mains, qui étaient couvertes de sang comme si elle les avait trempées dans une bassine. Ce n'était pas du sang humain, constata Alec. Cette couleur rubis sombre, c'était forcément du sang de vampire.

— Tu cherches Camille ? fit-elle de sa voix chantante. Mais elle n'est plus là. Oh, non. Elle est partie.

— Partie ? Comment ça, elle est partie ?

Maureen gloussa.

— Tu sais comment ça se passe chez les vampires, pas vrai ? Celui qui tue le chef d'un clan devient chef à son tour. Et Camille dirigeait le clan de New York.

— Quelqu'un l'a tuée ?

Maureen éclata d'un rire joyeux.

— Eh oui. Et ce quelqu'un, c'est moi.

Le plafond voûté de l'infirmerie était peint en bleu et orné d'un motif rococo de nuages blancs et de chérubins traînant dans leur sillage des rubans dorés. Des lits en métal s'alignaient le long des murs et deux grandes verrières laissaient entrer le soleil hivernal, qui ne parvenait pas à réchauffer la pièce glaciale.

Jace était assis sur l'un des lits, le dos appuyé contre un tas d'oreillers. Vêtu d'un jean usé et d'un tee-shirt gris, il avait un livre sur les genoux. Il leva les yeux à l'entrée de Clary et la regarda se diriger vers lui sans un mot.

Le cœur de Clary s'était mis à battre plus vite. Le silence lui semblait soudain oppressant ; arrivée au pied du lit, elle posa les mains sur le cadre en fer et observa Jace. Elle avait tant de fois essayé de le dessiner, de capturer l'essence ineffable de lui-même, mais ses mains n'avaient jamais réussi à reproduire sur le papier ce qu'elle voyait. Il avait retrouvé cette lueur dans le regard – son essence, son âme ou quel que soit le nom qui la désignait – qu'il avait perdue alors qu'il était sous le contrôle de Sébastien.

— Jace…

Il glissa une mèche de cheveux blonds derrière son oreille.

— Tu… Les Frères Silencieux t'ont dit que tu pouvais entrer ?

— Pas exactement.

Il eut un petit sourire.

— Alors quoi ? Tu les as assommés avec une poutre ? L'Enclave ne voit pas d'un bon œil ce genre de chose, tu sais.

— Tu me crois capable de tout ?

Elle vint s'asseoir à côté de lui sur le lit, en partie

pour être au même niveau que lui et en partie pour cacher le fait que ses genoux tremblaient.

— À force, oui, dit-il en reposant son livre.

Ses mots lui firent l'effet d'une gifle.

— Je ne voulais pas te faire de mal, protesta-t-elle dans un souffle. Je suis désolée.

Ils étaient tout près l'un de l'autre, et pourtant elle sentait qu'il essayait de garder ses distances. Elle percevait son hésitation, le non-dit dans ses yeux clairs.

— Je ne voulais pas te faire de mal, répéta-t-elle en s'efforçant de garder un ton calme. Et je ne parle pas seulement du Burren. Je parle aussi du moment où tu m'as dit – où le véritable toi m'a dit – ce que tu voulais faire. J'aurais dû t'écouter, mais ce que je voulais par-dessus tout, c'était te sauver, te sortir de là. Je n'ai pas respecté ta volonté de te rendre à l'Enclave et, par ma faute, on a bien failli finir comme Sébastien. Mais Alec et Isabelle ont dû t'expliquer que Glorieuse lui était destinée. Je n'arrivais pas à l'atteindre avec toute cette foule autour de lui. Et alors j'ai pensé à ce que tu m'avais dit, à savoir que tu préférais mourir que vivre sous son influence. (Sa voix s'étrangla.) Je ne pouvais pas te demander ton avis. J'étais bien obligée de deviner. Il faut que tu saches que ça a été horrible pour moi d'imaginer que tu pouvais mourir par ma main. Ça m'aurait tuée. Mais si j'ai risqué ta vie, c'est parce que j'ai pensé que c'est ce que tu aurais voulu, et qu'après t'avoir trahi une fois je te devais bien ça. Si je me suis trompée... (Elle se tut, et comme il ne réagissait pas, elle sentit son estomac se nouer.)... Eh bien, j'en suis désolée. Je ne vois pas ce que je peux faire pour que tu me pardonnes. Mais je voulais que tu le saches. Je suis désolée.

Elle se tut de nouveau, et cette fois le silence s'étira interminablement.

— Tu peux dire quelque chose ! explosa-t-elle soudain. Ce serait même une très bonne idée.

Jace la considéra d'un air incrédule.

— Si j'ai bien compris, tu es venue ici pour me présenter des excuses ?

Elle sembla prise de court.

— Évidemment.

— Clary, tu m'as sauvé la vie.

— Je t'ai embroché avec une épée. Tu as pris feu.

— C'est vrai, admit-il. Bon, peut-être qu'on n'a pas les mêmes problèmes que les autres couples. (Il fit mine de lui caresser la joue, puis retira précipitamment sa main.) Je t'ai entendue m'appeler, tu sais, ajouta-t-il à mi-voix. Je t'ai entendue me demander d'ouvrir les yeux.

Ils se dévisagèrent en silence pendant ce qui sembla une éternité. Clary était si heureuse de le voir redevenu lui-même qu'elle en oubliait presque sa peur que tout tourne mal d'un instant à l'autre. Il se décida enfin à reprendre la parole :

— À ton avis, pourquoi je suis tombé amoureux de toi ?

C'était la dernière question à laquelle elle s'attendait.

— Je... Ce n'est pas juste de me demander ça.

— Vraiment ? Tu crois que je ne te connais pas, Clary ? Toi, la fille qui est entrée dans un hôtel grouillant de vampires pour sauver son meilleur ami ? Qui a créé un Portail pour se transporter jusqu'à Idris parce qu'elle détestait l'idée de ne pas faire partie du plan ?

— Tu m'as suffisamment grondée pour ça...

— C'était moi que je grondais. On a tellement de points communs ! On est casse-cous. On ne réfléchit pas avant d'agir. On ferait n'importe quoi pour ceux qu'on aime. Et je n'avais jamais mesuré à quel point c'était dur à vivre pour mes proches jusqu'à ce que je me trouve à mon tour dans cette situation. Comment veux-tu que je te protège si tu ne m'en laisses pas la possibilité ? (Il se pencha vers elle.) Au fait, c'est une question rhétorique.

— Tant mieux. Parce que je n'ai pas besoin qu'on me protège.

— J'étais sûr que tu dirais ça. Et pourtant, si : tu as parfois besoin d'être protégée. Moi aussi, d'ailleurs. On doit se protéger l'un l'autre, mais pas de la vérité. C'est la seule façon d'aimer quelqu'un tout en le laissant être lui-même.

Clary baissa les yeux. Comme elle avait envie de le toucher ! Elle avait l'impression, comme dans les parloirs des prisons, d'être séparée de lui par une paroi de verre incassable.

— Je suis tombé amoureux de toi parce que tu es l'une des personnes les plus courageuses que j'aie jamais rencontrées, poursuivit-il. Je ne peux donc pas t'en faire le reproche. Tu es venue pour moi. Tu m'as sauvé alors que tous les autres ou presque avaient renoncé. Tu crois que je ne sais pas ce que tu as traversé ? (Le regard de Jace s'assombrit.) Comment tu as pu imaginer que je pourrais t'en vouloir ?

— Mais alors, pourquoi tu ne voulais pas me voir ?

— Parce que… (Jace soupira.) OK, bonne question. Il y a quelque chose que tu ne sais pas. L'épée dont tu t'es servie, celle que Raziel a donnée à Simon…

— Glorieuse, dit Clary. L'épée de l'archange Michel. Elle a été détruite.

— Non. Elle est retournée d'où elle venait une fois que le feu sacré l'a consumée. (Jace eut un petit sourire.) Sans quoi notre Ange aurait eu quelques explications à fournir en haut lieu. Mais je digresse. Quand l'épée a brûlé… ce n'était pas un feu ordinaire.

— Ça je m'en doute.

Clary avait envie que Jace la serre contre elle. Mais il semblait vouloir garder ses distances, aussi elle ne bougea pas, malgré la torture qu'elle éprouvait d'être aussi près de lui sans pouvoir le toucher.

— J'aurais préféré que tu ne portes pas ce sweat-shirt, marmonna Jace.

— Hein ? Je croyais que tu l'aimais bien.

— Et c'est le cas, fit-il en secouant la tête. Aucune importance. Ce feu… c'était le feu céleste : le buisson ardent, « le feu et le soufre », la colonne de feu qui apparut aux enfants d'Israël. « Car le feu s'est allumé en ma colère, et a brûlé jusqu'au fond des plus bas lieux, et a dévoré la terre et son fruit, et a embrasé les fondements des montagnes. » C'est ce feu-là qui m'a guéri de ce que Lilith m'avait fait.

Il souleva son tee-shirt, et Clary retint son souffle : au-dessus de son cœur, il n'y avait plus de marque ; ne restait que la cicatrice blanche laissée par l'épée.

Elle tendit la main pour le toucher mais il recula en secouant la tête.

— Clary… ce feu-là, il brûle encore en moi.

Elle le dévisagea sans comprendre.

— Qu'est-ce que tu veux dire ?

Il soupira et tendit les mains vers elle. Elle contempla ces mains fines et familières ; sur la droite, la rune de Voyance s'était estompée et des cicatrices blanches la recouvraient. Sous le regard incrédule de Clary, elles commencèrent à trembler et à devenir transparentes. Telle Glorieuse quand elle s'était embrasée, la peau de Jace ressemblait maintenant à du verre emprisonnant de l'or en fusion. Elle distinguait les contours de son squelette à travers sa peau diaphane, ses os dorés reliés par des tendons de feu.

Leurs regards se croisèrent. Les iris de Jace étaient eux aussi couleur or ; ils avaient toujours eu une nuance mordorée mais cette fois, Clary aurait juré que leur couleur était aussi changeante que ses os. Il respirait péniblement, et des gouttes de sueur brillaient sur ses joues.

— Tu as raison, dit-elle. On n'a pas vraiment les mêmes problèmes que Monsieur Tout-le-monde.

Jace serra lentement les poings et il retrouva son apparence ordinaire.

— C'est tout ce que tu trouves à dire ? répondit-il avec un rire étranglé.

— Non, j'ai quelques questions aussi. Qu'est-ce qui t'arrive ? Tu es devenu la Torche humaine ? Qu'est-ce qui…

— Je ne sais pas ce que c'est que cette Torche humaine dont tu parles, mais les Frères Silencieux prétendent que je porte en moi le feu céleste. Qu'il circule dans mes veines et dans mon âme. Quand je me suis réveillé, j'avais l'impression de souffler de la lave à chaque fois que je respirais. Alec et Isabelle pensaient que c'était juste un effet secondaire, mais ça ne passait pas, et Frère Zachariah a émis des doutes sur l'aspect temporaire de la chose. Je l'ai brûlé ; il m'a touché la main en me parlant, et j'ai senti une décharge d'énergie me parcourir le corps.

— Tu l'as gravement brûlé ?

— Non, juste superficiellement. Mais quand bien même...

— C'est pour cette raison que tu ne veux pas me toucher, dit Clary, comprenant soudain. Tu as peur de me brûler, moi aussi.

Il hocha la tête.

— Personne n'a jamais vu ça, Clary. L'épée ne m'a pas tué, mais elle a laissé en moi une chose terrible et si puissante qu'elle pourrait probablement tuer un être humain, voire un Chasseur d'Ombres. (Il soupira.) Les Frères Silencieux essaient de découvrir comment je pourrais la contrôler voire m'en débarrasser. Mais, comme tu l'imagines, je ne suis pas leur priorité.

— Sébastien passe avant, je suppose. On a dû te dire que j'avais détruit l'appartement. Je sais qu'il peut survivre sans, mais...

— Ça, c'est ma Clary ! Malheureusement, il a d'autres cachettes. Je ne les connais pas. Il ne m'a pas mis dans la confidence. (Il se pencha assez près pour qu'elle voie changer la couleur de ses yeux.) Depuis mon réveil, les Frères Silencieux sont restés en permanence à mon chevet. Ils ont dû refaire les rituels de protection que l'on accomplit à la naissance d'un

Chasseur d'Ombres. Puis ils ont sondé mon esprit au cas où j'aurais oublié des détails concernant Sébastien. Mais… (Jace secoua la tête, l'air frustré.) Il n'y a plus rien. Je savais pour la cérémonie dans le Burren. En revanche, je n'ai aucune idée de ce qu'il a prévu ensuite. Ils savent qu'il est de mèche avec les démons, donc ils surveillent les boucliers, en particulier autour d'Idris. Mais j'ai l'impression qu'un détail utile m'échappe, un secret que j'aurais perdu.

— Si tu savais quelque chose, Jace, il aurait modifié ses plans, objecta Clary. Il sait qu'il t'a perdu. Vous étiez liés. Je l'ai entendu crier quand je t'ai transpercé avec l'épée. (Elle frissonna.) Quelle tristesse, ce cri. Je pense qu'il tenait vraiment à toi, bizarrement. Et même si toute cette histoire était horrible, on en a tous les deux tiré quelque chose d'utile.

— Et de quoi s'agit-il ?

— On le comprend. Enfin, si c'est possible. Et ce n'est pas quelque chose qu'il peut effacer en changeant de plan.

Jace acquiesça.

— Tu sais qui d'autre j'ai l'impression de comprendre ? Mon père.

— Valen… non, dit Clary en voyant l'expression de son visage. Tu veux parler de Stephen ?

— J'ai lu ses lettres. J'ai examiné les objets contenus dans la boîte qu'Amatis m'a donnée. Il m'a écrit une lettre, tu sais. Une lettre qu'il voulait que je lise après sa mort, et dans laquelle il me demandait d'être un homme meilleur que lui.

— C'est déjà le cas, dit Clary. Pendant ces quelques

minutes où tu as été toi-même dans l'appartement, tu t'es davantage soucié de m'aider que de sauver ta peau.

— Je sais, murmura Jace en regardant ses mains couturées de cicatrices. C'est ça le plus drôle. Je sais. J'ai toujours beaucoup douté de moi, mais maintenant je connais la différence entre Sébastien et moi, ou Valentin et moi. Voire les différences entre eux deux. Valentin croyait sincèrement qu'il agissait pour le bien. Il haïssait les démons. Mais la créature que Sébastien considère comme sa mère en est un. Il veut régner sur une race de Chasseurs d'Ombres malfaisants à la solde des démons et sacrifier les humains ordinaires à leurs plaisirs. Valentin croyait encore qu'il était du devoir des Chasseurs d'Ombres de protéger les Terrestres ; Sébastien, lui, les considère comme des cafards et ne veut protéger personne. La seule émotion dont il soit capable, c'est la colère de voir ses plans contrecarrés.

Clary réfléchit. Elle avait vu l'attitude de Sébastien avec Jace et avec elle, et elle savait désormais qu'au fond de lui, il souffrait d'une solitude abyssale. C'était ce qui le motivait, au même titre que sa soif de pouvoir : cette solitude, conjuguée au besoin d'être aimé. Il n'avait pas compris, cependant, que l'amour était un sentiment qui se méritait.

Mais elle se contenta de répondre :

— Eh bien, on va tout faire pour le mettre en colère.

Jace esquissa un sourire.

— Tu sais à quel point je préférerais que tu te tiennes à l'écart de tout ça, hein ? La bataille va être rude. Plus rude que ce que s'imagine l'Enclave.

— Mais tu ne feras aucune objection parce que tu n'es pas si bête, lança Clary.

— Parce que tu penses qu'on aura besoin de tes pouvoirs en matière de runes ?

— D'une part. Et d'autre part... tu as oublié ce que tu viens de dire ? On n'est pas censés se protéger l'un l'autre ?

— Sache que j'ai répété mon discours devant une glace avant que tu arrives.

— Et ce discours, à quoi il a servi, hein ?

— Je ne sais pas trop, admit Jace, mais je me suis trouvé très beau en le répétant.

— J'avais oublié à quel point tu peux être agaçant quand tu n'es pas possédé, marmonna Clary. Dois-je te rappeler ce que tu m'as dit ? À savoir que tu dois accepter de ne pas pouvoir me protéger de tout ? Le seul moyen de se protéger l'un l'autre, c'est d'affronter les choses ensemble. Et de se faire confiance. (Elle le regarda droit dans les yeux.) Je n'aurais pas dû t'empêcher d'aller trouver l'Enclave. Je dois respecter les décisions que tu prends et inversement. Parce qu'on va faire un bout de chemin ensemble, et c'est le seul moyen pour que ça marche.

Jace rapprocha sa main de la sienne sur le lit.

— J'ai l'impression d'avoir vécu un mauvais rêve. Cet endroit dingue... ce placard rempli de vêtements pour ta mère...

— Alors tu t'en souviens ?

Il effleura sa main du bout des doigts, et elle sursauta.

— Je me souviens de tout. Du bateau à Venise. Du club à Prague. De cette nuit-là à Paris, où je suis redevenu moi-même.

Clary sentit ses joues s'empourprer.

— D'une certaine manière, on a vécu des choses qu'on est seuls à pouvoir comprendre, poursuivit-il. Et ça m'a fait mesurer à quel point on a besoin l'un de l'autre. (Il leva les yeux vers elle ; il était pâle et des flammes dansaient dans son regard.) Je vais tuer Sébastien, dit-il. Pour ce qu'il m'a fait, pour ce qu'il t'a fait, pour ce qu'il a fait à Max, et pour ce qu'il risque de faire encore. L'Enclave veut le voir mort, et ils vont le pourchasser, mais je veux être celui qui lui portera le coup fatal.

Elle lui caressa la joue, et il frémit sous ses doigts en fermant les yeux à demi. Elle s'attendait que sa peau soit brûlante, mais elle était fraîche au toucher.

— Et si c'est moi qui le tue ?

— C'est un peu pareil, non ?

Il l'examina de la tête aux pieds pour ce qui lui sembla la première fois depuis son entrée dans la pièce. Quand leurs regards se croisèrent de nouveau, Clary avait la bouche sèche.

— Tu te souviens du jour où je t'ai dit que j'étais sûr à quatre-vingt-dix pour cent que tu pouvais supporter une rune ? Tu m'as giflé et quand je t'ai demandé pourquoi, tu m'as répondu : « Pour les dix pour cent qui restent. »

Clary hocha la tête.

— J'avais toujours pensé qu'un démon finirait par avoir ma peau, poursuivit-il. Mais j'ai senti ce jour-là que j'en mourrais si je ne t'embrassais pas.

— Tu l'as fait, dit Clary. Tu m'as embrassée.

— Je pourrais passer le reste de ma vie à t'embrasser, et pourtant ça ne suffirait pas, reprit-il en se rapprochant d'elle.

Des souvenirs de Paris surgirent dans l'esprit de Clary. Elle se revit pendue au cou de Jace comme si c'était la dernière fois qu'elle pouvait se lover dans ses bras. Ses lèvres, à quelques millimètres des siennes, les effleurèrent, d'abord timidement puis avec plus d'audace, quand soudain... Elle éprouva une sensation étrange à son contact – oh, rien de douloureux, une légère décharge d'électricité statique. Il recula brusquement, les joues cramoisies.

— Il va peut-être falloir qu'on règle ça rapidement, dit-il.

— Oui, fit Clary, troublée.

Le regard fixé droit devant lui, il peinait à reprendre son souffle.

— J'ai quelque chose à te donner.

— J'avais compris.

À ces mots, il sourit malgré lui.

— Non, pas ça.

Il écarta le col de sa chemise, et Clary vit briller l'anneau des Morgenstern à son cou. Il fit passer la chaîne par-dessus sa tête et la déposa dans sa main.

— Alec l'a récupéré auprès de Magnus. Tu as encore envie de le porter ?

La main de Clary se referma sur la chaîne et l'anneau.

— Toujours.

Jace sourit et, timidement, elle posa la main sur son épaule. Il retint son souffle, mais ne fit pas mine de se dérober à sa caresse. Peu à peu, la tension de son corps se relâcha et ils s'appuyèrent l'un contre l'autre.

Il s'éclaircit la voix avant de reprendre la parole.

— Tu sais, ce qu'on a failli faire à Paris…

— Tu veux dire aller visiter la tour Eiffel ?

— Tu ne laisses rien passer, hein ? Ça fait partie de ce que j'aime chez toi. Bref, cette autre chose qu'on a failli faire à Paris… il n'en est pas question pour le moment. À moins que tu veuilles avoir un coup de chaud au sens littéral du terme.

— Alors on ne s'embrasse plus ?

— Si, enfin, peut-être. Mais pour le reste…

— Moi, ça me va si ça te va.

— Je ne peux pas dire que ça m'aille. Je te rappelle que je suis un garçon de dix-sept ans. Pour moi, c'est la pire chose qui me soit arrivée depuis que j'ai découvert pourquoi Magnus avait été chassé du Pérou. (Son regard se radoucit.) Mais ça ne change rien pour nous. J'ai toujours eu l'impression qu'il me manquait un petit bout d'âme, mais je l'ai trouvé en toi. Quand je suis avec toi, je ne me sens plus seul.

Elle ferma les yeux pour qu'il ne les voie pas se remplir de larmes. Soudain, elle éprouva un tel soulagement que ses inquiétudes au sujet de Sébastien et d'un avenir plus qu'incertain se trouvèrent reléguées au second plan. La seule chose qui comptait en cet instant, c'était qu'ils soient réunis, et que Jace soit redevenu lui-même.

— J'aurais vraiment préféré que tu ne mettes pas ce sweat-shirt, lui glissa-t-il à l'oreille.

— C'est un bon entraînement, répliqua-t-elle. Demain, je mets des bas résille.

Et soudain, le rire chaleureux et familier de Jace s'éleva dans la pièce.

— Frère Enoch, dit Maryse en se levant de son bureau. Merci d'être venu aussi vite.

C'est au sujet de Jace ? s'enquit Frère Zachariah et, l'espace d'une seconde, Maryse crut percevoir une certaine anxiété dans sa voix. *Je lui ai rendu visite plusieurs fois aujourd'hui. Son état est stationnaire.*

Frère Enoch s'avança. *Quant à moi, j'ai fouillé les archives et les documents anciens ayant trait au feu céleste. J'ai trouvé un moyen de le délivrer de ce fardeau, mais il faudra être patient. Il est inutile de nous contacter. Si nous avons du nouveau, nous vous préviendrons.*

— Cela ne concerne pas Jace, dit Maryse en contournant le bureau pour aller à leur rencontre. C'est un tout autre sujet qui m'amène.

Elle baissa les yeux. Un tapis avait été négligemment jeté sur le motif raffiné du carrelage représentant la Coupe, l'Épée et l'Ange. Il formait une bosse irrégulière, comme s'il recouvrait un objet. Maryse se pencha pour soulever un coin du tapis.

Bien entendu, les Frères Silencieux ne manifestèrent aucune surprise ; ils ne pouvaient pas articuler un son. Mais une cacophonie, l'écho psychique de leur horreur et de leur stupéfaction, résonna dans l'esprit de Maryse. Frère Enoch recula d'un pas et Frère Zachariah se cacha le visage dans les mains comme pour soustraire ses yeux aveugles à cette macabre découverte.

— Cette chose n'était pas là ce matin, dit Maryse. Mais quand je suis revenue cet après-midi, elle m'attendait.

De prime abord, elle avait cru qu'il s'agissait d'un énorme oiseau tombé dans la bibliothèque après avoir heurté une des hautes fenêtres. Mais en se rapprochant, elle avait compris de quoi il s'agissait vraiment. Elle ne fit pas allusion au choc viscéral qu'elle avait ressenti alors, ni au fait qu'elle avait titubé jusqu'à la fenêtre pour vomir.

Ce qu'elle avait d'abord pris pour un oiseau était en réalité une paire d'ailes blanches aux reflets changeants – argent pâle, violet, bleu sombre – dont chaque plume était soulignée d'or. À la base des ailes se trouvait une immonde bouillie d'os et de tendons. C'étaient bel et bien des ailes d'ange prélevées sur un ange vivant. De l'ichor angélique, semblable à de l'or liquide, maculait le sol.

Une feuille de papier pliée adressée à l'Institut de New York avait été jointe à l'horrible présent. Après s'être aspergé le visage d'eau froide, Maryse l'avait dépliée pour la lire. Elle ne contenait qu'une phrase, ainsi qu'une signature qui lui parut étonnamment familière parce qu'elle lui rappelait l'écriture nette et déliée de Valentin. Mais ce n'était pas le nom de Valentin qui figurait au bas de la feuille. C'était celui de son fils.

Jonathan Christopher Morgenstern.

Elle tendit la feuille de papier à Frère Enoch. Il la déplia à son tour et lut le mot de grec ancien griffonné en haut de page.

Erchomai.

« J'arrive. »

Notes

Page 272, la phrase en latin récitée par Magnus pour invoquer Azaël, qui commence par : « *Quod tumeraris : per Jehovam, Gehennam* », est extraite de la *Tragique Histoire du docteur Faust* de Christopher Marlowe.

Pages 443-445, les fragments de la ballade que Magnus écoute dans la voiture sont extraits de « *Alack, for I Can Get No Play* » d'Elka Cloke, avec la permission de l'auteur. Elkacloke.com

Le tee-shirt CLEARLY I HAVE MADE SOME BAD DECISIONS est inspiré de la BD de mon ami Jeph Jacques visible sur questionablecontent.net. Il est en vente sur le site topatoco.com. L'idée de *Magical Love Gentleman* est aussi de lui.

Remerciements

Comme toujours, je dois remercier ma famille : mon mari Josh ; mon père et ma mère, ainsi que Jim Hill et Kate Connor ; Melanie, Jonathan et Helen Lewis ; Florence et Joyce. Mille mercis à mes premiers lecteurs et critiques Holly Black, Sarah Rees Brennan, Delia Sherman, Gavin Grant, Kelly Link, Ellen Kushner, Sarah Smith, et en particulier à Holly, Sarah, Maureen Johnson, Robin Wasserman, Cristi Jacques et Paolo Bacigalupi qui m'ont aidée à élaguer certaines scènes. Maureen, Robin, Holly, Sarah, vous êtes toujours là pour écouter mes doléances, vous êtes des stars ! Merci à Martange de m'avoir aidée sur les passages en français et à mes fans indonésiens pour la déclaration de Magnus à Alec. Comme toujours, Wayne Miller m'a aidée pour les traductions latines, et Aspasia Diafa et Rachel Kory m'ont donné un coup de main pour le grec ancien. Mon agent, Barry Goldblatt, mon éditrice, Karen Wojtyla et sa complice Emily Fabre m'ont une fois de plus apporté une aide inestimable. Merci également à Cliff Nielson et Russell Gordon pour leur belle couverture, et aux équipes de

Simon & Schuster et de Walker Books pour avoir accompli le reste.

The Mortal Instruments : Les âmes perdues a été écrit dans le cadre du programme Scrivener dans la ville de Goult, en France.

Ouvrage composé par
PCA - 44400 Rezé

Dépôt légal : mai 2014

Pocket Jeunesse, une marque d'Univers Poche,
est un éditeur qui s'engage pour
la préservation de son environnement
et qui utilise du papier fabriqué à partir
de bois provenant de forêts gérées
de manière responsable.

www.pocketjeunesse.fr
PKJ • POCKET JEUNESSE

12, avenue d'Italie – 75627 PARIS Cedex 13